国家出版基金项目
“十三五”国家重点出版物出版规划项目
安徽省文化强省建设专项资金项目

罪与罚

Преступление и наказание

［俄］陀思妥耶夫斯基◎著
力　冈　袁亚楠◎译
白春仁◎校

安徽师范大学出版社
·芜湖·

图书在版编目(CIP)数据

罪与罚 / (俄罗斯)陀思妥耶夫斯基著; 力冈, 袁亚楠译;白春仁校. —芜湖: 安徽师范大学出版社, 2018.1

(力冈译文全集;18)

ISBN 978-7-5676-3274-5

Ⅰ. ①罪… Ⅱ. ①陀… ②力… ③袁… ④白… Ⅲ. ①长篇小说 - 俄罗斯 - 近代 Ⅳ. ①I512.44

中国版本图书馆CIP数据核字(2017)第258893号

罪与罚 [俄]陀思妥耶夫斯基◎著 力 冈 袁亚楠◎译 白春仁◎校
ZUI YU FA

责任编辑: 吴顺安 何章艳
装帧设计: 刘 畅 桑国磊
出版发行: 安徽师范大学出版社
芜湖市九华南路189号安徽师范大学花津校区
网 址: http://www.ahnupress.com/
发 行 部: 0553-3883578 5910327 5910310(传真)
印 刷: 浙江新华数码印务有限公司
版 次: 2018年1月第1版
印 次: 2018年1月第1次印刷
规 格: 880 mm×1230 mm 1/32
印 张: 23.75
字 数: 557千字
书 号: ISBN 978-7-5676-3274-5
定 价: 158.00元

力冈先生文学翻译的历史意义

——序《力冈译文全集》

刘文飞
中国俄罗斯文学研究会会长

在力冈先生诞辰91周年的今天，在力冈先生去世20年后的当下，在洋洋19卷23册的《力冈译文全集》面世的此刻，我们终于可以试着归纳一下他的文学翻译所具有的历史意义了。

一

力冈先生的文学翻译苦行僧形象是具有典型意义和感召力量的，这是中国老一辈俄苏文学翻译家留下的一个苍凉背影，也是他们为自己建起的一座“非人工的纪念碑”。翻译是一项苦差事，是需要坐冷板凳的，是一项付出和回报往往不成正比的工作，是一种注定要与孤独和寂寞为伴的工作。文学翻译至少需要出色地掌握两种语言，而好的外语或许能让人找到另外一种更为轻松、更有利可图的工作，好的翻译家若用其母语来进行创作，大约自己也能写出像样的文学作品来。可是，文学翻译似乎像电子游戏、像吸食鸦片一样是一种能让人上瘾的事情，一旦上手，一旦品味到其中的甘苦，往往便欲罢不能。始自玄奘的翻译姿态和翻译精神，似乎成了中国一代又一代译者的宿命，即专注和吃苦，苦修和执着。

力冈先生1926年生于山东乡间，自幼失去母亲，生活贫苦，到他上中学时，家乡被日寇占领，他流亡河南、甘肃、陕西等地。1950年，他考入哈尔滨外国语专门学校俄语专业，毕业后志愿来到安徽师范大学任教，不久就开始了文学翻译工作，陆续在报刊上发表一些短篇译作，至1956年，他的单行本译作《里雅希柯小说集》已由上海新文艺出版社推出。然而次年，他便在反右运动中蒙冤，被开除公职，押往新生耐火材料厂劳教。1960年7月，他因“劳动表现突出”被摘掉右派帽子，重返学校，他在教学之余立即重拾译笔，在短短数月间便译出苏联作家艾特马托夫的中篇小说《查密莉雅》，这篇译作在《世界文学》杂志1961年第10期刊出，引起轰动，“力冈”这一译家大名从此进入人们的视野。就在力冈先生准备大展宏图、施展拳脚的时候，“文化大革命”却突如其来，1968年，他再度被逐出校园，下放至宣城地区新田公社劳动改造，直到“文革”结束后的1978年方得以重返讲台，此时他已过天命之年，用他自己的话说就是：“噩梦醒来，已是人生的黄昏。”文学翻译需要天赋，但也是一种力气活，在对于一位翻译家而言的黄金时期，即30—50岁，力冈先生却两度蒙冤，两度再拾译笔，重新开始，这需要何等的勇气和坚韧！他两落三起的翻译经历，几乎就是20世纪五六十年代中国的俄苏文学翻译家们跌宕起伏的人生经历的缩影，就是那一时代中国知识分子命运的象征。令人惊讶的是，重返译坛的力冈先生以超乎常人的工作激情和翻译速度，在1978年后的20年间陆续出版20余部译著，平均每年一部，总字数达700余万。在20世纪80年代，最初几部译著的出版使力冈先生挣到了以当时标准看相当不菲的稿酬，甚至成为所谓“万元户”，但他似乎无暇也无意去享受自己的劳动成果，依然粗茶淡饭，素衣裹身，与此同时却以更大的热情继续译事，终日伏案，不懈地爬格子。1997年2月，力冈先生因肝癌病在芜湖弋矶山医院逝世，据家人说，他在生命的最后时刻仍在念叨着未译完的最后一部译作《罪与罚》。我们或许可以说，他是被文学翻译累死的；我们肯定可以说，文学翻译是他最为看重的毕生事业。

力冈先生少年时四处漂泊，中年时命运多舛，老年时病魔缠身，他的一生似乎都不是给最需要安宁和平静的翻译家所准备的；力冈先生的职业是教师，他偏居小城，又不善交际，这些似乎都不构成他迅速成长为一位全国著名翻译家的前提条件。但是，正如吴笛教授在他纪念力冈先生的文章中所言：“他的一生就是用出人意料的成就表现了悲怆的境界。面对种种意想不到的遭遇和不公，他并没有沉沦，也没有片面地记恨，而是在艰难的岁月中怀着对人性的憧憬，将厄运升华为创作的动力，在逆境中不忘呼唤人性和仁爱，将种种遭遇视为生命中的财富，在悲怆的境界中抒写诗意人生，毫不气馁地追求生命的意义，在自己所献身的俄罗斯文学翻译事业中，做出了杰出的贡献。”

普希金说过：“译者是文明的驿马。”笔者曾对此说法加以引申：“如果说广义的译者是文明的驿马，那么专事文学翻译的人士便是‘文学的驿马’了。凑巧的是，在汉语中，译者的‘译’和驿马的‘驿’不仅同音，而且在词源、词形和词义上也很相近，区别似乎仅在于后者为‘马儿’而前者是‘文人’（言者）。……用在驿站间往复奔波的马儿来形容译者，每个有过译事经验的人大约都能在这个比喻中品味出某种艰苦和辛酸，甚至是束缚和无奈。……既要有出众的能力还要有忍辱负重的秉性，日复一日的奔波只能换得微薄的粮草，还得时刻提防路途中遍布的坑洼和沼泽，能善此业者非驿马莫属也。”力冈先生就是这样一匹忍辱负重、砥砺前行的“文学的驿马”。力冈先生以他的作为告诉我们，文学翻译是一项可以托付终生的事业，是一种富有意义的存在方式；力冈先生及其文学翻译活动是一种燃烧生命的举动，一个与命运抗争的典范，同时是他的翻译意志奏出的一曲凯歌。

二

力冈先生是在中国改革开放的热潮中展开他最积极的翻译活动的，他的大部分译作出版于20世纪80年代。浏览一下力冈先生的译作书目，可以发现出版于80年代的译著有十余部之多，计有格鲁兹杰夫的《高尔基传》（与济凯合译，江西人民出版社1980年版）、冈察尔的《爱的归宿》（安徽人民出版社1983年版）、巴巴耶夫斯基的《野茫茫》（浙江文艺出版社1983年版）、艾特马托夫的《白轮船》（外国文学出版社1984年版）、阿列克谢耶夫的《儿时伙伴》（山东文艺出版社1984年版）、波利亚科夫的《别林斯基传》（黑龙江人民出版社1985年版）、普希金的《暴风雪》（春风文艺出版社1985年版）、肖洛霍夫的《静静的顿河》（漓江出版社1986年版）、帕斯捷尔纳克的《日瓦戈医生》（与冀刚合译，漓江出版社1986年版）、帕斯捷尔纳克的《含泪的圆舞曲——帕斯捷尔纳克诗选》(与吴笛合译,浙江文艺出版社1988年版)、卡里姆的《悠悠儿时情》(安徽文艺出版社1989年版)和格罗斯曼的《风雨人生》(漓江出版社1991年版)等。从这个目录还可以看出,力冈这一时期的译作总体上以苏联当代文学作品为主要翻译对象。

20世纪80年代是中国当代史上的一个特殊时期,那是一个文化转型期,甚至可以说是中国现当代的一场文艺复兴,是一个文化觉醒的黄金时期。在那场汹涌壮阔的思想解放运动中,在整个改革开放后中国当代文化的建构过程中,对外国文学和外国文化的翻译和介绍起到了无可替代的重要作用,中国当今的现代化,从某种意义上说就是一种"被翻译过来的现代化"。那是一个文学的时代,也是一个翻译文学的时代;那是一个开放的时代,更是一个对外国优秀文学和文化开放的时代,在精神上饥寒交迫的国人首度面对外国文学的盛宴,饕餮之余,最应该感谢的就是那一时代的翻译家。在中国改革开放后出现的外国文学翻译热潮中,俄苏文学也是重要的译介对象之一,力冈先生的译著也和其他众多翻译作品一样,是对改革事业的添砖加瓦,是为思想解放运动注入的燃料,对当时中国社会的文化重建、国民文化性格的重塑起到了重要作用。

中国的俄国文学翻译始自19世纪末,在五四时期出现第一个高潮,如今人们在探讨五四运动的起因时,常将俄国的文学与德国的马克思主义和法国的启蒙思想并列为三大思想资源,由此不难看出俄国文学在当时中国社会所发挥的强大思想作用。后来,在抗日战争时期,在新中国成立之后的50—60年代,俄苏文学再度发挥“军火”和“样板”功能，而在改革开放时期，包括俄苏文学在内的外国文学，又一次成为国人解放思想、放眼世界的意识形态工具和思想武器。如果说，鲁迅那一代翻译家是“给起义的奴隶偷运军火”的人，那么，改革开放时期的这一代中国翻译家同样是为国人“盗火”的普罗米修斯，功莫大焉，没有包括力冈先生在内的这一代翻译家的辛勤工作，国人的思想解放就是难以想象的。如果我们把出生在19、20世纪之交的翻译家如鲁迅、瞿秋白、蒋光慈、茅盾、巴金、耿济之等视为中国第一代俄国文学翻译家，那么20世纪第一个十年前后出生的姜椿芳、曹靖华、戈宝权、查良铮、汝龙、满涛、叶水夫等就是第二代，而力冈以及去年去世的草婴和刚刚去世的高莽等人则构成中国的俄国文学翻译家的第三代方阵，这一代翻译家同样以自己的辛勤努力为中国的思想启蒙和文化构建做出了历史性的贡献。

中国第三代俄国文学翻译家的工作也对当代中国文学的发展进程产生了深远影响。在20世纪80年代初起，俄苏文学在中国的译介出现一个“井喷”现象，十余年间，全国近百家出版社先后出版的俄苏文学作品多达近万种，在译作的种类和印数上，可能要高出此前所有同类出版物的总和。在这样一种铺天盖地的外国文学译介热潮中，受益的不仅仅是中国的读者，自然也包括中国的作家。王蒙在他的《青春祭》（作家出版社2006年版）一书中写道：“我们这一代中国作家中的许多人，特别是我自己，从不讳言苏联文学的影响。是爱伦堡的《谈谈作家的工作》在50年代初期诱引我走上写作之途。是安东诺夫的《第一个职务》与纳吉宾的《冬天的橡树》照耀着我的短篇小说创作。是法捷耶夫的《青年近卫军》帮助我去挖掘新生活带来的新的精神世界之美。在张洁、蒋子龙、李国文、从维熙、茹志鹃、张贤亮、杜鹏程、王汶石直到铁凝和张承志的作品中，都不难看到苏联文学的影响。张贤亮的《肖尔布拉克》、张承志的《黑骏马》以及蒋子龙的某些小说都曾被人具体地指认出苏联的某部对应的文学作品；这里，与其说是作者一定受到了某部作品的直接启发，不如说是整个苏联文学的思路与情调、氛围的强大影响力在我们的身上屡屡开花结果。”这里提到的张承志，就对力冈先生的译作赞不绝口，曾感慨：“我恨不得倒背如流！”由此不难窥见力冈先生的译作对改革开放时期中国作家产生的影响。

三

1984年，漓江出版社推出力冈先生重译的《静静的顿河》，这是新时期名著重译的第一部，而自90年代起，力冈先生更将名著重译当成首要任务，相继重译了多部俄国文学经典，如托尔斯泰的《复活》（译林出版社1992年版）和《安娜·卡列尼娜》（浙江文艺出版社1992年版）、屠格涅夫的《猎人笔记》（河北教育出版社1994年版）、莱蒙托夫的《当代英雄》（河北教育出版社1994年版）等，他作为翻译家的最后一项工作，就是重译陀思妥耶夫斯基的《罪与罚》。力冈先生是俄国文学经典著作重译的倡导者和先行者之一，他几乎将他翻译艺术炉火纯青的最后十年都用在了名著重译上。

文学名著重译始终是译界的一个有趣话题。中外文学史上的名作原著，无论出现在什么时代，一代又一代读者捧读的均为同一个文本，而文学名著的译本，即便是著名的译本，却常常会随着时间的推移而“衰老”，会被所谓“新译”所取代。日本著名斯拉夫学者、契诃夫的日译者沼野充义有一次曾对笔者说，被译成日语的契诃夫作品每20—25年便要新译一次，以适应新一代的读者。他的话让笔者大吃一惊，可转而一想，外国文学作品的汉译其实也有着大致相同的命运，尽管其存活期未必一定就是20—25年。汉语文学中的原创名著，如唐诗宋词元曲，如《三国演义》《水浒》《西游记》《红楼梦》，自然在任何时代都不需要也不允许做任何文字加工，可汉语文学中的翻译名著，即便是近现代翻译大家们的著名译作，如严复译的《天演论》、林纾和魏易译的《黑奴吁天录》、鲁迅译的《死魂灵》等，如今也会让人觉得不无“过时”之感，至少会让当下的读者阅读不畅。也就是说，文学名著是永恒的，不朽的，它们的译作却是相对短命的。笔者曾在一篇文章中对名著重译现象作过一番思考：首先，从读者方面看，读者为什么会在面对原作和译著时持有不同的阅读态度呢？他们对于原作和译作这种不同的阅读取舍究竟源自何种阅读心理呢？这种厚此薄彼的取向究竟是先天的还是后天的，是产生在翻译活动出现之后还是之前，这种倾向与文学名著重译这两者之间究竟存在着什么样的互动关系呢？其次，从译者的角度看，在进行重译和新译时究竟该如何面对已有的译作，尤其是已有的优秀译作，是刻意回避，还是尽量汲取原有译作的经验和精髓呢？如果对原有译作尤其是名译作的经验和精髓有所汲取，又该如何避免抄袭的嫌疑和版权的纠纷呢？如果对前辈翻译家宝贵的翻译经验视而不见，每位新译者均另起炉灶，真的能做到青出于蓝吗？如果新译在翻译质量上无法与旧译比肩，甚至不如旧译，那么重译的意义和价值又何在呢？最后，从翻译实践活动自身来看，用16、17世纪的汉语去翻译莎士比亚当然是可笑的，但是，用21世纪的汉语网络语言去翻译莎士比亚就一定具有历史的必然性和合理性吗？不断地重译、新译，会在多大程度上减少或抹去原作的时代感和历史感，把每一部新译作都作为当下的作品来读，是不是一种最大程度的误读呢？

力冈先生在进行文学名著的重译时，不知是否也曾遭遇此类问题，但他在晚年义无反顾地执着于重译，一定是一种有意识的抉择。我们猜度，他在他翻译事业的黄金时段做出这一重大转向，可能有如下几种原因：首先，他觉得在他之前的译本还有继续加工的余地，还有再度提升的空间。力冈先生重译的这几部俄国文学名著在他之前早已有过出自名家的名译，它们是不止一代中国读者捧读的对象，但力冈先生却不畏权威，另辟蹊径，公开与多位前辈翻译大家打擂台，这或许是力冈先生个人性格的一种显现，但他敢于“叫板”，无疑因为他自信他可以比之前的译著译得更好，或至少能译出他自己与众不同的特色。其次，在译出十多本书后，作为一名富有经验的翻译家，力冈先生大约也会产生出如何超越自己的问题，重译名著，既可以与前辈译家一较高低，同时也能时刻与俄国文学史上的名著及其作者进行跨越时空的深度交流，这无疑是一种更富有挑战也更富有趣味的工作。最后，名著之所以成为名著，就因为它们往往具有更为完满的艺术价值和更为恒久的艺术生命，翻译这样的作品，无疑更能呼应社会的阅读需求，赢得更大的社会意义。

力冈先生晚年重译的多部名著如今仍在一次又一次地再版，这说明力冈重译的俄国文学经典具有长久的生命力，也说明他当年重译名著的抉择是正确的。一位翻译家，只要他的译作还能出版，还能被人阅读，这位翻译家就还活着，好的译作就是译者的生命之延续。从更为广泛的意义上说，力冈先生是我国改革开放之后名著重译之风的倡导者之一，而名著重译，对于深化我们对外国文学经典的理解和认识、对于发展我们的翻译实践和理论而言，都是极具历史意义的。

四

力冈先生是一位翻译家，也是一位大学老师，教书育人是他的本业。作为恢复高考后步入安徽师大外语系俄语专业的20名学生之一，笔者有幸受教于王老师（力冈本名王桂荣，我们当时都称他“王老师”）。记得先生1978年从插队的宣城乡村回到安徽师大后，不久就开始给我们授课，他教的是“文学选读课”。先生是一个颇为“另类”的老师：他上课不用现成的教材，没有固定的教案，就以他当时正在进行的翻译工作为授课内容；他在教室里不来回走动，几乎不做板书，仅端坐讲台，摊开那本他正在翻译的原著，一旁摆着一摞他最新出炉的译稿，按部就班、一句一句对照着讲下去。对文学没有兴趣、对文学翻译没有兴趣的学生，听这样的课或许会感到无味，当时王老师课的课堂气氛也的确有些沉闷单调，但王老师并不在意，只管自顾自地讲下去，他会讲他为什么要这样译，讲到兴奋处，他会突然提高嗓门，用带有山东腔的口音高声朗读他最得意的译文段落，读完后，他会抬起眼睛，久久地盯着天花板，似在掩饰眼里涌出的泪水。记得是在讲解《当代英雄》时，他时时指出其他译者，甚至是非常著名的翻译家的错误，并向我们分析这些错误之所以出现的可能的原因，他也时常让我们在他的译文中“挑错”或为他的译文“润色”，如果我们偶有所得，他往往显得比我们还要高兴。与王老师的文学选读课构成呼应的，是我们在大三时学的翻译课，翻译课教师张本桂先生常常给我们一些原文片段，让我们动手翻译，并在下一次翻译课上让译文出色的同学朗诵其译文，并对他认为好的译文再逐字推敲。正是在力冈先生以及张本桂先生和其他老师的精心培养下，安徽师大俄语专业涌现出一大批俄罗斯语言文学专业的人才，其中多位如今已成为国内知名的翻译家，有译著面世的人更多达十余位，如吴笛、张杰、周启超、吴嘉佑、冯华英、朱少华、陈建硕和刘文飞等。名不见经传的安徽师大俄语专业，在短短二三十年间居然成为中国的俄语文学翻译家的摇篮，王老师在天之灵也会因此而深感欣慰！

我们这个俄国文学译者群体的崛起，在很大程度上要归功于力冈先生及其同事们的言传身教。首先，他在课堂上逐字逐句的中俄文对照讲解，他关于译者甘苦的诉说，对于有志于文学翻译的学生而言弥足珍贵，这其实就是一个文学翻译的工作坊和实验室，让我们当年在初步掌握俄语后不久便接触到了俄语翻译的真谛,亲眼目睹了一位翻译家的工作过程和工作方式。其次,他既与我们分享他的翻译过程,也与我们分享他的翻译收获,记得我们在校时,他和济凯先生合译的《高尔基传》已经出版(江西人民出版社1980年版),他送给全班同学每人一本译著,并用规整的笔迹在扉页上题字签名,不难想象,我们接到这样的馈赠时会多么激动,同时也会觉得译书和出书不再是一件遥不可及的事情。最后,他以他的翻译行为和翻译意志告诉我们大家,庙小并不妨碍念经,更不妨碍修身。他在翻译课上不畏权威,真诚地点出翻译名家们的长处和短处,让我们较早地感受到某种翻译民主精神,并从而确立自己的翻译人格。在他之前的大翻译家往往都生活和工作在大城市,而他在成名后却安居小城,潜心译事,他的存在方式构成一种垂范和激励,使我们很早就意识到,一位翻译家原本可以在任何环境里成长和工作。力冈先生作为一位翻译家的作为和风骨,为他的学生们树立起一个光辉的榜样。

五

力冈的文学翻译有着其鲜明独特的文字风格。译者作为一部作品中的"被动创作者",究竟应不应该体现其风格,这也是翻译学中一个争论已久的问题,一个见仁见智的问题,有人认为,译者的责任就在于原封不动地传导原作的风格,而不能擅自发挥,喧宾夺主。但是,译作毕竟是由译者用另一种语言进行的文学再创作,译者个人的修辞习惯和语言风格不可避免地会在其译作中得到体现，也就是说，所谓“译者风格”实际上是难以避免的。在这种情况下，如何让译者的风格与作者的风格相互接近、相互吻合，往往就成了决定译作成败的关键因素之一。译者无法在作品的风格范畴里肆意妄为，但译者毕竟有权利选择与自己相近的原著，或者说，选择自己较容易处理的翻译对象，或者说，在一部作品的翻译过程中更注重在自己的风格较易发挥的地方施展拳脚。原作风格和译者风格的吻合虽是一个可遇不可求的事情，但一旦相遇，便是译者的幸事，也是原作者的幸事，更是读者的幸事。

在力冈先生的译著中，较之于人物对话和心理描写，大段落的抒情和大场面的写景似乎得到了译者更为精心的处置，他往往能借助这些段落营造出一种悲凉壮阔、哀婉抒情的氛围，更确切地说，他往往能细腻精准地传导出原作中的此种氛围。力冈先生钟情于这样的段落，钟情于这种文学氛围的营造和传导，无疑与他饱经沧桑的生活经历相关，也是他既刚正不阿又侠骨柔情的性格使然，更是他的审美趣味和文字风格的要求。他的几部译著在书名翻译上的处理，就在一定程度上体现了他的这一追求。巴巴耶夫斯基的小说原名*Приволье*，这是一个很“地道”的俄语单词，意为“广阔的地方”“无拘无束”等，力冈成功地将其译成《野茫茫》，这个译名既契合小说描写苏联斯塔夫罗波尔草原地区生活的主题，也暗含着我国著名的北朝民歌《敕勒歌》所具有的苍茫壮阔的抒情力量。卡里姆的小说原题*Долгое-долгое детство*，力冈先生最初发表在《世界文学》上的译文题为《漫长漫长的童年》，后来出版单行本时，他将书名改为《悠悠儿时情》，

“漫长漫长的”和“悠悠”这两种均使用了叠词的译法都是对原文题目中的修辞手法和诗意情绪的准确再现，但“悠悠”较之“漫长漫长的”似乎更符合中文习惯，再加上之后的“儿时情”，无疑更有抒情味。冈察尔的小说 *Берег любви* 通常被译为《爱的彼岸》或《爱之岸》，力冈先生却译为《爱的归宿》，译者似乎也是在有意地“拓展”作为小说描写对象的爱情的辐射范围。力冈最重要的译作之一《生活与命运》最初的译名是《风雨人生》，力冈是在20世纪80年代末结束此书的翻译的，想必他在译完这部作品时，回顾自己和社会遭遇的种种磨难，不禁百感交集，故将格罗斯曼的原书名 *Жизни и судьба* 译成《风雨人生》。需要说明的是，在广西师范大学出版社不久前再版力冈先生的这部译著时，笔者建议将译著的书名改为《生活与命运》，因为这部小说如今已与托尔斯泰的《战争与和平》并列，而作者格罗斯曼在为这部小说取名时也的确是对托尔斯泰那部史诗的有意模仿，“生活与命运”和“战争与和平”，都是对人类生活最高程度的归纳和概括。

我们或许可以将力冈先生的文学翻译风格概括为“大气的诗意”或“壮阔的悲凉”，即一种融悲剧与抒情于一炉、广阔的画面感与内在的节奏感相互呼应、一气呵成的连贯调性和力透纸背的史诗感相映成趣的译文风格。在他精心翻译的《静静的顿河》和《日瓦戈医生》等巨著中，他的译笔很好地传达出了原著中原本就饱含的由抒情性、悲剧性和史诗性抱合而成的小说整体氛围，而在《生活与命运》的翻译中，他的这一风格又得到了更为充分的彰显。请读一读这部史诗长篇的结尾：“在这种宁静中，会想起去年的树叶，想起过去的一场又一场风雨，筑起又抛弃的窠巢，想起童年,想起蚂蚁辛辛苦苦的劳动,想起狐狸的狡诈和鹰的强横,想起世间万物的互相残杀,想起产生于同一心中又跟着这颗心死去的善与恶,想起曾经使兔子的心和树干都发抖的暴风雨和雷电。在幽暗的凉荫里,在雪下,沉睡着逝去的生命——因为爱情而聚会时的欢乐,四月里鸟儿的悄声低语,初见觉得奇怪、后来逐渐习惯了的邻居,都已成为过去。强者和弱者、勇敢的和怯弱的、幸福的和不幸的都已沉睡。就好比在一座不再有人住的空了的房子里,在和死去的、永远离开这座房子的人诀别。但是在寒冷的树林中比阳光明丽的平原上春意更浓。在这宁静的树林里的悲伤,也比宁静的秋日里的悲伤更沉重。在这无言的静默中,可以听到哀悼死者的号哭和迎接新生的狂欢……"这一史诗性的小说结尾写得好,译得也好,善于再现悲剧抒情风格的翻译家力冈先生的功力和风格在这里体现得淋漓尽致,炉火纯青!

俄国诗人叶夫图申科在1986年访问中国之后,深为中国俄苏文学翻译家们忍辱负重、坚持不懈的精神所感动,写下一首题为《中国翻译家》的诗作,在由笔者译成中文的这首诗的最后,诗人写道:"知识分子的良心,/就是一家出版社,/它仍能工作,/即便没有印刷机,/无论监狱、瘢迹还是侮辱,/它仍能用诗句的春燕/把各个民族连系。/翻译家们在做什么?/他们让各国人民相互走近,/越过国境,/越过谎言的沼泽地。/总有一天,要用他们的姓氏/为巨轮命名,/稻穗和麦穗,/会向他们鞠躬致敬。/伟大的译文,/就像神的预言。/翻译过来的细语,/会成为震耳的呼喊。/但愿能有一座纪念碑,/献给无名的翻译家,/那最为可敬的基座,/就由无数的译著垒成!"我们相信,力冈先生的译著,应该也被垒入这座纪念碑的基座;力冈先生的名字,应该也被刻上这座纪念碑的碑身!

二〇一七年初秋于京西

目　录

主要人物表

拉斯柯尔尼科夫

——罗季昂·罗曼诺维奇(爱称:罗佳,罗季卡),过去是法律系学生

普莉赫里娅·亚历山德罗芙娜

——拉斯柯尔尼科夫的母亲

杜尼娅

——阿芙多季娅·罗曼诺芙娜(爱称:杜涅奇卡),拉斯柯尔尼科夫的妹妹

普拉斯科维娅·巴甫洛芙娜·扎尔尼岑娜(爱称:帕莎、帕申卡)

——拉斯柯尔尼科夫的女房东

纳斯塔霞·彼得罗芙娜(爱称:纳斯塔休什卡,纳斯坚卡)

——拉斯柯尔尼科夫女房东的女仆

马尔梅拉多夫

——谢苗·扎哈罗维奇,退职小官吏

卡捷琳娜·伊凡诺芙娜·马尔梅拉多娃

——马尔梅拉多夫的第二任妻子

索菲娅·谢苗诺芙娜·马尔梅拉多娃(小名及爱称:索尼娅,索涅奇卡)

——马尔梅拉多夫的大女儿,他前妻的女儿

波列娅

——波丽娜·米哈伊洛芙娜(小名及爱称:波莲卡,波莲奇卡,波列奇卡),马尔梅拉多夫家的二女儿,卡捷琳娜·伊凡诺芙娜前夫之女

科利亚

——马尔梅拉多夫家的儿子,卡捷琳娜·伊凡诺芙娜前夫之子

莉达(小名及爱称:莲尼娅,莉多奇卡)

——马尔梅拉多夫家的小女儿,卡捷琳娜·伊凡诺芙娜前夫之女

拉祖米欣

——德米特里·普罗科菲伊奇,拉斯柯尔尼科夫的同学

卢仁

——彼得·彼得罗维奇,律师,杜尼娅的未婚夫

斯维德里盖洛夫

——阿尔卡季·伊凡诺维奇,地主

佐西莫夫

——年轻的医生

安德烈·谢苗诺维奇·列别贾特尼科夫

——马尔梅拉多夫家的邻居,卢仁曾是他的监护人

波尔菲里·彼得罗维奇

——警察局科长

尼科季姆·福米奇

——警察分局局长

伊里亚·彼得罗维奇·波罗赫

——警察分局副局长

亚历山大·格里戈里耶维奇·扎米托夫

——警察局办事员

阿廖娜·伊凡诺芙娜

——文官遗孀,放高利贷者

丽莎维塔·伊凡诺芙娜

——阿廖娜的妹妹

阿玛丽娅·伊凡诺芙娜·莉佩韦泽

——马尔梅拉多夫的女房东(也被卡捷琳娜称为阿玛丽娅·柳德维戈芙娜,自称为阿玛丽·伊万;在作品的前一部分被称为阿玛丽娅·费多罗芙娜)

米科莱·杰缅季耶夫

——尼古拉(小名及爱称:米科莱,米柯尔卡,尼古拉什卡),油漆工,被误认为凶手

米季卡

——德米特里(小名:米特雷,米杰卡),油漆工

第一部

第一章

7月初，正当酷暑，已近黄昏时候，一个年轻人走出他在C胡同[1]向房客转租的小屋，来到街上，慢慢地、犹豫不决似的朝K桥[2]方向走去。

他顺利地走出来，没有在楼梯上碰见他的女房东。他的小屋就在一座五层高楼的屋顶下面，不像一间住房，倒像一个衣柜。租这间屋子是兼包饭和包家务活儿的。他的女房东住在他下面一个单独的套间，下一段楼梯就是。每次他出门，都要从她的厨房门口经过，厨房的门就朝着楼梯，而且几乎总是敞开着的。这个年轻人每次从这儿走过，都会有一种难受而胆怯的感觉，他因此感到羞臊，愁眉不展。他欠了女房东一屁股债，所以很怕碰见她。

他倒不是胆小而畏畏缩缩，恰是完全相反。可是从某一个时

①实际是彼得堡当时的木匠胡同。

②指科库什金桥。

候起，他就处于烦躁和紧张之中，像是犯了疑心病。他把自己封闭起来，避免与人来往，不仅怕见女房东，甚至怕见任何人。他穷困潦倒，可最近连这种窘迫的境遇也不再困扰他了。一些紧要的事情，他不再去做，也不想去做了。实际上，他一点儿不怕什么女房东，不管她怎样处心积虑跟他作对。可是，站在楼梯上听那些与他毫不相干的婆婆妈妈的废话，那些唠唠叨叨的讨债、抱怨、发狠的话，而他自己总得敷衍敷衍，表示歉意，说说谎话——这一套实在够受，不如像只猫似的悄悄溜下楼去，溜掉，不让任何人看见为好。

不过，这一次来到街上以后，想到自己竟这样害怕遇见女债主，他都感到惊讶了。

"我想去干件多么大的事啊，却害怕起这种微不足道的小事来！"他带着一种奇怪的微笑想道，"哼……是的……人什么事都能做到，但只要一胆怯，就什么事都做不成……这已经是尽人皆知的道理……请问，人最怕的是什么？人最怕迈出新的一步，最怕说出自己的创见……不过，我空话说得太多了。就因为我尽说空话，所以什么事也不做。不过，也许是这样，就因为什么事也不做，所以尽说空话。这是最近一个月来我天天躺在角落里，想啊……想很久很久以前的事，便习惯了说空话。哦，我现在为什么出来？这事儿我干得了吗？这事儿当真是认真的吗？一点儿也不认真。不过是异想天开，自寻开心；是儿戏！是的，恐怕就是儿戏！"

街上热得蒸人，又很气闷，再加上拥挤的人群，到处是石灰、木料、砖瓦、扬尘，还有每一个租不起别墅的彼得堡人都十分熟悉的那种夏天特有的臭味——这一切刺激得这个本已神经崩溃的年轻人不堪忍受。城里这一带小酒馆特别多,里面飘出的一股股难闻气味,平常日子也不时遇到的那些醉汉,都给这幅画面增添了一层令人作呕的阴郁色调。一种极其厌恶的神情刹那间在这个年轻人清秀的脸上闪过。顺便说说,他相貌出众,清秀的深色眼睛,深褐色头发,中等偏高的个头儿,挺拔而匀称。不过他好像很快就陷入深思,更准确地说,好像处于出神状态。他只顾朝前走去,已经不理会周围的一切,而且也不想理会周围的一切了。只是有时自己嘟哝一两句,因为他有自言自语的习惯,这一点现在他自己也承认了。这会儿他意识到,脑子里思想有时很混乱,身子虚弱无力,因为已经是第二天几乎什么东西也没吃了。

他衣着极差,别的人,就连穿惯了破衣烂衫的人,也不好意思大白天这样一副打扮上街。不过,在本城这一带,穿着如何很难引起人们的惊讶。这一带离干草市场[1]很近,有许多饭馆酒店、妓院赌场,在彼得堡中心区的这些街道和巷子里聚居的主要是工人和手艺人,所以,各色人物应有尽有,见到什么模样都不至于大惊小怪。这个年轻人虽然很爱面子,有时还很年轻气盛,但他心中郁积了太多的愤世之情,所以走在大街上最不在乎自己的破衣烂衫了。若遇到熟人和老同学,自然是另一回事,他一向是不乐意见到他们的……就在这个时候,一辆车套着高头大马,不知为什么拉着一个醉汉从街上走过,也不知要拉到什么地方去。当大车从身旁经过的时候,那醉汉突然对年轻人大喝一声:“喂,你这个戴德国帽的!”并且用手指着他,放开嗓门儿大吼起来。年轻人突

①彼得堡的一个广场,《罪与罚》的情节是以这个地区为中心展开的。

然停住脚步，慌忙抬手抓住自己的帽子。这原是一顶高筒圆帽，是齐美曼[1]帽店的，但已经破旧不堪，完全褪了色，到处是窟窿和斑点，没有了帽檐，而且歪向一边，好像伸出一个十分难看的角。此刻他心中涌起的不是羞臊，却完全是另一种感觉，甚至很像恐惧。

“我就知道会是这样！”他慌乱地嘟哝说，“我早就想到了！这个最糟糕了！就这么一点儿疏忽，这么一点儿微不足道的小事，会把全部计划破坏！是的，这帽子太惹眼了……太可笑，所以就惹眼……我这一身破烂儿，一定要配一顶便帽，随便什么样的一顶扁平帽，而不是这种难看的玩意儿。谁也不会戴这样的帽子，老远就会被人发现，被人记住……主要是后来会被人记住，这就是罪证。干这种事，就必须尽可能不惹眼……小事，小事最要紧！……往往就是这些小事败坏了整个事情……”

他不需要走很远，他甚至知道，离他住的楼房大门有多少步：正好七百三十步。有一次他想得入迷的时候，曾经数过。当时他自己也不相信这些幻想会实现，只是用荒唐而诱人的胆大妄为来刺激一下自己。现在，一个月过去，他已经是另一种眼光了。尽管他在自言自语时常常嘲笑自己软弱无能和优柔寡断，却已经习惯于把这个“荒唐的”幻想当做要去实做的事情，虽然还不太相信自己真会去做。他现在甚至是要去为自己的决定做一番试探，每走一步，心里的激动就增加一分。

他带着一颗紧张的心和颤抖的神经来到一座极大的楼房门

①彼得堡著名的帽厂老板，在涅瓦大街开设有知名帽店。据说，陀思妥耶夫斯基本人曾在该店买过帽子。

前。这座楼房一面临运河,一面临——Я街。[①]里面是一个个小套间,住满各种各样的手艺人——裁缝、钳工、厨娘,还有形形色色的德国人、出卖肉体的姑娘、小官吏,等等。楼房的两个大门和两个院子,进进出出的人川流不息。里面有三四个管院子的,年轻人一个也没碰到,他非常庆幸,就悄没声息地溜进大门,往右一转,上了楼梯。这是一道又暗又窄的"后楼梯",他对这儿早已了然于心,已经察看过了。他很喜欢这里整个的环境:这儿十分幽暗,即使有人盯着看,也没有什么危险。"如果这会儿我就这样害怕,等我真的得去干那事儿的时候,又该怎样呢?"他走上四楼的时候,不由自主地想道。这里有几个当搬运夫的退役士兵,正从一个套间里往外抬家具,挡住了他的路。他早就知道,这个套间住的是一个有家小的德国人,是一个官吏。"这么说,这个德国人要搬走了,就是说,在四楼上从这道楼梯上去,在这一层上,一时只有老太婆的房间是住人的了。这很好……要提防万一……"他又想道,随即去拉老太婆套间的门铃。门铃响声很小,似乎这铃是白铁做的,不是铜做的。在这种楼房的这一类小套间里,几乎都是这样的门铃。他已经忘记了这种门铃的声响,此刻这特别的铃声仿佛使他一下子想起了什么事,那事清晰地呈现在他眼前……他浑身不由得哆嗦了一下,这次神经已经太脆弱了。过了不大一会儿,门开了一条小缝:女主人带着明显的疑虑神情从门缝里打量着来客,他只能看见她那双在黑暗中闪闪发

①运河为当时的叶卡捷琳娜运河,今格里鲍耶陀夫运河;——Я街指叶卡捷琳娜宫街,今里姆斯基-科尔萨科夫街。下文的放高利贷的老太婆当时住在尼古拉市场旁边一座四层高的楼房里。

亮的小眼睛。可是，她一看见楼层上有许多人，就鼓起勇气，把门完全打开。年轻人跨过门槛，走进幽暗的过道，过道里有一道隔墙，墙后是一个小小的厨房。老太婆站在他面前一声不响，用疑问的目光打量着他。这是一个矮小的干瘦老婆子，六十岁上下，一双又精明又厉害的小眼睛，小小的尖鼻子，头上没有包头巾。她那杂有少许白发的淡黄色头发，涂了不少发油。像鸡腿似的又细又长的脖子上，围了一条破旧的法兰绒围巾。虽然天这样热，肩上还披了一件破旧不堪而且发了黄的皮上衣。老太婆不停地咳嗽和哼哧。大概是年轻人用一种特别的眼神看了看她，因为她的眼睛里突然又闪现出原来那种疑虑神情。

“我是拉斯柯尔尼科夫[①]，大学生，一个月前到您这儿来过。”年轻人想到应当客气些，就急忙弯了弯身子，嘟哝说。

“我记得，先生，记得很清楚，您来过。”老太婆清清楚楚地说，一面仍然用疑问的目光盯着他的脸。

“那就好……我又来了，为了同样的事……”拉斯柯尔尼科夫又说道。他看到老太婆不信任的神情，有些慌乱和惊讶。

“也许，她一向是这样，只是上一次我没有发现罢了。”他怀着不愉快的感觉想道。

老太婆没有说话，似乎心里在琢磨着，然后往旁边闪了闪，指着里屋的门，让客人往前走，一面说：

“请进吧，先生。”

年轻人走进一间不大的屋子，屋里糊着黄色墙纸，窗子上摆着天竺葵，挂着细纱窗帘，这时候夕阳射进来，屋里通明透亮。

---

①或译拉斯科尔尼科夫。

“那个时候，大概太阳也会这样照着！……”这一念头似乎无意中在拉斯柯尔尼科夫脑子里一闪而过，于是他对屋里的一切匆匆扫了一眼，尽可能弄清楚并且记住屋里的布局。可是屋里没有任何特别的地方。家具都非常旧，全是黄木的，有一张长沙发，拱形的木头大靠背，沙发前是一张椭圆形桌子，两个窗户之间靠墙放着一张带镜子的梳妆台，靠墙还有几把椅子，再就是两三幅镶在黄色木框里的不值钱的画儿，画的是几位手里捧着鸟儿的德国小姐，——这就是全部摆设了。角落里，一幅不大的圣像前点着长明灯。一切都很干净：家具和地板都擦得锃亮；一切都在发光。“这都是丽莎维塔干的。”年轻人想道。整个房间里真是一尘不染。“只有凶狠的老寡妇家，才能这样干净。”拉斯柯尔尼科夫又在心里说道。他好奇地斜瞟了一眼挂在另一间小屋门口的印花布门帘，屋里摆着老太婆的床和一个五斗柜，以前他还没有向里面打量过呢。这一套房子里就有这两间屋。

“您有什么事？”老太婆走进屋子以后，依然面对他站着，直盯着他的脸，冷冷地问道。

“我把抵押的东西带来了，请过目！”他说着从口袋里掏出一块扁平的旧式银怀表。表壳背面刻了一个地球仪，表链是钢的。

“上次抵押的也到期啦。前天就满一个月了。”

“我再付您一个月的利息，请再宽限几天吧。”

“先生，宽限还是现在就把您的东西卖掉，那要看我高兴了。”

“这表能押很多钱吧，阿廖娜·伊凡诺芙娜？”

“你总是带一些不像样的东西来，先生，可以说，这玩意儿一钱不值。上一回你那只戒指，我给了两张票子，可是在珠宝店一个半卢布能买只新的。”

“给四个卢布吧，我是要赎回的，这是家父的表。我很快就会收到一笔钱。”

“一个半卢布，先扣利息，要是您愿意的话。”

“一个半卢布！”年轻人叫起来。

“那就听便吧。”老太婆把表还给了他。年轻人接过怀表，气愤得已经想走了，可是立刻想起他再也无处可去，而且他来是另有目的的，就改变了主意。

“那就给我吧！”他不客气地说。

老太婆伸手到口袋里去摸钥匙，并且朝挂门帘的另一间屋子走去。年轻人一个人留在屋子中间，好奇地倾听着，揣摩着。可以听见，她开了五斗柜。“想必是最上面的抽屉，”他猜想，“这么说，她把钥匙放在右边口袋里……都穿在一起，拴在一个钢圈上……其中有一把钥匙最大，有小的三倍大，带锯齿的，当然不是开五斗柜的……这么说，另外还有一个小匣子或者小箱子……这是要弄清楚的。小箱子的钥匙都是这样的……可这一切太卑鄙了呀……”

老太婆回来了。

“给您，先生：要是一个卢布月息十戈比，那么一个半卢布就是十五戈比，预扣一个月的利息。您上回借两个卢布，也按这种办法计算，预扣二十戈比。就是说，总共三十五戈比。现在用您的表做抵押，您还可以拿到一卢布十五戈比。就请您拿去吧。”

“怎么！现在就只有这一卢布十五戈比！”

“没错，先生。”

年轻人没有争执，就把钱收下。他望着老太婆，并不急着走，好像还想说点儿什么或者做点儿什么，但似乎自己也不知道要做什么……

“阿廖娜·伊凡诺芙娜，也许过几天我还要给您拿一样东西来……一个银的……很好的烟盒……等我从朋友手里要回来以后……”他心里慌乱了，就没说下去。

“到时候咱们再说吧，先生。”

“再见吧……哦，您总是一个人在家里待着，您妹妹不在家吗？”他快要走到前室的时候，尽量装作随便地问道。

“您找她有什么事，先生？”

“哦，没什么特别的事。我是随便问问。那您现在……再见吧，阿廖娜·伊凡诺芙娜！”

拉斯柯尔尼科夫心慌意乱地走了出来。这种慌乱心情越来越厉害。下楼的时候，他甚至好几次停下来，好像有什么事突然使他大吃一惊。最后，已经到了大街上，他惊叫起来：

“天哪！这一切多么令人厌恶呀！难道，难道我真的……不，这是胡思乱想，这太荒唐了！”他又断然加了一句，“难道我头脑里能出现这样可怕的念头？我的心居然能想出这么肮脏的事来！主要是太肮脏，太卑鄙，太丑恶，太丑恶！……我整整想了一个月……”

无论是言语，还是惊叹，都不足以表达他内心的不安。还在他来找老太婆的时候，就有一种强烈的憎恶袭上他的心头，现在已经非常沉重、非常明显，以至于他不知怎样才能摆脱自己的苦恼。他像个醉汉似的在人行道上走着，不理会行人，常常撞上人家，直到上了另一条街才清醒过来。他四下里望了望，发现自己站在一家小酒馆旁边。这家小酒馆在地下室里，从人行道顺台阶下去就是。就在这时候，有两个醉汉互相搀扶着，对骂着，走出酒店，从下面爬上来，来到大街上。拉斯柯尔尼科夫没有怎么考虑，立刻就走了下去。他还从来没进过酒店，可是这会儿他的头昏沉沉的，而且渴得火烧火燎，十分难受。他很想喝一点儿冷啤酒，况且他以为自己身体突然虚弱无力是肚子饿了。他走到一个又暗又脏的角落里，在一张黏糊糊的小桌旁坐下来，要了一瓶啤酒，一口气喝下第一杯，立刻全身感到轻松，头脑也清楚了。"这全是多余的，"他怀着希望说，"没有必要心慌意乱！不过是体力不支罢了！只要一杯啤酒、一块面包下肚，这不是，霎时间就头脑冷静、思想清晰了，意图也坚定了！呸，这算得了什么呀！……"尽管用蔑视的神情啐了一口，可他已经很快活了，好像一下子摆脱了一种可怕的负担。他友好地朝在座的人们扫了一眼。但就是在这时，他也模模糊糊感到，这样尽量往好处想也是不大正常的心理。

这时小酒馆里剩下的人寥寥无几。除了他在台阶上见到的那两个醉汉以外，紧接着又有一伙人，五个男人带一个姑娘和一架手风琴，一窝蜂似的走出去。他们一走，酒馆里就静悄悄、空荡荡的了。剩下来的：一个坐在那里喝啤酒，已经有几分醉意，看样子是个小市民；另一个是他的酒友，又胖又高，身穿腰上打褶的短上衣，花白胡子，已经醉得厉害，躺在长凳上打起盹来，不时好像在半睡半醒中突然张开两臂，把手指弹得啪啪响，并且抖动着上半截身子，随口胡乱哼着歌曲，一面竭力回想歌词，比如：

一年到头我疼老婆，
一年到头我疼啊疼老婆……

或者一下子醒过来，又唱：

我在波季亚奇街上走，
碰见了从前的情人……①

可是，没有谁分享他的快活；他的酒友一声不吭，望着他这一阵阵兴头，甚至流露出敌视和不相信的神气。屋里还有一个人，看样子像个退职的小官吏。他单独一个人坐着，面前放着一瓶酒，不时呷两口，朝四周打量一眼。他似乎也有些心神不宁。

①陀思妥耶夫斯基对民间口头创作，特别是城市中的抒情情歌很感兴趣。

第二章

拉斯柯尔尼科夫不习惯与人交往，上文已经交代，他避免任何社交，尤其是最近这段时间，可现在突然不知为了什么很想去接触人。他身上发生了一种新的变化，与此同时他似乎渴望同人们在一起。整整一个月来他愁苦交加，郁闷烦躁，弄得身心交瘁，疲惫不堪。他真希望能换个环境，不管什么地方，松一口气，哪怕一分钟也好。所以，尽管这里脏兮兮的，他现在还是高兴坐在这家小酒馆里。

酒馆老板在另一间屋里，但是常常到大屋里来，不知是从哪里踏着台阶下来，首先显露的总是他那双擦得油光锃亮、带有红色大翻口的摩登皮靴。他穿一件紧腰外衣和一件油乎乎的黑缎子背心，没有系领带。他的整个脸好像一把铁锁抹了一层油。柜台里面有一个小厮，十四五岁，还有一个小厮年纪更小，客人要什么，由他送上去。有切碎的黄瓜、黑面包干和切成小块的鱼。这一切都散发着非常难闻的气味。这里很憋闷，坐在屋里简直受不了，而且弥漫着浓烈的酒味，好像单是闻闻这股气味，不出五分钟就会醉倒。

有时候，我们遇到素昧平生的人，初次见面，一句话还没说，不知怎的一下子就对他发生了兴趣。那个坐在远处、像一个退职小官吏的顾客，就给拉斯柯尔尼科夫这样的印象。年轻人后来几次想起这初次见面的印象，甚至认为这印象是预感。他一再地打量那个小官吏，当然还因为那人也一个劲儿地看他，显然，那人很想找个人谈谈。这个小官吏对酒馆里的人，包括老板在内，已经习惯，甚至看腻了，还带着一些高傲和鄙夷的神态，以为是一些下层和没有文化的人，他不屑与他们交谈。这人已经五十多岁，中等个儿，身体结实，头发花白，前顶秃了很大的一片，一张发黄带青的脸由于经常酗酒有些浮肿，眼皮也肿起来，鼓鼓的眼皮底下闪烁着两只小小的兴奋的眼睛，像两条缝似的。不过他身上有非常奇特之处，他的目光中似乎闪耀着一种激情，或许含有才智的光辉，但同时似乎又流露着一种失常的神情。他穿一件旧得破烂不堪的黑色燕尾服，纽扣大都掉了，只有一个纽扣还勉强挂着，他就用这个纽扣扣着燕尾服，显然希望不失体面。黄土布背心里面露出皱皱巴巴、又脏又破的胸衣。他的胡子从前总刮得光光的，那是官场的规矩，但那是很久以前的事了，所以，现在已经密密麻麻长起一大片青灰色的胡茬。他的一举一动之间也确实有一种威严的官场派头。此刻他心神不宁，不住地乱抓头发，有时苦恼得用两手捧着头，把套在破烂衣袖里的胳膊肘支在湿漉漉、黏糊糊的桌子上。终于他直对着拉斯柯尔尼科夫看了一眼，下决心大声说：

“先生，我能斗胆和您体面地谈一谈吗？因为虽然您外表不起眼，但是我凭经验看得出来，您是一个有学问的人，而且不习惯喝酒。我一向敬重有学问又真诚的人，此外，本人也是九等文官。我姓马尔梅拉多夫，九等文官。请问：您也在官府供职吗？”

“不，我在读书……”年轻人回答说。他对此人这种与众不同的文雅语调，以及如此直截了当地同他交谈，感到有些惊讶。尽管刚才一刹那间他很希望与人交往，不论什么样的交往都好，可是一听到当真有人对他说话，同平时对任何跟他接近或只是想跟他接近的人那样，心中顿时产生了又不快又气愤的厌恶心情。

“这么说，是位大学生，或者曾经是大学生！”小官吏叫起来，“果然不出我所料！这是经验，我的好先生，不止一次的经验！”他把一个指头按在脑门上，以示夸耀：“当过大学生，或者做过学问！请允许我……”他欠起身子，摇晃了两下，就抓起自己的酒瓶和酒杯，走过来挨着年轻人坐下，侧转身子对着他。他已经醉了，但是说起话来滔滔不绝，非常带劲儿，只是不时有些语无伦次，又啰里啰唆。他简直如饥似渴地冲着拉斯柯尔尼科夫说起来，好像已有整整一个月没跟任何人说过话了。

“先生，”他几乎是用隆重的口吻开口说，“贫穷不是罪过，这话不错。我也知道，酗酒不是美德，这话更对。可是，穷到一无所有，先生，穷到一无所有就是罪过了。清贫的时候，您还可以保持自己高尚的本性，可是一到赤贫，任何人任何时候都做不到这一点了。因为穷得一无所有，就要被逐出人类社会，甚至不是用棍子赶出去，而是用扫帚扫出去，让他受到更大侮辱。这也是天经地义的，因为穷得一无所有的时候自己就想先羞辱自己。所以我来饮酒了！先生，一个月以前，我太太遭到列别贾特尼科夫[①]先生的毒打，我的太太可不像我呀！您明白吗，先生？还有，我想问您一句，就算出于好奇吧：您是否在涅瓦河上，在干草船上过过夜[②]？”

“没有，不曾有过这种事儿，”拉斯柯尔尼科夫回答说，“怎么啦？”

“哦，可我就是从那儿来的，已经住了五夜了，先生……”

他倒了一杯酒喝干，就寻思起来。确实，在他的衣服上，甚至头发里，还可以看到粘着干草屑。很可能，他已经五天没有脱衣服，也没有洗脸。两手尤其脏，油乎乎的发红，指甲嵌满黑泥。

他这一番话似乎引起了大家的注意，虽然也是懒洋洋的注意。柜台后面的两个小厮嘿嘿笑起来。酒店老板好像特意从上面的屋里走下来，想听听这个“活宝”说些什么。他在稍远处坐下来，懒洋洋却又神气活现地打着哈欠。显然，马尔梅拉多夫在这里早就出了名。他之所以养成谈吐文雅的癖好，大概是因为在酒馆里跟各种各样不相识的人攀谈习惯了。这种习惯在一些酒徒身上已成为生活的需要，尤其是那些在家里受管束、被吆来喝去的酒徒。因此，他们总是尽力在酒友中寻求谅解，如有可能甚至还想博得别人的尊敬。

---

①这个姓氏由“讨好”“奉承”一义演化而来。作家在草稿中注有“奉承之相”“虚无主义是思想的奴仆”，表示了对这个人物的态度。在陀思妥耶夫斯基的短篇小说《噼、噼、啪》(1873)中也可见到这个人物姓氏。《噼、噼、啪》载《作家日记》。

②涅瓦河上的干草船是19世纪60年代彼得堡乞丐和流浪汉过夜之处。当时的其他小说也谈到这种情况。

“活宝一个！”酒店老板大声说，“你怎么不去干活，您既然是个官儿，怎么不上衙门供职呀？”

“我为什么不去供职吗，先生？”马尔梅拉多夫接过去说，不过专对着拉斯柯尔尼科夫，好像这问题是他提出来的，“我为什么不去供职吗？我低三下四地求人，结果一场空，难道我心里不痛苦吗？一个月前，列别贾特尼科夫亲手毒打我太太，我醉倒在床上，难道我不难过吗？请问，年轻人，您是否有过……哦……比如说，明知没指望还去向人家借钱？”

“有过……不过，怎么明知没指望呢？”

“就是毫无希望，事先知道不会有什么结果。比如说，您知道，事先就明明知道，这个人，这个一向善良、古道热肠的公民，无论如何也不会借钱给您，因为他犯不上借钱给您，他知道您不会还嘛。会出于同情心吗？可是，一向关注新思想的列别贾特尼科夫先生前些天就声明，同情心在当代甚至是科学所不容的，在英国就是这样，英国推行的是政治经济学。请问，他干吗要借钱给您呢？可是，您明明知道他不会借，您还是去了，结果……”

“那为什么要去呢？”拉斯柯尔尼科夫又问道。

“因为没有别的人可找，没有别的路可走哇！任何人都要有条生路哇，不管是什么样的路。因为往往有这样的时候，一定要找条生路，不管是什么样的路，总得找！当我的独养女儿带着黄色执照[1]出去的时候，我也出去了……（因为我的女儿凭黄色执照谋生啊……）”他忐忑不安地望着年轻人，加了一句说明。“没关系，先生，没关系！”柜台后面的两个小厮扑哧笑出来，酒馆老板

①沙皇时代警察局颁发的妓女执照。

也微微一笑，于是，他急忙声明，心情似乎很平静，“没关系，先生！我对这种点头微笑毫不在意，因为一切已经尽人皆知，一切掩藏的事都要露出来的[1]；我对这个不是厌恶，而是听之任之。让他们笑吧！让他们笑吧！‘你们看这个人！’[2]请问：‘年轻人，您能不能……不，让我说得更有力些，更重些；不是您能不能，而是您敢不敢此刻望着我，肯定地说我可不是猪狗不如的人？’”

年轻人什么也没有回答。

“说话呀，先生，”等到房子里再度响起的嘿嘿笑声停息以后，这位演说家郑重地、这一回甚至特别矜持地又接着说下去，“说话呀，先生，就算我是猪狗不如吧，她可是一位太太呀！我形同猪狗，可是我的夫人卡捷琳娜·伊凡诺芙娜是受过教育的女人，是校官的女儿。就算我，就算我是一个下流坯，她可是心气很高，受过教育的呀。然而……哦，她要是能怜惜我就好了！先生，好先生，要知道，一个人总得有个地方能得到人家的怜惜呀！卡捷琳娜·伊凡诺芙娜虽然是位宽宏大量的太太，却不公道……虽然我自己也明白，她有时揪我的头发，那无非是出于怜惜之心……因为，不怕您见笑，年轻人，我再重复一遍，她常常揪我的头发，”他又听到嘿嘿笑声，就更加自重似的又说了一遍，“可是，天哪，她哪怕一次……可是不，不！这一切都是枉然，没什么可说的，没

①语出《新约全书·马太福音》(第10章，第26～27节)：“……因为掩盖的事，没有不露出来的，隐藏的事，没有不被人知道的。我在暗中告诉你们的，你们要在明处说出来……”

②语出《新约全书·约翰福音》(第19章，第5～6节)：“耶稣出来，戴着荆棘冠冕，穿着紫袍。彼拉多对他们说，你们看这个人。祭司长和差役看见他，就喊着说，钉他十字架……彼拉多说，你们自己把他钉十字架吧，我查不出他有什么罪来。”

什么可说的呀！……因为也不止一次有过我所希望的事，已经不止一次怜惜过我，可是……我的禀性难移，我天生是个畜生！”

“可不是嘛！”酒馆老板打着哈欠说。

马尔梅拉多夫用拳头狠狠敲了一下桌子。

“我的秉性就是这样啊！您可知道，您可知道，先生，我把她的丝袜都拿出来换酒喝了。不是拿她的皮鞋，那还多少说得过去，而是拿她的丝袜，拿她的丝袜换酒喝了呀，先生！她的羊毛头巾，是人家送给她的，是以前的，是她自己的，不是我的，我也换酒喝了；我们住一间很冷的小屋，今年冬天她着了凉，咳嗽起来，已经咯血了。我们有三个很小的孩子，卡捷琳娜·伊凡诺芙娜从早到晚干活儿，又擦又洗，给孩子们洗澡，因为她从小养成了爱清洁的习惯，可是她的肺很弱，可能有肺病，这我也感觉到了。我能感觉不到吗？我越喝酒，越能感觉出来。我喝酒，就是要在酒中寻找怜惜和情感……不是寻欢作乐，只是寻找悲痛……我喝酒，因为我想叫自己加倍地痛苦！”说到这里，他像绝望似的把头垂到桌子上。

“年轻人，”他又抬起头说下去，“从您的脸上，我好像看到有一种悲伤。您一进门我就看出来了，所以，我立刻就过来跟您攀谈。因为，我向您讲我的生活情况，不是想当着这些游手好闲之辈丢人现眼，反正我不说他们也都知道，我是想找个有同情心又有学问的人。您要知道，我的太太是在省立贵族女子中学受的教育，毕业时当着省长和别的一些大人物的面跳过披巾舞[1]，因此得过金质奖章和奖状。奖章……嗯，奖章卖了……早就卖了……唉……奖状至今

①这是成绩特别优秀的学生的一种殊荣。

还放在她的箱子里,不久前她还拿出来给女房东看过。虽然她跟女房东天天争吵,可还是想向什么人夸耀一番,讲讲从前的幸福时光。我不是责怪她,我不责怪她,因为在她的记忆中就剩下最后这一点儿事了,其余的都已经烟消云散!是的,是的,她是一个烈性子、高傲、刚强的女人。她自己擦地板,天天吃黑面包,可是决不允许别人不尊重她。所以,她不肯原谅列别贾特尼科夫先生的无礼,而当列别贾特尼科夫先生因此痛打她一顿以后,她就卧床不起,倒不是因为挨了打,而是因为感情受了伤害。我娶她的时候,她已是寡妇,带着三个孩子,一个比一个小。她嫁的第一个丈夫是步兵军官,是恋爱结婚,离家跟他一起私奔的。她非常爱她的丈夫,可是他迷上了纸牌,吃了官司,官司没了结就死了。直到最后,他还打她。她虽然不肯原谅他,这一点我确确实实清楚,而且见过凭据的,但是直到现在,她一想起他,还是眼泪汪汪的,并且常常比着他来责备我,我也很高兴,我高兴,因为在她想象中当年还是幸福的……他死后,她带着三个很小的孩子待在一个偏远而荒凉的县城里,当时我也在那儿。她一贫如洗,走投无路。[1]我虽然也历尽种种艰难困苦,可她的处境,那是我无法描述的。亲属都不跟她往来。她又很傲气,非常高傲……那时候,先生,那时候我也成了独身,只有前妻生的一个十四岁的女儿,于是我便向她求婚,因为我不能看着她那样受罪。她这样一个有文化、有教养的名门之女,居然同意嫁给我,由此可见她当时穷困到何等

①这里的情况很像陀思妥耶夫斯基的第一个妻子的生平。她在第一个丈夫伊萨耶夫死后,也陷入赤贫的境地,带着一个年幼的孩子,耽搁在遥远的西伯利亚穷乡僻壤,没有人照顾,也没有人帮忙。见陀思妥耶夫斯基于1856年1月13日、3月24日、12月22日致他长兄的信。

地步！可是她还是嫁给我了！她哭哇，叫哇，折腾来折腾去，还是嫁给我了！因为再也无路可走哇。先生，您明白吗，您明白什么叫走投无路吗？不！这个您还不懂……整整一年，我虔诚地、神圣地履行自己做丈夫的职责，没有挨过这玩意儿(他用手指点了点酒瓶)，因为我也是有感情的。但就这样也不能使她满意。就在这时候我丢了差事，也不是因为有什么过失，是因为编制有了变动，这下子我可就摸了这玩意儿……一年半之前，我们经过长途奔波，历尽千辛万苦，终于来到这座富丽堂皇、拥有许许多多名胜古迹的京都。在这里我也找到了差事……找到了，可是又丢了。您明白吗，先生？这一次丢差事怪我自己，因为我的老毛病犯了……我们现在住在女房东阿玛丽娅·费多罗芙娜·莉佩韦泽家的一间小屋里，我们靠什么生活，拿什么来付房租，我都不知道。那里除了我们，还住了很多人……简直像所多玛城①，乱糟糟的……嗯……是的……这时候，我的女儿，前妻生的女儿，也长大了，至于她怎样在后母面前忍气吞声地渐渐长大，我就不说了。因为虽然卡捷琳娜·伊凡诺芙娜心地宽厚，但她又是一个性情急躁、动辄发火的妇人，免不了发脾气……是啊，先生！唉，这事就不必提了！可以想见，索尼娅②没有受过教育。三四年以前，我曾经试过教她学地理和世界史，但因为我自己也没有什么根底，像样的教科书也没有，因为当时的几本书实在不成样子……唉！……现在连那几本书也没有了，全部教学也就到此结束了。

①是《旧约全书·创世记》第19章中提到的一座杂乱无章、充满罪恶的城市。

②索菲娅·谢苗诺芙娜·马尔梅拉多娃的小名。

学到波斯王居鲁士[1]就停止了。后来，她已经长大成人，又读过几本爱情书，再就是不久前，列别贾特尼科夫先生借给她一本书，是刘易斯的《生理学》[2]——您知道这本书吗，先生？——她读得津津有味，甚至还把一些段落念给我们听。这就是她受的全部教育了。先生，现在我向您请教一个私下的问题：依您看，一个贫穷然而清白的姑娘，靠清白的劳动能挣到很多钱吗？[3]……如果清清白白，而又没有特别才能的话，就是两手不停地干活儿，先生，一天连十五戈比也挣不到哇！这且不说，五等文官克洛普什托克，也就是伊凡·伊凡诺维奇，——您听说过此人吗？——不仅至今不付半打荷兰式衬衫的工钱，甚至还跺着脚，骂着脏话，气呼呼地把她赶走，说是衬衫领子不合尺寸，而且缝歪了。可这时候孩子们却在挨饿呀……卡捷琳娜·伊凡诺芙娜也搓着手在屋子里走来走去，两腮泛出潮红，得了这种病都是这样的。她数落说：'你这吃闲饭的，住在我们家，又吃又喝，还要取暖。'孩子们一连三天

①居鲁士（约公元前600—前529），古波斯王，或称居鲁士大帝（公元前558—前529在位）。学历史到居鲁士为止，说明她所学很少。

②指乔治·亨利·刘易斯的《共同生活生理学》，该书于1861年出版俄译本。它在19世纪60年代的俄国唯物主义倾向的青年中享有盛名。据一些回忆录说：《共同生活生理学》是19世纪60年代虚无主义者渴求的书。索尼娅没有读过多少书，所以她读《共同生活生理学》这个插曲，具有争论意味。可能是陀思妥耶夫斯基借此讥笑那种要以实证主义来解决道德问题的意图。——俄编注。按：乔治·亨利·刘易斯（1817—1878），英国哲学家、文学批评家、戏剧家、科学家。他的《共同生活生理学》著于1859—1860年。他受孔德实证主义影响，他联系社会条件和历史条件来探讨精神现象，对心理学思想有很大的促进。

③妇女的劳动及其报酬问题，是19世纪60年代一个引起普遍关注的问题。车尔尼雪夫斯基的小说《怎么办？》（1863）的主题之一，就是妇女的劳动。他主张将妇女组织起来，建立缝纫工场等劳动组合性质的机构。

见不到面包皮，还吃什么，喝什么呀！当时我正躺着……嗯，有什么办法呀！我醉醺醺地躺着，就听见我的索尼娅说话了（她是一个逆来顺受的姑娘，说话声音很温柔……浅色头发，小脸总是苍白清瘦的），她说：'怎么，卡捷琳娜·伊凡诺芙娜，我真的得去干那种营生吗？'那个一肚子坏点子、不止一次进过警察局的女人达里娅·弗兰采芙娜，已经通过女房东登门来找过三四次了。'那有什么，'卡捷琳娜·伊凡诺芙娜用嘲笑的口气回答说，'有什么舍不得的？多么了不起的宝贝哟！'不过不必怪她，不要怪她，先生，不要怪她吧！这话不是在头脑清醒的时候说的，而是在心情烦躁的时候，又有病，孩子们饿得直哭，而且说这话多半是辱骂，不是真有这意思……因为卡捷琳娜·伊凡诺芙娜就是这种脾气，只要孩子们一哭，哪怕是饿得哭，她立刻就动手打。我看见，五点多钟，我的索尼娅就站起来，裹上头巾，披上斗篷出了门，到八点多钟才回来。一进门，就径直朝卡捷琳娜·伊凡诺芙娜走去，一声不响地掏出三十卢布，放到她面前的桌子上。她一直没有开口，眼睛抬也没抬，只是拿起我家那条绿色的细呢大头巾（我家有这样一条公用头巾，是细呢的）[①]，用头巾蒙住头和脸，躺到床上，脸朝墙，只有肩膀和身子一个劲儿在抖动……我还像原来那样躺着……于是我看见，年轻人哪，我看见，卡捷琳娜·伊凡诺芙娜紧接着也是一声不响地走到索尼娅床前，在她的脚头跪了一个晚上，吻着她的一双脚，不肯起来。后来两个人抱在一起，就那

①据陀思妥耶夫斯基夫人说，这个头巾与她初次去陀思妥耶夫斯基寓所时见到他的女仆披在肩上的绿色头巾很相似，她认为它可能就是《罪与罚》中索尼娅披的头巾的"原型"。

样睡着了……两个人……两个人抱在一起……是的，先生……我呀……仍旧醉醺醺地躺着，先生。”

马尔梅拉多夫不说了，好像喉咙里卡住了。然后突然急忙倒了杯酒，一饮而尽，清了清嗓子。

“先生，打那以后，”他沉默了一会儿又说下去，“打那以后，因为出了一件不好的事，也由于一些不怀好意的人告密，特别坏事的是达里娅·弗兰采芙娜，似乎因为她没有受到应有的尊敬，打那以后，我的女儿索尼娅不得不领了黄色执照，这么一来，再也不能跟我们住在一起了。因为女房东阿玛丽娅·费多罗芙娜也不容许她住了（尽管原来她还帮了达里娅·弗兰采芙娜），再就是列别贾特尼科夫先生……哼……他就是因为索尼娅，跟卡捷琳娜·伊凡诺芙娜闹了一场。起初他拼命勾引索尼娅，可是这会儿一下子又神气起来，说：‘怎么，我这样一个文明人，跟这种女人住一座房子？’卡捷琳娜·伊凡诺芙娜听不下去，就出来讲理……两人闹了起来……所以现在索尼娅等天黑了才到我们家来，帮卡捷琳娜·伊凡诺芙娜做些事，尽可能送一些钱来……她住在裁缝卡佩瑙莫夫家，租了他家一个套房。卡佩瑙莫夫是个瘸子，说话笨嘴拙舌，他那一大家人都笨嘴拙舌。他老婆也笨嘴拙舌……他一家人挤在一间屋里，索尼娅单独住一个屋，带隔间的……嗯，是的……一家人很穷很穷，而且笨嘴拙舌……是的……那一天我一早就起身，穿上我那一身破衣服，举起双手祷告过上帝以后，就去找伊凡·阿法纳西耶维奇大人。您知道伊凡·阿法纳西耶维奇大人吗？……不知道？唉，这样好的人您居然不知道！他是蜡烛心肠……不论对什么人，像蜡一样容易融化！……他听完了，竟哗哗地流起眼泪。他说:‘嗯,你上次辜负了我的期望,马尔梅拉多夫哇……那我就收下你,再为你承担一次责任吧……要记住,你去吧!’他就是这样说的。我吻了吻他脚下的灰土,是在想象中吻的,因为他是朝廷大臣,是具有雄才大略和开明思想的人,如果我当真去吻,他是不会允许的。我回到家里,当我宣布我又有了差事,又可以拿到薪水的时候,天哪,当时是什么场面哪! ……”

马尔梅拉多夫又激动得说不下去了。这时从街上走进来一伙儿本来已经醉了的酒鬼,门口响起雇来的风琴手的手风琴声和一个七岁孩子唱《小小农庄》[①]的颤抖的童音。[②]小酒馆一下子就热闹起来,酒馆老板和小厮们忙着招待新来的顾客。马尔梅拉多夫没有理会进来的一伙儿人,又讲起他的事。他似乎虚弱已极,但是酒意越浓,谈得越带劲儿。一提到不久前又谋得差事,他似乎来了精神,甚至脸上都焕发出光彩。拉斯柯尔尼科夫聚精会神地听着。

“先生,这是五个星期以前的事。是的……她们俩,也就是卡捷琳娜·伊凡诺芙娜和索尼娅,一听说这事儿,天哪,就好像我一下子成了天神。过去,我像牲口一样躺着,只有挨骂的份儿!可是现在呀,她们都踮着脚走路,叫孩子们不要吵闹:‘谢苗·扎哈罗维奇在衙门里忙累了,在休息哩,嘘!’上班之前,给我把咖啡端来,把鲜奶油热好!她们开始给我买真正的鲜奶油呢,您听见

①19世纪中叶,E.克利莫夫斯基依据俄国诗人阿·瓦·柯尔卓夫的诗谱成的一首流行歌曲。

②在当时的报刊,经常报道小孩风琴手沿街演奏卖艺。

了吗！我不明白，她们打哪儿积攒了十一卢布五十戈比，给我置办了全套很体面的服装。靴子，细棉布胸衣，都很讲究，还有文官制服，都是花十一个半卢布添置的，气派极了。第一天上午，我下班回来，一看：卡捷琳娜·伊凡诺芙娜已经做好两样菜，一样是肉汤，一样是洋姜烧咸牛肉，这是以前想也不曾想过的。她本来什么外衣也没有……一件也没有，可是现在就像要出门做客似的，穿戴漂亮起来啦，并且不是随随便便，而是认认真真，本来一无所有，现在什么都像模像样了：头发梳好了，衬领干干净净的，戴起套袖，简直像换了一个人似的，显得年轻了，也漂亮了。我的好女儿索尼娅，只是给家里贴补些钱，至于她本人，她说，如无必要，常回我们家来就不相宜了，除非天黑以后，任何人也看不见。您听见了吗，听见了吗？午饭后我去小睡片刻，您猜怎么样，卡捷琳娜·伊凡诺芙娜憋不住了：一个星期之前她跟女房东阿玛丽娅·费多罗芙娜还大吵了一场呢，这会儿却请她来喝咖啡了。她俩在一块儿坐了两个钟头，唠叨个没完：'现在谢苗·扎哈罗维奇又在官府里拿薪水了。他常常见到大人，大人亲自出来，叫大家都等着，挽着谢苗·扎哈罗维奇的胳膊，在众人面前走过，把他领进办公室。'您听见了吗，听见了吗？她还说：'大人说，谢苗·扎哈罗维奇，我当然记得您的功劳，虽然您也有很荒唐的弱点，但是既然您现在已经立下保证，再说，没有您，我们的事也办不好（您听，您听吧），那我们现在就希望您说话算话了。'我对您说实话，所有这一切，全是她诌出来的，而且不单是为了夸耀才瞎编！不是的，先生，她自己是信以为真的，是用自己的想象自我安慰，先生，真的！我也不怪她。是的，这我不能怪她！……六天前，当我把第一次薪水——二十三卢布四十戈比——全部拿回家的时候，她都管我叫小宝贝了。她说：‘小宝贝，你真是好宝贝！’而且是只有我们俩在一起的时候，您明白吗，先生？其实，我能有什么可爱之处，我算什么样的丈夫哇？可是，她却捏着我的脸蛋儿说：‘你真是好宝贝呀！’”

马尔梅拉多夫停下来，本来想笑一笑的，可是他的下巴突然抽动起来。不过，他控制住了。这酒馆，这纵酒无度的模样，在干草船上过的五夜和酒瓶，再加上对老婆和家庭这种病态的疼爱，弄得他的听者不知如何是好。拉斯柯尔尼科夫聚精会神地听着，但感觉很难受。他后悔到这儿来了。

“先生，好先生！”马尔梅拉多夫恢复常态后叫了起来，“我的好先生啊，也许您和别人一样，觉得这一切只是可笑，我用家里一些毫无意义的琐事烦您，但我并不觉得可笑！因为一切都是我亲身的感受……那是我一生中最美好的一天，当天和整个晚上，我自己就是在幻想中度过的：就是说我想怎样把一切都安排好，让孩子们穿上衣服，让她过过安宁日子，让我那亲生女儿不再受作践，回到家庭的怀抱……还想了许多许多……这也是可以理解的，先生。可是，我的好先生啊(马尔梅拉多夫突然好像打了一个哆嗦，抬起头来，直盯着拉斯柯尔尼科夫)，可是呀，先生，就在第二天，做过这种美梦之后(也就是整整五天以前)，傍晚时候，我施展巧计，像黑夜里的贼一样，偷了卡捷琳娜·伊凡诺芙娜开箱子的钥匙，把我拿回来的薪水里用剩下的全偷了出来，一共多少，我记不清了，就这样，先生，瞧瞧我吧，全完了！离家已经第五天了，家里人在找我，差事也完了，那套文官制服也押在埃及桥头的一家酒馆里,换了这身衣服……什么都完了!”

马尔梅拉多夫用拳头捶了一下自己的脑门,咬紧牙,闭起眼睛,头沉甸甸地垂下,用胳膊肘支在桌子上。但是过了一分钟,他的脸突然变了,强装出狡狯无赖的神情看了看拉斯柯尔尼科夫,笑了起来,说道:

“今天我去找了索尼娅,讨钱买酒喝!嘿,嘿,嘿!”

“她给了吗?”进来的一伙儿当中有人在一旁叫道,接着放开嗓门儿哈哈大笑起来。

“这不是,这瓶酒就是拿她的钱买的,”马尔梅拉多夫只是对拉斯柯尔尼科夫一人说,“她给了我三十戈比,亲手给的,就剩这么多了,我亲眼看见的……她什么也没说,只是默默地看了看我……这可不像在人世间,好像在天上……替人伤心难过,为人哭泣,但不责备,不责备人哪!正是不责备,叫人更难受,更难受哇,先生!……给了三十戈比,是的,先生。可要知道,她现在也需要这钱哪,不是吗?我的好先生,您以为怎样?因为她现在需要保持整洁呀。整洁是要花钱的,这是一种特别的整洁呀,您明白吗?明白吗?香脂也得买,没有不行啊,先生;裙子要上浆的,皮鞋要漂亮的,式样得别致,跨过水洼的时候要露出脚的呀。您明白吗,先生,您明白这种整洁是什么意思吗?唉,可是我这个亲爹,却把这三十戈比要来喝了酒!这不是,正在喝嘛!已经喝光了,先生!……唉,谁又会可怜像我这样的人呢?不是吗?您现在会可怜我吗,先生,不可怜吧?您说话呀,先生,可怜不可怜?嘿,嘿,嘿,嘿!”

他本想倒酒的,但已经滴酒没有了。酒瓶空空如也。

“为什么要可怜你呢？”酒馆老板走到他身旁叫道。

四周响起一片笑声，甚至也有骂声。听他说话的人和没有听他说话的人都盯着这个丢了差事的小吏，笑着，骂着。

“可怜！干吗要可怜我！”马尔梅拉多夫突然向前伸出一条胳膊，站起身来，慷慨激昂地大叫起来，仿佛就等着听这句话呢，“你说，干吗可怜我？是的！没有必要可怜我！应当把我钉死，钉到十字架上，不必可怜我！喂，把他钉死，法官，钉死他，钉死以后再可怜他！到时候我自己会来找你，请你把我钉死，因为我渴望的不是欢乐，倒是悲伤和流泪！……掌柜的，你以为我喝了你这瓶酒快活吗？我是在瓶底寻找悲伤，悲伤，悲伤和眼泪，我尝到它了，我找到了。能可怜我们的，只有那个怜悯一切人、对一切无所不知的人，唯有他能，他才是法官。到那一天，他会降临[①]，会问：‘那个为了狠心的害痨病的后母，为了别人的年幼孩子去卖身的女子在哪里？那个怜悯生身父亲，怜悯不可救药的酒鬼，不嫌他猪狗不如的女儿在哪里？’并且会说：‘你来吧！我已经宽恕你一次……宽恕你一次了……现在你许多罪过都会被宽恕的，因为你的爱多[②]……’就这样会宽恕我的索尼娅，会宽恕的，我知道是会宽恕她的……刚才我到她那儿去的时候，心里就感觉到这一点！……他会审判一切人，也宽恕一切人，好人和坏人，大智大慧的人和安分守己的人……等把所有的人审判完毕，他就会对我们说：‘你们也过来吧！过来吧，酒鬼们，过来吧，懦弱无力的人们，

①指在世界末日前，基督将再次降临人世。

②引自《新约全书·路加福音》，第7章，47节。但作者是依据记忆引用，与原文略有出入。原文是：“……他许多的罪都赦免了，因为他的爱多。”

过来吧，不知羞耻的人们！'那时我们就都一点儿不羞愧地站过去。他会说：'你们是一群猪！是牲口的模样，有着牲口的记号；不过，你们也来吧！'于是大智大慧和精通事理的人们说：'主啊！为什么接纳这些人哪？'他会说：'大智大慧的人们，精通事理的人们，我之所以接纳他们，是因为这些人当中没有一个认为自己对此是受之无愧的……'说着他就向我们伸出手来，我们一下匍匐在地……痛哭流涕……什么都明白了！到那时我们一切都明白了！……所有的人全都明白了……连卡捷琳娜·伊凡诺芙娜……连她也明白了……主啊，愿你的天国来临！"

于是他躺到长凳上，疲惫无力，谁也不看，似乎忘记了周围的一切，深深地沉思起来。他的一番话对人们颇有触动，一时间鸦雀无声，但是很快又响起先前那样的笑声和骂声：

"还高谈阔论哩！"

"胡说八道！"

"还当过官老爷呢！"

诸如此类的话说了不少。

"先生，咱们走吧，"马尔梅拉多夫忽然抬起头来，对拉斯柯尔尼科夫说，"您把我送回家吧……科泽尔大楼，从院子里上楼。该回去……看看卡捷琳娜·伊凡诺芙娜了……"

拉斯柯尔尼科夫早就想走了，他自己也想过要搀他回去。马尔梅拉多夫说话有气无力的，可两条腿更没有力气了，所以紧靠到年轻人身上。走了大约有二三百步。离家越近，这个醉鬼越感到心慌意乱，越是害怕。

"我现在怕的不是卡捷琳娜·伊凡诺芙娜，"他忐忑不安地嘟哝说,“也不是怕她揪我的头发。头发算什么!……头发算狗屁!这是我自己说的!要是揪头发倒好了,我怕的不是这个……我……是怕她的眼神……是的……眼神……也怕她脸上的红晕……还怕她气喘……你见过害这种病的人……在心情激动的时候是怎样气喘的吗?我也害怕孩子们的哭声……因为如果不是索尼娅养活了他们,那……我就不知道会怎样了!真不知道!挨打我倒不怕……先生,你要知道,为这挨打,不但不觉得疼,而且觉得痛快……因为不挨打我自己心里也过不去。挨打倒好些。让她打吧,让她出出气吧……这样倒好些……哦,大楼到了。这就是科泽尔大楼。科泽尔是个铜匠,德国佬,很有钱……搀我进去吧!”

他们从院子里走进去,上了四楼。越往上走,楼道里越暗。已经快十一点了,虽然这时节彼得堡没有真正的黑夜,但楼梯顶头还是很暗的。

在楼道尽头的最高处,有一扇熏得黑黑的小门敞开着。在这间十来步长的寒碜小屋里,点着一截蜡烛头儿。从过道就能看得见整个小屋。里面乱七八糟,尤其是孩子们的破烂衣服,到处都是。后面角落里挂着一条有不少窟窿的床单,里面大概是放了一张床。屋子里总共只有两把椅子和一张十分破旧的漆布长沙发,沙发前面放一张厨房用的旧松木桌,没有油漆过,也没有铺桌布。桌子边上,插在铁皮烛台上的蜡烛头儿快要点完了。原来,马尔梅拉多夫家住在一个特别的屋子里,不是顶头房间,而是一个过道屋。再往前走是阿玛丽娅·莉佩韦泽的住房,隔成几个像鸟笼的小间,房门虚掩着。里面吵吵嚷嚷,非常热闹,好像是在玩牌和喝茶。有时从里面飞出一两句不堪入耳的脏话。

拉斯柯尔尼科夫一眼就认出了卡捷琳娜·伊凡诺芙娜。这是一个奇瘦的女人，个子很高，腰身纤细，也很匀称，还有一头漂亮的深褐色头发，确实两腮出现了潮红。她的嘴唇焦干，呼吸很不均匀，时断时续，两手按着胸口，在自己的小屋里前前后后地走着。她的眼睛像发热病似的闪着光，但目光锐利，一动不动；残烛的微光在她的脸上晃动着，这张害肺痨的、焦躁不安的脸在烛光下给人一种很难受的印象。拉斯柯尔尼科夫觉得她在三十岁上下，马尔梅拉多夫确实跟她很不般配……有人进来，她没有听见，也没有看见；她好像在出神，既不听，也不看。屋里很闷，但她没有开窗。有一股臭味从楼道里冲进来，通楼道的门却没关；里面屋子有一股股烟草的烟气，通过那扇没有掩好的门飘进来，她不住地咳嗽，却也不去把门掩实。最小的女孩，有五六岁，不知为什么坐在地板上睡觉，蜷缩着身子，头埋在沙发里。一个小男孩，比她大一两岁，在角落里浑身打着哆嗦在哭。看样子，他刚刚挨过打。最大的女孩，有八九岁，高高的，瘦得像一根火柴，只穿一件瘦小的、到处是窟窿的衬衫，光光的肩膀上披一件破旧的呢大衣，大概是两年前给她做的，因为现在大衣连膝盖也够不到了。她站在角落里，紧靠着弟弟，用她那像火柴似的又长又干瘦的胳膊搂着他的脖子。她好像在哄他，小声对他说着话儿，想方设法不让他再哭出声来，同时带着害怕的神气不住地用她那双大大的深色眼睛打量着母亲，那眼睛在她那张又瘦又害怕的小脸上显得更大了。马尔梅拉多夫没有进屋，就在门口跪下来，却把拉斯柯尔尼科夫推到前面。那女人一看见陌生人，清醒了一会儿，就漫不经心地在他面前站住，似乎在想：这人进来干什么？但看样子她立刻想到，他是到里屋去的，因为他们家的小屋是个过道屋。她想到这一点，就不再理会他，朝过道的门走去，想把门关上，突然看见跪在门口的丈夫，就叫了起来。

“啊！”她狂怒地叫道，“你回来了！你这个该死的东西！你这个恶棍！……钱呢？你口袋里还有什么，给我拿出来！衣服也换了！你的衣服呢？钱呢？快说呀！……”

于是她扑过来搜他的身。马尔梅拉多夫立刻乖乖地向两边抬起胳膊，好让她搜口袋方便些。钱连一戈比也没有了。

“钱哪儿去了？”她叫道，“天哪，难道给他统统喝光了！本来箱子里还有十二个卢布哇！……”她忽然像发了疯似的一把揪住他的头发，就往屋里拖。马尔梅拉多夫顺从地用两个膝盖跟着她往里爬，让她少费点劲儿。

“我觉得这很痛快！我不觉得疼，觉得很痛……快，先……生……”他大声说。他被揪得摇来晃去，甚至脑门儿在地板上撞了一下。

睡在地板上的小孩子醒了，哭了起来。在角落里的小男孩再也忍不住，浑身哆嗦，大声哭叫起来，惊恐得像发了疯似的扑到姐姐身上。大女孩瞌睡刚醒，浑身像树叶似的抖动着。

“你给喝光了！统统喝光了！”可怜的女人在绝望中叫道，“衣服也换了！他们在挨饿，在挨饿呀（她痛苦万状地指着孩子们）！天哪，这是什么日子呀！可是你们，你们下酒馆不觉得可耻！”她忽然冲着拉斯柯尔尼科夫叫起来：“你跟他喝酒了？你也跟他喝酒了！给我滚出去！”

年轻人一句话没说，急忙走开。这时候，里面那扇门一下子敞开，有几个好奇的人从里面朝外张望。探出好几个叼着烟卷和烟斗、戴着小圆帽的嬉皮笑脸的脑袋。可以看见，有的身披睡衣、敞着怀，有的穿着单薄得不成体统的衣衫，有的手里还拿着纸牌。当马尔梅拉多夫被揪住头发往里拖，还大声说他觉得痛快的时候，他们笑得特别开心。有人甚至开始往这屋里走了。最后，响起气势汹汹的尖叫声：这是阿玛丽娅·莉佩韦泽亲自挤到前面，要照她的办法整顿秩序，就已不下百次地吓唬那个可怜的女人，破口大骂，叫她明天就搬出这屋子。拉斯柯尔尼科夫临走时把手伸进口袋掏了掏，把在酒馆里拿一个卢布找回的一些铜币全掏出来，悄悄地放到窗台上。过了一会儿，已经来到楼梯上，他改变了主意，就想转身回去。

"我这事儿做得多么荒唐，"他想道，"他们现在有索尼娅，我自己还需要钱哪。"可是他想到已经不可能把钱拿回来，就是可能，他还是不拿回来为好，于是他把手一甩，就朝自己的住处走去。"索尼娅也需要买香脂呀，"他走在大街上，继续想道，并且冷笑一下，"这种整洁是要花钱的……哼！要知道，索尼娅也许今天会一文不名呢，因为这也是碰运气，就像猎捕珍禽异兽……开采金矿……[①]如果那样，没有我的钱，他们一家人明天就会一无所有……好一个索尼娅！这算什么矿井啊，他们居然挖出来！并且在利用！就是在利用啊！而且已经习惯了。哭一阵子，也就习惯了。人卑贱了，对什么都会习惯的！"

他沉思起来。

---

①拉斯柯尔尼科夫在这里将索尼娅的"手艺"和狩猎猛兽、开采金矿等冒险活动相提并论，带有嘲讽意味。

“可如果是我想错了呢，”他忽然不由得叫起来，“如果人并不卑鄙呢，我是指一切人，整个人类，并不卑鄙，那就是说，其余的一切全是偏见，只不过是人为的恐惧，并没有任何阻碍，事情本该如此！……”

第三章

拉斯柯尔尼科夫一夜睡得很不安稳，第二天醒来已经很晚，睡眠并没有使他提起精神。他醒来一肚子火，气冲冲地，愤愤不平，怀着憎恨的心情望了望自己的小屋。这是一间小小的鸟笼般的屋子，长只有六步，样子十分寒碜，落满灰尘的泛黄壁纸多处都已从墙上剥落，而且屋子非常低矮，如果是一个稍微高点儿的人，来到这屋里会提心吊胆，总觉得脑袋随时会碰到顶棚。家具也跟屋子很相称：有三把旧椅子，都不怎么完好；角落里有一张上过油漆的桌子，上面放着几本书和练习簿，只要看看书和练习簿上落的灰尘，就可以看出已经很久没有人摸过了；再就是还有一张笨重的大沙发，几乎占了整整一面墙和半间屋子，当年是蒙了印花布的，现在已经破烂不堪，就给拉斯柯尔尼科夫当床用了。他常常不脱衣服，不铺床单，和衣睡在沙发上，把自己那件破旧的学生大衣盖在身上，床头只有一个小枕头，他把自己所有的衣服，不论干净的还是穿脏的，统统塞到枕头底下，把枕头垫高些。沙发前放一张小桌。

很难比这更潦倒、更邋遢的了;但是拉斯柯尔尼科夫在目前的心情下,甚至觉得这样倒舒服些。他坚决断绝与一切人的来往,像乌龟缩进自己的壳儿里。就连那个负责照料他、有时到他屋里来看看的女仆的脸,也引得他恼火和惊悸。有一些害偏执狂、脑子钻到一点上的人,往往就是这样。他的女房东停了他的伙食已有两个礼拜,他至今也不想去跟她交涉,虽然吃不上饭了。女房东唯一的女仆和厨娘纳斯塔霞,看出房客的心情如此,很是高兴,干脆不到他屋里来收拾和打扫了,只是一礼拜偶然有一次拿起笤帚扫几下。现在就是她把他叫醒的。

"起来吧,还睡哩!"她站在他身旁叫道,"都九点多了。我给你端茶来了。想喝茶吗?恐怕饿瘪了吧?"

这位房客睁开眼睛,打了个哆嗦,认出是纳斯塔霞。

"怎么,茶是女房东叫你送来的吗?"他问道,一面慢慢地、带着一副病态从沙发上欠起身子。

"哪儿是女房东啊!"

她把自己那把有裂纹的茶壶放在他面前,里面是喝剩的残茶,她又放了两小块黄糖。

"哦,纳斯塔霞,你拿去,劳你驾,"他在口袋里摸了摸(他是穿着衣服睡的),掏出一小把铜币,说道,"给我去买个面包来。再去腊肠铺买点儿腊肠,便宜点儿的。"

"面包我这就去买,腊肠就不买了,喝点儿菜汤,好吗?菜汤很好,是昨天的。还是昨天我给你留的,可是你回来太晚了。挺好的菜汤呢。"

菜汤端了来，他喝起菜汤，纳斯塔霞就挨着他坐在沙发上，跟他聊起来。她是农村来的，是一个很爱唠叨的女人。

“普拉斯科维娅·巴甫洛芙娜要上警察局告你呢。”她说。

他紧紧皱起眉头。

“上警察局？她要干吗？”

“你不付房钱，也不搬走。她要干吗，不是明摆着嘛。”

“哼，这不是添乱吗，”他咬牙切齿地嘟哝说，“唉，目前这在我……太不凑巧了……她太浑了，”他大声加了一句，“我今天就去找她，跟她谈谈。”

“她浑是浑，跟我一样，可你又怎样呢？聪明倒聪明，整天像个口袋似的躺着，看不出你有什么能耐。你说你以前教过孩子们，现在怎么啥事也不做？”

“我在做……”拉斯柯尔尼科夫很不乐意地板着脸说。

“做什么？”

“做事情……”

“什么事情？”

“我在想。”他沉默了一会儿之后，一本正经地回答说。

纳斯塔霞一下子笑得前仰后合。她是一个爱笑的人，一有什么好笑的事，就笑得没有了声音，浑身又哆嗦，又摇晃，直到自己都觉得恶心才罢休。

“怎么，你光想就发了大财吗？”她好不容易说出话来。

“没有靴子是不能教孩子的。再说我也瞧不上。”

“别把话说绝了。”

“教孩子挣不到多少铜币。靠几个铜币能做什么？”他很不乐意地接下去说,好像是在回答自己的想法。

“你想一下子就发大财吗?”

他很奇怪地看了看她。

“是的,要发大财。”他沉默了一下子之后,就斩钉截铁地说。

“哎呀,你还是一步一步来吧,要不然会把人吓坏的,已经够受了。怎么样,要去买面包吗?”

“随你便。”

“哦,我倒忘了!昨天你不在家的时候来了一封信,是给你的。”

“信!给我的!是谁来的信?”

“是谁来的,我不知道。是我给了邮差三戈比,你还我吗?”

“你快拿来,行行好,快拿信来!”拉斯柯尔尼科夫激动万分地叫了起来,“天哪!”

过了不一会儿,信就拿来了。不出所料:是母亲的信,寄自P省。他接信时,脸都白了。他已经很久没有收到家信,不过现在忽然压上他的心头的还有另一件事。

“纳斯塔霞,行行好,你走吧。这是给你的三个戈比,不过,行行好,你快走吧。”

信在他手里直抖,他不愿意当着她的面拆开,因为想单独一个人看这封信。等纳斯塔霞一走,他很快地把信贴到嘴上吻了吻,然后又对着信封上的字,对着当年教过他读书写字的母亲那熟悉而亲切的娟秀字迹端详了很久,仍没拆信,甚至好像害怕什么。终于他把信拆开了,这信厚厚的,沉甸甸的,有两洛特[①]重;两大张信纸上密密麻麻地全写满了小字。

---

①俄国在实行公制前所用的重量单位,一洛特约合十三克。

“我的好罗佳[1]，”母亲写道，

已经有两个多月没有写信和你谈心了，我自己因此也很痛苦，甚至思前想后，有时一夜都睡不着觉。但是，大概你也不会怪我这么长时间没有写信，因为是出于无可奈何。你知道我是多么爱你：你是我们，是我和杜尼娅唯一的亲人，你是我们的一切，是我们的全部希望和寄托。当我得知你因为无钱维持生活已经辍学数月，而且丢了教书的事，也断了其他生活来源的时候，我心里是什么滋味呀！我每年只有一百二十卢布抚恤金，怎么能帮助你呀？四个月前我寄给你的十五卢布，你也知道，是我用抚恤金做抵押，向我们这儿的买卖人阿法纳西·伊凡诺维奇·瓦赫鲁申借来的。他是一个好心人，又是你父亲的故交。但是，既然把代领抚恤金的权利交给了他，那就必须等到把债还清以后再说，现在才刚刚还清，所以在这段时间里我什么也无法给你寄。但是现在，感谢上帝，看来我又可以给你寄钱了，而且现在甚至可以夸口说，从根本上时来运转了，这就是我急于要告诉你的。第一，你是否能想到，我的好罗佳，你妹妹跟我住在一起已经有一个半月，而且今后我们再也不会分开了。感谢上帝，她的磨难算到头了，不过我还是原原本本把一切对你说说，让你了解种种事情的经过和至今我们瞒着你的事。两个月前你写信给我，说你听什么人说，好像杜尼娅在斯维德里盖洛夫先生家里受到无礼对待，你要我详细说说究竟是怎么一回事儿。那时候我能回信对你说什么呢？假如我对你说实话，你一定会丢下一

①本书主人公罗季昂·罗曼诺维奇·拉斯柯尔尼科夫的爱称。

切，哪怕步行，也会赶到我们这儿来的，因为我知道你的个性和情感，你是决不会让你妹妹受欺凌的。当时我也陷于绝望的境地，又有什么办法呢？当时我也不知道全部真相。主要的难处是，杜尼娅去年上他们家当家庭教师时，预支了整整一百卢布，说定从每月报酬中扣除。所以，在没有还清欠款以前，是不能辞职不干的。她预支这笔钱（现在我可以把一切对你说清楚了，我的好罗佳），就是为了寄给你当时急需的六十卢布，也就是去年你收到的我们汇去的那笔钱。我们当时瞒着你，在信里说是杜尼娅以前攒下的钱，其实不是那么回事儿，现在把全部真相告诉你，因为现在一切都改变了，感谢上帝，一下子都好转了，同时也让你知道，杜尼娅是多么爱你，她有一颗多么可贵的心。确实，斯维德里盖洛夫先生起初对待她很粗暴，在餐桌上常常对她放肆无礼，冷嘲热讽……但是这些令人难受的事我不想细说，免得你徒增烦恼，反正现在这一切已经过去。简单些说，尽管斯维德里盖洛夫的太太玛尔法•彼得罗芙娜和家里所有的人对待杜尼娅都很好，很厚道，杜尼娅还是很痛苦，尤其是当斯维德里盖洛夫先生在军队里落下的老毛病发作，在酒神附体的时候。可是后来结果又怎样呢？你要知道，这个混账东西早就迷恋上杜尼娅，但是表面上粗暴无礼，装作瞧不起她，从而把这一切掩盖起来。也许他看到自己已经上了年纪，又是一家之主，居然有这种非分之想，自己也觉得羞耻和害怕，所以不由得恼恨起杜尼娅。也许他只是想用粗暴的态度和冷嘲热讽掩盖真相，瞒过别人。可是，终于他按捺不住了，竟然明目张胆、低三下四地向杜尼娅求婚，许给她种种好处，并且说要抛弃一切，带她私奔，上别的村庄去，或者出国。你可以想象她有多么痛苦！立刻辞职不干是不行的，不仅仅是欠的钱还未还清，而且也因可怜玛尔法·彼得罗芙娜，因为那样一下子就会引起她的猜疑，造成家庭不和。而且这对于杜尼娅也是很不光彩的事，这样做是绝对不行的。还有其他种种原因，所以，六个礼拜以前杜尼娅无论如何不能指望逃出这个可怕的人家。当然，你是知道杜尼娅的，知道她有多么聪明，性格多么刚强。杜尼娅许多事都能承受得住，甚至在极端艰难的条件下，她也能处之泰然，刚强不屈。她甚至没在信上把一切都告诉我，怕我难受，而我们是经常互通信息的。事情的结局来得非常突然。玛尔法·彼得罗芙娜无意中听到自己的丈夫在花园里向杜尼娅求爱，由于误解，完全归罪于杜尼娅，认为她是祸根。于是就在花园里大吵大闹起来，玛尔法·彼得罗芙娜甚至打了杜尼娅。她什么话也不愿意听，吵嚷了整整一个小时，最后，她叫人立刻把她送到城里我这儿来，让她坐上一辆普通的农家大车，把她所有的东西，内衣和外衣，不包也不叠，胡乱扔到大车上。这时下起倾盆大雨，受尽侮辱和污蔑的杜尼娅不得不坐上没有篷的大车跟一个庄稼汉走了十七俄里[①]。现在你想想吧，两个月前我收到你那封信，我怎么给你回信，在信里能说什么呢？我自己也陷于绝望的境地，我不能把真相告诉你，因为你如果知道真相，一定会很伤心，很难过，很气愤，可是你又能怎样呢？说不定，把你也毁

①一俄里等于一点零六公里。

了，而且杜尼娅不让我告诉你。要我在心里如此痛苦的时候连篇累牍地写一些不相干的琐事，我又做不到。整整一个月，全城的人都在添油加醋地议论着这件事，以至于我和杜尼娅连教堂也不能去了，因为到处遇到鄙夷的目光和窃窃私语，甚至当着我们的面说三道四。所有的熟人都躲着我们，甚至连招呼也不打。我还确实听说，一些商店伙计和一些小办事员还想用下流方法侮辱我们，往我们住的房子大门上抹柏油[①]，所以房东就要我们快些搬出去。这一切的根源就是玛尔法·彼得罗芙娜，她家家跑遍，到处责骂和败坏杜尼娅的名声。她在我们这里跟所有的人都认识。这一个月来，她常常到城里来，因为她爱唠叨，喜欢讲自己的家事，尤其糟的是喜欢见人就数落自己的丈夫，这样在很短的时间里这件事不仅传遍全城，而且传遍全县。[②]我病了，杜尼娅倒是比我刚强，你没看见她是怎样挺住了一切，怎样安慰我，鼓励我呀！她真是天使！不过，感谢上帝，我们的痛苦不久就到头了：斯维德里盖洛夫先生回心转意，后悔不已，也可能是怜惜杜尼娅，就向玛尔法·彼得罗芙娜提出充分而明显的证据，表明杜尼娅一点儿错也没有，也就是交给她一封信，那还是玛尔法·彼得罗芙娜在花园里碰到他们以前，杜尼娅迫不得已写给他

①按俄国习俗，把柏油涂在大门上，表示这一家的女人不正经。

②《时代》杂志(1861年，第3期)上也记录过一桩与此相类似的事件："一位在别人家生活了六年还多的家庭女教师，为了躲避男地主的追求，就从窗口跳了出去，躲进了花园。当她从藏身处走出来的时候，看到自己的东西全都被扔到了院子里……姑娘暂时借住在邻居家里，而那个她如今不愿再待下去的高贵家庭，为了给自己的卑鄙行为寻找开脱的理由，就开始在周围地区用各种不实之词来诋毁她。"——俄编注

的，为的是拒绝斯维德里盖洛夫先生一再要求的私下交谈和幽会。这封信在杜尼娅离开之后，还一直留在斯维德里盖洛夫先生手里。她在这封信里用最激烈的言辞和万分愤怒的语气谴责他背着玛尔法·彼得罗芙娜做这种不正当的事，要他时刻不要忘记自己是一家之主，而且儿女成群，再就是他这样折磨和坑害一个已经够不幸的无依无靠的姑娘，有多么可耻。总而言之，我的好罗佳，这封信写得义正词严，而且非常动人，以至于我一面读一面痛哭。一直到现在，我一读这封信，还是不能不流泪。此外，证明杜尼娅清白无辜的还有仆人们，他们看到的和知道的，比斯维德里盖洛夫先生自己料想的要多得多，事情往往是这样。玛尔法·彼得罗芙娜非常震惊，正如她自己向我们承认的，"又一次痛心得要死"，不过她完全相信杜尼娅是清白的了。第二天，正是礼拜天，她就坐上车直奔大教堂，跪下来含泪祈求圣母给她力量，让她经受这次考验和尽自己的责任。然后，她出了教堂，哪里也没去，就直奔我们家，把一切都对我们说了，伤心痛哭，后悔不已，搂着杜尼娅，恳求杜尼娅原谅她。当天上午，她毫不耽搁，从我们家一出去就直奔城里所有的人家，到处流着眼泪，用最美妙动人的话语为杜尼娅恢复清白的名声，说明她的感情和行为都是高尚的。不仅如此，她还把杜尼娅给斯维德里盖洛夫先生的亲笔信拿给所有的人看，读给人听，甚至让人传抄（我觉得，这就多余了）。就这样，她只好一连几天在城里家家拜访，因为有些人已经怪她先去别人家了，所以就排好顺序，这样每家就早早地等着她，大家也知道玛尔法·彼得罗芙娜要在哪一天到哪一家读这封信，而且她每次读信，总有一些按顺序在自己家里和在熟人家里听了好几遍的人也赶来听。我以为，其中有许多做法，许许多多做法是多余的，然而玛尔法·彼得罗芙娜就是这种性格。至少，她为杜尼娅完全恢复了名誉，这件事的全部丑恶也就落到她丈夫头上，他成为罪魁祸首，落了个洗不掉的耻辱。这么一来，我反倒可怜起他来，对待这个荒唐的人实在太严厉了。马上就有好几家来请杜尼娅去教书，但是她谢绝了。总而言之，大家一下子就对她特别敬重了。最主要的是，这一切促成了一件意外的事，通过这件事，可以说，现在我们的整个命运都在起变化。你要知道，我的好罗佳，有人登门向杜尼娅求婚了，她也已经同意了，这就是我急于要告诉你的。虽然这事没有和你商量就办了，但是想必你不会责备我和你妹妹，因为你也看得出来，事实上我们不可能等待和拖延到你回信后再办。再说，你也不能靠通信来准确地判断一切。事情是这样的。他叫彼得·彼得罗维奇·卢仁，已是七等文官，是玛尔法·彼得罗芙娜的远亲。这事在很多方面是她促成的。开头是他通过她表示愿意跟我们认识认识，我们就好好接待了他，请他喝咖啡，到第二天，他就派人送来一封信，在信中非常有礼貌地表示了自己求婚之意，并且请求尽快给予明确答复。他是有公务在身的人，很忙，现在急于到彼得堡去，所以每一分钟都是宝贵的。不用说，起初我们非常吃惊，因为这一切来得太快，太突然了。我们在一起琢磨和考虑了一整天。他是一个可靠而有生活保障的人，有两处差事，而且已经有自己的财产。不错，他已经四十五岁，但是他的外表还很好看，还能讨女人喜欢，而且总的说，他是一个仪表堂堂、彬彬有礼的人，只是有点儿阴沉，并且似乎很高傲。不过，也许这只是初次见面给人的感觉。而且我要预先提醒你，我的好罗佳，不久你就会和他在彼得堡见面了。等你们见了面，如果你一眼看去有什么不足之处，你千万不要马上急躁地下断语，因为你一向就喜欢这样。我说这话是防备万一，虽然我深信，他会给你很好的印象的。再说，要了解一个人，不论是什么人，都需要一步一步接近，谨慎观察，以免形成偏见和误解，那是以后很难纠正和消除的。从很多方面看，至少彼得•彼得罗维奇是一个非常可敬的人。第一次来访时，他就向我们说明，他是一个讲究实际的人，但在很多方面，如他自己所说，他赞同“我们最新几代人的主张”，并且反对一切成见。他还说了许多，因为他好像有点爱虚荣，并且非常喜欢别人听他说话，不过这也算不上什么毛病。当然，我听懂的很少，但是杜尼娅对我解释说，他这人虽然学识不深，但很聪明，似乎也很善良。罗佳，你是知道你妹妹的性格的。她是一个刚强、通情达理、有耐性和心胸豁达的姑娘，虽然有一颗炽热的心，这是我摸透了的。当然，不论从她这方面，还是从他那方面，都没有什么特别的爱情，但是，杜尼娅除了是一个聪明的姑娘，同时还是一个像天使一般高尚的姑娘，会认为使丈夫幸福是自己的天职，他也会关心她的幸福，这一点我们暂时还没有多少怀疑的理由，虽然也应该承认，事情办得有点仓促。此外，他这人又很精明，他当然会看出来，杜尼娅嫁给他以后越幸福，他自己的婚后幸福也就越牢靠。至于性格有什么差异，有些旧习惯，甚至思想上有些不一致(这是最美满的夫妻之间也免不了的)，杜尼娅就这方面对我说过，她对自己有把握，完全不必担心，许多事她都能经受得住，只要他们今后的关系是坦诚的、公平的就行。比如，起初我觉得他似乎有些尖刻，但是这也许由于他是一个直爽的人，必然如此。再比如，在他得到应允后第二次来访时，就在言谈中透露，还在以前没有认识杜尼娅的时候，他就打定主意要娶一位清白然而没有陪嫁的姑娘，而且一定要是经历过艰难困苦的。他解释说，这是因为，不论在哪一方面丈夫都不能仰仗妻子，如果妻子能把丈夫看做自己的恩人，倒是要好得多。我要补充一句，他说的比我写的要委婉些和亲切些。因为我已经忘记他的原话，只记得大意了。此外，他说这话决不是事先想好的，显然是谈得来了劲无意中流露的，所以，后来他还极力纠正和缓解。不过我还是觉得这话似乎有点儿刺耳，于是后来我对杜尼娅说了。可是杜尼娅竟不高兴地回答我说："说话还不是行动嘛。"当然，这话也对。杜尼娅在拿定主意之前，一夜未睡，她以为我已经睡了，便从床上起来，在屋里来来回回走了一夜；到末了她跪下来，对着圣像热烈地祈祷了很久。第二天早晨，她就对我说，她已经拿定主意了。

我已经提到，彼得·彼得罗维奇现在就要去彼得堡。他到那里有一些大事要办，他还想在彼得堡开办一家公共律师事务所。他承办各种诉讼已经多年，前几天刚刚打赢了一场重要的官司。他现在必须去彼得堡，就是因为他有一宗要案在参政院审理。所以,我的好罗佳,他对你会有好处的,甚至在各方面都会有很大好处。因此,我和杜尼娅已经认定,甚至从今天起,你就可以明确地干起你未来的事业了,可以认为你的命运已经确定了。啊,但愿这事成真!这真是好处太大了,只能认为这是上帝直接给我们的恩赐。杜尼娅梦想的就是这个呢。我们已经试着就这事对彼得·彼得罗维奇说过几句话。他显得很谨慎,并且说,当然,因为他不用秘书不行,那不用说,与其把薪水给外人,就不如给亲戚,只要能胜任就行(你还会不胜任吗),可是他立刻就表示怀疑,你在大学里功课很多,不会有时间到他的事务所做事。这一次这事儿就谈到这里为止,但是,现在杜尼娅除了这事儿,什么也不想。现在她已经有好几天,简直像发起高烧似的,已经拟定出一整套方案,要让你以后成为彼得·彼得罗维奇诉讼事务上的助手,甚至合伙人,何况你本身学的就是法律。罗佳,我完全赞同她的想法和打算,也怀着同样的希望,认为这是完全可能的。尽管彼得·彼得罗维奇现在态度含糊,这也是完全可以理解的(因为他还不认识你呀)。杜尼娅坚信,只要她对自己的丈夫施加良好的影响,一切都可以办到,这她是有把握的。当然,我们也留神,不能在彼得·彼得罗维奇面前说漏了嘴,不能透露丝毫有关将来的想法,尤其是希望你成为他的合伙人的事。他这人是注重实际的,听了也许会十分冷漠,因为他会觉得这一切不过是空想。同样,我们虽然殷切地希望他在你上大学期间帮我们资助你求学,可是不论我,不论杜尼娅,都没有对他吐露过半个字。我们之所以不说,是因为，第一，这是以后自然而然会做到的，也许，不需我们说，他自己就会提出来（他还能不帮杜尼娅这个忙），更何况你自己就会成为他的事务所的得力助手，你接受的这种帮助就不是恩赐，而是你应得的薪金了。杜尼娅是想这样安排的，我也赞同她的想法。第二，我们之所以不说，是因为我特别希望在你们即将见面的时候，你能和他处在平等的地位。当杜尼娅得意扬扬地对他说起你的时候，他回答说，判断任何人都必须亲自仔细地观察一番，他希望在跟你认识之后，自己对你作出评价。你可知道，我的好罗佳，我觉得，因为有一些想法（不过，这跟彼得•彼得罗维奇绝对没有关系，而是我自己个人的想法，也许这是女人家脾性，老太婆的脾性），——我觉得，在他们结婚之后，我还是像现在这样单过，不跟他们住在一起为好。我完全相信，他心地高尚，待人温厚，一定会主动邀请我去住，叫我不要跟女儿分开，至于他至今没有说话，那自然因为这是不言自明的事；不过，到时候我会谢绝的。我这一生不止一次发现，女婿往往不怎么喜欢丈母娘，我不仅不希望自己成为别人的累赘，哪怕最微小的累赘，而且也希望自己完全自由自在，只要自己还有面包吃，还有你和杜尼娅这样的儿女。如果可能，我就靠近你们俩住下来，因为，罗佳，最愉快的事儿我留到这信尾才说：你要知道，我的好孩子，我们，我们三个，在离别近三年之后，也许很快就可以团聚，又可以拥抱在一起了！已经**明确**决定，我和杜尼娅即将到彼得堡去，什么时候动身还不知道，但不管怎样，快了，很快了，也许，过一个礼拜就动身了。一切要看彼得•

彼得罗维奇的安排了。他在彼得堡熟悉一下环境之后，立刻就会通知我们的。他出于某些考虑，很想尽快举行婚礼，如果能行的话，就在现在这段开斋期[①]内，如果因为时间仓促来不及的话，那就在圣母升天节[②]以后立即举办。啊，等我把你紧紧搂在怀里，该是多么幸福哇！杜尼娅因为就要跟你见面，一直高兴得不得了，有一次对我开玩笑说，单是为了这一点，嫁给彼得·彼得罗维奇也行了。她真是天使！她现在什么也不给你写了，只是叫我告诉你，她有很多话要对你说，很多很多，以至于她现在无法提笔，因为短短数行什么也写不清楚，只能使自己心烦意乱；她要我紧紧拥抱你，代她无数次吻你。不过，尽管我们也许很快就要见面了，我还是要在近几天内给你寄些钱去，而且尽可能多寄一些。现在大家都知道杜尼娅要嫁给彼得·彼得罗维奇了，我的信用就一下子提高了不少，我可以肯定，现在用抚恤金做抵押，阿法纳西·伊凡诺维奇甚至可将借款增加到七十五卢布，这样我也许可以给你寄二十五卢布，甚至三十卢布。本来还可以多寄些，但是，我怕我们在路上费用不够。虽然彼得·彼得罗维奇一片好心，负担了我们进京的部分费用，也就是他主动提出，由他出钱，把我们的行李和一个大箱子运走（他设法通过那里的熟人办理），但我们还是要考虑到彼得堡的费用，到了彼得堡，至少头几天，也不能身无分文。不过，我和杜尼娅已经仔

①圣诞节至大斋期间的一段时间为开斋期，在俄国婚礼大多安排在这个时候。

②圣母升天节在俄历8月15日，节前有两个星期斋期。东正教规定，斋期内不得举行婚礼。圣母升天节后为秋季开斋期。

细算过，一算就清楚了，在路上花费不会很多。从我们这里到火车站总共九十俄里，我们已经跟一个熟识的赶车汉子说好，到时候可以坐他的车去；到了车站，我和杜尼娅就可以顺顺当当坐上三等车走了。所以，也许我汇给你的不是二十五卢布，大概能省出一些钱，就给你汇三十卢布。不过，就写到这里为止吧。两大张纸已经写得满满的，再也没有地方了。说了一大堆我们的事儿，确实各种各样的事儿积攒了多少啊！我的好罗佳，我们很快就要见面了，现在让我拥抱你，祝福你，你就接受我做母亲的祝福吧。罗佳，你要爱杜尼娅，爱你的妹妹；要像她爱你一样爱她，你要知道，她对你的爱是无限的，爱你胜过爱她自己。她是天使，你呢，罗佳，你是我们的一切——我们的全部希望和全部慰藉。只要你幸福，我们也就幸福了。罗佳，你还像原来那样祷告上帝，相信我们的创世主和救世主的仁慈吗？我害怕，心里很害怕，当今流行的不信教的风气是否沾染了你？要是这样的话，那我就替你祈祷。好孩子，你想想吧，当你还很小，你父亲还在世的时候，你就坐在我的膝头咿呀咿呀地学着念祈祷词，那时候我们一家有多么幸福哇！下次再谈吧，或者最好说，见面再谈！紧紧地、紧紧地拥抱你，吻你无数次。

永远爱你的普莉赫里娅·亚历山德罗芙娜

拉斯柯尔尼科夫一开始读信就泪流满面，几乎整个读信时间里都是这样。但是等他读完了，一张脸变得煞白，而且一阵阵地抽搐，脸都变了模样，嘴边掠过一丝又难受、又恼火、又痛恨的冷笑。他一头扎到又瘪又破的枕头上，想来想去，想了很久。他的心跳得厉害，他的思绪也翻腾不已。最后，他感到在这间形同衣柜或者衣箱的斗室里又憋闷又局促。他的目光和思想都需要有开阔的空间。他抓起帽子就走了出来。这一回他已经不怕在楼梯上遇到什么人了，这一点他已经忘了。他穿过B—й大街[①]，朝瓦西里岛方向走去，好像要赶到那里去办什么事似的，但还是像往常一样走着，连路也不看，只管自己嘟哝着，甚至说出声来，过路人见了都非常惊讶，很多人都以为他喝醉了。

①指沃兹涅先斯基大街(今迈科夫大街)。意译为升天大街。

第四章

他读了母亲的信,痛苦到极点。但对最主要的和最根本的一点,甚至还在读信的时候,他心中便不再有片刻的怀疑了。对待此事的根本原则在他的脑海中已经明确,已经彻底决定了:“只要我还活着,这件婚事就休想成功,叫卢仁先生见鬼去吧!”

“因为这事儿是明摆着的,”他嘟哝说,一面冷笑着,预先就得意地庆贺自己决定的成功,“不行,妈妈,不行。杜尼娅,你们骗不了我!……还表示歉意,说什么没有和我商量,没有得到我同意就把事情定了呢!可不是!以为现在反正已经不能拆散了,那咱们就看看,能还是不能!多么堂皇的借口,说什么:‘彼得·彼得罗维奇是有公务在身的人,忙得不得了,连结婚也得开快车,差点儿要开火车了。’哼,杜尼娅,我完全看出来,完全知道,你准备跟我说的很多话是什么;我也知道,你一整夜在屋里走来走去,心里想的是什么,你在妈妈卧室里的喀山圣母像前祈祷的是什么。要上髑髅地[1],那是痛苦的。哼……这么说,就这样完全决定了:好一个杜尼娅,你就要嫁给那个有公务在身而又精明能干的人了,因为他有自己的财产(已经有自己的财产,这就更有分量,更能打动人了),有两处差事,赞同我们最新几代人的见解(如妈妈说的),而且,'似乎也很善良',如杜尼娅自己说的。这个似乎最妙了!于是这个杜尼娅就要嫁给这个似乎了!……妙极了!妙极了!……"

"……不过,我真想知道,妈妈为什么在信中对我说起'最新几代人'呢?只是为了评价此人,还是有进一步的意图:让我对卢仁先生有好感?啊,真是煞费苦心哪!还很想弄清一个情况,她们俩在那一天和那一夜,以及后来的日子里,彼此开诚布公到了什么程度?她们之间所有的话都直截了当地说出来了呢,还是她们都明白,彼此心里想的和脑子里盘算的都是一回事儿,没有必要全说出来,说走了嘴不好。可能,情况大致就是这样。从信上看得出来:妈妈觉得他说话有点儿刺耳,天真的妈妈就把自己的看法对杜尼娅说了。杜尼娅自然很恼火,所以就'很不高兴地回答'。当然啦!当事情已经很清楚,不问那些天真的问题也清楚,而且事情已经决定,已经没什么好说的时候,谁能不恼火呢?她怎么在信里对我说:'罗佳,你要爱杜尼娅,她爱你可是胜过爱她自己呀。'莫不是因为她为了儿子同意牺牲女儿,暗暗受到良心谴责。'你是我们的慰藉,你是我们的一切!'啊,妈妈呀!……"他胸中的火气越来越强烈,要是现在卢仁先生碰上他,他恐怕要杀死他!

---

①耶稣被钉上十字架的地方。

“哼,说的倒是不错,”思想像旋风似的在他头脑里旋转着,他随着思想的旋风继续想下去,“要了解一个人,必须‘一步一步接近,谨慎观察’,这话不错。不过,卢仁先生其人,已经一目了然。主要的是,‘有公务在身的人,似乎也很善良’:他出面托运行李,自己出钱运走大箱子,怎么不善良呢?可是她们俩,未婚妻和丈母娘,却雇一个庄稼汉,坐大车走,芦席篷的大车(我坐过这种车)!没什么!只有九十俄里嘛,‘到车站就可以坐上三等车顺顺当当走了’,也只有一千多俄里。这也是有道理的:量入为出嘛。不过,卢仁先生,您这是什么事啊?这可是您的未婚妻呀……而且您也不可能不知道,您的丈母娘是用自己的抚恤金做抵押预支的路费呀!当然,你们这是一笔合伙交易,股份相等,收益均分,就是说,开支也要分担,如俗话说的,吃饭在一起,烟叶各吸各的。不过这个有公务在身的人有点儿愚弄她们了:托运行李要比她们花的路费便宜呀,也许不花钱就运走了。她们俩怎么看不出这一点,还是存心不去看呢?她们还满意,很满意呢!可以想见,这不过是刚刚开花儿,真正的果子还在后头呢!要知道,这里面最要紧的是什么:最要紧的不是吝啬,不是小气,而是这一切一切的作风。要知道,这也是将来婚后的作风,一种预告……话又说回来,妈妈瞎起劲干什么?她凭什么到彼得堡来?凭三个卢布,或者两张‘票子’,就像那个……老太婆说的……哼!以后她在彼得堡靠什么过日子呢?她不是已经根据一些迹象猜想到,婚后,甚至在开头一段时间,她跟杜尼娅不能生活在一起了吗?想必是那个可爱的人儿不知怎么说走了嘴,露了底,尽管妈妈拼命装作没有听见,说什么‘我会谢绝的’。她怎么办,依靠谁?依靠抚恤金一百二十卢布，还要扣除欠阿法纳西·伊凡诺维奇的债？她在那里又编织冬天用的头巾，又绣套袖，把老眼都累坏了。靠织头巾一年总共不过给那一百二十卢布增加二十卢布，这我是知道的。就是说，还是指望卢仁先生的高尚感情，说什么‘他一定会主动邀请我去住’。那就好好等着吧！席勒笔下那些心灵美好的人物[1]往往是这样：直到最后一刻还拼命美化人，直到最后一刻都往好处想，不往坏处想。哪怕已经预感到奖章的反面[2]，可是，不到时候自己决不肯对自己说真话，而且连想也怕想；闭起眼睛不看事实真相，直到被美化的人亲自把他们捉弄一场为止。有意思的是，卢仁先生是否有勋章呢？我敢打赌，他衣服扣眼里有一枚安娜勋章[3]，他赴承包人和买卖人宴会时一定要佩戴的。恐怕在参加自己的婚礼时也要佩戴。可是，让他见鬼去吧！……”

“……妈妈就是这样，随她去吧，愿上帝保佑她。可是杜尼娅是怎么一回事儿呀？杜尼娅呀，好一个杜尼娅，我可是了解您的呀！咱们最后一次见面的时候，您已经快满二十岁了：您的性格我已经摸透了。妈妈在信中说：‘杜尼娅许多事都能忍受。’这我是知道的。这我在两年半以前就知道了，而且两年半以来我一直

---

①陀思妥耶夫斯基从幼年起，就很喜爱并推崇席勒。他在1880年8月18日致尼·卢·奥兹米多夫的信里说道：“……美的感受在童年里绝对不可少的。我十岁时就在莫斯科观看莫恰洛夫演出席勒的《强盗》……我当时获得的强烈印象在我的精神方面产生了良好的影响。”席勒的名字以及他“那些心灵美好的人物”，作为伦理理想主义的象征，经常出现于陀思妥耶夫斯基的其他小说中。

②俄语成语，指事情坏的一面。下文说的卢仁先生的勋章，即由此联想而来。

③帝俄时代的文官勋章。

在想着这一点，正是想着这个‘杜尼娅许多事都能忍受’。既然能忍受斯维德里盖洛夫先生以及种种后果，那就是说，确实许多事都能忍受。现在她和妈妈就认为，连卢仁先生也可以忍受，虽然他大谈娶家境贫苦、视丈夫为恩人的妻子的好处，而且几乎是刚开始见面就谈的。就假定他‘说漏了嘴’吧，虽然他是一个理性的人（所以，也许根本就不是说漏了嘴，而是有意尽早把话说清楚），可是杜尼娅，杜尼娅是怎么回事儿呢？她对人是看得清楚的，她得跟这人过一辈子呀。她是宁可吃黑面包喝白水，也决不会出卖自己的灵魂，决不会拿自己的精神自由去换取舒适生活的呀；给她整个石勒苏益格-荷尔斯泰因①，她也不会换，更别说卢仁先生了。据我所知，杜尼娅不是那样的人，决不是的，而且……当然，就是现在她也没有变！……没说的！斯维德里盖洛夫两口子是很难对付的！为了二百卢布在外省奔波，当一辈子家庭教师，也不是好过的。但我明白，妹妹宁愿去给美国的农场主当黑奴，或者去给波罗的海东岸的德国佬当拉脱维亚农奴②，也不肯玷污自己的心灵和情操，仅仅为了自己能得到好处而永远委身于一个自己既不尊重又毫无共同之处的人。就算卢仁先生是纯金铸的或者整块钻石雕的，她也不肯去做卢仁先生的合法玩物！那又

①两处是原属丹麦的两个公国。因其归属问题，曾先后发生普丹战争(1864)和普奥战争(1866)。至1867年，它们成为普鲁士的两个州。在19世纪60年代，俄国报刊经常报道有关事件，陀思妥耶夫斯基的《时代》杂志于1861年也发表过有关的文章。1866年夏，陀思妥耶夫斯基在写作《罪与罚》时，十分关心普奥战争。

②1861—1865年美国的南北战争与农奴争取解放的斗争，在俄国社会与当时进步报刊上引起很大反响，当时人们常将俄国农奴类比为美国黑人。报刊还经常报道拉脱维亚农奴受德国老爷压迫的悲惨境遇。

为什么现在答应了呢？问题的实质究竟在哪里？谜底在哪里呢？事情很明显：要为了自己，为了自己的舒适，甚至为了自己免于毁灭，她都不会出卖自己，可是为了别人她可能会出卖自己！为了亲爱的人，为了至亲至爱的人，她可能出卖自己！问题的全部实质就在这里：为了哥哥，为了母亲，她要出卖自己！她一切都可以出卖！啊，到一定时候，我们竟会让自己的情操也委屈一下，我们竟会把自由、安宁，甚至良心，一切的一切，都拿到旧货市场上去卖掉！这一生完蛋就完蛋吧！只要我们亲爱的人能幸福。此外，还可以想出自己的辩解方法，这是效法耶稣会[1]教士嘛，也许暂时可以自慰，使自己相信必须如此，为了达到良好的目的，确实必须如此。我们就是这样，一切都非常明显。很明显，摆在第一位的不是别人，正是我罗季昂·罗曼诺维奇·拉斯柯尔尼科夫。当然嘛，这能使他幸福，上大学有人供给，能使他成为事务所的合伙人，整个前途都有了保障；也许以后会成为富翁，得到荣誉，受人尊敬，甚至以荣耀显赫人物终此一生。那么母亲呢？可这是罗佳，宝贝罗佳，是长子呀！为了这样的长子，哪怕牺牲这样的女儿呢！啊，两颗可爱而又不公正的心哪！那有什么：我们就是落到索尼娅那一步，也在所不惜。索尼娅呀，索尼娅·马尔梅拉多娃，只要这个世界存在，就会有索尼娅！牺牲啊，牺牲，你们俩充分估量过吗？真是这样吗？能行吗？有好处吗？有道理吗？你可知道，杜尼娅，索尼娅的遭际一点儿也不比你跟卢仁先生在一起更

---

①16世纪中期创立的一个教派，是天主教会反对当时兴起的宗教改革运动的主要集团。它有森严的纪律，总会长常居罗马，对各地会士拥有绝对统治权，故有“黑衣教皇”之称。18世纪欧洲资产阶级革命时期曾遭到一些资产阶级思想家的抨击。该会主张：为了达到良好目的，可以不择手段。

糟？妈妈在信中说：‘这里不会有什么爱情。’如果不但没有爱情，也不会有尊敬，而且相反是有了反感、蔑视和厌恶，那又怎么办呢？这么一来，恐怕就不得不又来一个‘保持清白’了。不是这样吗？你可明白，你可明白这清白是什么意思吗？你可明白，卢仁太太的清白就等于索尼娅的清白，也许更坏，更丑恶，更卑贱。杜尼娅，你们毕竟图的是活得舒适些，可人家面临的干脆是饿死的问题！‘杜尼娅呀，这种清白的代价太大，太大了！’嗯，要是你以后忍受不下去了，不会后悔吗？会有多少悲哀、忧愁、诅咒和眼泪呀，而这一切又都得背着大家，因为你毕竟不是玛尔法·彼得罗芙娜呀。到那时候，母亲又会怎样呢？要知道，她现在已经焦虑不安，已经很痛苦了。到那时候，什么都看清楚之后，又会怎样呢？我又会怎样呢？……你实际上把我想成什么了？杜尼娅，我不要你的牺牲，妈妈，我不要！只要我活着，这事就办不到，办不到，办不到！我决不接受！”

他突然清醒过来，站住了。

“办不到？可有什么办法不让这事发生呢？不准结婚吗？你有什么权利？你为得到这样的权利，又能给她们什么许诺呢？等你毕了业，找到了差事，就把自己的一生，把整个未来都献给她们吗？这话我们早就听说过，不过这还得走着瞧哇，现在又怎么办？因为正是现在就必须有所作为，这一点你明白吗？那你现在干什么呢？你是在搜刮她们哪。要知道，她们的钱是靠一百卢布抚恤金做抵押借来的，是从斯维德里盖洛夫先生家预支的呀。你这个未来的富翁，支配她们命运的宙斯[①]，你有什么办法使她们逃

①希腊神话中的主神。

出斯维德里盖洛夫夫妇和阿法纳西·伊凡诺维奇·瓦赫鲁申的手掌呢？再过十年吗？可是在这十年中，母亲会因为织头巾，也许会因为流泪哭瞎了眼；会因为节衣缩食而憔悴不堪。妹妹又怎样呢？嗯，你好好想想吧，十年之后或者在这十年之中，你妹妹又会怎样？你猜想得到吗？”

他就这样拿这些问题折磨自己，挖苦自己，甚至感到这是一种乐趣。不过，所有这些问题都不是新问题，不是突然出现的问题，而是一些郁积心头、早就应该解决的老问题。很久以前这些问题就开始揪他的心，把他的心都撕碎了。很久很久以前，他目前的苦恼就在他心中生根发芽，渐渐成长、积累，并且在最近成熟和集中，形成一个可怕的、荒唐离奇的问题，这问题折磨得他心里脑子里难受至极，因为逼迫着他非解决不可。现在母亲的信像巨雷一般朝他猛击一下。很明显，现在需要的不是徒然苦闷烦恼，也不光是焦虑问题还没有解决，而是一定要有所作为，而且是马上，不可迟疑。无论如何要大胆行动，不管是什么样的行动，或者……

“或者完全看破人生！”他忽然发狂似的叫起来，“听天由命，了此一生，压下心中的一切，放弃行动、生活和爱的一切权利！”

“您明白吗，先生，您明白走投无路意味着什么吗？”他忽然想起马尔梅拉多夫昨天提出的问题，“因为任何人都要走下去呀，不管是什么样的路……”

他不禁打了个哆嗦：也是昨天的一个念头又在他的头脑中闪过。不过，他打哆嗦并不是因为这个念头闪过。他早知道，早就预感到，这个念头一定会“闪过”的，而且已经在等着了；况且这念头也根本不是昨天产生的。但区别在于,一个月以前,甚至在昨天,这念头还只是一种幻想,可是现在……现在一下子就不是幻想了,而是以一种新的、可怕的、他感到完全陌生的面目出现,他自己也一下子就意识到这一点……他脑袋里嗡的一下,就两眼发黑。

他连忙用眼睛朝四下里扫了扫,像要找什么。他很想坐一坐,是找长椅子。这时他正走在К—й林荫道[1]上。前面有一张长椅,离着一百来步远。他尽快地走去,但半路上出了小小的意外,这事儿在几分钟里把他的注意力吸引住了。

他在寻找长椅子的时候,就发现在自己前面二十步左右走着一个女子,但是开头他对她丝毫没有注意,就像他从前丝毫不注意面前闪过的景物一样。他已有许多次回到家里却一点儿不记得回家走的路,他这样走路已经习惯了。但是那走着的女子有一点儿奇怪,那是一见就惹眼的,因此他的注意力就渐渐地集中到她的身上。起初是不情愿的,似乎还有些懊恼,可是后来就盯得越来越紧了。他忽然很想弄清楚,这女子奇特之处究竟在哪儿?大概首先这是一个非常年轻的姑娘,这样热的天在外面走路,却不戴草帽,不撑阳伞,也不戴手套,两条胳膊摆动得有点儿可笑。她穿一件丝织连衫裙,料子很薄(是绸子的),但穿得也有点儿怪,后腰上勉强扣住了裙子的最上端。下面撕破了一块耷拉下来,不停地晃荡着。一块小小的三角头巾披在光溜溜的脖子上,但也是歪歪扭扭的。此外,这姑娘走路不稳,踉踉跄跄,甚至东倒西歪。这一邂逅终于吸引了拉斯柯尔尼科夫的全部注意力。他

①指孔波格瓦尔杰伊斯基林荫道(今普罗弗索尤佐夫林荫道)。

和姑娘在长椅跟前走到了一起，但是她一下子就倒在长椅的一角，头靠椅背闭上了眼睛，看样子是太疲乏了。他定神看了看，立刻就看出她是完全醉了。看着这样的情景，觉得又奇怪又荒唐。他甚至想是不是自己看错了。在他面前的是一张非常年轻的脸蛋儿，约莫有十六岁，甚至也许只有十五岁，脸蛋儿小小的，淡黄色头发。但这脸通红通红的，好像还有点儿浮肿。姑娘神志似乎已经很不清楚，她把一条腿搭在另一条腿上，大腿太多地暴露在外面，而且从种种迹象看，她并没有意识到是在大街上。

拉斯柯尔尼科夫没有坐下，也不想走开，只是大惑不解地站在她面前。这条林荫道一向就很少有行人，现在正是下午一点多钟，天又这么热，几乎没有人。不过在一旁，十五步左右的地方，有一位先生在林荫道边上站了下来。从一切迹象可以断定，他怀着某种目的也很想到这个女孩身边来。他大概也是远远地看到了她，就追了上来，可是拉斯柯尔尼科夫碍了他的事。他恶狠狠地瞪着拉斯柯尔尼科夫，却又极力不让拉斯柯尔尼科夫看到他的目光。他很不耐烦地等着这个穿得破破烂烂的讨厌的家伙走开，自己好走过来。事情是很明显的。这位先生三十岁上下，结实肥胖，容光焕发，红润的嘴唇，短短的小胡子，穿着非常讲究。拉斯柯尔尼科夫恼火极了，他忽然很想奚落一番这个脑满肠肥的花花公子。他暂时撇下小姑娘，走到这位先生跟前。

“喂，你这个斯维德里盖洛夫[①]！你在这儿想干什么？”他喝

①确有其人。1861年《星火报》上报道权贵鹰犬作恶情形，举出一小吏斯维德里盖洛夫，说他来历不明，但神通广大，善于钻营，干尽龌龊勾当，竟能飞黄腾达，发财致富。——俄编注

道，一把攥紧拳头，那气得直冒唾沫的嘴巴冷笑着。

“你是什么意思？”这位先生皱起眉头，傲慢地惊讶了一下之后，板着脸问道。

“滚开，就是这个意思！”

“好大的狗胆，你这流氓！……”

于是他扬起马鞭。拉斯柯尔尼科夫攥紧拳头向他猛扑过去，竟没有想想这个健壮的先生足可对付像他这样的两个。但就在这时候，有人从背后紧紧拉住了他：一名警察站到了他们两人中间。

“算了，两位先生，公共场所不准打架。您要干什么？您是什么人？”他打量了一下拉斯柯尔尼科夫的一身破烂儿，就厉声问道。

拉斯柯尔尼科夫定神看了看他。这是一张威武的士兵的脸，留着斑白的唇髭和络腮胡子，目光中透露着精明能干的神气。

“您来得正好，”拉斯柯尔尼科夫抓住他的胳膊叫道，“我姓拉斯柯尔尼科夫，曾经是大学生……”他转身对那位先生说：“这您也可以去打听。哦，咱们一起过去，我指给您看点东西……”

于是他抓住警察的胳膊，把他拉到长椅跟前。

“这不是，您瞧瞧，完全醉了，刚才从这条道上走来的：谁知道她是干什么的，反正不像专干那一行的。最可能是在什么地方被人灌醉了，上了当……头一回……您明白吗？就这样让她到街上来了。您瞧，裙子都扯破了，您瞧，这裙子是怎么穿的：是别人给她穿的，不是她自己穿的，而是男人的笨手给她穿的。这是看得出来的。哦，这不是，您再往这边瞧：这个花花公子，就是我刚才想揍的人，我并不认识，是头一回看见。他刚才也是在路上注意到她喝醉了，迷迷糊糊的，就很想走过来把她拉住，因为她处在这种状态下嘛，再带到什么地方去……肯定就是这样。您要相信我，我没有猜错。我亲眼看到，他一个劲儿打量她，紧紧盯着她，只是我碍他的事，所以他现在就盼我走开。瞧，他现在多少走远一点儿，站在那儿好像在卷烟呢[①]……咱们怎样才能不让他得手呢？怎样把她送回家去呢？请您想想吧！”

警察一下子什么都明白了。胖先生的用意当然很明显，剩下的就是女孩子的问题。警察朝她弯下身去，挨近些仔细端详，他的脸上流露出真挚的同情。

“唉，多可怜哪！”他摇着头说，“还完全是个孩子呢。上了当，准是这样。喂，小姐，”他开始唤她，“请问，您住哪儿？”姑娘睁开疲倦的、无精打采的眼睛，呆呆地望了望盘问她的两个人，挥了一下手。

“您听我说，”拉斯柯尔尼科夫说，“给您（他在口袋摸索了一阵子，掏出二十戈比；总算找到了），给您，雇一辆车，叫车夫送她回去。不过，咱们还得知道她住哪儿呀！”

“小姐，听见吗，小姐？”警察接过钱，又开口说，“我这就去给您雇一辆车，送您回去。请问，怎么走，嗯？您住哪儿呀？”

“走开！……真缠人！……”姑娘嘟哝说，并且又挥了挥手。

“唉，唉，这多不好哇！唉，这多丢人哪，小姐，多丢人哪！”他又摇起头来，一面又怜悯又气恼地责备她。“这就难办了！”他转

①在首都彼得堡的大街上原来是禁止抽烟的。1865年7月4日政府颁布了一项法令，才开了此禁。这里写的当在开禁之前。

身对拉斯柯尔尼科夫说，并且重新把他从头到脚匆匆打量了一遍。他一定觉得这人很怪：穿得这样破烂，还掏钱给别人！

“您从很远的地方就遇到他们了吗？”他问拉斯柯尔尼科夫。

“我对您说：她东倒西歪地在我前面走，就在这林荫道上。她一到长椅跟前，就这样倒下了。”

“唉，上帝啊，现今世上什么寡廉鲜耻的事儿都有！这么一个不懂事的姑娘，就喝醉了！上当了，一定是的！这不是，衣服都撕破了……唉，现今世道太坏了！……也许是好人家的孩子呢，家里穷点儿……现今这种事儿可多呢。模样儿雪白粉嫩的，像个小姐。”他又弯下腰端详她。

也许他也有这样的女儿，“雪白粉嫩的，像个小姐”，一副大家闺秀的派头，而且打扮也千方百计追求时髦。

“最要紧的是，”拉斯柯尔尼科夫关切地说，“不能让她落到这个下流东西手里！这不是，他还在打她的主意呢！他想干什么，这是一眼就看得出的。哼，这下流东西，还不走开！”

拉斯柯尔尼科夫说话声音很大，并且用手指着他。那人听见了，本想再发作，但是想了想，改变了主意，只是轻蔑地看了一眼。然后慢慢地又走开十来步，站了下来。

“不让她落到他手里，是可以办到的，”警察沉思着说，“要是她能说出家住哪儿就好了，要不然……小姐，喂，小姐！”他又弯下身去。

姑娘忽然完全睁开眼睛，定神看了看，似乎有点儿明白了，就从长椅上站起来，转身朝来的方向走去。

“呸，这些不要脸的东西，缠起来没完！”她说着，又挥了挥手。她很快地朝前走去,但还像原来一样东倒西歪。那个花花公子跟着她走去,但走的是另一条林荫道,眼睛紧紧盯着她。

“请放心,我不会让他得手的。”大胡子警察斩钉截铁地说过,就跟在他们后面。

“唉,现今世道多坏呀!”他叹着气又说了一遍。

就在这时候,就像有什么东西蜇了一下拉斯柯尔尼科夫,霎时间,他心里好像翻了个底朝天。

“喂,您听我说!”他在大胡子警察背后叫道。

大胡子警察转过身来。

“算了吧!您管这事干什么?别管了!让他去开心吧(他指了指那花花公子)。您管这事干什么?”

警察不明白这是什么意思,把眼睛瞪得老大。拉斯柯尔尼科夫笑起来。

“怎么这样!”警察摆了摆手说,又跟着那花花公子和姑娘走去,大概他把拉斯柯尔尼科夫当成了疯子,或者更坏的什么东西。

“把我的二十戈比也拿走了,”等到剩下拉斯柯尔尼科夫一个人,他愤恨地嘟哝说,“不如让他从那家伙手上拿点钱,听凭那家伙把姑娘带走,这样了结就算了……我干吗要掺和进来帮忙?我配帮助人吗?我有资格帮助人吗?就让他们互相咬,活活咬死吧,这干我什么事?我怎么敢把这二十戈比给人。难道这钱是我的吗?”

尽管他说了这些怪话,心情还是沉重起来。他在空了的长椅上坐下来。他的思想很乱……而且此时此刻他不论想什么,都觉得很沉重。他真希望完全昏迷过去,把什么都忘记,然后清醒过来，一切从头开始……

“可怜的小姑娘！”他看了看小姑娘坐过的长椅一角说道，“等她清醒过来，会哭一场的，然后是母亲知道了……先是狠狠打一顿，然后拿鞭子抽，没脸见人也够受的，也许还要赶出家门……就是不赶出去，反正达里娅·弗兰采芙娜这号人的鼻子尖得很，于是这个小姑娘就开始踯躅街头，东走西串……紧接着就是进医院[1]（有些女孩子虽然跟规规矩矩的母亲住在一起，却瞒着母亲干风流事儿，结果也总是这样），然后呢……然后再次住院……酗酒……下酒馆……又是医院……过两年、三年，就成了残废，一辈子从生下来算起，总共不过十九岁，或者十八岁……难道我没见过这样的姑娘？她们是怎样走到这一步的呢？这不是，她们都是这样走的……呸！随她们去吧！据说，就应该这样呢。据说，每年都要有百分之几的人……走这条路……去见魔鬼，似乎是为了给别人提精神而不妨碍别人。[2]百分比呢！他们用的这些词儿实在太妙：既科学，又能叫人宽心。说的只是百分之几，这就不必担心了。如果换个词儿，那样……也许就令人担心了……假如杜尼娅有朝一日落进那百分之几，那怎么办？……不落进那百分之几，

---

①指患花柳病。据统计，当时俄国仅欧洲部分患花柳病者有六十九万三千多人。

②此处暗指比利时统计学家凯特勒（1796—1874）的学说。凯特勒认为，一定百分比的娼妓和罪犯是永远不可避免的，甚至是人类生存的必需条件。凯特勒的《论人类及其能力之发展，或社会物理学概论》一书的俄译本第1卷于1865年在彼得堡出版之后，在报刊上引发了激烈的争论。陀思妥耶夫斯基在小说中还提到了另一位凯特勒学说的传播者、德国经济学家瓦格纳（1835—1917）。当时的报刊曾将凯特勒和瓦格纳称为“精神统计学”的巨擘。——俄编注

就落进另外的百分之几，又怎么办？……”

“我是上哪儿去呀？”他忽然想道，“奇怪。本来我是有事才出来的呀。我一看完信，就出来了……我是要到瓦西里岛去找拉祖米欣的，就是要去那儿，现在……我记起来了。不过，我去干什么呢？为什么找拉祖米欣的念头偏偏现在浮出我的脑海？这就耐人寻味了。”

他自己也感到奇怪。拉祖米欣原来是他大学里的一个同学。有意思的是，拉斯柯尔尼科夫在大学里的时候，几乎没有朋友，不与任何人交往，不去找任何人，也不欢迎别人来找他。不过，大家很快也都不理睬他了。不论公共集会，不论聊天，不论游玩，他一概不参加。他学习勤奋，十分刻苦，因此，大家都尊敬他，但谁也不喜欢他。他很穷，却有点儿目空一切，落落寡合，好像在心里蕴藏着什么。有一些同学觉得，他把他们所有的人都看成孩子，很瞧不起；似乎无论文化素养，无论知识和见解，他都胜人一筹；别人的见解和兴趣在他看来不过是低级玩意儿。

不知为什么他和拉祖米欣倒谈得拢，也不是谈得拢，而是跟他有些交往，能谈点儿什么。话说回来，跟拉祖米欣相处不可能不是这样。这是一个特别快活、特别爱交际的小伙子，善良到憨直的程度。不过，在这种憨直下面却蕴涵着深刻和尊严。他的好朋友都明白这一点，大家都很喜欢他。他一点儿不蠢，虽然有时候确实有点儿憨。他的外貌是很惹人注目的——高高的，瘦瘦的，黑黑的头发，胡子总是刮不干净。他有时候胡闹，并且以膂力过人闻名。有一天夜里结伙外出，他一拳就把一个身高两俄尺十二俄寸[1]的治安人员打倒在地。他喝起酒来没完没了，但也可以滴酒不沾；有时调皮起来简直无法无天，但也可以老老实实，规规矩矩。拉祖米欣还有一点了不起的是，不论遇到什么样的挫折，从不灰心，不论在什么样的逆境中，都不丧气。他能住很差的地方，哪怕住屋顶，能忍受极端的饥饿和不寻常的寒冷。他很穷，完全靠自己干点什么活儿挣钱养活自己。他知道有无数挣钱的途径，当然都是靠干活儿。有一年，他整个冬季都没有在屋里生火，还硬说这样更舒服，因为越冷睡得越香。目前他也不得不辍学在家，但不会太久的，他正想方设法改善境况，以便继续学业。拉斯柯尔尼科夫大概已经有四个月没有去看他了，拉祖米欣甚至还不知道他的住处。有一回，两个来月以前，他们本来在街上碰到了，可是拉斯柯尔尼科夫却转过脸去，甚至跨到街对面，不让拉祖米欣看见自己。拉祖米欣虽然看见了，但也从一旁走了过去，因为不愿打扰朋友。

①一俄尺约等于零点七一米，一俄寸约等于二点四四厘米。

第五章

“的确，不久前我本来还想请拉祖米欣帮我找点事儿，找个地方教书或者干点儿别的什么……”拉斯柯尔尼科夫又想下去，“可是现在他又能帮我什么忙呢？就算他能给我找到教课的事儿，就算他愿意跟我分享最后一个戈比，因而甚至可以买双皮靴，可以穿得整齐点儿，好去教课……嗯……那以后呢？我靠这几个钱能干什么呢？难道我现在需要的是这个吗？真是的，我去找拉祖米欣太可笑了……”

他一想到为什么要去找拉祖米欣，心中就惶惶不安，不安的程度甚至超过了他自己的想象；在这看来极平常的行动中，他不安地搜寻着某种对自己不祥的含意。

“怎么，难道我想靠拉祖米欣一个人改变整个局面，要在拉祖米欣身上为一切寻求出路吗？”他惊讶地问自己。

他想着，揉着自己的脑门儿。说也奇怪，在长时间冥思苦想之后，他脑子里突然出人意料地，几乎是自发地，产生了一个非常奇怪的念头。

"嗯……去找拉祖米欣,"他忽然十分镇静地说,好像就这样最后决定了,"我要去找拉祖米欣,当然要去……不过,不是现在……要到干完那事儿的第二天,等那事儿干完了,一切都不同了……我再去找他……"

他忽然清醒过来。

"干完那事儿以后……"他从长椅上跳起来,叫道,"当真要干那事儿?难道真的要去干?"

他撇下长椅,几乎像跑一样走开。他本想转身回家去,可是一往家走,他突然感到极其厌恶起来:这一切就是在那里,在那间可怕的小屋里渐渐酝酿成熟的,已经有一个多月了。于是他漫无目标地信步走去。

他的神经质的战栗,变得像打摆子似的,甚至打起寒战来;他在这样热的天气竟然感到浑身发冷。出于某种内心需要,他努力地,几乎是无意识地开始注视迎面看到的一切,似乎拼命在寻找什么东西解闷儿,却找不到,所以不时陷入沉思。当他颤抖着抬起头,朝四下里张望时,就立刻忘记刚才想的是什么,甚至忘记刚才走过什么地方。他就这样穿过整个瓦西里岛,来到小涅瓦河[①]边,过了桥,就拐弯朝另外几个岛走去。他那疲倦的眼睛,看惯了城市的尘土、石灰和拥挤在一起的高大房屋,如今看到一片翠绿,生机盎然,顿时感到十分舒畅。[②]这儿既不闷热,也没有臭气,没

①为涅瓦河的支流。

②此处指小涅瓦河上的图奇科夫桥。据说,陀思妥耶夫斯基本人一直很喜欢这个地方。

有小酒店。然而这些新鲜、愉快的感觉很快地也变成了难受和恼怒。有时候,他在绿树掩映的别墅前停了一停,朝栅栏里面望望,可以远远看到在阳台上和露台上打扮得花枝招展的女郎和在花园里奔跑的孩子们。他特别喜欢看的是那些鲜花;看花的时间也最长。他也不时遇到华丽的马车和骑马的男女;他常常好奇地目送他们,但是不等他们走远,就把他们忘了。有一回,他站下来数了数自己的钱:大约还有三十戈比。"给警察二十戈比,给纳斯塔霞三戈比信钱……就是说,昨天给马尔梅拉多夫家是四十七或者五十戈比。"他不知为什么心里算起账来,但很快就忘记了把钱从口袋里掏出来干什么。等走到一家很像小酒馆的小店门口,他才想起来,同时也感觉到肚子饿了。他走进小酒馆,喝了一小杯伏特加,吃了一块不知什么馅的烤饼。等他又走出来,才把烤饼吃完。他很久没喝伏特加了,不一会儿酒劲儿就发作了,虽然总共只喝了一小杯。两腿忽然沉重起来,他觉得非常想睡觉。他朝回家的路走去;走到彼得罗夫岛,浑身一点儿力气也没有,就停下来,离开大路走进灌木丛,倒在草地上一下子睡着了。

生病时做的梦,往往异常清晰鲜明,与现实特别相似。有时会出现极其荒诞的梦境,但梦里的环境与全过程又是完全可能有的;情节是那样细致入微,出人意料,而在艺术上又那样符合梦境的全局,哪怕做梦的人是普希金或屠格涅夫一样的艺术家,在清醒的时候无论如何是想象不出来的。这样的梦,病中的梦,往往会使人久久不能忘记,往往会对人的紊乱和亢奋的机体产生强烈的影响。

拉斯柯尔尼科夫做了一个可怕的梦。[①]他梦见了小的时候，还住在他们那个小城里。那时他六七岁，是一个节日的傍晚，他跟父亲在城外游玩。这时到处灰蒙蒙的，天气闷热，地方还完全是他记忆中的模样，甚至在记忆中有些模糊了的，此刻在梦中倒显得非常清晰。小城地势开阔，望去如在掌上，周围连一棵柳树也没有；只有在很远的地方，在天的尽头，有一片黑黝黝的小树林。离城边最头上一片菜园内几步远的地方，有一家酒馆，是一家很大的酒馆。他每次跟父亲出来玩，从这家酒馆门口走过，都会产生极不愉快的印象，甚至感到可怕。那里总是有许许多多人，总是在叫嚷，大笑，骂人，怪腔怪调和声嘶力竭地唱歌，而且常常打架；酒馆周围总是晃动着一些醉醺醺的、可怕的面孔……每次遇到他们，他都是紧紧靠在父亲身上，而且浑身发抖。酒馆旁边有一条路，是一条土路，总是尘土飞扬，而且尘土总是黑糊糊的。这条路弯弯曲曲，再往前约三百步，绕过本城的一片公共墓地，便向右去了。在墓地中间，有一座绿色圆顶的石头教堂，他每年总有一两次跟着父亲和母亲到那里去做礼拜，追荐他从来没见过的、早已去世的祖母。他们每次去总是把蜜饭盛在白盘子里再用餐巾包上带去，蜜饭是大米加白糖做的，上面用葡萄干排成十字架的形状。他很喜欢这座教堂和教堂里那些大都没有金属衣饰的古老圣像，以及那位总是抖动脑袋的老神父。在竖有墓碑的

①据《作家日记》(1876年，1月号)描述，陀思妥耶夫斯基兄弟十几岁由莫斯科去彼得堡升学，路上目睹了马车夫拼命抽打惊马的可怕场面，留下极深印象。下文写拉斯柯尔尼科夫的梦，利用了自己亲历的故事。在离扎拉伊斯克不远的父母的庄园里，年少的陀思妥耶夫斯基经常可以看见农家那些孱弱的、疲乏不堪的驽马。

祖母坟旁,又有一座小坟,那是他小弟弟的坟,出生六个月就死了,他完全不认识,也不记得了;只是听说有过一个小弟弟,所以他每一次上坟地来,都要对着小坟虔诚地、恭恭敬敬地画十字,向小坟鞠躬,并且吻吻坟头。现在他梦见的就是跟父亲正走在上坟的路上,走过酒馆的门口,他拉着父亲的手,战战兢兢地回头望着酒馆。一种很特别的情景吸引了他的注意力:这一回这里好像成了娱乐场所,有一大群浓妆艳抹的城里女人、乡下婆娘、她们的丈夫,以及各色各样的人。人们都喝得醉醺醺的,都唱着歌儿,酒馆的台阶旁停着一辆大车,却是一辆很奇怪的大车。这是四轮大马车,通常套着高头大马,运送货物或是酒桶。他一向很喜欢看那些拉车的高头大马,鬃毛长长的,四条腿粗粗的,走起来镇定自若,从容不迫,就是身后拉着整整一座大山,也丝毫不费劲儿,似乎拉车比不拉车还轻松些。可是现在,真是奇怪,这么大的一辆车却套了一匹又小又瘦的庄稼人使用的黄褐色驽马。这种马他也是经常看到的。有时候这种马拼死拼活地拉着高高的一车木柴或者干草,尤其是在大车陷进烂泥或者车辙里的时候,更是够受。而且在这种时候,赶车的庄稼人总是拿鞭子狠狠地、狠狠地抽,有时甚至照脸上、照眼睛上抽,他看到这情形总是非常心疼,心疼得差点儿要哭起来,这时候妈妈总是把他从窗口拉开。不过此刻忽然响起很大的喧闹声:一伙儿身穿红的和蓝的衬衫,披着粗呢上衣,醉得东倒西歪的高大汉子,嚷着,唱着,弹着三弦琴,从酒馆里走出来。“上车,都上车!”有一个人叫道,这人还很年轻,老粗的脖子,一张脸肉嘟嘟的,红红的,像胡萝卜。“我把大伙送回去,上车吧!”但是立刻响起哄笑声和惊叫声:

“这号儿驽马还拉车呢!”

“喂,米科尔卡,你不是疯了吧:给这么大的一辆车套这么一匹不中用的老骒马!”

“哥们儿,这匹黄褐马准有二十岁了!”

“上车吧,我准把大伙儿送到家!”米科尔卡又叫道,并且第一个跳上大车,拿起缰绳,挺直身子站到大车前边。“那匹枣红马刚才叫马特维骑走了,”他在大车上叫道,“这匹骒马呀,哥们儿,真叫我伤透了心:白吃草料,我真想把它宰了。我说,上车吧!我叫它飞跑起来!准会飞跑的!”于是他拿起鞭子,很开心地准备抽黄褐色骒马了。

“上车呀,怎么啦!”人群里有些人哈哈大笑起来,“听见吗,准会飞跑呢!”

“恐怕有十年没有跑过了。”

“要跑起来啦!”

“别心疼,哥们儿,都拿起鞭子,准备好!”

“就是了!抽吧!”

大家哈哈笑着,说着俏皮话,爬上米科尔卡的大车。爬上去六七个,还可以坐几个。又拉上去一个娘儿们,胖胖的,脸红红的。她穿着大红布裙子,戴镶玻璃珠的帽子,脚登暖鞋,嗑着榛子,嘻嘻笑着。周围一伙人也都在笑,说真的,怎么能不笑哇:这么一匹瘦弱不堪的骒马还要拉着这么重的大车飞跑呢!车上有两个小伙子各拿起一条鞭子,准备帮米科尔卡的忙。只听一声:“驾!”老骒马就使足浑身力气往前拉,可是别说飞跑,连走也勉勉强强,只是倒换着四条腿,呼哧呼哧喘着,三条鞭子像雨点般抽打着，打得它一趴一趴的。大车上和人群中的哄笑声越来越大，米科尔卡却非常生气，一鞭接一鞭拼命抽打老骒马，好像当真认为老骒马能飞跑似的。

“哥们儿，让我也上去吧！”人群中有一个看得眼热的小伙子叫道。

“上车！都上车！”米科尔卡叫道，“大家都上来也行。我来好好地抽！”于是一鞭又一鞭，简直不知道怎样抽打才解恨了。

“爸爸，好爸爸，”他对父亲叫道，“爸爸，他们干什么呀！爸爸，他们在打可怜的马呢！”

“咱们走吧，走吧！”父亲说，“都是些酒鬼，是浑蛋们在胡闹，咱们走吧，别看了！”父亲就想把他拉走，可是他从父亲手里挣脱出来，不顾一切地朝马跑去。但可怜的马已经支持不下去了。老骒马呼哧呼哧喘着，站一会儿，又拉，差点儿跌倒。

“狠狠抽！”米科尔卡叫道，“抽死算啦。我来抽死它！”

“怎么，你怎么没有良心哪，鬼东西！”人群中有一个老头儿叫道。

“谁见过，这么一匹老马拉这么重的车！”另外一个人也说。

“会折腾死的！”又一个人说。

“少管闲事！这是我的马！我想怎样就怎样。再上来一些！都上来，我非叫它飞跑不可！……”

突然大家一齐哈哈大笑起来，笑声淹没了一切：老骒马禁不住越来越猛的抽打，无可奈何地尥起蹶子。连那个老头儿也忍不住笑起来。真的，这么一匹不中用的老骒马还想尥蹶子踢人呢！

人群里又有两个小伙子，各找来一条鞭子，跑来抽老骒马的两肋。两人从两边跑来。

“照脸上，照眼睛上抽，照眼睛狠抽！”米科尔卡叫道。

“唱支歌吧，哥们儿！”大车上有人叫道。车上的人齐声附和。于是唱起一支饮酒作乐的歌儿，敲起铃鼓，叠唱中还夹杂着口哨声。那个娘儿们还嗑着榛子，哧哧笑着。

……他在老骒马旁边跑着，跑到前面去。他看见他们在抽打老骒马的眼睛，一鞭鞭都打在眼睛上！[①]他哭了。他提心吊胆，眼泪哗哗直流。有一鞭擦到他的脸上；他没有感觉，他急得搓着手，喊叫着，扑向一个不住摇头、对此不满的白发白须老头儿。一个娘儿们拉住他的胳膊，想把他拉开；可是他挣脱了，又朝老骒马跑去。老骒马已经使尽最后力气，可是又一次开始尥蹶子。

“我叫你这鬼东西尥蹶子！”米科尔卡恼火得叫起来。他丢下鞭子，弯下身去，从大车底下抽出一根又长又粗的车杠，两手抓住车杠的一头，使劲朝着老骒马抡起来。

“会砸坏的！”周围的人叫道。

“准会砸死！”

“是我的马！”米科尔卡叫喊着，把车杠抡圆了砸下来。就听到沉重的打击声。

“打呀，打呀！怎么不打啦！”人群中有几个声音叫道。

于是米科尔卡又抡起车杠，又一次抡圆了朝可怜的老骒马的脊背砸下来。老骒马整个臀部趴倒下来，但是跳起来又拉，使出

①这段描写令人想起诗人涅克拉索夫的组诗《天气》第二部分《薄暮》(1859)中的九月诗。后来，在小说《卡拉马佐夫兄弟》中，作者又提到了涅克拉索夫的这几行诗。

最后力气往左拉又往右拉，想把大车拉走；但是六条鞭子从四面八方打来，车杠又抡起来，抡圆了，一下又一下砸下来。米科尔卡因为一下子打不死，简直气疯了。

“还真泼皮呢！”周围的人喊道。

“一会儿准倒下，哥们儿，这就完了！”人群中有一个看热闹的人叫道。

“给它一斧子，怎么样！一下子结果它算啦！”另一个人叫道。

“哎，去你的吧！闪开！”米科尔卡狂叫起来，扔下车杠，又弯下身子到大车底下去抽出一根铁棍。“看棍！”他嚷着，使出浑身力气把铁棍抡圆了朝他那可怜的马打去。只听到沉甸甸的一声，老骒马摇晃了几下，趴倒了，本想再拉一下，可是抡圆了的铁棍又落到脊背上，老骒马就跌倒在地上，就像一下子被砍断了四条腿似的。

“打就要打死！”米科尔卡叫喊着，像疯了似的从大车上跳下来。几个小伙子，也是满脸红红的，醉醺醺的，抓到什么算什么——鞭子，棍子，车杠——也朝奄奄一息的老骒马跑去。米科尔卡在一边站下来，用铁棍照背上打起来，但已经是多余的了。那骒马伸了伸脖子，沉重地喘了一口气，就死了。

“打死了！”人群中有人喊道。

“干吗不飞跑呢！”

“是我的马！”米科尔卡手握铁棍，瞪着一双充血的眼睛叫道。他站着，似乎很可惜再没有什么可打了。

“你简直没有良心！”人群中已经有不少人在喊。

但是可怜的孩子再也控制不住自己。他叫喊着穿过人群，跑到老骒马跟前，搂住那一动不动的、血糊糊的马头吻起来，又吻眼睛，又吻嘴唇……然后他猛地跳起来，攥紧小拳头发疯似的朝米科尔卡冲去。就在这时候，已经在后面追了他很久的父亲终于一把抓住了他，把他从人群中拉出去。

“咱们走吧！走吧！”父亲对他说，“咱们回家吧！”

“好爸爸！他们为什么……把可怜的马……打死呀？”他抽抽搭搭地哭着说，但是因为憋得透不过气来，从憋闷的胸中冲出来的话就变成叫喊了。

“是一些醉鬼，在胡闹，不是咱们的事儿，咱们走吧！”父亲说。他两条胳膊搂住父亲，但是他胸中憋得难受，越来越难受。他想喘口气，想大叫一声，于是醒了过来。

他醒来浑身大汗，头发都汗湿了，而且呼哧呼哧喘着，于是他恐怖地欠起身子。

“谢天谢地，这不过是一个梦！”他坐在树下，深深地喘着气说，“不过，这是怎么一回事儿呀？是不是我发起烧来啦：做起这种乱七八糟的梦！”

他浑身像散了架，心里一片昏暗。他将两肘支在膝盖上，用两手托住头。

“上帝呀！”他叫起来，“难道我，难道我当真要拿起斧子劈她的头，打碎她的脑壳……然后一步一滑地踩着黏糊糊的热血去撬锁，偷窃和打哆嗦；然后带着一身的鲜血……和斧子……藏起来……主啊，当真要这样吗？”

他说这话的时候，浑身像树叶似的打着哆嗦。

“我这是怎么一回事儿呀!”他又弯下身子,非常惊愕地继续想道,“我早就知道,干这种事儿我会受不了的,那为什么到现在还要自寻苦恼呢?要知道,就在昨天,就在昨天我去做这种……试探的时候,昨天就完全明白了,我会受不了的……那为什么我现在还这样?为什么至今我还不死心?就在昨天下楼梯的时候,我自己说的,这太肮脏,卑鄙,下流,下流……要知道,在清醒的时候,一想到这事儿就恶心,就害怕……”

“是的,我会受不了的,我受不了!就算这种种盘算准确无误,就算在这一个月里下的决心清清楚楚,皎如白日,像算术一样准确。主啊!我反正不能去干这种事啊!我会受不了的,我受不了哇!……那为什么,为什么直到现在……”

他站起身来,惊讶地朝四下里打量了一眼,似乎很惊讶自己怎么来到这儿,于是向T—в桥走去。他脸色煞白,两眼通红,浑身疲惫无力,但他忽然感到似乎轻松些了。他觉得,他已经甩掉了压在心头很久的可怕的重负,心里一下子就觉得轻松和安宁了。他祈祷:“上帝啊,给我指路吧,我要摆脱我这种可恶的……幻想!”

过桥时,他安详而宁静地望着涅瓦河,望着鲜红明亮的夕阳的余晖。尽管身体虚弱无力,他却不觉得疲惫。似乎一个月来他心头长成的脓疮一下子破裂了。自由了,自由了!他摆脱了种种魔法、妖术,摆脱了种种幻境和蛊惑,现在自由了!

后来,每当他回忆起这一段时间,回忆起他在这些日子里发生的一切,一分钟接一分钟,一桩接一桩,一件接一件事情的时候,有一个情况总是使他惊讶不解,以至于迷信起来,其实这种情况并不怎么异常，可是后来他总觉得这是他的命运早就安排好了的。

那就是，他怎么也无法理解，怎么也无法解释，当时他已经非常疲惫，虚弱无力，为什么不走最短最直的路回家，省些力气，却偏要经过干草市场走回家，走的完全是冤枉路。绕的弯倒不大，但很明显是绕路，是完全不必要的。当然，是有几十次了，他回到家里，不记得是走哪条街回来的。但是，他后来总是问自己，为什么就在干草市场上（他是根本不必要从这里走的）发生这样重要、对他有决定意义的同时又纯属偶然的巧遇，而且偏偏就在这时候，在他一生的这种时刻，在他这种心情下，偏偏在这种状况下呢？只有在这种状况下，这次巧遇才能对他的整个命运产生决定性的、彻底的影响啊。就好像特意等他来似的。

他来到干草市场上，已是九点来钟。所有的商贩，摆摊的，开小铺的，纷纷关门收摊，或者收拾自己的货物，也跟他们的买主一样，就要各自回家了。在底层的小酒馆旁边，在干草市场各家的又脏又臭的院子里，聚集着许许多多各种各样的手艺人和穿得破破烂烂的穷人，卖零酒的小酒铺旁边的人最多。拉斯柯尔尼科夫最喜欢这些地方，正如他无事上街闲逛时，最喜欢附近所有的小巷一样。在这里，他的破衣烂衫不会招来任何人傲慢的目光，不管穿戴怎样，都不会使任何人侧目。在紧靠K巷[①]的拐角处，有一个小贩和一个女人，看样子是他的老婆，摆两张货桌在卖货，卖的是针线、带子、花布头巾什么的。他们也开始收拾货物准备回家了，但是因为跟一个走过来的熟人说话，耽搁了一会儿。这熟人

①即彼得堡的骡马巷，现为格里夫佐夫巷。

就是丽莎维塔·伊凡诺芙娜,或者简单些就像大家习惯地叫她丽莎维塔。她就是那个十四等文官的遗孀、放高利贷的老太婆阿廖娜·伊凡诺芙娜的妹妹,也就是拉斯柯尔尼科夫昨天去看过、在那里抵押过表并且进行了试探的那个老太婆的妹妹……他早就了解丽莎维塔的底细,他的情况她也多少了解一些。这是一个三十五岁的老姑娘,个子高高的,行动很不灵便,胆子极小,老实巴交的,几乎是个呆子,对姐姐服服帖帖,唯命是从,没日没夜地替姐姐干活儿,见了她就发抖,甚至还要挨她的打。丽莎维塔拿着一个包袱,若有所思地站在小贩和他的老婆面前,很用心地在听他们说话。小贩和他的老婆特别起劲地对她解释什么事儿。拉斯柯尔尼科夫猛地看见她,心中产生一种近似大吃一惊的感觉,虽然这次路遇丝毫没有什么值得大惊小怪之处。

"您哪,丽莎维塔·伊凡诺芙娜,最好还是自己拿主意,"小贩大声说,"明天六点多钟您来,他们也来。"

"明天?"丽莎维塔好像拿不定主意,拖长声音若有所思地说。

"哎呀,瞧阿廖娜·伊凡诺芙娜把您吓成什么样子啦!"那个小贩的老婆,一个说话很利落的娘儿们,像连珠炮似的说起来,"我看您哪,简直完全像小孩子一样。她又不是您的亲姐姐,不是一个娘生的,可是她管得多么宽哪。"

"这一回您就什么也不要对阿廖娜·伊凡诺芙娜说了,"丈夫插嘴说,"我劝您,您到我们这儿来,不要问她。这是有利可图的事儿。以后您姐姐自己也会明白的。"

"要来吗?"

“明天，六点多钟；他们也来人；您自己拿主意。”

“到时候我们把茶炊烧起来。”小贩老婆补充一句。

“好吧，我来。”丽莎维塔说，一面还在思索着，慢慢走开了。

拉斯柯尔尼科夫这时已经走了过去，再没有听见说什么。他是慢慢地、悄没声地走过去的，尽量不漏掉一个字。他最初的惊愕渐渐变成恐怖，好像有一股寒气在他的背上掠过。他了解到，他十分突然地、完全出乎意料地了解到，明天晚上七点整，丽莎维塔，老太婆这个妹妹，也是她唯一的伴儿，到时候不在家，这么说，晚上七点整，老太婆就一个人在家里了。

离他的住处只有几步远了。他像被判了死刑似的走进自己的小屋里。他什么也不思考，也完全不能思考了；而是忽然整个身心都感觉到，他再也没有思考的余地，再也由不得自己，一切突然就最后决定了。

当然，即便是等上几年找个适当的机会，那时纵使有成熟的行动计划，也不一定能比刚才偶然出现的机会更有把握，更有利于实现这一计划。不管怎么说，事前一天就千真万确、一丝不差地打听到，而且无须冒险，无须做任何危险的探询和侦察，就打听到，明天某时某刻，他准备杀掉的那个老太婆会一个人孤零零地待在家里，这是很难办到的。

第六章

后来，拉斯柯尔尼科夫不知怎样知道了，小贩和他老婆为了什么事把丽莎维塔邀去。这事儿极其平常，一点儿也没有什么特别的。一家外来户，日子过穷了，要卖一些东西、衣服等等，都是女人家用的和穿的。因为在市场上卖不划算，所以找人代卖，丽莎维塔一向就是干这种事儿的：她代人卖东西，到处推销，而且经验丰富，因为她为人诚实，不要虚价，说什么价就是什么价。她一般不多说话，正如上文说过的，老实巴交的，胆子也很小……

但是拉斯柯尔尼科夫最近一个时期变得迷信起来。过了很久以后，他心里依然存留着迷信的痕迹，几乎无法消除。后来他总是喜欢在这整件事中看出某些奇怪和神秘之处，似乎存在某些特别的影响与巧合。还在冬天，他认识的一个大学生波科列夫要去哈尔科夫的时候，在一次交谈中对他说了阿廖娜·伊凡诺芙娜的地址，并说如果有什么要典当的话，可以去找她。他很久没有去找她，因为他在教书，日子还能凑合过。大约在一个半月之前，他想起这个地址。他有两样东西可以典当：一样是父亲的一块旧银表，一样是一枚小小的、镶有三粒宝石的金戒指，是妹妹临别时送给他做纪念的。他决定把戒指拿去。找到老太婆以后，虽然还不了解她有什么特别之处，但是一眼就对她产生了无法克制的反感，拿了她两张“票子”，回家的路上就走进一家下等小酒馆。他要了一杯茶，坐下来，就沉思起来。有一个奇怪的念头在他脑子里啄来啄去，就像鸡雏要出蛋壳，使他想得非常非常入神。

几乎紧靠着他的另一张桌上，坐着一个大学生，他根本不认识，也不记得是不是见过，还有一位青年军官。他们打完台球，喝起茶来。他忽然听到那个大学生对年轻军官说起十等文官[①]的遗孀、放高利贷的阿廖娜·伊凡诺芙娜，并且把她的地址告诉了他。拉斯柯尔尼科夫刚刚从她那儿来，这儿恰好就有人谈起她，单是这一点就使他觉得有些奇怪。当然，这是巧合，不过他现在无法摆脱一种很特别的印象，好像这时候有人偏要向他讨好：那个大学生忽然对他的伙伴说起有关阿廖娜·伊凡诺芙娜的种种情形。

“她是出了名的，”他说，“什么时候都可以在她那里借到钱。她像犹太佬一样有钱，一下子可以拿出五千卢布，可是借一个卢布都要抵押。我们有很多人到她那儿去过。这老家伙真是坏透了……”

于是他说起她有多么狠毒，多么霸道，抵押只要过期一天，东西就完了。给的钱只有抵押品价值的四分之一，要的却是五厘甚至七厘的月息，等等。大学生说得上了劲儿，说老太婆还有一个妹妹，叫丽莎维塔，个头儿又小、心肠又坏的老太婆常常打她，管

①上文说的是十四等文官，前后不符，是作者的小小失误。

得她服服帖帖，像小孩子一样，别看丽莎维塔的个头儿至少有两俄尺八俄寸[①]……

"也算是稀奇事儿啦！"大学生叫起来，并且哈哈大笑。

他们说起丽莎维塔。大学生说到丽莎维塔特别开心，一直在笑。军官津津有味地听着，并且请大学生把这个丽莎维塔叫来给他补衣服。拉斯柯尔尼科夫一个字也没有听漏，所以他一下子什么都清楚了：丽莎维塔是老太婆同父异母的妹妹，已经有三十五岁了。她日日夜夜为姐姐干活儿，在家里又做饭又洗衣服，此外，还做衣服出卖，甚至还给人家擦地板，挣的钱全交给姐姐。不经姐姐允许，她不敢接任何外活儿。老太婆已经立下遗嘱，丽莎维塔自己也知道，按照遗嘱，除了椅子之类的一些动产，她是一文钱也得不到的；所有的钱都捐给H省的一所修道院，做永远追荐她的亡灵之用。丽莎维塔是个小市民，不是官太太，是一个老姑娘，人长得极不匀称，个头儿高得出格，老长的腿似乎有些往外撇，总是穿一双补了又补的山羊皮鞋，身上倒是干干净净的。大学生感到惊讶和好笑的，主要是丽莎维塔常常怀孕……

"哦，你不是说她长得很丑吗？"军官问。

"噢，黑是很黑，简直像一个脱了军装的大兵，不过，你要知道，她一点儿不能算丑。她有一张和善的脸和一双和善的眼睛。真是和善得很呢。许多人都喜欢她，就是极好的证明。她非常娴静，非常温柔，非常随和，非常好说话，什么事都好说话。她笑起来甚至还很美呢。"

"怎么，你也喜欢她吗？"军官笑起来。

①合一点七七米多。

“我是觉得很奇怪。不,我有些话要对你说说。我真想杀死这个可恶的老太婆,把她的钱统统抢来,我可以向你保证,丝毫不会感到良心不安。”大学生又很起劲地说。

军官又哈哈大笑起来,拉斯柯尔尼科夫却打了个哆嗦。这多么奇怪呀!

“对不起,我有一个很严肃的问题想向你请教,”大学生激动起来,“我刚才当然是开玩笑,不过,你瞧:一方面是那样一个愚蠢、无用、渺小、狠毒而有病的老婆子,对任何人都没有好处,而且相反,对大家都有害,她自己也不知道为什么活着,说不定明天就会自己死掉。你懂吗?懂吗?”

“嗯,我懂。”军官全神贯注地望着他的来了劲儿的伙伴,回答说。

“你再听下去。另一方面,有一些年轻的新生力量,由于得不到资助白白地把一生糟蹋掉,这种事儿成千上万,到处都有!用老太婆那些注定要葬送在修道院里的钱,可以兴办和办好成百上千桩好事和创举!可以使成百的人,也许可以使成千的人走上光明大道;可以使数十户人家免于贫穷、破产、毁灭和堕落,免于进花柳病医院;只要拿到她的钱,这一切都可以办到。杀死她,把她的钱拿来,有了这些钱,以后就可以献身于全人类和公众事业:你以为怎样,成千上万件好事还不足以弥补一件微不足道的罪行吗?用一条人命,可以换取成百上千人的生命,使之免于沉沦和堕落。一个人的死可以换来一百个人的生——这笔账是最简单不过的!而且这样一个痨病鬼,这样一个又蠢又狠的老婆子,她的一条命摆到大众的天平上,又算得了什么呢?充其量不过像一只蟑螂或虱子，也许连这也不如，因为这老太婆是有害的。她在坑害别人：前些天她为了出气，咬坏了丽莎维塔的手指头，差点儿没动手术割掉！”

“当然，她不配活着，”军官说，“不过，生存是人的本性啊。”

“哎，老兄，本性也是可以矫正可以引导的呀，不这样，就只好被成见吞没了。不这样，就不会有一个伟人。人们常常谈‘天理，良心’，——我一点儿也不想反对天理和良心，——但我们究竟应该怎样理解天理和良心？且住，我还有一个问题要向你请教。你听着！”

“不，你且等一等；我要问你一个问题。你听着！”

“说吧！”

“你现在大发议论，可你告诉我：你是不是真要亲手杀死那个老太婆？”

“当然不是！我这是伸张正义……问题不在我……”

“依我看，既然你自己都下不了这个决心，那就谈不上什么伸张正义了！咱们还是再打场台球吧！”

拉斯柯尔尼科夫激动极了。当然，这都是一些最普通、最常见、血气方刚的年轻人的谈话和想法，他已经听到过不止一次，只不过形式不同、话题不同罢了。但是，为什么偏偏现在，在他自己头脑里刚刚萌发……同样一些想法的时候，就听到这样的谈话和这样一些想法呢？为什么偏偏现在，他的头脑中刚刚出现有关老太婆的一些想法的苗头，他就碰巧听到有人谈论老太婆呢？……他觉得这种巧合是奇怪的。小酒馆里这一番不值一提的谈话，在事情的进一步发展中，对他有不同寻常的影响：似乎其中真有什么定数和启示……

他从干草市场回来，就一屁股坐到沙发上，一动不动地坐了整整一个钟头。这时候天黑了下来；他没有蜡烛，而且也没有想到要点蜡烛。他后来怎么也记不起来，当时他有没有想过什么事。终于他感到又像先前那样要发疟疾了，打起寒战，并且很高兴地想到，在沙发上也可以躺一躺嘛。像铅一般沉甸甸的睡魔向他扑来，好像把他压倒了。

他睡的时间特别长，而且没有做梦。第二天上午十点钟，纳斯塔霞走进来，好不容易把他推醒。她给他端来了茶和面包。茶还是残茶，还是用她那把茶壶盛着。

"唉，睡得多死呀！"她很生气地叫起来，"一个劲儿地睡觉！"

他费了很大的劲儿欠起身子。他的头很疼；他站起来，在自己的小屋里转了个身子，却又倒在沙发上。

"又睡了！"纳斯塔霞叫起来，"怎么，你是不是病了？"

他什么也不回答。

"喝茶吗？"

"等一会儿。"他很吃力地说，一面又闭上眼睛，翻身朝着墙。纳斯塔霞在他身旁站了一会儿。

"也许是真的病了。"她说过，转身就走了。

下午两点，她又端了汤进来。他还像原来那样躺着。茶还放在那里，动也未动。纳斯塔霞真生气了，狠狠地推起他来。

"怎么睡不够哇！"她叫起来，很厌烦地望着他。他支起身子，坐了起来，但是什么话也没有对她说，望着地上。

"你是不是病了？"纳斯塔霞问道，又没有得到回答。

“你还不如上街去走走，”她沉默一会儿之后，说，“让风吹吹也好哇。怎么，想吃点儿什么吧？”

“等一会儿，”他有气无力地说，“你走吧！”并且挥了挥手。

她又站了一会儿，怜惜地望了望他，就走了出去。

过了几分钟，他抬起眼睛，对着茶和菜汤望了老半天。然后，拿起面包，拿起汤匙，就吃了起来。

他吃得不多，没有胃口，机械地喝了三四匙汤。头疼好点儿了。他吃完饭，又直挺挺地倒在沙发上，但是已经睡不着了。他把脸埋在枕头里，一动不动地趴着。脑子里不断出现幻象，而且总是一些非常奇怪的幻象，最常出现的情形是，他在非洲什么地方，在埃及，在沙漠绿洲中。商队在休息，一匹匹骆驼老老实实地躺着；四周的棕榈树围成一个圈儿；大家都在吃饭。他却一个劲儿地喝水，就从身边潺潺流过的小溪里舀水，非常凉爽。蓝莹莹的清凉溪水在五颜六色的石子和泛着金光的洁净沙子上奔流着……忽然他清楚地听到时钟敲响。他打了个哆嗦，回过神来，抬起头，望了望窗外，想到这是什么时候，完全清醒过来，一下子跳起来，就好像有人把他从沙发上猛拖起来。他踮着脚走到门口，轻轻地把门打开一条缝儿，仔细倾听起下面楼梯上的动静。他的心跳得非常厉害。但是楼梯上静悄悄的，好像大家都在睡觉……他居然能从昨天就这样昏昏沉沉睡到现在，什么事也没有做，什么也没有准备，他觉得实在荒唐和奇怪……这时候，也许已经敲过六点了……他一下子就特别紧张地忙乱起来，不再瞌睡和发呆了。其实，要做的准备并不多。他集中精力，好把一切都想到，不能忘了什么；心一直怦怦在跳，跳得非常厉害，他连喘气都困难了。首先,要做一个挂套,缝在大衣上——这是一会儿就能做好的。他伸手到枕头底下,从塞在枕头下面的衣服中抽出一件破烂不堪、没有洗过的旧衬衣。他从破衬衣上扯下一块一俄寸宽、八九俄寸长的布条。他把布条对折起来,从身上脱下自己那件又肥大又结实,用厚棉布做的夏季大衣(他唯一的一件外衣),把布条两端缝在大衣里面左腋下。他在缝的时候,两手直打哆嗦,但是他克制住了,而且缝得很服帖,等他再把大衣穿上,从外面一点儿也看不出来。针和线是他早就准备好的,就放在小桌里,用纸包着。至于挂套,那是他的一项非常巧妙的发明,是挂斧头用的。总不能拿着斧子在街上走。如果藏在大衣里,还是要用一只手扶着,那也是看得出来的。现在有了挂套,只要把斧头往套里一插,斧头一路上就稳稳当当挂在大衣里面腋下了。再把一只手插进大衣旁边的口袋里,攥住斧头把子,斧头就不晃动了。因为大衣非常肥大,像个大口袋,也就不会从外面看出他用手隔着口袋攥着什么东西。这个挂套也是他在两个星期之前想好了的。

这事儿做完以后,他把手指伸进他的"土耳其式"沙发和地板之间的一条小缝里,在左边角上摸了摸,掏出早就准备好藏在那里的抵押品。不过,这抵押品根本不是什么抵押品,只是一块刨得光光的小小木板,大小和厚薄都像一个银烟盒。这块小小木板是他有一天散步的时候偶然在一个院子里捡到的,那个院子的厢房里开了一家作坊。后来他又给小小木板加了一块又薄又光溜的小小铁片,——大概是从什么东西上掉下来的,——也是那一次在街上捡的。他把木板和铁片叠在一起,铁片比木板略小些,又用线十字交叉捆了几道，捆得结结实实；然后包到一张干净的白纸里，包得又整齐又讲究，再用细带子一道道捆起，捆得不容易解开。这是为了把老太婆的注意力转移一阵子，老太婆一开始解纸包儿，就可以趁机下手了。加一块铁片为的是增加分量，老太婆不会一下子就猜到，这东西是木头的。这一切一直保藏在沙发下面。他刚刚把抵押品掏出来，院子里忽然有人叫起来：

“早就六点多啦！”

“六点多啦！我的上帝呀！”

他急忙走到门口，仔细听了听，抓起礼帽，就像猫一样，小心翼翼、悄没声地开始下那十三级楼梯。还有一件最重要的事要做：从厨房里偷一把斧子。干这事儿必须用斧子，这是他早就决定了的。他还有一把花匠用的折叠小刀；可是对于用刀子，尤其是对自己的力气，他没有把握，所以最后决定用斧子。我们在此要说一说在这件事上他做的一切最后决定，都有一个奇特之点：越是最后的决定，在他的眼里就立刻变得越发丑恶，越发荒唐。尽管他一直非常痛苦地进行内心搏斗，但是在整个这段时间里，他从来不相信，一刻也不相信，他的预谋会实现。

假设什么时候他把一切都研究得一清二楚，一切都最后决定了，再也没有什么疑问了，——即使这样，他也会放弃这一切，认为全是荒唐的，骇人听闻的，不可能的事。何况还有无数未解决的事情和疑问。至于到哪儿去弄斧子，这件小事儿他倒一点儿也不犯难，因为没有比这更容易办到的了。就是说，纳斯塔霞常常不在家，尤其是傍晚时候，不是出去串门儿，就是上小铺去，而且厨房门总是敞开着。女房东老是因为这事儿跟她争吵。所以，到时候只要悄悄走进厨房，拿起斧子，一小时之后（那时候事情已经干完了）再走进去放回原处就行了。不过，还是有些疑问：比如他一小时之后回来，把斧子放回原处的时候，纳斯塔霞也恰好回来了呢？当然，那就得走过去，等她再出门去。可是说不定这时候她忽然想起斧子，找起斧子，她会大叫大嚷起来的，——这就是嫌疑，或者至少是可疑的线索。

不过，这还是小事儿，这些事儿他连想也没开始想，而且也没工夫想。他想的是主要问题，这些小事儿暂不考虑，等他完全坚定信心之后再说。可是他觉得完全坚定信心是绝对办不到的。至少他自己觉得是这样。比如，他怎么也无法想象，有一天他会考虑完毕，站起来径直朝那里奔去……甚至不久前那次试探（就是怀着最后考察现场的意图去做拜访的那次），他也只是试试看，远远不是当真的，不过是想："好吧，那我就去试试，干吗老是空想啊！"那次他立刻就受不了啦，啐口唾沫便往回跑，对自己感到深恶痛绝。而与此同时，从道义上看这个问题，他似乎已经完成了全部分析：他的诡辩已经打磨得像剃刀一样锋利，他在自己心中已经找不到有意识的反对意见了。不过在这一点上，他干脆就不相信自己，所以倔犟地、奴隶似的摸索着到四处去寻找反对的理由，就好像有人强迫他，拉着他去寻找似的。然而最后这一天来得如此意外，一下子解决了所有的问题，几乎完全是一种机械力施加于他的身上：就好像有人拉着他的手，拖着他走，不容抗拒，不容东张西望，挣也挣不脱，不走也不行。就好像他的衣服一角卷进了机器轮子，他也就被拖进机器里去了。

起初，——不过这已经是很久以前了，——他总是在想一个问题：为什么几乎所有的犯罪很容易被识破和暴露，为什么几乎所有罪犯都留下了明显的痕迹呢？他渐渐得出多种有趣的结论，而在他看来最主要的原因，不是无法从物质上掩盖罪行，而在于罪犯本身。罪犯本人，几乎每一个罪犯，在犯罪的时刻意志力和理智都很薄弱，正是在最需要理智和谨慎的时刻，却变得孩子般异常轻率。依他看来，这种意志力和理智的薄弱，像疾病一样缠人，渐渐发展，到犯罪前会到达顶点；在犯罪的时刻仍以同样形式继续着，事后还要继续若干时间，长短因人而异；以后则会消失，因为任何疾病都会消失。问题在于：是疾病引起犯罪呢，还是犯罪本身由于其特性，不知怎样总是相伴出现类似的病象？——这问题他觉得自己还不能解决。

在得出这样的结论以后，他断定自己在干这事的时候不可能发生类似的病态变化，在他干事的整个过程里，他的理智和意志会坚强如故，镇定自若，原因就是他要干的事“不是犯罪”……我们且不谈他得出这最后结论的全过程。就这样我已经扯得太远了……要补充的只是，这件事的实际方面和物质方面的困难，在他的头脑中仅占次要地位。“只要保持战胜困难的全部理智和意志，在彻底想清这事的细节之后，到时候一切困难都会迎刃而解……”但是事情一直没有开始。他一直不相信自己的最后决心，所以，等时机一到，一切全都不是那么回事，而是有些突如其来，甚至几乎出人意外。

他还没有走下楼梯，就有件小事使他进退两难了。他走到女房东的厨房门口，厨房的门像往常一样敞开着，他小心翼翼地侧目往里面看了看，先得弄清楚：如果纳斯塔霞不在，女房东是不是在里面？如果她也不在，她屋里的门是不是关好了？免得他进去拿斧子的时候，她在屋里看到。他忽然看到，纳斯塔霞这一回不仅在家，在自己的厨房里，还忙着什么呢：正在从篮子里拿出衣服，往绳子上晾，——他不禁大吃一惊！她看见他，停止晾衣服，朝他转过身来，一直看着他走过去。他转过眼睛，走过去，似乎什么也没看见。可是事情也就完了：没有斧子！他遭到可怕的一击。

"我凭什么，"他走到大门口，想道，"凭什么就认为，这时候她一定不在家呢？为什么，为什么，为什么我就断定准是这样呢？"他灰心丧气，甚至感到受了侮辱。他恼恨得真想把自己嘲笑一通……他心中升起一股强烈的无名怒火。

他站在大门口沉思起来。就这样到街上去，装样子散散步，——他感到厌恶；回家去，——更是厌恶。"多么好的机会呀，永远失去了！"他嘟哝着，毫无目的地站在大门口，面对着看门人的黑糊糊的小屋，小屋的门也是敞开着的。忽然他打了个哆嗦。在离他只有两步远的看门人的小屋里，在一条长板凳底下，右边有一样发亮的东西对着他的眼睛一闪……他用眼睛四面扫了扫——一个人也没有。他踮起脚走到看门人小屋跟前，走下两级台阶，低声喊了一下看门人。"就是的，不在家！不过，就在近处，在院子里，因为门是开着的。"他急忙奔向斧子（就是斧子），把斧子从板凳底下两块劈柴之间抽出来；连屋子也没出，就把斧子插进挂套，两手伸进口袋走了出来；谁也没发现！"机关算尽弄不到，鬼使神差送来了！"他怪笑着在心中说。这件巧事儿使他的精神格外振作起来。

他一路上慢慢地稳步走着，不慌不忙，免得引起人疑心。他很少看过往行人，甚至尽量完全不去看行人的脸，尽可能不惹人注意。这时他忽然想起他的礼帽。“我的上帝！前天我手里有钱嘛，怎么就不能换顶便帽呢！”他在心里咒骂起自己。

他一只眼睛偶然朝一家小铺里面看了看，看到里面的挂钟已经七点十分了。必须加快脚步，同时还得绕个弯儿：从另一面绕到那座房子的前门去……

以前，每当他想象这一切的时候，他有时候想，到时候会非常害怕的。可是现在他不怎么害怕，甚至一点儿也不怕。此时此刻他想的甚至都是一些不相干的念头，只是想的时间都不长。在从尤苏波夫花园[①]旁边走过时，他甚至一心想着能建造高大的喷泉，要是所有的广场上都有喷泉，空气就很新鲜了。渐渐地又形成一种看法：如果把夏花园[②]扩展到整个马尔斯广场，甚至跟米哈伊洛夫御花园连接起来，将是一件大好事，对城市大有益处。于是他忽然注意起一个问题：为什么在所有的大城市里，人们并非纯粹出于必要，而是不知怎的偏偏喜欢生活和居住在城市中那些既没有花园也没有喷泉、又脏又臭、污秽不堪的地区？于是他想起自己逛干草市场的情形，脑子清醒了些。“胡思乱想些什么呀，”他在心中说，“哎，最好什么也别想！”

---

①在花园街上，面对叶卡捷琳娜宫大街(今里姆斯基-科萨科夫大街)，因花园原所有者的姓氏命名，当时是中产阶级和手艺人喜欢前去散步的地方。

②建于1704年，最初是为彼得大帝修建的夏宫。许多著名建筑师和园林名匠参与设计。花园中有17—18世纪初的大量雕塑和喷泉(1777年水灾时被毁)。在彼得时期这里是皇宫庆典、觐见的地方。18世纪中起花园成为贵族游玩、骑马的地方。19世纪起对公众开放。

“想必那些押赴刑场的人，在路上遇见什么都要这样乱想一通。”[①]他头脑里闪过了这一想法，但只是像电光稍纵即逝。他赶紧驱走了这个念头……这不是，已经很近了，这就是那座楼，这就是大门了。忽然不知什么地方的时钟敲响了。“怎么，难道已经七点半了？不可能，想必是钟快了！”

他很走运，通过大门口又是顺顺当当。不仅如此，甚至好像特意安排好了，就在这时候有一辆装满干草的大车刚刚在他前面进了大门，在他经过门洞的时候，大车一直完全把他遮住。等大车走出门洞进到院子里，他立刻向右边一溜。在大车那边，可以听到有几个人在叫嚷和争吵，可是谁也没有发现他，他也没碰见什么人。有许多窗户朝着这个正方形的大院，这时都敞开着，但是他没有抬头——没有勇气抬头。上老太婆家的楼梯就在近旁，进了大门往右一拐就是。他已经在楼梯上了……

他喘了口气，一只手按住怦怦直跳的心口，这时手摸到斧子，又一次把斧子按稳了，就开始小心翼翼地、轻轻地上楼梯，不时侧起耳朵听一听。可是这时候楼梯上也空无一人；所有的门都关着；没遇到什么人。二楼有一套没有住人的房间，虽然门是敞开着的，而且有几个油漆匠在里面干活儿，可是他们连看也没有看他。他站了一下，想了想，就又往上走。“如果这里没有他们这几个人，当然更好，不过……在他们上面还有两层

①这些感受是陀思妥耶夫斯基本人所熟悉的。他于1849年12月22日在狱中写给哥哥的信里，曾写到他被押赴刑场时的所见所闻。死囚的心理总是让陀思妥耶夫斯基感到激动。1860年，陀思妥耶夫斯基的哥哥在《明灯》杂志上发表了雨果的短篇小说《死囚的末日》的译文，陀思妥耶夫斯基读后，认为它是雨果创作中最最真实的一部杰作。

呢。”

现在到了四楼，就是这个门，就是正对着的这套房间了；另一套是空的。在三楼，从种种迹象看来，老太婆房间底下那套房子也是空着的；用小钉子钉在门上的名片也拿掉了，就是说，住户已经搬走了！……他感到喘不过气来。有一刹那，他的脑子里闪过一个念头：“还是回去吧？”可是他没有给自己回答，却倾听起老太婆房间里的动静：死寂，然后再次听下面楼梯上有无动静，听了很久，听得很用心……最后用眼睛四下里扫了扫，理了理衣服，拢了拢头发，又一次摸了摸挂套里的斧子。他心想：“我的脸是不是苍白……白得很厉害？我是不是太激动了？她一向多疑……是不是再等一会儿……等到心不跳了？……”

但是心悸总是不停。心脏反倒像有意作对，跳得越来越快，越来越厉害了……他忍耐不住，慢慢把手伸向门铃，拉了拉。过了半分钟又拉了一下，拉得更响些。

没人应声。再拉也没有必要，而且对他不利。不用说，老太婆是在家的，但是她一向多疑，又是一个人在家。他多少知道她的习惯……于是他又一次把耳朵贴到门上。不知是他的感觉特别灵敏（这是很难断定的），还是确实听得很清楚，反正他一下子就觉察到似乎有一只手小心翼翼地在摸索门把手，似乎有衣服挨到门上的窸窣声。有人悄没声地站在门锁旁，而且也像他在门外这样，躲在里面倾听着，似乎也是把耳朵贴在门上……

他有意地动了一下，并且多少放大了嗓门儿嘟哝了一句什么，为的是不露出躲躲藏藏的样子；然后第三次拉了拉门铃，但是拉得很轻，很稳重，没露出丝毫焦急的心情。后来他回忆起这一点，记得清晰鲜明，这一分钟永远刻在了他的脑海里，他真弄不明白从哪儿学来这么多花招儿，何况他的头脑当时一阵阵昏沉，身体也几乎支持不住了……过了一会儿他听到摘门钩的声音。

第七章

像上次一样，门只开了一条小缝，幽暗中又有两道锐利而不信任的目光盯住他。拉斯柯尔尼科夫一下子不知如何是好，差点儿犯个大错误。

他担心老太婆看见只有他们俩，会非常害怕。他也不指望自己的模样会解除她的疑虑，就抓住门朝自己这边拉了拉，免得老太婆一转念头又把门关上。她看到这情形，并没有把门往回拉，但是也没有放开门锁的把手，因此他差点儿没有把她和门一起拉到楼道里。他看到她堵在门口，不让他进去，就直冲着她走去。她吓得连忙闪开，本想说句什么，却好像说不出话来，只是瞪大了眼睛望着他。

“您好，阿廖娜·伊凡诺芙娜，”他想尽可能说得随便些，但声音不听使唤，一开口就颤抖起来，“我给您……带件东西来了……不过咱们最好到这边……到亮处来……”他撇下她，不等有请就径直往屋里走去。老太婆急忙跟过去，一下子话也多了：

“上帝呀！您要干什么？……您是哪位？有何贵干？”

“哎呀，阿廖娜·伊凡诺芙娜……是老熟人……拉斯柯尔尼科夫……这不是，把抵押品带来了，前两天说好了的……”于是他把抵押品递给她。

老太婆对抵押品扫了一眼，目光马上紧紧盯住不速之客的眼睛。她恶狠狠地极不信任地使劲看着。这样过了有一分钟左右；他甚至觉得，在她的目光里似乎有种冷笑的神气，她好像已经识破了一切。他感到自己不知所措，几乎是害怕了，害怕得要跑，似乎她要再这样一言不发地看上半分钟，他就要逃跑了。

“您怎么这样看着我，好像不认识啦？”他忽然也恶狠狠地问道，“要是愿意就收下，不然我就上别人那儿去，我没工夫。”

他本没想说这个话，是一下子脱口而出的。

老太婆回过神来，听到客人坚定的语气，显然也提起了精神。

“先生，你来得太突然……这是什么？”她看着抵押品，问道。

“银烟盒。上回我说过的呀。”

她伸过一只手。

“哎呀，你脸色怎么这样苍白！手也发抖！怎么，先生，刚在河里洗过澡吗？”

“是打摆子，”他断断续续回答说，“脸怎么不苍白……没有东西吃呀。”他好不容易又补充一句。他又失去了勇气。不过他的回答似乎还合情合理；老太婆接过抵押品。

“这是什么？”她又专注地盯着拉斯柯尔尼科夫看了一下，并且用手掂了掂抵押品，问道。

“一样东西……烟盒……银的……您看看吧。”

“好像有点儿……不大像银的……怎么捆得这样子。”

她使劲解起带子，并且转身朝着窗子，对着亮光（她所有的窗子都是关着的，尽管天气闷热），有几秒钟完全把他撇在一边，并且背对着他。他解开大衣，把斧子从挂套里抽出来，但是没有从怀里拿出来，只是用右手在大衣里面攥着。两只手一点儿力气都没有；他自己也感觉出来，双手一秒一秒变得越来越麻木，越来越僵。他很怕攥不住斧子，掉到地上去……忽然间他的头好像旋转起来。

“他这是怎么捆的呀！”老太婆气得叫起来，并且往他这边挪动了一下。

一秒钟也不能再耽搁了。他从怀里抽出斧子，用两手把斧子举起来，懵懵懂懂地，也几乎没有用劲，就机械地把斧背朝她的头上砸去。这时他好像一点儿力气都没有了。可是斧子一砸下去，他的力气也就来了。

老太婆像往常一样，没有裹头巾。她那稀疏杂着花白的浅发，也像往常一样抹了不少油，编得一条条活似老鼠尾巴，用一把折断的牛角梳拢着，翘在脑后。这一斧正好砸在头顶上，这也因为她个子小的缘故。她叫了一声，但声音很微弱，一下子坐到地板上，却还来得及举起双手去护头。一只手里还拿着“抵押品”。这时他使足力气砸了一下又一下，都是用斧背砸在头顶上。血像从翻倒的茶杯里涌出来，人仰面往后倒去。他往后退了退，让她倒下来，立刻弯腰去看她的脸；她已经死了。两眼凸出，好像要蹦出来似的，额头和整个脸面抽搐得皱巴巴，已是歪歪扭扭。

他把斧子放到地板上，在死人旁边，立刻就把手伸向她的口袋，尽量不沾上还在流着的血。手伸进了右边的口袋，上次她就是从这个口袋里掏钥匙的。他的头脑十分清醒，昏晕已经过去，但是两手还一直在发抖。后来他想起，当时他甚至非常细心，非常谨慎，一直注意尽量不沾到血……钥匙他一下子就掏出来了；所有的钥匙，还跟上回一样，都穿在一个钢圈上。他拿着钥匙立即往卧室里跑。这是一间不大的屋子，供奉圣像的神龛却挺大。靠另一面墙放一张大床，相当干净，上面有床棉被是绸面子的，由碎块拼成。还有一面墙摆着一个五斗柜。说也奇怪，他拿钥匙开五斗柜，刚听到钥匙的响声，浑身就好像一阵痉挛。他忽然又想撇下一切就走。不过这只是瞬间的念头，要走已经晚了。他甚至笑起自己来，这时候忽然另一个不安的想法闯入他的脑际。他忽然觉得，老太婆也许还活着，还能醒过来。他撇下钥匙和五斗柜，就往回跑，跑到尸体前，抓起斧子，又一次举到老太婆头上，但是没有砸下去。毫无疑问，她已经死了。他弯下身去，再一次凑近仔细看，就清楚地看到，头盖骨已经砸碎，甚至歪到了一边。他本想伸出指头摸摸，但又把手缩了回去，不用摸也很清楚了。这时候血已经流了老大的一摊。忽然他发现她的脖子上有一条细带子，他扯了扯，带子很结实，扯不断，而且浸透了血。他想试试把带子从怀里抽出来，但有什么东西碍事，卡住了。他不耐烦地又想举起斧子，从上面劈下去，就在她身上把带子斩断，但是他不敢。于是他费了很大劲儿，折腾了两分钟之后，才把带子割断取了下来，手上和斧子上沾了不少血，却没有让斧子碰到尸体。他没有猜错，那是钱包。带子上系着两个十字架，一个是柏木的，一个是铜的，此外，还有一个珐琅的小圣像[①]；与这些东西一起，系着一个不大的、油乎乎的麂皮钱包，带一个钢箍和小环儿。钱包塞得鼓鼓的，拉斯柯尔尼科夫没有细看就把钱包装进口袋，把十字架扔到老太婆胸膛上，这次他抓起斧子，又朝卧室奔去。

他急得要命，抓起钥匙便去开锁。但不知为什么总是不行：钥匙插不进锁眼。倒不是因为他的手抖得厉害，而是他总是弄错，比如，他看出这钥匙不对头，不是开这锁的，却偏要往里插。他忽然想了起来，明白这把带锯齿的大钥匙，跟其他一些小钥匙挂在一起的，肯定不是开五斗柜的（上次他就想到了），而是开一个小箱子的，可能所有的东西就收藏在那个小箱子里。他撇下五斗柜，立刻爬到床下，因为他知道，许多老太婆总是把这种箱子放在床底下。果然不错，床下有一个不算小的箱子，一俄尺多长，凸形箱盖，包着红色山羊皮，钉了一颗颗钢钉。带锯齿的钥匙正合适，一下子就打开了。上层盖着白被单，白被单下面是一件兔皮袄，面料是红缎子；皮袄下面是一件绸连衣裙，然后是一条披巾，再往底下，似乎都是一些破烂。首先他把沾满血的手在红缎子上擦起来。“这东西是红的，血在红东西上不显眼。”他刚这么想，忽然猛醒过来：“上帝啊！我不是疯了吗？”他恐怖地想道。

可是，他一动那堆破烂，皮袄下面忽然滑出一块金表。他急忙把所有的破烂都翻了翻。果然，破烂里面夹着不少金玩意儿——大概都是抵押品，待赎的和没人赎的，——有金镯子、金链子、金耳环、金饰针，等等。有的装在盒子里，有的只是用报纸包着，但包得很严实，很仔细，用了两层纸，还拿小带子扎着。他不敢怠

①18—19世纪俄国流行珐琅制的圣像，产于罗斯托夫。

慢，抓起这些东西往裤子和大衣口袋里塞，既不挑拣，也不打开纸包和盒子；不过，他没有来得及塞很多……

猛然间他听到，老太婆在的那间屋里有人走动。他停下来，屏息不动，像死人一样。再听却鸦雀无声，这么说是幻觉了。这时他忽然清清楚楚地听到轻声的叫喊，又像有人断断续续地轻轻呻吟了几声，就不响了。接下去又是一片死寂，延续有一两分钟。他蹲在箱子旁边等着，几乎连气也不敢出，但突然跳起来，抓起斧子从卧室里跑了出去。

屋子中间站着丽莎维塔，手里拿着一个大包袱，呆呆地望着被打死的姐姐，一张脸煞白煞白的，似乎连叫喊也没了力气。她看见他跑出来，浑身像树叶似的抖起来，轻轻地哆嗦，脸上一阵抽搐；她抬了抬手，张了张嘴，可是叫不出声来，就慢慢地倒退着朝屋角移动，想躲开他，一面直勾勾地望着他，但一直没有叫喊，好像气力不足，喊不出来。他拿着斧子朝她冲去：她的嘴可怜巴巴地扭曲着，像小孩子害怕什么东西似的，愣愣地望着准备大声喊叫。这个可怜的丽莎维塔是那样老实、畏缩，一向胆战心惊，甚至此刻都没有举起手来护住自己的脸，虽然此时这是必要而自然的动作，因为斧子正朝着她的脸高高举起。她只是抬了抬空着的左手，离脸很远，慢慢向前朝他伸过去，好像要把他推开。一斧子正好劈中她的头顶，这次是用斧刃，一下子就把前额整个劈裂，几乎砍到头盖骨。她立即扑倒在地。拉斯柯尔尼科夫一时六神无主，抓起她的包袱，又把包袱扔下，就朝外屋跑去。

他越来越感到恐惧，尤其是出乎意料地第二次杀人之后。他很想快些从这儿逃跑。倘若此时此刻他能够正确看待和思考一切，倘若能够了解他的处境的全部困难，了解他的整个绝境、全部丑恶和荒唐，同时又能明白还得闯过多少难关，也许还得干多少坏事，才能从这里逃脱回到家里，那么，很可能他会放弃一切，立刻前去自首，倒不是出于为自己担心害怕，而只是因为对自己的所作所为感到可怕和憎恶。尤其是内心的厌恶感，一分钟比一分钟越发强烈了。无论如何他现在也不能去箱子那儿，甚至也不能去那两个房间了。

然而，渐渐地他又变得好像心不在焉，甚至似乎陷入了沉思：有几分钟他好像出了神，或者不如说是忘了主要的事，却尽想一些小事。不过，他往厨房里一望，看到长板凳上有个水桶盛着半桶水，就想到得把自己双手和斧子洗干净。他的双手沾满了血，黏糊糊的。他把斧头干脆放进水里，拿起放在窗台上破碟子里的一小块肥皂，就在水桶里洗起自己的两只手。把两手洗干净了，又从水里拿出斧子，把铁斧头洗干净了，又洗沾了血的木把子，甚至还试着用肥皂洗血迹，洗了很久，大概有三分钟。随即他用晾在厨房里绳子上的一件内衣把一切都擦干了，然后把斧子拿到窗口仔细察看了很久。血迹没有了，不过木把还是湿的。他又细心地把斧子插进大衣里面的挂套。接着，就着厨房里昏暗的光线，又尽量仔细看了看大衣、裤子和靴子。表面上看去似乎什么也没有了，只是靴子上有几处血迹。他把一块抹布浸湿，把靴子擦干净。不过，他知道检查得不彻底，也许还有一些惹眼的地方他没有发现。他站在屋子当中琢磨起来，心中渐渐浮出一种又痛苦又丧气的想法——他想，他现在是在发疯，此刻他什么也想不进去，也不能保护自己，他现在做的事也许是根本不该做的……“我的上帝呀！应该逃走，逃走哇！”他嘟哝着跑进前室。然而，这里等待他的是恐怖，是他当然从没经历过的恐怖。

他站在那儿一看，简直不敢相信自己的眼睛：外面的房门，就是外屋通楼道的门，也就是刚才他拉门铃走进来的门，竟然敞开着，开了有一手掌宽，没锁也没闩，一直这样开着，整个这段时间里一直就这样！老太婆没有随手关上，也许是防备万一。可是，我的上帝呀！他后来不是还看到了丽莎维塔吗？怎么就……怎么就没想到她是从什么地方进来的呀！总不能穿墙而入吧！

他冲到门口，挂上门钩。

“哦，不对，又不对了。我得走，走……”

他摘下门钩，把门推开，倾听起楼道里的动静。

他听了半晌。楼下很远的地方，可能是在大门口，有两个人在嚷嚷，在争吵，声音很大很刺耳。“他们是怎么回事儿？……”他耐心地等着。终于声音一下子没有了，人走开了。他正想走出去，突然下面一层楼道上有个门哗啦一声打开，一个人下楼去，一面哼着小曲。“他们怎么总是这样闹哄哄的！”他脑子里闪过这样一个想法。他又随手把门掩上，再等一等。终于鸦雀无声，一个人也没有了。他刚刚朝楼道里迈了一步，忽然又听到新的脚步声。

这脚步声听起来似乎很远，还在楼梯最底下，但是他记得清清楚楚，刚一听到声音不知为什么他就猜到，这一定是上这儿来，上四楼找老太婆的。为什么呢？是声音与众不同，有什么特殊的地方？那人的脚步很重，很平稳，不慌不忙。听，他已经上了二楼，听，还往上走呢；声音越来越清晰！可以听到上楼的人沉重的喘气声了。听,已经上了三楼……朝这儿来了！他忽然觉得全身像僵了似的,仿佛是在梦中,梦见有人追他,离得很近了,要把他杀死,可他却像长在了地上,连胳膊都动弹不得。

终于,当来客已经开始上四楼的时候,他忽然猛醒过来,总算麻利地从过道溜进屋里,随手把门关上。随即抓起门钩,轻轻插进铁环。这也是出自本能。把门关好闩好之后,他马上贴着门躲了起来,连气也不喘。不速之客这时已来到门前。他们两人现在是面对面站着,就像刚才他和老太婆隔门而立,他附耳倾听那样。

来客呼哧呼哧喘了几口气。“想必是个大胖子。”拉斯柯尔尼科夫心里说,一面攥紧斧子。真的,这一切就像在梦中一样。来客抓住门铃拉绳,使劲拉了拉。

门铃一响,他忽然仿佛听到屋里有什么动了动。他甚至当真细听了几秒钟。来客再次拉铃,又等了一会儿,忽然很不耐烦地使足力气猛拽房门把手。拉斯柯尔尼科夫心惊胆战地望着门钩在铁环里跳动,恐惧中眼看着门钩就要从铁环里跳出来。真的,这是很可能的:因为那人拉得太猛。他本想用手按住门钩,又怕那人会发觉。他的头似乎又旋转起来。“我要晕倒了!”他的脑海里闪过了这个念头。这时来客说话了,他立刻清醒过来。

“她们在里面怎么啦,是一个劲儿死睡,还是有人把她们掐死了？该死的老婆子!”他瓮声瓮气地吼叫起来,“喂,阿廖娜·伊凡诺芙娜,老妖婆！丽莎维塔·伊凡诺芙娜,大美人儿！开门哪！哼,该死的老婆子,是睡着了还是怎么的?”

于是他又怒气冲冲地使足劲儿一口气把门铃拉了十来下。这当然是个很凶的人,而且跟这一家关系密切。

就在这时候,忽然楼梯上不远处响起细碎而急促的脚步声。又有人来了。拉斯柯尔尼科夫起初都没有听见。

"难道一个人也没有吗?"那人一到就径直对着仍在拉门铃的第一个来客,高声快活地叫起来,"您好,科赫!"

"听声音,这人一定很年轻。"拉斯柯尔尼科夫忽然想道。

"鬼知道她们是怎么回事儿,门锁都快拉坏了,"科赫回答说,"请问,您怎么认识我呀?"

"是这样!前天在'加布里努斯'[①]打台球,我不是连赢您三局吗?"

"啊……啊……啊……"

"看来,她们不在家了?奇怪。不过,这真糟糕。老太婆会上哪里去呢?我有事啊。"

"先生,我也有事啊!"

"唉,有什么办法呢?只好回去了。哎呀!我本想找她借钱的!"年轻人叫起来。

"当然,只好回去啦,可干吗要约在这时候呢?是老妖婆自己给我定的时间。我是绕道来的。真不明白,她能到什么地方去瞎逛呢?老妖婆一年到头坐在家里,有气无力的,腿又疼,这会儿却忽然出去闲逛了!"

"是不是去问问看门的?"

"问什么?"

"问问她上哪儿去了,什么时候回来?"

"哼……问他妈的鬼……她是一向不出门的……"于是他又

①彼得堡一家酒馆。

拉了拉门锁的把手。“见他妈的鬼,没办法,走吧!”

“等一等!”年轻人忽然叫起来,“瞧,您看一拉门,门就晃荡吗?”

“那又怎么啦?”

“就是说,门没有锁,是插上了,也就是挂上了门钩!您没听见门钩在叮当叮当响吗?”

“那又怎么啦?”

“您怎么还不明白?就是说,她们总有一个在家。要是都出去了,那就会用钥匙从外面把门锁上,而不是从里面把门插上。可是现在,您听见门钩在叮当叮当响吗?要想从里面挂上门钩,就必然有人在家,您明白吗?可见,有人待在家里,可就是不开门!”

“哎呀!就是这么回事儿!”科赫惊讶得叫起来,“那她们在里面怎么啦!”于是他发狂似的猛拉起门来。

“等一等!”年轻人又叫道,“别拉了!这有些不对头……瞧您又拉铃又拉门,可是她们就是不开门;这就是说,要么她们都昏过去了,要么……”

“怎么啦?”

“这样吧:咱们去把看门的叫来,让他来把她们叫醒。”

“这话对!”两个人就往楼下走。

“等一等!您留在这儿,我跑下去找看门的。”

“留下来干吗?”

“说不定有什么事儿呢?”

“也好……”

“我正准备当预审官呢！这里很明显，非常明显，有点儿不对头！”年轻人很带劲儿地叫起来，接着就跑步下楼去了。

科赫留下来，又轻轻地拉了一下门铃，门铃丁零响了一声；然后又轻轻地，好像在考虑和察看，摆弄起门把手，拉了又松开，想再一次证实这门仅仅是挂上了门钩。然后呼哧呼哧地弯下腰，朝锁眼里张望起来，但是锁眼从里面插着钥匙，所以，什么也看不见。

拉斯柯尔尼科夫站着，攥着斧子。他似乎在梦幻中。他们要是进来，他甚至准备跟他们拼了。当他们在敲门和商量的时候，他有好几次想一下子把什么都了结，从门里面朝他们大喝一声。有时他想跟他们大吵一通，挑逗他们，直到他们把门打开。“快点儿了结吧！”他头脑里闪过这个念头。

“可是他，真见鬼……”

时间一分钟又一分钟过去，谁也没来。科赫走动起来。

“见他妈的鬼！……”他忽然不耐烦地叫起来。他不再守候，也朝楼下走去，急急忙忙，靴子踩得楼梯咚咚直响。脚步声消失了。

“主啊，怎么办哪？”

拉斯柯尔尼科夫摘下门钩，把门开了，什么也听不见。忽然，他想也不想一下子走了出去，随手把门尽量关严实些，就往楼下走。

他已经走下三段楼梯，忽听下面有人大吵大嚷起来。往哪儿躲呀！哪儿都没法躲。他就想往回跑，再回到房里去。

“哎呀，鬼东西，他妈的。抓住他！”

下面有一个人叫嚷着从一个房间里冲出来，而且简直也不是跑，活像跌下去似的从楼梯上冲了下去，一面可着嗓门儿嚷嚷着：

"米季卡！米季卡！米季卡！米季卡！米季卡！你妈的！"

嚷嚷到后来变成一声尖叫；最后的声音已经是从院子里传来了；一切都归于寂静。但就在这时候，有几个人你一句我一句地高声说着话，闹哄哄地朝楼上走来。他们有三四个人。他听出了那个年轻人洪亮的嗓门儿。"是他们！"他在心中说。

他在绝望中径直迎着他们走去：豁出去了！他们要是把他拦住，那就什么都完了；要是放他过去，那也什么都完了：他们会记住他的。他们眼看就要碰上了，之间仅隔一段楼梯了，忽然有了救！右边离他几级楼梯的地方，有一套敞着门的空房子，这就是二楼有油漆匠在干活儿的那套房间。这会儿就像有意给他方便，干活儿的人都出去了。刚才大概就是他们嚷嚷着跑出去了。地板刚刚刷过油漆，屋子当中放着一个木桶，还有一个瓦盆，里面有油漆和刷子。他一转眼就溜进敞着的房门，躲到墙后面，还真是时候：那些人已经站在楼梯平台上了。接着，他们就拐弯往上走了过去，大声说着话上了四楼。他等到没有人了，就踮着脚走出来，朝楼下跑去。

楼道里一个人也没有！大门口也没有人。他快步穿过门洞，向左一转身就上了大街。

他清楚地知道，清清楚楚地知道，他们此刻已经在那套房间里了，他们看到刚才关着的门现在开了，一定非常惊讶，他们已经在看那两具尸体，过不了一分钟，他们就会猜到，就会恍然大悟，刚才凶手就在这里，后来不知躲到什么地方，并且从他们身边溜过逃走了;也许还能猜到,在他们上楼的时候,他就躲在那套空房间里。这时他却无论如何不敢脚步太快,虽然离第一个拐弯处只剩一百来步了。“是不是先溜进那个门洞里去,在别人家的楼道里等一阵子再说?不,不行!是不是把斧子扔到什么地方去?是不是叫一辆出租马车?不行!不行!”

终于来到一条小巷口。他拐进小巷时已是有气无力。在这里他已经有一半摆脱了危险,这是他明白的,因为不大会有人怀疑了,何况这里来来往往的人很多,他就像一粒沙子似的消失在人群中。不过经历了这一切之后,他已经筋疲力尽,几乎连路都走不动了。他头上的汗一滴一滴往下落,脖子湿漉漉的。“瞧这人醉的!”当他走到河边的时候,有人朝他叫道。

他此刻迷迷糊糊的,神智越来越恍惚。不过他记得,刚走到河边就怕起来,因为这里人少,容易惹人注意,曾想转回小巷里去。尽管差点儿跌跤,他还是绕了个弯子,从完全不同的方向回到了家里。

他走进自己住房的大门时,头脑还不是十分清楚。直到已经上了楼梯,他才想起斧子。这时还有一件很重要的事要做:把斧子放回原处,并且要尽可能不惹人注意。不用说,他已经不可能想到,也许根本不把斧子放回原处,而是随便扔到别人家的院子里,哪怕过几天再扔掉,也会好得多。

但是一切都来得顺顺当当。门房的门掩着,但是没有上锁,这么说,看门的多半是在家。不过他完全失去了思考的能力,所以径直走到门房门口,把门推开。假如有看门的问他:“有什么事?”他也许会直接把斧子交给他。可是看门的并不在家,他也就把斧子放到长板凳底下原来的地方，甚至还像原来那样用一块劈柴压上。然后，直到回了自己的房间，他没有遇到任何人，一个人也没有；女房东的门也关着。走进自己的房间，他一头倒在沙发上，连衣服都没脱。他没有睡着，却昏昏沉沉的。假如这时候有人走进他的屋里来，他会一下子跳起来大叫。他的脑海不时翻腾着一些零零碎碎的念头；可他一个念头也抓不住，一个念头也无法好好想一想，尽管使劲想这样做……

第二部

第一章

他这样躺了很久。有时候他似乎也醒了过来，发现早已是夜里，可是没想要起来。终于他发现，天已经亮了。他仰着躺在长沙发上，因为睡得昏昏沉沉，这会儿还呆呆发愣呢。街上传来一阵阵可怕的、声嘶力竭的喊叫声，非常刺耳，不过每天夜里两点多钟他都听到窗下有这样的叫声。现在就是这样的号叫把他吵醒了。"啊！这是一些酒鬼从酒馆里出来了，"他想道，"两点多了。"于是他一下子跳起来，就像有人把他从沙发上猛然拖起来。"怎么！已经两点多啦！"他在沙发上坐下来，接着便想起了一切！转眼工夫把什么都记起来了！

起初，他觉得自己就要发疯了。浑身冷得厉害，不过这也因为在发寒热，睡着时就开始发作了。现在却忽然打起寒战，抖得厉害，牙齿差点儿要蹦出来，浑身也一劲儿抖动。他开门听了听：大楼里一片沉寂。他惊愕地浑身上下打量着自己，打量着屋里四周的一切，很奇怪，昨天他进屋后，怎么连门钩也没挂上就倒在沙发上，不仅没脱衣服，连帽子也没摘，帽子滚了下来掉到地板上，在枕头跟前。“要是有人进来，会怎么想呢？会以为我是醉了，可是……”他急忙跑到窗口。天色已经大亮，他连忙查看起自己，从头到脚，又检查所有的衣服，看有没有血迹。但是这样看不清，他就一面打着寒战，一面脱下身上所有的衣服，里里外外细看起来。他把一切都翻了个儿，查看到每一条线和每一块布片，却还不相信自己，又翻来覆去查了三四遍。但什么也没发现，似乎没有任何痕迹；只有一个地方，在裤腿磨破的边缘上，留有凝结了的浓浓血印。他拿起一把很大的折叠刀，把破边割了下来。似乎再也没有什么了。忽然间他想到钱袋和从老太婆箱子里掏出来的那些东西，至今还在他的口袋里！他竟然一直没想到把这些东西取出藏起来！就连刚才检查衣服时都没有想起来！这是怎么啦？他马上去掏那些东西，一样样扔到桌子上。掏完还把口袋一个个翻过来，看是不是留下了什么，然后把这一堆东西统统拿到角落里。这里在墙角的最下面，剥落的壁纸上有一处破口，他马上把所有的东西往这个窟窿里塞，藏到壁纸里面去。“都塞进去了！什么也看不见了，钱袋也看不见了！”他高兴地想道，并且欠起身呆呆地望着墙角，望着那破得更大的窟窿。忽然吓得浑身打了个哆嗦，“我的上帝呀，”他绝望地小声嘟哝说，“我这是怎么啦？这就算藏好了吗？有这样藏东西的吗？”

确实，他原来连想也没想到会有东西；他想到的只是钱，所以事先没准备好地方。“现在我高兴个什么呀？”他想道，“哪有这么藏东西的？我真是糊涂了！”他疲惫无力，坐到沙发上，立刻又发起冷来，冷得受不了，不禁又打起哆嗦。他下意识地拉过放在旁边椅子上的冬大衣，那是他过去当学生时穿的。大衣很暖和，但几乎已经破烂不堪了。他把大衣盖在身上，睡意袭来，迷迷糊糊，就打起盹来。

还没过五分钟，他又跳起来，发狂似的扑向自己那件夏季大衣。"什么事都没有做好，我怎么能又睡呢！真是，真是，胳肢窝下面的挂套到现在还没有拆下来呢！忘了，连这样的事也忘了！这是明显的罪证啊！"他把挂套扯下来，急忙撕成碎块，塞到枕头下面的衬衣里面。"破布碎片怎么也不至于引起怀疑吧。看来是这样，看来是这样！"他站在屋子当中，一遍又一遍地说；接着又聚精会神地四处察看起来，察看了地板，又到处看了看是不是还忘记了什么。他总觉得什么都不行了，连记忆力，连简单的思考能力都没有了，这令他痛苦，痛苦得不得了。"怎么，难道这就开始了，难道惩罚已经临头了？是，是，正是这样！"可不是，他从裤腿上剪下来的一条破边儿，就那么扔在地板上，在屋子正当中，有人进来一眼就会看见！"我这是怎么啦！"他又张皇失措地叫起来。

于是，他脑子里出现一个奇怪的想法：也许他的大衣上沾满了血，也许有许多血迹，只是他没有看见，没有发现，因为他的分辨力很差了，不行了……他糊涂了……忽然他想起来，钱袋上也有血。"哎呀！这么说口袋里也一定有血，因为我塞进口袋的时候钱袋还湿乎乎的！"他赶紧把口袋翻出来，果然不错，口袋里子上有血迹，好几块！"这么说，我还没完全失去理智，既然是我自己想起来、猜到的，那就是说我还有思考力和记忆力！"他高兴地长舒了一口气，得意地想道，"不过是发寒热体虚，一时出现臆想。"他把裤子左边口袋的里子全翻出来。这时一缕阳光照亮了他左脚上的靴子：靴子里露出来的袜子上好像有血迹。他急忙脱掉靴子："果然是血迹！整个袜子头儿都沾满了血。"想必当时不小心踩进了那一大摊血……"可是现在怎么办呢？把这袜子、破布条、口袋藏到哪里去呢？"

他把这一切抓在手里，站在屋子当中。"扔进炉子里？可是炉子里往往是首先要搜查的。烧掉吗，拿什么来烧呢？连火柴都没有。不行，不如拿到外面什么地方都扔掉。对！最好是扔掉！"他一遍又一遍嘟哝着，又坐到沙发上，"这就去，马上去，还不能耽误！……"可是他没有去，头又落到枕头上；人又冷起来，浑身冰凉；他重又把大衣拉过来盖到身上。很长时间里，有几个钟头，他一直恍恍惚惚地惦记着："这就走，不能耽误，不管到哪里把这些都扔掉，叫人什么都看不见，快点儿，快点儿！"他几次挣扎着想从沙发上爬起来，却站不起来。完全把他吵醒的，是一阵猛烈的敲门声。

"开门哪，你是活着还是死了？这人老是死睡！"纳斯塔霞一面用拳头敲门，一面叫着，"整天像条狗一样死睡！简直像一条狗！开门哪！都十点多啦。"

"也许不在家！"一个男人声音说。

"哎呀！这是看门人的声音……他要干什么？"拉斯柯尔尼科夫想道。

他一骨碌爬起来，坐到沙发上，心跳得厉害，甚至都感到了隐痛。

"那门钩是谁扣上的呢？"纳斯塔霞反驳说，"嘿，扣起门来了！是怕人把他偷走，还是怎的？开门，蠢东西，醒醒吧！"

“他们要干什么？看门的来干什么？是全知道了。硬是不开，还是把门打开？完蛋就完蛋……”

他欠起身，向前弯了弯腰摘下门钩。

他的屋子就这么大，不用下床，就可以把门钩摘下来。

果然不错，门口站的是看门人和纳斯塔霞。

纳斯塔霞有点儿奇怪地打量了他一遍。他带着挑衅和拼命的神气看了一眼看门人。看门人一声不响地递给他一封对折的、打了火漆的灰色公文。

“是张传票，局子里的。”他说着，把公文递过来。

“哪一个局子里的？……”

“就是说，要你上警察局，上局子里去。还用说是哪一个局。”

“上警察局！……干什么？……”

“我怎么知道。叫你去，你就去呗。”他仔细看了看他，向周围打量了一遍，就转身往外走。

“看样子，病得不轻吧？”纳斯塔霞说着，眼睛一直盯着他。看门人也回头望了一下。“打从昨天起，就一直在发烧呢。”她又加了一句。

他没有回答，手里拿着公文，也不开封。

“你就别起来，”纳斯塔霞看到他两腿从沙发上搭下来，又怜惜地说，“病了就别去吧，又不是失火。你手里拿的是什么？”

他一看，右手里拿的是割下来的破裤边儿、袜子和扯下来的口袋碎片。他就是攥着这些东西睡觉的。后来在琢磨这事的时候，他想起来当时他烧得迷迷糊糊，把这些东西紧紧攥在手里就睡着了。

“哎呀，抓了一大把破衣烂衫，还攥着睡觉呢，好像捡到宝贝似的……”纳斯塔霞神经质、病态一般哈哈哈大笑起来。他赶紧把这一切塞到大衣底下，目不转睛地紧紧盯着她。虽然这时他不大可能清晰地思考，但觉得出如果是来抓他，不会这样对待他。“那么……警察局？”

“喝点儿茶好吗？要不要喝茶？我去拿来；是剩的茶……”

“不……我去，我这就去。”他嘟哝着，就想站起来。

“恐怕你连下楼都不行吧？”

“我去……”

“随你便。”

她也跟在看门人后面走了。他马上跑到亮处，察看袜子和破裤边儿：“血迹是有的，但不是十分显眼；已经很脏了，全渗进去，颜色都退了。要是事先不知道，是怎么也看不出来的。所以，纳斯塔霞远远一看，什么也没发现，谢天谢地！”于是他战战兢兢地打开传票，看了起来；他看了老半天，终于看懂了。这是警察分局发出的一张普通传票，要他在今天上午九时半到分局局长办公室去。

“这是哪儿的事呀？我跟警察局从来没打过什么交道嘛！又为什么偏偏在今天？”他大惑不解地想道，“上帝啊，那就快点儿吧！”他想跪下去祷告，可是自己也笑起来，不是笑祷告，而是笑他自己。他急忙穿起衣服。“完蛋就完蛋，反正事已如此！把袜子穿上！”他忽然起了念头，“再多沾一些灰土，血迹更看不见了。”可是他刚刚穿上，立刻就又恶心又恐惧地扯了下来。扯下来了，可一想没有别的袜子可穿,又抓过来穿上。他再次笑起来。“这一切都是那么回事,都是相对的,不过是形式而已。”他心里想道。但这想法一闪而过,只是暂短一现,浑身仍在打哆嗦:“这不是穿上了嘛!结果还是穿上了!”然而,他的笑立刻变成了灰心绝望。“不行,我受不了……”他想道。他的两腿在打颤。“我害怕。”他嘟哝说。他的头因为发烧,又疼又晕。“这是计策!这是他们想用计把我骗去,一下子给我来个措手不及,”他来到楼梯口,又暗自想道,“糟糕的是,我几乎总是昏昏沉沉的……我也许会胡说些蠢话……”

走在楼梯上他想起来,所有的东西就那样留在壁纸的窟窿里了。“也许是有意等我不在家的时候搜查呢。”想到这儿他停了下来。可是他忽然被一种绝望和听凭完蛋的心情所控制,于是他挥了挥手,又往下走。

“那就快点儿吧!……”

街上又是热得难受,这些日子一滴雨也没有下过。到处是尘土、砖瓦和石灰,到处弥漫着小铺和小酒馆里散发出来的臭气。不时遇到醉汉、芬兰小贩和破旧的马车。阳光明晃晃地照射他的眼睛,所以一睁眼就感到刺疼,头也晕得厉害了。一个害热病的人在阳光灿烂的日子突然来到大街上,通常都会有这样的感觉。

他走到拐向昨天那条街的转弯处,惶恐不安地望了望那条街和那座房子……又立刻转过眼睛。

“要是问起来,我也许会说出来的。”他快到警察局门口的时候,心中想道。

警察局离他的住处约有四分之一俄里,是刚刚搬进一座新楼四层的一套新房子里。原来警察局所在之处，他曾经去过一次，但那已经是很久以前了。他走进大门，看到右边就是楼梯，一个汉子拿着一本簿子正从楼梯上往下走。“这是看门人，那么说这就是警察局了。”于是他凭着猜想就往楼上走。他谁也不想问，什么也不想问。

“一进去我就跪下，把什么都说出来……”他要上四楼的时候心里想道。

楼梯又窄又陡，而且到处是脏水。从一层到四层所有人家厨房的门，都是朝着这个楼梯，而且几乎整天就这样敞开着，因此闷热得不得了。在这里上上下下的，有腋下夹着簿册的看门人，有当差跑腿的，有前来办事的，形形色色的男男女女。警察局的房门也敞开着。他走进去，就在外室里站下来，此处总有一些人站着等候。这里同样特别闷热，此外，新漆房间的油漆未干。用发臭的亚麻油调制的新油漆，味道直冲鼻子，令人作呕。他等了不大一会儿，就决意再往前走走，到另一间屋里去。所有的房间都是又小又矮。他焦急得不得了，所以一个劲儿往前走。谁也没有注意他。第二间屋里有几名录事坐着在抄写什么；他们的穿戴也只是比他稍好些，外表看来都是些奇怪的人。他走到其中一位跟前。

“你有什么事？”

他把局里的传票拿给他看。

“您是大学生吗？”那人看了看传票，问道。

“原来，原来是大学生。”

这位录事打量了他一眼，不过，没有任何寻根问底之意。这人头发特别蓬乱,目光中有一种呆呆的神情。

“从这人嘴里是什么也打听不出来的,因为他什么都不关心。”拉斯柯尔尼科夫想道。

“请到里面去,找办事员。”录事说着,伸出一个指头指了指最里面一个房间。

他走进这个房间,按顺序是第四间了。房间很小,而且挤满了人。这里面的人比其他几个房间里的,穿得多少整洁些。来访者中间有两位太太。其中一位穿丧服的,衣着很寒碜,坐在桌旁,面对办事员,正在他的口授下抄写什么。另一位太太很胖,紫红色脸膛,脸上斑斑点点;她人很气派,穿着也很阔气,胸前别一枚茶碟大小的胸针,站在一旁等候着什么。拉斯柯尔尼科夫把自己的传票递给办事员。办事员匆匆看了看,说了句“等一等”,就又办起穿孝服的太太的事情来。

他放松地舒了一口气。“大概不是为了那事儿!”他渐渐打起精神来,他拼命鼓励自己打起精神,保持清醒。

“哪怕说一句蠢话,哪怕一丁点儿不小心,都会使自己完全暴露!嗯……可惜这儿空气很不好,”他又想道,“太闷了……头晕得更厉害了……脑子也……”

他感到心里乱糟糟的,自己很怕控制不住自己。他竭力要把心思用到一点上,想些完全不相干的事儿,但就是不行。不过,办事员倒受到他特别注意:他总想从那人脸上猜出点儿什么,摸一点儿底细。这是一个非常年轻的人,二十二三岁,一张黑黑的、机灵的脸,显得比他的实际年龄要老成些,穿得很时髦,像个花花公子,留着分头,头发梳得整整齐齐,而且抹了很多油,用小刷子刷得雪白的手指上戴了不少镶宝石和不镶宝石的戒指,坎肩上挂着金表链。他甚至还跟刚才来过这里的一个外国人说过两句法国话,说得挺不错。

“路易莎·伊凡诺芙娜,您请坐下。”他匆匆对那个穿得很阔气、紫红脸膛的太太说。这位太太一直站着,好像不敢自己坐下似的,虽然椅子就在她身旁。

“Ich danke[①]。”这位太太说过,就轻轻地,只是绸衣服窸窣响了几下,坐到椅子上。她那镶了白色花边的天蓝色连衣裙,像气球似的在椅子周围鼓起来,几乎占了半个房间,散发出一阵香水气味。但是这位太太显然因为占了半个屋子和散发香水气味感到胆怯,虽然畏畏缩缩却又涎着脸笑着,但明显流露出惶惶不安的神情。

穿孝服的太太终于把事情办完了,正要站起来。忽然,随着一阵响动声,一位警官雄赳赳地走了进来,而且不知为什么每走一步都特别扭动一下肩膀。他进门把带警徽的军帽往桌上一扔,就在安乐椅上坐了下来。穿得很阔气的太太一看到他,腾地站起来,带着一种特别高兴的神气向他行了个屈膝礼;但是警官连睬也没睬她,她就再也不敢当着他的面坐下了。这是警察分局的副局长,浅棕色的八字胡向两边翘着,脸特别小。脸上除了有点蛮横劲,没有什么特别的表情。他斜着眼并且多少带点愤怒地看了看拉斯柯尔尼科夫:他的服装真是太不像样子了,而且尽管寒酸却还有种与衣着不符的傲气。拉斯柯尔尼科夫一时不慎,直勾勾地瞅了他一会儿,这使他生气了。

①德文:谢谢。

“你有什么事？”他喝道，大概是感到奇怪，一个穿得这样破烂的人，在他咄咄逼人的目光下，竟没有惶恐不安。

“是叫我来的……有传票……”拉斯柯尔尼科夫随随便便回答说。

“这是追索欠款的事，向他，向这个大学生追索欠款，”办事员急忙撇下公文说道，“这不是！”于是他把一个簿子扔给拉斯柯尔尼科夫，指了指簿子里一个地方，“您看看吧！”

“欠款？欠什么款？”拉斯柯尔尼科夫想道，“不过……看来，肯定不是那事儿了！”于是他高兴得打了个哆嗦。他突然感到说不出的轻松，轻松得不得了。什么负担也没有了。

“先生，传票上要您几点钟来？”中尉不知为什么越来越恼火，大声问道，“要您九点钟来，可现在已经十一点多了！”

“传票是一刻钟之前才给我送来的，”拉斯柯尔尼科夫扭头大声回答说，他自己也意想不到地突然发起火来，甚至从中感到惬意，“我生病发烧，能来就不错了。”

“请您不要嚷嚷！”

“我并没有嚷嚷，我说话倒是非常心平气和，这是您对我嚷嚷；我是大学生，不允许别人对我大喝大叫。”

副局长简直气急败坏，一时连话都说不出来，只见嘴里一劲儿冒唾沫。他从位子上跳起来。

“给我闭——闭——嘴！您这是在官府里。别放——放——肆，先生！”

“您这也是在官府里呀，”拉斯柯尔尼科夫叫起来，“可是您不光是嚷嚷，还抽着烟，可见对我们这些人不够尊重。”拉斯柯尔尼科夫说过这话，感到说不出的痛快。

办事员笑嘻嘻地看着他们。发火的中尉显然不知如何下台了。

“这不是您管的事，先生！”他终于有点儿不自然地大声喝道，“现在是请您对人家的要求做出回答。亚历山大·格里戈里耶维奇，拿给他看看。人家告您呢！欠钱不还！哼，还逞什么英雄好汉！”

但是，拉斯柯尔尼科夫已经不再听他说，一把抓过公文，要尽快找出谜底。他看了一遍又一遍，仍没有看懂。

“这是怎么一回事儿？”他问办事员。

“这是凭借据向您要钱，追索欠款。您必须连同一切费用、罚金等等如数付清，要么立个字据，说明何时能够付清，同时保证在未清偿债务之前不离开京城，并且不出售、不藏匿自己的财产。债权人可以拍卖您的财产，可以依法对您起诉。”

“可是我……没有欠谁的钱哪！”

“这我们就管不着了。这是您九个月前写给八等文官的遗孀扎尔尼岑娜的一张一百一十五卢布的借据，又由这位遗孀扎尔尼岑娜转付给七等文官切巴罗夫的，这借据已经过期，在法律上属于拒付，现在已呈交我局追索，因此我们才请您来对此做出回答。”

“她就是我的女房东啊？”

“是女房东又怎么样？”

办事员带着宽宏的怜惜之意同时也颇为得意地笑望着他，就像看着一名初次上阵的新兵，似乎在说：“怎么样，现在感觉如何?”可是现在他哪里有心思去想借据,去想追欠款的事?现在这种事完全不值得他担心,甚至不值得注意!他站着,看着,听着,回答着,甚至自己还提问,但这都是机械的行为。他觉得平安无事了,摆脱了临头的危险,此刻他浑身轻松,得意扬扬,他既不预测,也不分析,不去猜度和揣测未来,没有怀疑,也没有疑问。这是充分而直接的快乐时刻,是纯粹动物本能的快乐。但就在这时候,局里似乎来了一阵惊雷和闪电。中尉因为失了尊严非常震怒,还一直在冒火,显然很想挽回面子,就对那个倒霉的“盛装的太太”大发雷霆,把所有的火气都发泄到她身上,尽管自从他进门,她就一直赔着笑脸望着他。

“你这个不要脸的臭娘儿们,”他忽然扯着嗓门儿叫起来(那个穿孝服的太太已经走出去了),“昨天夜里你那里是怎么回事儿?嗯?又是乌烟瘴气,闹得一条街不得安宁。又是打架又是酗酒。你是想进班房吧!我早就对你说过,我已经警告过你十次,第十一次决不轻饶!可你又犯了,太不像话!”

拉斯柯尔尼科夫手里拿的公文都掉了下来,他惊讶地望着那个遭受如此无情痛骂的阔太太。不过他很快就明白了是怎么回事,马上喜欢起这个故事来。他津津有味地听着,简直想哈哈大笑……他所有的神经都在开心地跳动。

“伊里亚·彼得罗维奇!”办事员关切地刚开口说话,便又停下来等待机会,因为他根据切身经验知道,中尉发起火来是拦不住的,除非抓住他的双手。

至于那位盛装的太太,起初被这一阵霹雳火吓得直打哆嗦;但是说来也怪,骂得越多越凶狠,她的模样儿越可亲,她对威严的中尉笑得越迷人。她在原地倒换着两只脚，不住地行着屈膝礼，焦急地等待着插嘴的机会，最后终于等到了。

“我那儿没又吵闹，也没又打架，上尉先生，”她一下子就像爆豆似的说起来，虽然俄国话说得很顺溜，但带有极重的德国口音，“没又（有）乌烟瘴气，一点儿也没又（有），他们赖（来）的时候就喝醉了，我把这事儿一五一十对您说说，上尉先生，这事可不能怪我……我们家里可是守规矩的，上尉先生，程（秩）序是很好的，上尉先生，我一向、一向自己也不愿以（意）见到乌烟瘴气的事儿。可是他们赖（来）的时候就完全醉了，后赖（来）又要了三拼（瓶）酒，后赖（来）有一个人跷起两腿，用脚踩（弹）钢琴，这在一个守规矩的人家里是很不好的，而且他把琴 ганц[①] 弄坏了，这就更不像滑（话）了，我这才说了滑（话）。可是他抓起酒拼（瓶），从背后朝大家乱捅起来。我就急忙叫看门人。卡尔赖（来）了，他抓住卡尔就大（打）眼睛，也大（打）了亨里埃特的眼睛，还大（打）了我五个耳光。这在一个守规矩的人家里是很不像滑（话）的，上尉先生，于是，我就叫起来。他却推凯（开）临河的窗户，对着窗外见（尖）叫起来，像个猪崽子似的；这就太可耻了！怎么能像猪崽子一样在窗口朝着大街见（尖）叫呢？这就太可耻了。呸，呸，呸！于是，卡尔从背后抓住他的燕尾服，把他从窗口拽下赖（来），所以，一点儿不错，上尉先生，把他的 зейн рок[②] 扯破了。于是，他让（嚷）起来，说 маи муе[③] 赔他十五卢布。于是，上尉先生，

①俄文字母写出的德语：整个儿。

②用俄文字母写出的德语：常礼服、西服，这里指燕尾服。

③用俄文字母写出的德语：应该。

我就赔了他五卢布。这是一个很不规矩的客人，上尉先生，什么不像滑(话)的事儿他都干。他还说，我要 гедрюкт[①]一篇长长的讽刺文章骂你们，因为在所有的报直(纸)上我想怎么偏(编)派你们就怎么偏(编)派你们[②]。”

“就是说，这是个作家了？”

“是的，上尉先生，这是多没良心的顾客呀，上尉先生，偏要到规矩的人家里来……”

“得啦，得啦，得啦！够了！我已经对你说过，对你说过，早就对你说过……”

“伊里亚·彼得罗维奇！”办事员有所暗示地喊道。中尉匆匆看了他一眼；他微微点了点头。

“……那我就对你，可敬的拉维莎[③]·伊凡诺芙娜，最后再说一遍，这可是最后一遍了，”中尉又说下去，“要是在你这个规矩地方再闹事，哪怕一次，我也要严办，说文气点，是决不姑息。你听见吗？一个作家、文学家，在一个守规矩的人家，因为扯破了褂子后襟就能索要五卢布？瞧这些作家吧！”于是，他轻蔑地扫了拉斯柯尔尼科夫一眼，“前天在酒店里也出了一件事儿：吃了喝了，不付钱，还说：‘我要写篇讽刺文章骂骂你们。’在轮船上也有一个作家，上个星期，用最下流的话骂一位五等文官的可敬的一家，骂他的夫人和女儿。前些天还有一个作家被人家连推带搡从一家点心店里赶了出来。瞧，这些作家、文学家、大学生，能说会写的

①用俄文字母写出的德语：发表、刊登。

②据1865年彼得堡报纸上的一篇小品文说，当时有些文人以骂人为生，以写文章骂人为要挟，到处白吃白喝，甚至收受礼品和贿赂。——俄编注

③这里是警官把这位太太的名字说错了。她原叫路易莎。

人，就是这么一副德行……呸！哦，你走吧！我是要到你那儿去看看的……到时候你要小心！听见没有？”

路易莎·伊凡诺芙娜连忙殷勤地朝四下里行屈膝礼，一面行礼，一面倒退到门口；但是，在门口却一屁股撞到一位身材魁梧的警官身上，此人脸色开朗，精神饱满，留着非常漂亮、非常浓密的淡黄色络腮胡子。这就是警察分局局长尼科季姆·福米奇本人[1]了。路易莎·伊凡诺芙娜连忙向他屈膝行礼，差点儿没蹲到地板上，然后迈着急促的碎步，蹦蹦跳跳地出了办公室。

“又是一阵轰轰隆隆，既是惊雷，又是闪电；既是龙卷风，又是大暴雨！”尼科季姆·福米奇亲热而友好地对伊里亚·彼得罗维奇说，“又大动肝火发脾气啦！我在楼梯上就听见了。”

“那又怎么样！”伊里亚·彼得罗维奇用优雅而满不在乎的口气说（甚至不是说“怎么样”，而是“那又怎——样！”），一面拿着一沓公文朝另一张桌子走去；每走一步，都神气活现地耸一下肩膀，脚步到哪里，肩膀扭向哪里。“这不是，请看：一位作家先生，不，是一位大学生，过去的大学生，欠钱不还，写下了借据，又不肯腾出住房，不断地有人来告他，可他倒表示不满，说我当着他的面抽烟了！自己不争气嘛，您瞧瞧他现在那得意的模样！”

“贫穷不是罪过，伙计，有什么办法！谁都知道他是火爆脾

①1865年6月，陀思妥耶夫斯基曾接到一张传票，称由于债务纠纷将查封他的财产，签署传票的就是警察分局局长马卡罗夫，此人可能就是小说中的尼科季姆·福米奇的原型。在1869年10月27日致阿·尼·迈科夫的信中，陀思妥耶夫斯基写道，当出版商斯捷洛夫斯基威胁要把他送去坐牢的时候，有一位警察分局的副局长曾来找他“履行公务”，可他“和副局长很快就交上了朋友”，那位副局长还向他提供了许多后来被用进《罪与罚》的素材，而这位副局长伊里亚·彼得罗维奇本人，也被写进了小说。——俄编注

气,受不得半点儿委屈。您大概有什么地方生他的气,所以也就忍不住了,”尼科季姆·福米奇和蔼可亲地继续对拉斯柯尔尼科夫说下去,“其实大可不必,我可以告诉您,这是一个心肠好得不——得——了的人,就是火爆脾气,火爆脾气!一点就着,就冒火,发过火也就没事了!一下子就烟消云散!到末了就剩一颗金子般的心!在部队里就管他叫‘火药中尉’……”

“那个部——队有多好哇!”伊里亚·彼得罗维奇长叹了一声,他对于这样的恭维非常满意,但心里还是在生气。

拉斯柯尔尼科夫忽然很想说点他们都特别爱听的话。

“对不起,上尉,”他突然非常随便地开口对尼科季姆·福米奇说,“请您设身处地替我想一想……如果我有什么地方冒犯,我甚至愿意向这位赔礼。我是一个穷困有病的大学生,是穷困潦倒的人(他就是这样说的:“穷困潦倒”)。我是辍学的大学生,因为现在无法维持生计,但我会收到钱的……我还有母亲和妹妹在外省……会给我寄钱,我会……把债还清。我的女房东是个好心肠女人,但是因为我丢了教课的事,三个多月没有付房租,她非常恼火,甚至不让下人给我开饭……我一点儿也不明白,这是什么样的借据!现在她凭这张借据向我要钱,我拿什么还她,请你们想想看!……”①

“这我们就管不着了……”办事员又想插话。

①陀思妥耶夫斯基的长兄去世之后,他承担了长兄的债务,许多债主跑来催债,拿到了陀思妥耶夫斯基的借据,其中有一位作家某某(可能是巴比科夫)因交不起房租,就把陀思妥耶夫斯基签字的借据抵了出去,而他的女房东又凭这张借据提出了查封陀思妥耶夫斯基家产的要求。(见《陀思妥耶夫斯基夫人回忆录》)

“对不起，对不起，您说的一点儿不错，不过请允许我把话说明白，”拉斯柯尔尼科夫接过去说，不是对着办事员，仍是对着尼科季姆·福米奇，但又极力表明也是对着伊里亚·彼得罗维奇，虽然伊里亚·彼得罗维奇一直装作在翻阅公文，对他不理不睬，“请允许我把话说完：我住在她那儿已经有三年，从外省一来到这里就住在她那儿，而且以前……以前……其实，我何必隐瞒，开头我就答应娶她的女儿，是口头答应，完全是随便说说……这姑娘……不过，我倒很喜欢她……虽然我并没有爱上她……总而言之，年轻嘛，我是想说，女房东当时借给我很多钱，于是，我多多少少过起了那种日子……我是太轻率了……”

“谁也没有要您讲那些暧昧的事儿，先生，再说我们也没工夫。”伊里亚·彼得罗维奇粗鲁又颇得意地想打断他的话，但拉斯柯尔尼科夫激动地把他拦住，尽管忽然间感到说话特别吃力。

“不过请允许我，请允许我说明白是怎么一回事儿……虽然说这些是多余的，我也同意您的看法。这姑娘一年之前死于伤寒，我还像原来一样住在那儿，女房东搬进现在住的套房以后，对我说……而且说得很亲热……说她完全信得过我，不过我是不是可以给她出一张借据，一百五十卢布的，她算了算，总共我欠她这么多。她就是这么说的，只要我给她出了借据，她可以再借给我钱，借多少都行，我自己不归还欠款，在她那方面决不利用这张借据，——这是她亲口说的话……可是现在，就在我丢了教课的事，连饭也吃不上的时候，她却来索要欠款了……我现在还能说什么呢？”

“这些感情的事儿我们管不着，先生，”伊里亚·彼得罗维奇毫不客气地打断他的话,“您必须写一张回条,做出保证,至于你们的谈情说爱和伤心之事,我们一点儿不感兴趣。”

“你也……太厉害了……”尼科季姆·福米奇嘟哝着,在桌边坐下来,也批阅起公文。他似乎有点难为情。

“您就写吧。”办事员对拉斯柯尔尼科夫说。

“写什么?”拉斯柯尔尼科夫不知为什么特别粗鲁地问道。

“我说,您照着写。”

拉斯柯尔尼科夫觉得,在他一番表白之后,办事员对待他更随便,更不把他放在眼里了;但是,说也奇怪,他忽然觉得自己对任何人的看法都不在乎了,而这种变化就是在转眼之间,在一分钟里发生的。如果他愿意多少想一想的话,他当然会大吃一惊,一分钟之前他怎敢那样跟他们说话,而且硬要谈自己的什么感情?哪里来的这些感情呢?相反,即便此刻屋子里坐的不是警官,而是他最要好的一些朋友,就是在这种情况下,他大概也找不出一句合乎人性的话对他们说,他的心一下子变得如此空荡荡的。一种阴沉痛苦的孤独感忽然以明确的意识闯入他的心灵。使他的心一下子如此翻腾不已的,不是他向伊里亚·彼得罗维奇表白感情的可鄙做法,也不是中尉在他面前炫耀胜利的龌龊行为。啊,他现在哪还顾得上自己的卑鄙,别人的傲慢,什么中尉呀,德国娘儿们呀,追索欠款哪,警察局呀,等等,等等!……此刻即使判处他火刑,他也不会动一动,甚至也未必留心去听判决。他心中发生了一种完全陌生的、全新的、突如其来的、从来不曾有过的变化。他不是理解到,而是清楚地感觉到,实实在在感觉到,他不仅不能像刚才那样动感情,而且不论怎样都不能对警察局里的这些人再说什么；就算这都是他的亲兄弟姐妹，而不是警官，他也完全没有必要对他们说什么，甚至今生不论在什么情况下都是如此。在这之前他还从不曾有过类似的奇怪和可怕的感觉。正因为这主要是感觉，而不是认识和理解，所以也最痛苦；这种直觉，是他一生至今经历过的所有感觉中最痛苦的一种感觉。

办事员开始给他口授在此种情况下写回条的一般格式，这就是：目前无力偿还，保证到某时还清，保证不离开本市，不变卖财产，不赠与他人，如此等等。

“哦，您写不了字呀，连笔都拿不住，”办事员好奇地打量着拉斯柯尔尼科夫说，“您是不是有病？”

“是的……头发晕……请说下去！”

“就这些了！签名吧。”

办事员把字据拿走，就忙着去办别人的事。

拉斯柯尔尼科夫把笔交还了，却没有站起来就走，而是胳膊肘在桌子上，两手紧紧抱住头，就好像有人在往他的头顶揳钉子。他忽然产生一个奇怪的念头：马上站起来，走到尼科季姆·福米奇面前，把昨天的一切原原本本、详详细细对他说出来，然后跟他一起到住处去，把藏在墙角窟窿里的东西拿给他看。这一冲动非常强烈，以至于他已经站起来，就要这样做了。“是不是再好好考虑一下？”他脑子里又一个想法闪过，“不，最好连想也不想，来一个干脆利落！”但他突然像生了根似的站住了，因为尼科季姆·福米奇正在很激动地对伊里亚·彼得罗维奇说话，他们的话飞进他的耳朵：

“不可能的，两个人都要放了。首先，这一点儿也不符合情理;您想想吧,假如这事儿是他们干的,他们干吗去叫看门人?怎么,自己告发自己吗?还是故意要花招儿?不会的,没有这样要花招儿的!还有,大学生佩斯特里亚科夫进门的时候,两个看门人和一个女人看到了他:他是和三个朋友一块儿来的,在大门口跟他们分手,还当着他们的面向看门人询问了住处。如果他是不怀好意来的,哪里会这样打听住处?至于那个科赫,去找老太婆之前在楼下银匠家坐了半个钟头,八点差一刻才离开银匠家上楼去找老太婆。您想想看……"

"可是您看,他们说得多矛盾哪:据他们自己说,他们敲门时门是扣上的,可过了三分钟,等他们带了看门人来,门却是开着的?"

"问题就在这里:凶手一定待在那里面,把门反扣上了;要不是科赫一时糊涂,也下楼去找看门人,一定会当场把他捉住。凶手就是趁这个空子下了楼,想方设法从他们身旁溜了过去。科赫双手画着十字说:'假如我留在那儿,他准会冲出来,一斧子把我劈死。'他都想做一场俄罗斯的祈祷呢,嘿嘿!……"

"那么,谁也没看见凶手了?"

"哪儿看得见呢?那座楼就像诺亚方舟[①]。"坐在自己位子上听他们谈话的办事员插嘴说。

"事情很清楚,事情很清楚嘛!"尼科季姆·福米奇激烈地连说两遍。

---

①典出《旧约全书·创世记》(第6~7章):上帝因世人行恶,曾降洪水灭世。因诺亚一家行善,维护正义,故命他制造方舟,率全家并选取所有禽兽各一对避难,因而使人类得以留传。此处喻楼内人多而杂乱。

“不，事情很不清楚。”伊里亚·彼得罗维奇判断说。

拉斯柯尔尼科夫拿起自己的帽子，就朝门口走去，但是他没有走到门口……

等他清醒过来，就看到自己坐在椅子上，右边有一个人扶着他，左边站着另一个人，拿着一个黄茶杯，里面盛满黄黄的水，而尼科季姆·福米奇站在他面前，凝神望着他；他站了起来。

“怎么，您有病？”尼科季姆·福米奇相当严厉地问道。

“刚才他是怎样签字的呀，连笔都拿不住。”办事员说着，回到自己的位子上，又翻阅起公文。

“您早就病了吗？”伊里亚·彼得罗维奇坐在自己的位子上，他一面翻阅着公文，大声问道。病人昏厥的时候，他当然也过来看过，但病人一清醒过来，他立刻就走开了。

“昨天就病了……”拉斯柯尔尼科夫嘟嘟哝哝地回答说。

“昨天您出过门吗？”

“出过门。”

“那时就病了吗？”

“就病了。”

“几点钟？”

“傍晚七点多。”

“请问，上哪儿去了？”

“逛街。”

“又简短又清楚。”

拉斯柯尔尼科夫回答得生硬而短促，一张脸煞白，但是他在伊里亚·彼得罗维奇逼视下没有垂下充血的黑眼睛。

“他差点儿要站不住了，你却……”尼科季姆·福米奇正要说下去。

“没——关——系！”伊里亚·彼得罗维奇不知为什么用很特别的语调说道。尼科季姆·福米奇本来还想补充几句，但是他看了看办事员，办事员也凝神看着他，他就不说了。大家一下子都不说话了。很奇怪。

“那好吧，先生，”伊里亚·彼得罗维奇收场说，“我们就不耽搁您了。”

拉斯柯尔尼科夫走了出来。他还能听见，他走出来以后，人们一下子就热热闹闹地谈起来，其中听得最清楚的是尼科季姆·福米奇问话的声音……一到大街上，他就完全清醒了。

“搜查，搜查，这就要搜查了！”他一遍一遍地自己嘟哝着，一面急急忙忙往家走，“这伙强盗！起疑心了！”他从头到脚，又像刚才那样通体感到恐惧。

第二章

“要是已经搜查了,怎么办?要是正在搜查,我恰好碰上他们,怎么办?”

然而,眼前就是他的屋子,什么事也没有,什么人也没有,谁也没有来过。连纳斯塔霞也没有进来过。可是,我的主啊!他刚才怎么能把这些东西统统放在这个窟窿里呢?

他急忙走到墙角,手伸进壁纸里面,把东西掏出往口袋里装。东西总共有八样:两个小盒子,里面是耳环之类的东西,他还没有仔细看过;再就是四个不大的山羊皮夹子;有一条金链包在报纸里;还有一样东西包在报纸里,好像是勋章……

他把东西分装到各个口袋里,装进大衣口袋和裤子上仅剩的右兜里,尽量不让人看出来。他把钱袋也和东西一起全揣在身上,然后从屋子里走了出来,这一次甚至把房门完全敞开。

他走得又快又稳,虽然感到浑身像散了架似的,但头脑是清醒的。他很怕追捕,怕再过半小时或者一刻钟,也许就会发出通缉令，所以，无论如何要赶快销毁罪证。趁着多少还有点力气，多少还有点判断力，把这事处置好……可究竟到哪儿去呢？

这是早就决定了的：“把所有的东西扔进河里，不留痕迹，事情也就了结了。”还在夜里迷迷糊糊的时候，他就这样决定了。他在惦记着这事的那一会儿，几次挣扎着想爬起来，想出去：“快，快，把什么都扔掉。”可是，谁知要扔掉也是很难的。

他徘徊在叶卡捷琳娜运河的滨河街上，已经有半个钟头，也许还要久些，而且对见到的几处下河台阶察看了好几次。但要实现自己的意图，却连想也甭想：要么有木筏紧靠着台阶，女人们在上面洗衣服，要么有小船停靠，人来人往。而且从岸上，从四面八方，到处都可以看见，可以发现：一个人特意走下去，站住把一些东西扔到水里；那是很可疑的呀。再说，皮夹子要是不沉下去，漂在水上，怎么办呢？准会这样。谁都看得见。本来所有的人遇到他的时候，已经在一个劲儿看着他，一个劲儿打量他了，就好像他们专门管他的事儿似的。“为什么会这样，也许，这是我的错觉？”他想道。

最后他想到，是不是到涅瓦河上找个什么地方？那儿人少些，不怎么引人注目，至少要方便些，主要是离这个地方更远些。他忽然觉得很奇怪：他怎么会在苦恼和惶恐中徘徊了半个钟头，而且是在危险地区，原来可没想到这一点！就因为是在睡梦中，迷迷糊糊做出了这样的决定，所以浪费了整整半个钟头来干这种冒冒失失的事！他渐渐变得精神涣散和健忘，这他也是知道的。现在一定要抓紧时间！

他顺着В—й大街朝涅瓦河走去，但半路上忽然又出现了一个想法:“何必去涅瓦河？何必扔到水里去？不如走得远点,哪怕再到那几个岛上,随便找个僻静的地方,比如,在林子里的树丛底下,把这些东西全埋起来,在树上做记号,也许这样更好?”虽然他感到此时此刻他无法清晰理智地考虑问题,但是他觉得这想法是不会错的。

然而他注定去不了岛上,而是另做处置:在B—й大街走上广场的时候,他突然看到左边有一个院子的入口,院子四周是严严实实的围墙。一进大门,右边紧靠大门有一座四层楼,没有粉刷、没有门窗的楼墙一直向院子里伸得老远。左边,也是一进大门就有一道木栅栏与围墙平行,伸向院子里约二十步,就向左转弯了。这是一个荒僻少人的去处,里面堆放着一些材料。再往里,在院子深处,栅栏后面露出一角低矮的、熏得黑黑的砖瓦棚,显然是一家什么作坊的一部分。这儿肯定是一家作坊,马车作坊或者钳工作坊,或者诸如此类的地方;几乎从大门口开始,到处是黑黑的煤灰。“就在这儿,扔掉就走!”他脑子里忽然闪出这一念头。他看到院子里一个人也没有,就溜进大门,正好见大门近旁有安在栅栏边的一道斜槽(在有很多工人、搬运夫、马车夫的地方,常常安置这种尿槽)。尿槽上方的栅栏上用粉笔写着此类地方常见的俏皮话:“此处不准停留。”可见,随便走进去停一停,不会引起任何怀疑,这就很好。“就在这儿全都扔成一堆,然后拔脚就走!”

他又四下里打量了一遍之后,已经把手伸进口袋,忽然发现在围墙根上,在相距只有一俄尺的大门与尿槽之间,有一块没有打磨的大石头，看来有一个半普特[①]重，紧贴在临街的砖墙上[②]。墙外就是大街，人行道，可以听见行人来来往往，这里行人一向不少；但是，大门外面谁也看不到他，除非有人从街上走进来，不过这也是很可能的，所以必须抓紧时间。

他跨到石头跟前，弯下身去，两手紧紧抓住石头顶端，使出浑身力气，把石头翻了一个个儿。石头底下有一个不太深的坑：他立刻把兜里所有的东西从口袋里扔进坑里。钱袋正好在最上面，不过坑里还是剩有地方的。然后他又抓住石头，朝原来的方向推了一个个儿，石头正好落回原来的地方，只是显得多少高了一点儿。但是他扒了扒土，用脚把四边踩实了，什么也看不出来了。

于是他走出来，朝广场走去。一时间他又像刚才在警察局里那样，说不出地高兴，高兴得不得了。"罪证消灭了！谁又会想到这块石头底下，到这块石头底下来找呢？也许从盖这幢楼的时候，这块石头就放在这里了，以后还会摆这么多年。就算以后有人发现了，谁又会想到我身上呢？什么事儿也没有了！罪证没有了！"于是他笑起来，是的，他后来还记得那神经质的微笑，没有出声却笑个不停，直到穿过整个广场。可是一上K林荫道，就是前天遇到那个女孩的地方，他的笑突然消失了。脑子里钻出了另外的想法。他忽然觉得，现在再从长椅旁走过，也就是那女孩走

①一普特等于十六点三八千克。

②陀思妥耶夫斯基夫人在回忆录中说道："在我们结婚后的最初几个星期里，费·米·(即陀思妥耶夫斯基)常和我一起去散步，他领我去了一个院子，指给我看了那块石头，他笔下的拉斯柯尔尼科夫就把从老太婆那里偷来的东西藏到那块石头下。这个院子在沃兹涅先斯基大街上，从马克西米里安诺夫胡同数起是第二家；那里后来盖起一幢大楼，如今成了一家德文报纸的编辑部。"

后他坐在上面思前想后的那张长椅旁走过，会感到非常恶心，如果再遇到他当时给了二十戈比的那个大胡子警察，也会非常不舒服："去他妈的吧！"

他走着，漫不经心而又气恼地朝四下里张望。现在他的一切思想都在围绕着一个关键问题转悠，他自己也感到确实有这样一个关键问题。此刻，就是现在，他正面对着这个关键问题。这甚至是近两个月来的第一次。

"让这一切都见鬼去吧！"他在激愤中忽然想道，"这就开始了！这就开始了！什么新生活，见鬼去吧！主啊，这多么愚蠢哪！……今天我说了多少假话，干了多少卑鄙的事啊！刚才我那么低三下四地奉承讨好那个可恶的伊里亚·彼得罗维奇！不过，这也罢了！我才不在乎他们这些人呢，我也不在乎什么奉承和讨好！问题完全不在这里！完全不在这里！……"

忽然他站住了，一个完全出乎意料而又极其简单的新问题一下子难住了他，令他惊愕不已：

"如果说这事确实是有意识去干的，而不是一时糊涂，如果说你确实有明确而坚决的目的，那你为什么至今都没有打开钱袋看一看，还不知道弄到手的是什么，你为什么承担了这种种痛苦，有意识地去干这卑鄙、恶劣、下流的勾当？你刚才不是想把钱袋连同所有的东西一下子扔到河里吗，那些东西你还没有看过呀……这究竟是怎么回事呢？"

是的，是这样，就是这样。其实，这些他原来就知道，在他也完全不是新问题。夜里他决定全扔到河里去的时候，就毫不犹豫，没有异议，好像理应如此，不可能不这样……是的，这一切他都知道,也都记得。而且差不多早在昨天,当他翻箱子往外掏出那些盒子的时候,就已经这样决定了……就是这样啊!……

“这都是因为我病得很重,”他终于凄然得出结论,“我是自己折磨自己,自己也不知道在干什么……昨天也好,前天也好,整个这段时间里,我一直是在折磨自己……等我身体好了,就……不再折磨自己了……可是,万一我身体好不了呢?主啊!这一切我都厌倦了!……”他走着,一步也不停。他很想使精神放松,但不知怎么办到,不知采取什么办法。他产生了一种难以克制的新感觉,而且一分钟比一分钟强烈:这就是对他迎面遇到的一切和周围的一切,怀有无限的、几乎是生理上的反感,一种执拗的、愤懑的、敌视的反感。他觉得所遇到的人都很可憎,他们的面容、步态、一举一动都很可憎。假如有谁开口跟他说话,他也许会干脆啐上几口,咬上几口……

等他来到瓦西里岛小涅瓦河的滨河街,在靠近桥边的地方突然停了下来。“他就住在这儿,在这座楼里,”他想道,“这是怎么回事,嗯,好像是我自己来找拉祖米欣了!又像上次那样……不过,真有意思:是我自己要来的呢,还是碰巧走到这里了?反正都一样;前天……我说过……那事儿完了之后第二天我就要去找他。那好吧,现在去找他!好像我现在就不能再到这儿来似的……”

他登上五楼去找拉祖米欣。

拉祖米欣在家,在自己的小屋里,这时候正忙着写什么。他给他开了门。两人已经有四个来月没见面了。拉祖米欣在家里穿着破烂的大褂,光脚拖着便鞋,头发乱蓬蓬的,没刮胡子,也没洗脸。他脸上露出惊讶的神情。

“你这是怎么啦?”他叫起来,一面从头到脚打量着走进来的老同学;然后就不说话了,吹了声口哨。

“难道就这么糟?伙计,你在咱们当中算是穿得讲究的呀,”他看着拉斯柯尔尼科夫的一身破烂儿,又说起来,“快坐下,累了吧!”等拉斯柯尔尼科夫一屁股坐到比自己那张沙发还破烂的土耳其式漆布沙发上,拉祖米欣一眼就看出他这客人生病了。

“你病得不轻啊,知道吗?”他想给客人摸一下脉;拉斯柯尔尼科夫却把手抽了回去。

“用不着,”他说,“我来……是这么回事:我没有课教了……我本来想……其实我根本就不是要说教课的事……”

“你可知道?你是在说胡话呀!”拉祖米欣凝神观察着他说。

“不,我没有说胡话……”拉斯柯尔尼科夫从沙发上站起身来。他上楼来找拉祖米欣的时候,并没有想到得跟他面对面交谈。现在刹那间他明白了,而且已经有了切身的体验,此时此刻他最不愿意的便是和人面对面地在一起,不论是世上什么人。他一股火气涌了上来,刚刚跨进拉祖米欣的门坎,就恼恨起自己,恼恨得几乎透不过气来。

“再见吧!”他忽然说着朝门口走去。

“你等一等,等一等嘛,真是怪人!”

“不必了!……”他又说,一面抽回胳膊。

“来了就走,那你干吗要来!你疯了还是怎的?这……太叫人难堪啦。我不能这样放你走。”

“那你就听我说:我来找你,因为除了你,我不知道有谁能帮我……重新开始……因为你比他们都更善良,也就是更聪明,能够考虑问题……可是现在我看到,我什么也不需要了,你听见吗,完全不需要……任何人的帮助和同情……凭我自己吧……一个人……好,够了!您就让我安生吧!"

"等一等,你这家伙!简直是疯子!随你怎样,我倒无所谓。你可知道,我也没有课可教了,我倒也不在乎,现在旧货市场有个书店老板叫赫鲁维莫夫[①],给他干事儿也就等于教课。现在哪怕有五家商人请我去教课,我也不愿丢下这活儿。他干一些出版的事儿,出一些自然科学小册子,可销路好极了!光是书名就很值钱!你总是说我蠢,伙计,真的,有人比我还蠢呢!现在他也赶起潮流;自己一窍不通,我呢,当然常常给他打气。这是两个多印张的德文,依我看是奇蠢无比的骗人玩意儿:一句话,是在研究女人是不是人?不用说,最后是郑重其事地证明:女人也是人。[②]赫鲁维莫夫正准备出有关妇女问题的小册子,我在翻译。他要把这两个半印张拉长到六个印张,再取一个占半页的最为华丽的书名,每本半卢布向外发行。准行!给我的翻译报酬是每印张六个卢布,就是说,一共可以拿到十五卢布,我已经预支了六个卢布。我

①在小说的初稿中,作者曾称这位书店老板为扎伊奇科夫,定稿时才改为赫鲁维莫夫,这个姓氏,像佐西姆夫这一姓氏一样,就作者的原意而言,是为了表明这些人物都是接近民主派平民知识分子的神学校学生。在拉祖米欣对于赫鲁维莫夫的活动的评价中,暗含有某种讽刺意味。——俄编注

②普及自然科学知识,争取妇女解放,这些问题都是19世纪60年代俄国社会所普遍关注的。在19世纪50—60年代,在车尔尼雪夫斯基的《现代人》杂志上发表了一系列有关妇女在社会和家庭中的作用与妇女地位等问题的文章。拉祖米欣谈到书商赫鲁维莫夫的活动,对他追赶时髦却不甚了了,显然有讽刺之意。

们忙完这事儿就去翻译有关鲸鱼的书，然后是从*Confessions*[①]第2部中选定的一些顶无聊的胡编乱造，也要翻译；有人对赫鲁维莫夫说，从某些方面来说，卢梭就是拉吉舍夫[②]。我当然也不反对，谁管他妈的怎么说！你想不想翻译《女人是不是人？》的第二个印张？要是想翻译，这就把原文拿去，再拿几支笔和纸，这都是不算钱的，再拿去三个卢布：因为我预支的翻译报酬是全部译稿的，包括第一印张和第二印张，所以，三个卢布是你分内的。译完这一印张，还可以拿到三个卢布。哦，还有，你别以为我在帮你什么忙。相反，刚才你一进来，我就琢磨你可以帮我干。第一，我写字不行，常常出错；第二，我的德文有时糟透了，所以多半是自己编造，心里自慰说，这么一编结果也许比原文倒好些呢。可谁知道呢，也许不是好些，倒是差了呢……你干不干？"

拉斯柯尔尼科夫一声不响地拿过德文原稿，接过三个卢布，一句话没说就走了出去。拉祖米欣惊讶地望了望他的背影。但是拉斯柯尔尼科夫已经走到第一街[③]，却突然转了回来，上楼到拉祖米欣这儿，把德文稿和三个卢布放到桌子上，又是一句话没说便走了出去。

---

①法文：《忏悔录》。

②车尔尼雪夫斯基在其《哲学中的人本主义原理》一书中称卢梭为革命民主主义者。——俄编注。按：亚·尼·拉吉舍夫（1749—1802），俄国哲学家、经济学家与作家。深受法国启蒙人文学主义者伏尔泰、卢梭等人影响，著有《从彼得堡到莫斯科旅行记》。他坚决反对专制制度和农奴制，在1790—1799年被流放西伯利亚。流放归来后信念不改，又遭迫害，最终自杀。

③瓦西里岛从东到西共有二十五条街，每条街名按顺序排列，如第一街……

“怎么,你是发酒疯吗?”拉祖米欣终于发作起来,吼道,“你玩的是什么鬼把戏? 把我都弄糊涂了……既然这样,那你又干吗要来?”

“用不着……翻译什么了……”拉斯柯尔尼科夫已经在下楼梯,口里嘟哝说。

“那你到底要干什么鬼事?”拉祖米欣在上面叫道。拉斯柯尔尼科夫一声不响地继续往楼下走。

“喂,问你话哩,你住在哪儿?”

没有回答。

“那就由你见鬼去吧! ……”

可是,拉斯柯尔尼科夫已经走到街上了。在尼古拉桥上,出了一点儿令他很不愉快的事,让他又一次完全清醒过来。有一辆高级马车的车夫照他背上狠狠抽了一鞭,因为他差点儿被马踩上,车夫已经朝他吆喝了三四声。这一鞭激怒了他,他噌地跳到桥栏杆边(不知为什么他走在了桥的正中间,这是行车的地方,不是人行道),恼得把牙齿咬得格格直响。不用说,周围响起一片哄笑声。

“活该!”

“是一个无赖。”

“不用说是装作喝醉了,故意往马车底下钻;然后让你来赔钱。”

“有人就靠这过日子呢,先生,以此谋生[①]……”

当他站在桥边揉着脊背,愤愤而又无可奈何地望着渐渐远去

①当时彼得堡报纸上的一则简讯就谈到发生过这类事。——俄编注

的马车的时候，突然觉得有人往他手里塞钱。他定神一看：是一位上了年纪的商人太太，裹着头巾，穿着山羊皮靴；还有一位姑娘跟她在一起，头戴草帽，打着绿色阳伞，想必是她的女儿。"收下吧，小兄弟，看在基督的分上。"他接了下来，她们便走过去。一枚二十戈比的硬币。她们看到他的衣着和模样，很可能把他当成乞丐，真正是在大街上讨钱的。至于一下子给他二十戈比，他大概得感谢那一鞭，那一鞭激起了她们的怜悯心。

他把二十戈比硬币攥在手里，走了十来步，转过身来面对着涅瓦河，望着冬宫[①]的方向。天上没有一丝云，河水几乎是蓝的，这在涅瓦河里是很少见到的。大教堂[②]的圆顶，不论从哪个角度看，都不如在这桥上离钟楼不到二十步远的地方看得真切，这样光辉灿烂，透过明净的空气，连每一个装饰物都清晰可辨。鞭打处不疼了，拉斯柯尔尼科夫把挨鞭子的事也忘了。现在占据他头脑的，是一种令他不安而又不很明晰的想法。他站着，朝远方凝望了很久；这地方他太熟悉了。在他到大学[③]上课的时候，他常常——多半是在回家的路上——也许上百次地停在这个地方，凝神眺望这幅委实壮观的景象，几乎每一次都产生一种模糊不清、无法解释的印象，使他惊讶不已。这壮观的景象总是朝他散发出一股难以言表的寒气；在他眼里这华丽的景色充满了沉寂和萧索……每次他都为自己不快而迷惘的感觉惊异不止，因没有自信便把这谜底留待将来去破解。此刻他一下子想起自己以前这

①在瓦西里岛对岸，中隔涅瓦河。

②指伊萨基辅大教堂，也在瓦西里岛对岸，这座庞大的建筑物（高一百零一点五二米）有个巨大的圆顶（直径二十一点八三米）。

③指圣彼得堡大学，它位于瓦西里岛东南涅瓦河畔。

些问题和困惑，而且觉得此刻想起这一切不是偶然的。他感到，现在居然能像以前一样停留在同一个地方，似乎真的还能像以前一样思索同样的事，还能对……不久前关心的问题和景色产生兴趣，单是这一点就够荒唐和奇怪的了。甚至他几乎觉得这很好笑，而同时他胸口憋闷得难受。此时他仿佛觉得，以前的种种事情，以前的想法，以前的疑问，以前的难题，以前的印象，以及这整个景象，还有他自己，一切的一切……都落到脚下隐约可辨的深渊里。他似乎正往高处什么地方飞去，一切渐渐在眼前消失……他的手无意中动了一下，突然觉出手心里还攥着一枚二十戈比硬币。他张开手，凝神看了看硬币，就抡起胳膊，把硬币扔进水里，然后转身朝家里走去。他觉得就在这一分钟里，好像亲手用剪刀把自己同一切人、一切事的关系剪断了。

他回到家里，已近黄昏时分，就是说他走了有五六个钟头。他到过哪儿，怎样走回来的，一点儿不记得了。他脱了衣服，像一匹跑得筋疲力尽的马，浑身打着哆嗦倒在沙发上，把大衣盖到身上，立刻就昏昏沉沉睡着了……

他醒来已经暮色沉沉，是被一阵可怕的叫喊声惊醒的。上帝呀，这么可怕的叫喊！这种反常的声音，这种狂叫、哀号、咬牙切齿、痛哭流涕、殴打和辱骂，他还从来没听到过，也没有见过。他也无法想象逞凶和发狂到如此地步。他在恐怖中起身坐在沙发上，心情一霎比一霎更紧张，更痛苦。但厮打声、哭号和咒骂声越来越大。这时，令他万分吃惊的是突然听出有女房东的声音。她在号哭、尖叫，说话又急又快，所以，简直听不清她在央求什么。显然，她是央求不要再打她，因为有人正在楼梯上狠狠地殴打她。那人因为恼怒和气愤声音非常可怕,以至于只听得声嘶力竭地叫。不过他也还在说什么事儿,也是又急又喘,说得含混不清。忽然拉斯柯尔尼科夫浑身像筛糠似的打起哆嗦来:他听出了这声音,这是伊里亚·彼得罗维奇。伊里亚·彼得罗维奇在这儿,在打女房东呢!他用脚踢她,揪住她的头发把她的头往楼梯上撞。这很清楚,凭声音,凭号叫,凭撞击就听得出来!这是怎么回事儿,是天塌了怎么的?可以听到各个楼层和整个楼道里都挤满了人,可以听见说话声、惊叫声、上楼声、敲门声、关门声,不断有人跑来。"究竟为什么,为什么呀……怎么会这样啊!"他翻来覆去地想,当真以为自己完全疯了。但是,不对,他听得太清晰了!……可要是这样,那他们马上就会到他这儿来,"因为……肯定这都是由于……由于昨天那桩事儿……上帝啊!"他想把门钩挂上,但是手抬不起来……而且也没有用!他怕得不得了,心像裹了一层冰,又疼痛又僵硬……不过持续十来分钟的叫闹,终于渐渐平息了。女房东在呻吟,哼哼唧唧的。伊里亚·彼得罗维奇还在狠狠地斥骂……但好像他最终也平静下来,已经听不见他的声音了。"难道他走了?上帝啊!"不错,听,女房东也走开了,一面还哼哼着哭呢……听,她的房门也关上了……听,人群散了,各自往房里走呢,一面叹息着,争论着,彼此呼唤着,一会儿声音高得像嚷嚷,一会儿声音低得像说悄悄话儿。想必出来看的人很多,差不多整个大楼里的人都跑出来了。"可是,上帝啊,难道这可能吗?他又为什么,为什么到这儿来!"

拉斯柯尔尼科夫有气无力地倒在沙发上,但是他已经无法合眼了;在这种痛苦中,在从来不曾经历过的这种难以忍受的无限恐惧中,他躺了有半个钟头。突然,一道光线照亮了他的屋子:纳斯塔霞拿着蜡烛,端着一盆肉汤走了进来。她仔细看了看他,看出他没有睡着,把蜡烛放到桌上,就把端来的东西往桌上摆:面包、盐、汤盆和汤匙。

“恐怕从昨天就没有吃饭了。整天在外面瞎逛,自己还在发烧呢。”

“纳斯塔霞……为什么要打女房东?”

她凝神看了看他。

“谁打女房东了?”

“刚才……半个钟头前,副局长伊里亚·彼得罗维奇,在楼梯上……他为什么这样痛打她呀?他……为什么事来的呀?”

纳斯塔霞一声不响,紧皱眉头打量着他,这样看了很长时间。这一看使他感到不快,甚至觉得可怕。

“纳斯塔霞,你怎么不说话呀?”他终于用微弱的声音胆怯地问道。

“这是血。”她终于轻轻地而且自言自语似的回答说。

“血!……什么血?……”他脸色煞白,身子往墙根缩着,嘟哝说。纳斯塔霞依然一声不响地望着他。

“谁也没有打女房东。”她又用严肃而果断的声音说。他望着她,几乎连气也不喘。

“我亲耳听见的……我没睡……我坐着,”他更胆怯地说,“我听了老半天……副局长来的……大家都从自己屋子跑出来,挤到楼道里……”

“谁也没来过。这是血在你身上作怪。在血没有出路的时候，就开始凝结血块，这时候就会出现错觉……怎么，吃点儿东西吧？”

他没有回答。纳斯塔霞依然站在他旁边，凝神看着他，没有走。

“给我点儿水吧……好纳斯塔休什卡[①]。”

她走下楼去，过了两三分钟，就用一只白陶瓷杯端着水回来了。但是，他已经不记得以后的事了。只记得喝了一口冷水，还把杯子里的水洒到了胸前，然后就昏迷过去了。

①纳斯塔霞的爱称。

第三章

不过，他在整个害病期间并不是完全不省人事：这是一种热病，说胡话，处于半昏迷状态。许多事是他后来记起来的。一会儿他觉得，周围来了许多人，要把他抓起来，带到什么地方去，为他的事儿争吵得很厉害；一会儿忽然在屋里只有他一个人，大家都走了，都怕他，只是偶尔把门推开一道小缝看看他，吓唬吓唬他，他们在商量什么事，在笑，在撩拨他。他记得纳斯塔霞常常在他身旁；他还认出一个人，很面熟，但究竟是谁却怎么也想不起来，因此很难过，甚至都哭了。有时他觉得躺了已经有一个来月，有时候又仿佛仍是在这一天。至于说那事儿，——那事儿他完全忘了。不过他又时时刻刻想着自己忘记了一件事，可那是不能忘记的。他又烦恼又痛苦，一面极力回想，一面呻吟着，常常急得要发疯，或者害怕得厉害，害怕得不得了。于是他挣扎着想起来，想逃跑，但总有人使劲把他按住，于是他又陷于软弱无力的昏迷状态。终于他完全清醒了。

这是在上午十点钟。晴天，每天上午这时候，总有一长条阳光落在他的右墙上，把门旁的角落照得雪亮。他的床前站着纳斯塔霞，还有另外一个人，非常好奇地打量着他，这人他一点儿也不认识。这是一个年轻小伙子，穿着长襟外衣，留着大胡子，看样子像个管事。女房东不时从半开着的门口往里张望。拉斯柯尔尼科夫欠起身来。

“这是什么人，纳斯塔霞？”他指着小伙子问。

“啊，他醒了！”她说。

“醒了。”那管事也应声说。在门口张望的女房东见他醒过来，立刻把门掩上，躲开了。她一向腼腆，很怕跟人说话和交谈。她有四十岁上下，又胖又肥，黑眉毛，黑眼睛，因为胖和懒显得很和善；模样儿倒也很不错，就是腼腆得太过分了。

“您是……什么人？”他又问那个管事。但就在这时门又开了，拉祖米欣稍稍弯了弯腰，——因为他个头儿很高，——走了进来。

“这简直像在船舱里，”他一面往里走，一面叫道，“老是碰头；这也叫房间！哦，伙计，你醒啦？刚才我听帕申卡[①]说的。”

“刚刚醒过来。”纳斯塔霞说。

“刚醒。”管事又微微笑着应声说。

“请问，您是什么人？”拉祖米欣忽然问他，“幸会！我姓弗拉祖米欣；不是大家一向叫我的拉祖米欣，是弗拉祖米欣，大学生，

①拉斯柯尔尼科夫的女房东普拉斯科维娅·巴甫洛芙娜的爱称。

贵族子弟[1]。他是我的朋友。那您是干什么的呢?"

"我是我们商号的管事,老板舍洛巴耶夫叫我来的,有点儿事要办。"

"请坐在这把椅子上吧,"拉祖米欣也在小桌另一边的一把椅子上坐下来。"哦,伙计,你醒过来了,这可太好了,"他又对拉斯柯尔尼科夫说,"你已经是第四天几乎不吃不喝了。只是用小匙喂过一点儿茶。我带佐西莫夫来看过你两次。记得佐西莫夫吗?他给你仔细检查了一遍,说不要紧,恐怕是头脑受了点儿刺激。是神经出了点毛病,伙食也太差,啤酒和洋姜吃少了,所以就得了病,但是不要紧,过一阵子会好起来的。佐西莫夫真有两下子!看病已经很在行了。哦,我就不耽误您的事了。"他又对那位管事说:"您有何贵干,能不能见告?你要知道,罗佳,这已经是他们第二次派人来了;不过上一次来的不是这位,是另一位,我还跟那位聊过呢。在您之前来的那一位是什么人?"

"大概是前天吧,是的。那位是阿列克谢·谢苗诺维奇;也是我们商号里的。"

"他可是比您精明,您以为怎样?"

"是的,先生;他确实老练些。"

"挺不错;哦,您说下去。"

"有一笔汇款,是阿法纳西·伊凡诺维奇·瓦赫鲁申——我想,

---

①拉祖米欣在小说中出现时,身上所带有的特征往往会使人联想到车尔尼雪夫斯基的小说《怎么办?》中的主人公拉赫美托夫,在陀思妥耶夫斯基的手稿中,拉祖米欣的名字旁曾写有"拉赫美托夫"的字样。此外,"拉祖米欣"这一姓氏在俄语中含有"理性"之意,作者也许借此说明,这一人物属于19世纪60年代的民主派大学生,他崇尚与权威相对立的理性。

这人您不止一次听说过吧，——应令堂之请，通过我们商号汇给您的，”那管事直接对拉斯柯尔尼科夫说起来，“既然您清醒了，汇来的三十五卢布就应该交给您了，因为谢苗·谢苗诺维奇已经像以往一样，收到阿法纳西·伊凡诺维奇应令堂要求寄出的通知单。您明白吗，先生？”

“是的……我记得……瓦赫鲁申……”拉斯柯尔尼科夫若有所思地说。

“听见吗：他知道商人瓦赫鲁申[1]！拉祖米欣叫起来，“谁说他脑子不清楚？不过，我现在要说，您也是一个精明人。是嘛！聪明话听起来也是愉快的。”

“就是那位瓦赫鲁申，就是阿法纳西·伊凡诺维奇，以前应令堂的请求用同样的办法给您汇过一次钱的，这一次他在几天前从当地给谢苗·谢苗诺维奇发来通知，要转交给您三十五卢布，并且祝您百事如意。”

“您说‘百事如意’，这话好极了；有关‘令堂’的话也不坏。哦，那您以为怎样，他的脑子是不是完全清楚了？”

“我看没什么。不过得写一张收据。”

“写几个字准行！怎么，您带来账本了吗？”

“带来了，这不是。”

“到这边来。喂，罗佳，起来吧。我扶着你；给他写上‘拉斯柯尔尼科夫’几个字。你拿住笔，伙计呀，因为现在咱们最需要的就是钱。”

---

①显然，这就是当时的商人巴赫鲁申，他的名字在莫斯科人人皆知。——俄编注

“不要。”拉斯柯尔尼科夫说着，把笔推开。

“不要什么？”

“我不签字。”

“唉，见鬼，不签字怎么能行呢？”

“不需要……钱……”

“钱都不需要了！唉，伙计，我可以肯定地说，你这是胡说！请您别担心，他这只是……又是在说梦话[①]。不过，他清醒的时候也常常这样……您是一个明白人，咱们可以帮帮他，就是说干脆把住他的手签字。来，动手吧……”

“不过，我也可以下次再来呀。”

“不，不必！干吗给您添麻烦呢？您是一个明白人……喂，罗佳，不要耽误客人的时间了……这不是，人家等着呢。”于是，他当真要抓住拉斯柯尔尼科夫的手来写字了。

“不用，我自己来……”拉斯柯尔尼科夫拿起笔，在账本上签了字。那个管事把钱交给他就走了。

“太好了！伙计，你现在想吃吗？”

“想吃。”拉斯柯尔尼科夫回答说。

“您有肉汤吗？”

“昨天剩下的。”一直站在这儿的纳斯塔霞回答说。

“放土豆和米粒了吗？”

“放土豆和米粒了。”

“我就知道嘛。把肉汤端来，再来点儿茶。”

---

①这里据原文应译为“旅行”，俄编注说，是用在“漫游梦乡”的意思上，因此，可以译为“梦游”。现根据上下文，译为“说梦话”。

“这就端来。”

拉斯柯尔尼科夫十分奇怪，用一副呆滞茫然的恐惧神情望着这一切。他拿定主意不说话，等着看下文如何。他心想：“看来，我这不是幻觉……看来，这都是真的……”

过了两分钟，纳斯塔霞端着肉汤回来了，并且说茶一会儿就好。为了喝汤，还拿来了两把小勺，两个小碟和全套家什：盐瓶、胡椒瓶和吃牛肉的芥末等等。在这之前，这些家什已经很久没有像样地摆过了。桌布也是干净的。

“好纳斯塔霞，要是能叫普拉斯科维娅·巴甫洛芙娜送两瓶啤酒来，倒是不坏。咱们来喝一点儿。”

“瞧你倒能支使人！”纳斯塔霞嘟哝着就照他说的去办了。

拉斯柯尔尼科夫仍然用惊异而紧张的目光出神地看着。这时拉祖米欣坐到沙发上，紧挨着他，像熊一样笨拙地用左胳膊搂住他的头，尽管他自己也能坐起来；然后用右手舀了一勺肉汤，先对着汤匙吹了好几口，再送到他嘴边，免得烫着他。其实肉汤只是微温而已。拉斯柯尔尼科夫狼吞虎咽地喝下一勺汤，然后又喝了第二勺、第三勺。但是拉祖米欣喂了他几勺之后，突然停了下来，说还要问问佐西莫夫，能不能再吃什么。

纳斯塔霞走了进来，拿来了两瓶啤酒。

“想喝茶吗？”

“想喝。”

“快去，把茶也拿来，纳斯塔霞，因为不必问医生也可以喝茶。哈，啤酒也来了！”他又坐到原先的椅子上，把肉汤和牛肉端到自己跟前，就像三天没吃饭似的狼吞虎咽吃起来。

“罗佳好伙计，我现在每天都在你们这儿这样吃喝，”他因为嘴里塞满牛肉，咕咕哝哝地说，“这都是你的女房东安排的，她诚心诚意款待我。我当然不是非要她这样，不过也不反对。瞧，纳斯塔霞送茶来了。嘿，真麻利！好纳斯塔霞，想喝啤酒吗？”

“去你的吧，别胡闹！”

“喝茶吗？”

“茶倒可以喝点。”

“那你就倒吧。等等，我来给你倒；你坐到桌边来。”

他马上忙活起来，倒了一杯茶，接着又倒了一杯，放下自己的早点，挪到沙发上，跟刚才一样用左胳膊搂住病人的头，把他扶起来用茶匙喂他喝茶，仍是对着茶匙不停地特别起劲地吹，好像最主要的疗效就在于这一吹。拉斯柯尔尼科夫不做声，也不反对，尽管他觉得自己有足够的力气起来，不需别人扶着也能坐在沙发上，不仅能拿起茶匙和茶杯，也许还能下地走路。但是，出于一种奇怪的、几乎是野兽的狡黠，他忽然想到把自己的力气暂时隐匿起来，不言不语，如有必要甚至装作没有完全清醒，而同时可以听听，打探一下现在有什么动静。不过，他无法克制自己的厌恶心情：喝了十来勺茶以后，突然挣脱出自己的头，任性地把茶匙推开，又躺倒在枕头上。现在他的头下放的确确实实是真正的枕头了，是鸭绒的，枕套也干干净净；这他也发现了，注意到了。

“要叫女房东今天就给咱们送点儿马林果果酱来，给他冲饮料。”[1]拉祖米欣说着回到自己的位子上，又喝起肉汤和啤酒。

“她上哪儿去给你弄马林果呀？”纳斯塔霞张开五指托着茶

①俄国人认为马林果能治病。

碟,含着糖块在啜茶,一面问道。

"马林果吗,伙计,她可以到铺子里去买嘛。你可知道,罗佳,你病倒以后,这儿发生了许多事。那天你莫名其妙地从我那儿走掉,连住处也没有告诉我,我一下子非常恼火,下决心找到你,把你好好收拾一顿。我当天就行动起来。我到处跑来跑去,东打听西打听,你现在住的这房子我忘了;话说回来,我从来也不曾记得,因为我根本不知道。哦,你以前的住处,我只记得是在五角地,哈尔拉莫夫公寓。我就找这个哈尔拉莫夫公寓,找哇,找哇,到后来才弄清楚,根本不是哈尔拉莫夫公寓,而是布赫公寓[①],有时候弄错了读音会多么误事!我这一下真来火了!一来火,我就什么也不在乎,第二天我就去住址查询处,你猜怎样,两分钟我就找到了你的住处。那儿名册上有你。"

"名册上有我!"

"当然啦。可是我在那儿的时候,有人要找科别列夫将军,却怎么也找不到。哦,说起来话就长了。我一来到这儿,立刻就知道了你所有的事情;所有的事,伙计,所有的事,我都知道了;纳斯塔霞也看见的:我跟尼科季姆·福米奇认识了,也见过伊里亚·彼得罗维奇,也认识了看门人,也认识了这儿警察分局办事员亚历山大·格里戈里耶维奇·扎米托夫先生。最后也认识了女房东帕申卡,这可是最大的收获:这纳斯塔霞也是知道的……"

"你真会甜言蜜语。"纳斯塔霞诡秘地笑着嘟哝说。

"要是您,就把那糖放进茶里喝了,纳斯塔霞·尼基福罗娃。"

---

①哈尔拉莫夫公寓在马儿胡同,在干草市场附近;布赫公寓则在叶卡捷琳娜运河旁,当时该地地区法院的所在地。

“去你的，鬼东西！”纳斯塔霞忽然叫道，并且扑哧一声笑了。“我是彼得罗娃[1]，不是尼基福罗娃。”她笑完了，忽然又加了一句。

“以后一定注意。哦，伙计，还是闲言少叙，起初我真想在这地方放一通电流，把这儿的所有偏见一下子连根铲除，可是帕申卡胜利了。伙计，我怎么也没想到，她会这样……招人喜欢……嗯？你以为怎样？”

拉斯柯尔尼科夫没有说话，可惊慌不安的目光一直也没有离开他，现在仍然目不转睛地盯着他。

“甚至还很招人喜欢呢，”拉祖米欣接着说，一点儿没有因为拉斯柯尔尼科夫不说话而感到难堪，又像附和别人的回答讲道，“甚至还很像样子呢，不论在哪一方面。”

“你这坏东西！”纳斯塔霞又叫起来。看样子，这番话使她感到说不出的快活。

“伙计，糟就糟在你一开头就没有把事情弄好。跟她打交道不应该这样。可以说，这是一种最难以捉摸的性格！噢，关于性格以后再说吧……比如说，怎么能到了这种地步，她竟敢不给你送饭吃？再比如，那张借据，你是疯了还是怎的，会出具那么张借据！再比如，在她女儿纳塔丽娅·叶戈罗芙娜生前，你答应过那件婚事……这我全知道！不过我看得出，这是一件很微妙的事，我不应该多嘴；请你原谅。顺便说句闲话：你以为怎样，伙计，普拉斯科维娅·巴甫洛芙娜完全不像乍看那样蠢，是不是？”

---

①这里纳斯塔霞也说错了，她的父称应是“彼得罗芙娜”，而不是“彼得罗娃”。

“是的……”拉斯柯尔尼科夫含糊不清地说，眼睛望着一边，可是心里明白，让他说下去有好处。

“难道不是吗？”拉祖米欣叫起来，显然因为得到了回答，高兴起来，“但是也不算聪明，是吗？完完全全是捉摸不透的性格！不瞒你说，伙计，我有点儿心乱……她肯定有四十了。她说是三十六岁，也完全有权利这样说。不过，可以向你发誓，我多半是从理性，从形而上学[①]的观点来看她的；我们的关系，伙计，只是一种象征性的，就像你的代数学！我真一点儿也不明白！噢，不过这都是胡扯，只是她看到你已经不是大学生，教课的事也丢了，西服也没有了，小姐一死，她也没可能把你当做亲戚了，一下子就害怕起来；从你这方面来说，因为你躲在屋里不出来，不再维持原来的关系，所以她就打主意撵你走。她早就打起这个主意，只是舍不得那张借据。此外，你自己也说过，你妈会还清这笔债的……”

“我说这话是出于卑劣的念头……我母亲自己差点儿也去讨饭了……我说这假话，为的是让我能在这里住下去，并且……能给我饭吃。”拉斯柯尔尼科夫高声清晰地说。

“是啊，你这么说也合乎情理。麻烦的是这里钻出个切巴罗夫先生，一个七等文官，很能干的人。没有他，帕申卡什么点子也想不出来，她不好意思。这个精明的人可没什么不好意思的，自然张口就提了个问题：借据有没有希望兑现？回答说有希望，因为有这么个妈妈，她宁愿不吃饭，也要从自己一百二十五个卢布

①在西方过去泛指研究超出有形实体之外的抽象的学问。它也成为哲学的别名。在当代西方哲学中仍有人把关于经验范围之外的思想理论称为形而上学。

的养老金里拿出钱来帮罗佳;还有个妹妹,宁可为哥哥卖身为奴。他正是靠着这个呢……你怎么,待不住啦?告诉你吧,老兄,我现在对你可说了如指掌,你和帕申卡沾亲带故的时候对她不是无话不谈吗。现在我对你说这些,是出于好心……事情就是这样,一个诚实正直、易动感情的人对人家无话不谈,可精明的人一边听一边吃[1],最后就把你给吃掉了。就这样她把这张借据给了切巴罗夫算作付账。切巴罗夫一点儿不客气,做出了要账的样子。我一听说就想洗净他的良心,也出口气。这时正巧我和帕申卡关系挺融洽,就让她把这件事停下来,压根别这么干,我做出保证:你一定会还钱的。老兄,我替你担了保,听见了吗?我们找来了切巴罗夫,给了他十卢布,把借据要了回来。现在鄙人有幸拿给你看,如今有你的话人家就相信你了,收起来吧,我已经把它撕开了一点缝。"

拉祖米欣把借据摆到桌上。拉斯柯尔尼科夫瞅了一眼,一句话没说就扭头面壁了。这下子连拉祖米欣也厌烦透了。

"老兄,我看得出,"稍过片刻他说,"我又干了件蠢事,本想引你高兴,闲扯几句安慰安慰,倒惹得你火气更大了。"

"怎么,我昏迷时连你都不认得了?"拉斯柯尔尼科夫也略一沉默,头也不转地问道。

"是连我都不认了,而且还气急败坏,特别有一次我带扎米托夫来的时候。"

"扎米托夫?那个文书?……为什么?"拉斯柯尔尼科夫猛地

①此处隐用俄罗斯作家克雷洛夫(1769—1844)的寓言《猫和厨子》,其意为你说你的,我吃我的。

转过脸,直盯着拉祖米欣。

“你干吗这样……你紧张什么呀?他想认识你,他自己提出来的,因为我们一起谈了好多你的情况……要不然我从哪儿能了解你那么多的事?这人很不错,老兄,相当好,当然有点个性。如今我们成了朋友,几乎天天见面。知道吗,我搬到这边来了。你还不知道哇?搬过来不久。同他一起到拉维扎家去过两次。记得拉维扎吧?拉维扎·伊凡诺芙娜!”

“我说胡话了吗?”

“还用问!脑子都不听使唤了!”

“我说什么来着?”

“好家伙!胡说了什么?那不明摆着吗!……好啦,老兄,现在得办事了,别再浪费时间。”

他从椅子上站起来,拿上了帽子。

“我说什么啦?”

“啊唷,看你没个完了!别是怕说了什么秘密吧?你放心吧,没有说出伯爵夫人①。你说到什么叭喇狗,还有什么耳环、项链,再就是克列斯托夫岛,什么门房、尼科季姆·福米奇,副局长伊里亚·彼得罗维奇,说了不少。除此以外,你还对自己那双袜子特别地关注,不停地央告:给我呀,给我呀。扎米托夫满屋到处找你的袜子,又用喷过香水戴着戒指的手亲自递给你。这样你才安静下来,把这玩意儿在手里攥了一天一夜,拽都拽不开,现在一定还在你的被子底下压着呢。你还非要什么裤子上的毛边,哭闹着要。

---

①多半指普希金小说《黑桃皇后》中的人物(伯爵夫人),意即没暴露什么秘密。

我们一个劲儿地问是什么毛边，最后也没弄明白是什么……好了，说正事吧。这是三十五卢布，我拿上十卢布，过两个小时我们把这钱的账单送来。同时我通知佐西莫夫，其实他自己本也该到这里来啦，已经过了十一点。您呢，纳斯塔霞，我不在时您常过来看看，弄点水呀什么的，看他有什么需要的……对帕申卡我要说的自己马上去讲。再见！”

“对帕申卡叫得好亲热呀！你这个机灵鬼！”纳斯塔霞冲着他的背影说，然后把门推开侧耳偷听，接着忍不住还是跑下楼去。她非常想知道他要和女房东谈些什么，看得出她对拉祖米欣是挺着迷的。

她出去门一关，病人马上掀掉被子，疯了似的一跃而起。他急不可待，盼他们快些离开，好独自干自己的事。可干什么事，他此时却好像偏偏给忘记了。“上帝呀，你就告诉我一件事：他们知道了这一切还是尚不知道？要是他们都知道了，只是在我病倒时装傻，耍弄我，然后突然闯进来说一切早已掌握，不过做个样子罢了……要是那样如今怎么办？可我偏偏一下子忘了该做些什么，刚才还想着呢！……”

他站在屋中央，痛苦而茫然地四下环顾。他走到门口，开门听了听。不，要干的不是这个。忽然像是记了起来，他跑到壁纸上开了洞的墙角，仔细看了看，伸进手去摸索了一会儿，也不是这个。他走到火炉旁，打开炉门开始摸里边的柴灰。裤上的碎条和撕乱的衣袋仍在里面，一如刚扔进去那样，可见没被人发现。这时他才想到刚才拉祖米欣说的袜子。的确，袜子就在沙发床上的被子下面，穿得又破又脏，扎米托夫自然是看不清楚的。

“好家伙！扎米托夫！……警察分局！分局叫我去干什么？传票在哪儿？啊，我给搞糊涂了，那是以前叫我去的。我那时也仔细看过自己的袜子，后来，后来我就病了。那么，扎米托夫来干什么呢？为什么拉祖米欣领他来这儿？……”他重又坐到沙发上，浑身无力地嘟哝着，“这是怎么回事？现在是继续在梦呓里，还是说一切都是真的？恐怕是真的……啊，我可想起来了：逃跑！赶快逃跑！一定得跑，一定！可是……往哪儿跑呢？我的衣服在哪里？靴子也不见了！拿走了！藏起来了！我懂！可大衣他们漏下了，还有桌上的钱，谢天谢地。这是张借据……我拿上钱走，另租套房子，他们找不到！……那住址查询处呢？能找到我的！拉祖米欣准能找到！最好彻底跑掉……远远地……去美国，不管他们了！借据也带上……到那儿会有用的。还带什么呢？他们以为我病了，不知道我还能走路，嘿，嘿，嘿！……我从他们眼神看出来了，他们全都知道了！只要一下楼梯，那里正有人守着呢，有警察！这是什么，是茶水？啊，还留了啤酒呢，有半瓶，是冷的！”

他抓起瓶子，里面足有一满杯啤酒，十分畅快地一饮而尽，像是要浇灭胸中的火焰。过了没一分钟，酒劲儿冲上脑袋，脊背也感到一丝舒适的凉意。他躺倒拉上被子。本来就是病中紊乱的思想，这会儿更加杂乱无章；没过多久他便有了轻柔愉快的睡意。他用头在枕上找到个舒适的位置，把轻便的棉花被裹紧，这可不同于原来盖的破大衣了。随后是轻轻一声叹息，人就进入了沉沉的梦乡，这也是祛病的一觉。

他是听到有人要进屋才惊醒的，一睁眼看到了拉祖米欣打开门站在门口，正犹豫不定是不是进来。拉斯柯尔尼科夫急忙在沙发床上欠起身子看着他，仿佛努力在回忆什么。

“啊，你没睡着哇，我又回来了。纳斯塔霞，把包裹拿上来吧！”他朝楼下喊，“我马上给你账单。”

“几点钟了？”拉斯柯尔尼科夫不安地四下张望着说。

“老兄，这一觉可睡个足！外边是傍晚了，马上就六点。睡了六个多钟头……”

“天哪！我这是怎么啦！……”

“这有什么？对身体好哇！你忙着干什么去？有约会？现在时间全是我们的：我等了你三个小时，来过两次你都睡着，两次去找佐西莫夫，也都不在家。不过没关系，他会来的！……他是出去办自己的私事了。今天我搬了家，同舅舅一起全搬了过来。如今我可是跟舅舅在一起了……好了，不管这些。说正事吧……把包裹拿来，纳斯塔霞。咱们现在就来……喂，老兄，你身体感觉怎么样？”

“我很好，没有病……拉祖米欣，你早来这儿啦？”

“不是说了嘛，我等了三个钟头。”

“不是现在，以前呢？”

“什么以前？”

“你什么时候开始来看我的？”

“我白天不是给你讲了又讲吗？怎么，不明白呀？”

拉斯柯尔尼科夫沉思起来。他觉着白天的事好像发生在梦里，自己一个人已经记不起来，就询问地望着拉祖米欣。

“好哇！”拉祖米欣说，“全给忘了！白天我还以为你是神智不清呢……这会儿睡了一觉倒全好了……真的,你气色强多了!不错!说咱们的事吧!你一会儿会记起来的!你看看这个,亲爱的。"

他开始解开包袱,看来对此怀有莫大的兴趣。

"这件事,老兄不管你信不信,我可一直特别上心。因为总得叫你有个人样儿。咱们从上头说起吧。你看这有一顶便帽,"他说着从包里拿出一顶相当漂亮却又很普通很便宜的制帽,"来试一试。"

"以后再试,以后吧。"拉斯柯尔尼科夫不耐烦地摆手说。

"不,罗佳,你别推,以后就晚了。再说,我也要一夜都睡不着了,因为没尺寸,估计着买的。正合适!"他试了试得意地叫道,"正合尺寸!老兄,帽子是人们衣着的第一要素,是一种门面。我的一个朋友托尔斯佳科夫,每次进公共场所都不得不把自己的头盖摘掉,可别人都戴着礼帽、制帽。人们以为他是出于一种奴才心理,其实他只不过对自己那鸟窝似的帽子感到难堪,因为这是个很爱面子的人。你看哪,纳斯塔霞,这是两顶帽子,一顶是帕麦斯顿[①](他从屋角拿过来拉斯柯尔尼科夫那顶皱巴巴的旧圆帽,不知为什么叫它是帕麦斯顿),一顶是这别致的小东西,哪个好?罗佳,你估计一下,你猜我付了多少钱?纳斯塔霞,你说呢?"他看拉斯柯尔尼科夫不出声,就转过来问她。

"大概给了二十戈比吧。"纳斯塔霞回答。

---

①亨利·帕麦斯顿(1784—1865),英国政治家,托利党的首领(后参加辉格党),曾任首相(1855—1858,1859—1865)。此处将帽子比做帕麦斯顿,是极言它的过时和破旧。

“二十戈比？呆子！”他不高兴地说，“现在连你都不止换二十戈比！是八十戈比！这还因为是旧货呢。倒是附带个条件，这顶戴破了，明年再白送一顶。再来说裤子，在中学时我们叫它是美利坚合众国[①]。预先说一句，对这裤子我可很得意呀！”他说着给拉斯柯尔尼科夫抖开了灰色长裤，是夏季的薄毛料，“没有破洞也没有斑渍，虽说是穿旧的却相当不错。坎肩同样如此，是单一色的，合乎时尚要求。旧衣服其实更好，柔软贴身……你看，罗佳，要在世上建功立业，我想只要总能跟上季节就行，一月里如果不吃龙须菜，你钱包里就会节省下几十戈比。这次买衣服就是这样。现在是夏季，我才置了夏装，因为秋天的衣料得要暖和的，这些就得扔掉……再说这东西到那时自然也不能穿了，不是不时兴就是不结实穿烂了。来，你估估价，看看得多少钱？两卢布二十五戈比！别忘了，还有附带条件：这条穿坏了，明年白送一条。费佳耶夫的服装店一向这么经营，你付过一次钱一辈子都够了，因为你自己也不会去第二回了。如今说说靴子怎么样，一看就是穿过的，但还能顶两个月，因为是外国货，是英国使馆秘书上周在旧货市场卖的，刚穿了六天，他急需用钱，价格是一卢布五十戈比。合算吧？”

“恐怕不合脚吧！”纳斯塔霞说。

“不合脚？那你看这是什么？”他从衣袋里掏出一只拉斯柯尔尼科夫的旧靴子，满是干泥巴，已经发硬而且破了洞，“我带去了样子，照这家伙量准了尺码。这一切办得是很用心的，内衣呢，我

①俄语中“裤子”与“美利坚合众国”（它由各州联合）中的“州”字发音相近，故如此戏称。

同房东太太商量过。看，首先是三件衬衫，粗麻布的，前襟样式很时兴……是这样，帽子花了八十戈比，其他衣服两卢布二十五戈比，总计三卢布五戈比；靴子一卢布五十戈比，因为货太好了。加起来是四卢布五十五戈比；还有内衣一共五卢布，谈妥的批发价。全算一起，正好九卢布五十五戈比。找回来铜板四十五戈比，收着吧。这么一来，罗佳，你如今是焕然一新哪，你的大衣我想还能穿，甚至有种特别的气派，让人明白为什么找沙尔梅尔[1]定做衣服。袜子和其余的东西由你自己来办，咱们还有二十五个卢布。至于帕申卡和房租，你不必担心；我说过了，赊欠不定期限。现在，老兄，你把内衣换上，说不定病根如今全躲在衬衣里呢……

“别管我！我不想换！”拉斯柯尔尼科夫摆手拒绝。他一直厌烦地听着拉祖米欣这通强作欢颜的购衣报告……

“这可不行，老兄。那我干吗跑这个腿呀！”拉祖米欣坚持说，“纳斯塔霞，别不好意思，帮帮忙吧！对，就是这样。”他不顾拉斯柯尔尼科夫的抗拒，总算给他换了衣服。他在床头倒下，有两分钟一声没吭。

“怎么老缠着不放啊！”他心里想。后来他眼望墙壁问了一句：“这些是用什么钱买的？”

“钱吗？哎呀，这是你自己的钱哪。瓦赫鲁申派人来过，你妈妈寄钱来了。连这事也忘了？”

“现在想起来了……”拉斯柯尔尼科夫阴沉沉地想了片刻说道。拉祖米欣拧起眉毛，不安地望了他一会儿。

①当时彼得堡著名的服装师，作家本人也在他那里定做过衣服。——俄编注

门一开，进来个高大结实的汉子，看样子好像多少认识拉斯柯尔尼科夫。

“佐西莫夫！你可来了！”拉祖米欣高兴地喊道。

第四章

佐西莫夫个头高大、身体肥硕,虚胖而又苍白得毫无血色的脸刮得干干净净,浅色的头发一点儿也不打弯。他戴着眼镜,粗胖微肿的手指上戴着一枚硕大的镶嵌宝石的金戒指。他约莫二十七岁,上身穿着宽松时髦的轻便大衣,下身穿着浅色夏裤。总之,他一身新衣,肥大阔绰,他的衬衣也无可挑剔,就连表链都很厚重。他一举一动总是慢条斯理,仿佛委靡不振,同时却又极其潇洒随便。他尽管竭力掩饰,仍然不时地显出自命不凡的神气。所有认识他的人都发现此人难以共处,但都说他干本行是称职的。

"老兄,我上你那儿去过两次呢……瞧,他清醒过来了!"拉祖米欣嚷道。

"看到啦,看到啦;嗨,感觉怎么样,啊?"佐西莫夫向拉斯柯尔尼科夫问道,一面仔细地看了看他,紧挨着他的腿坐到长沙发上,随后就四仰八叉地伸开腿脚。

“他总是抑郁寡欢，”拉祖米欣接着说，“我们刚刚给他换了内衣，他差点儿没哭起来呢。”

“情有可原；既然他本人不愿意，内衣也可以以后再换……脉搏正常。头嘛，还是有点儿疼，对吧？”

“我没病，我一点儿病也没有！”拉斯柯尔尼科夫固执地恼怒地说。他突然从长沙发上欠起身来，两眼发光扫了一下，立刻又倒在枕头上，脸转向了墙壁。佐西莫夫聚精会神地观察着他。

“很好……一切正常，”佐西莫夫懒洋洋地说，“吃过饭没有？”

别人对他讲了，又问他可以给病人吃些什么东西。

“什么都可以……汤呀，茶呀……不过，蘑菇和黄瓜不要给他吃，牛肉也不必给，还有……嗨，在这里啰唆什么呀！……”他与拉祖米欣对看了一眼，“药水用不着，什么都用不着；我明天再来看看……今天就这样吧，嗨……”

“明天晚上我领他去散步！”拉祖米欣拿定了主意，“去尤苏波夫公园①散散步，然后去‘水晶宫’餐馆②。”

---

①在彼得堡大花园街。

②1862年，在彼得堡开办了一家附设餐馆的“水晶宫”旅馆，位置就在大花园街和沃兹涅克斯基大街的交会处。但这里陀思妥耶夫斯基提到它还有别的含意。在1862年7月的首次出国旅行中，陀思妥耶夫斯基曾在伦敦见到了用玻璃和铁造成的水晶宫大厦，那座水晶宫后来被车尔尼雪夫斯基写进了小说《怎么办?》，成了未来社会主义社会的建筑雏形。因此，对于陀思妥耶夫斯基和车尔尼雪夫斯基的同时代人来说，“水晶宫”就成了未来的经济和道德关系的象征。早在1863年，陀思妥耶夫斯基在《冬天记的夏天印象》中，就与关于未来就是一座静止的“水晶宫”的乌托邦观点展开过争论。在《地下室手记》中，他的论争态度表现得更为激烈。在小说中，作者将“水晶宫”选作情节展开的地点，也具有一定的讽刺意味。

“要是我，明天就不惊动他，不过……可以少走走……到时我们再说吧。”

“哎呀，真遗憾，今天我正好因乔迁请客呢，只有两步路；他能去就好了，哪怕躺在沙发上，只要和咱们在一起！你也去吗？”拉祖米欣突然转身问佐西莫夫，“可别忘了，你答应过的。”

“好吧，也许会去晚一点儿。你那儿准备了什么东西？”

“没什么特别的，茶、酒、鲱鱼什么的。有大馅饼吃，都是自己人。”

“究竟哪些人？”

“都是本地人，当然也都是新认识的，除了我的舅舅以外，不过他也算个新来的，昨天刚到彼得堡，是来办什么事的；我们俩五年才见一次面。”

“他是干什么的？”

“一辈子就当了个县邮政局长……现在六十五岁，领养老金了，不值一提。不过，我很喜欢他。波尔菲里·彼得罗维奇也来，他是此地的侦查警官……法学家。对，你认识他的……”

“他也是你的一个什么亲戚？”

“一个八竿子打不着的远房亲戚；可你为什么皱眉头？哦，你们吵过一次架。看来，你是不会去喽？”

“我才不管他呢……”

“那最好不过。喏，要来的还有几个大学生，一名教师，一位官员，一个音乐家，一位军官，另有扎米托夫……”

“请问，你或者他，”佐西莫夫朝拉斯柯尔尼科夫点了点头，“与那个扎米托夫能有什么共同语言呢？”

"唉,你们这些好吹毛求疵的人哪！又要讲原则啦！……要知道,你尽讲原则就如同装上了弹簧,自己就不能随心所欲地转动了。依我看,人要好,这就是原则,别的什么我不想知道。扎米托夫是个非常好的人。"

"他专发不义之财。"

"啊,是有不义之财,管它呢！他发了不义之财又怎么样?"拉祖米欣突然叫了起来,很不自然地发了火,"难道我跟你说他受贿值得夸奖吗?我是说他就某个方面说是好人。要是对人的一切方面都较起真来,难道还剩得下几个好人吗?我敢说,到时候啊,我整个一个活人不过能值一个烤葱头罢了,额外还得搭上你！……"

"这太少了;我肯为你出两个葱头……"

"我可只肯为你出一个葱头！看你还说俏皮话不！扎米托夫还是个孩子,我还要揪他的头发教训他呢,因为他需要的是引导,而不是推开了事。把一个人推开了,也就别想改造他了,尤其是孩子。对待孩子,应当加倍小心。哎呀,你们这些先进的蠢货,什么也不明白！你们不知尊重别人,也就贬低了自己……倘若你想知道,那么好吧,我们这儿出了一件恐怕大家都关心的事。"

"很想知道。"

"都是那个粉刷工的事,就是油漆工的案子……我们一定把他弄出来！不过,现在没什么危险的了。事情现在一目了然了！我们只不过还得加把劲儿。"

"说的什么油漆工啊?"

"怎么,难道我没跟你说过?难道没说过?对,想起来了,我只是跟你讲了个开头……哦,是一个官太太,放债的老太婆被杀了……那个油漆工被牵连进来……”

“对,关于这起谋杀案,我在你讲之前就听说了,我甚至对这案子……多少有点兴趣……碰巧有个情况,我也在报纸上读到了!……”

“丽莎维塔也被杀了!”纳斯塔霞突然转向拉斯柯尔尼科夫,贸然说了一句。她一直待在房间里,靠在门边听着。

“杀了丽莎维塔?”拉斯柯尔尼科夫用依稀可辨的声音嘟囔着。

“对,丽莎维塔,就是那个做买卖的,你怎么不知道?她常到这楼下来。还给你补过衬衫哩。”

拉斯柯尔尼科夫将脸转向了墙壁,在发黄的印有小白花的脏墙纸上,选中了一朵带有褐色线条的难看的白花,仔细观察起来:这朵花有多少个花瓣,花瓣边上是什么形状的缺口,有多少线条?他觉得双手和双脚已经失去了知觉,仿佛瘫痪了,可也不试着动弹一下,只管目不转睛地盯着白花。

“那油漆工怎么样了呢?”佐西莫夫极为不满地打断了纳斯塔霞的饶舌。她叹了口气不再吭声了。

“他也被当成凶手了!”拉祖米欣激动地说。

“有什么罪证吗?”

“能有什么罪证啊!不过话说回来,正是说有证据,可这算不算证据还得证明呢!这同他们一开始就怀疑并抓了那两个人,也就是科赫和佩斯特里亚科夫一模一样。呸!这一切干得真蠢,甚至连局外人也觉得恶心!佩斯特里亚科夫也许今天会来找我……顺便提一下，罗佳，你是知道这件事的，在生病以前发生的，正是你晕倒在警察局的头一天晚上。那时警察局里人们正讲这件事呢……”

佐西莫夫好奇地看了看拉斯柯尔尼科夫，但他没有动弹。

“不瞒你说，拉祖米欣，我看你倒真是个乐于助人的人。”佐西莫夫说道。

“就算如此吧，反正我们得把他们救出来！”拉祖米欣用拳头猛击桌子，叫嚷道，“要知道是什么最令人气恼吗？令人气恼的并不是他们瞎说；瞎说总是可以宽恕的；瞎说倒也是好事，因为有时会引向真理。唉，他们瞎说当然糟糕，但更糟糕的是他们迷信自己的谎言。我尊敬波尔菲里，但是……要知道一开始是什么把他们给弄糊涂了！门原是锁上的，可他们跟管院子的人来的时候，门却没有关上；所以人就是科赫和佩斯特里亚科夫谋杀的！这就是他们的逻辑。”

“不要激动嘛，他们只是被拘留了。没有必要……再说，我见过这个科赫，他原是要从老太婆手里赎回逾期未赎的东西，是吧？”

“是的，简直是个骗子！他也收购票据，是个坑蒙拐骗的家伙。让他见鬼去吧！你知道我对什么极为恼火吗？我讨厌他们那陈腐庸俗、顽固落后的陈词滥调……其实就这个案子，倒真可以开拓出一条新的道路。单凭心理学的资料就可以判断，应当怎样发现真正的线索。他们说：‘我们有事实！’然而，事实并非一切，至少事情有一半取决于你会不会运用事实！”

“你善于运用事实吗？”

“要知道，当你感觉到，当你摸索到自己能有补于事的时候，你是无法沉默的，仿佛……哎呀！……你了解事情的详细经过吗？”

“这不等着你说油漆工嘛。”

“哦，想起来了！听我说说来龙去脉吧：那是在谋杀案发生后的第三天，清晨，当他们在那里盘问科赫和佩斯特里亚科夫的时候，尽管两个人说明了自己的每一步举动，事情已显而易见，却突如其来地发现一个事实。某个叫杜什金[1]的农民，是那幢房对面酒店的老板，来到警察局，手里拿着装有金耳环的珠宝盒，一五一十讲起了事情的全部经过：‘前天晚上大约八点多钟，’这个日子和这个时间你想得到有什么意义吗？‘一个油漆工跑来找我。在这前一天他也来找过我，这个米科莱，拿给我这一装有金耳环和宝石的珠宝盒，作为抵押，让我给他两个卢布。我问他是从哪里弄来的，他回答说是在便道上捡的。我也就没再问了。’这个杜什金说：‘我随即拿出张票子给他，也就是一个卢布，心里想：这东西不是押给我，也一定押给别人，反正一个样，他准会喝酒花掉的，倒不如把东西放在我这里：放得越远，拿得越近[2]，万一出什么事，或者有什么风声，我就交出去。’当然喽，他全是扯谎，信口雌黄，因为我知道这个杜什金，他本人就是放债的人，并且窝藏赃物，他从米科莱手里夺下值三十卢布的东西绝不是为了‘交出去’。不过他是害怕了，倒也有原因。听听杜什金接着是怎么说

①陀思妥耶夫斯基的债主中有一个叫普什金的农民。这里大概就是利用这个姓氏，改为杜什金。

②出自俄国民间谚语，意思是：藏得越好，拿起来越是方便。

的:‘这个农民米科莱·杰缅季耶夫,我从小就认识,我们是同省同县,扎拉伊斯克县的,因此我们都是梁赞人[1]。米科莱虽说不是个酒鬼,可也爱喝点。大家都知道他就在那幢屋子里干活,与米特雷[2]一起刷油漆,他和米特雷也是老乡。得到钞票后,他马上就兑换开了,喝了两碗酒,拿上找回的钱就走了,当时我没有看到米特雷。第二天,我们听说阿廖娜·伊凡诺芙娜和妹妹丽莎维塔被人用斧头砍死了。我认识她俩,就对耳环的事起了疑心,因为我们大家都知道死者正是凭抵押物品放债的。我去了他们的屋子,暗自仔细观察,谨慎行事,一开始先问:米科莱在吗?米特雷对我说,米科莱出去逛街,天亮时才醉醺醺地回到家里,在屋里待了约莫十分钟,接着又出去了。米特雷以后没有见到他,活儿是一个人干完的。他们干活在二楼,与死者共走一条楼梯。得知了这一切,我那时没向任何人泄露,’杜什金说,‘谋杀案的情况,我们尽量详细地打听了,回到家里以后,仍然感到疑惑。今天早晨八点钟的时候,也就是事情发生后的第三天,明白吗?我看到米科莱进到我屋里,不是很清醒,但也不是醉得不省人事,还能与人交谈。他坐到长凳上,沉默不语。除了他以外,那时在小酒店里总共只有一个外人,还有一个熟人睡在一条长凳上,再就是我们的两个小伙计。我问:见到了米特雷吗?他说他没有见到。我问:他没到这里来过吗?他说已经三天没来了。我问他昨晚是在哪里过夜的,他回答说是在彼斯卡,和科洛缅斯基一家在一起。我

①这是陀思妥耶夫斯基自幼熟悉的地点。在图拉省卡希尔斯克县有他父母的庄园,这庄园包括小村庄达罗沃和切尔莫什纳村。与它们接壤的是梁赞省扎拉伊斯克县的土地。——俄编注

②米季卡的另一小名。

问他耳环是从哪里弄来的,他说是在便道上捡到的。他说话的时候眼睛也不看人,仿佛鬼鬼祟祟的。我问:你听说了吗,那天晚上的那个时候在那个楼梯上发生了什么事。他说没听说。可他听我说的时候,眼睛瞪得圆圆的,突然脸色惨白,仿佛涂上了白粉。我跟他讲着,看他拿起帽子就要起身。这时我便想把他留住,我说:米科莱,等一等,不想喝一盅吗?我朝着小伙计使了个眼色,叫他把门挡住,自己从柜台后面走出来。可他一下子从我身边跑过,逃到街上,进了小巷子,就不见他的身影了。这下子我的怀疑得到了证实,明摆着是他干的……'"

"那还用说!……"佐西莫夫说道。

"等等!听我讲完!不用说,人们马上行动起来找米科莱,扣留了杜什金,进行了搜查。对米特雷也一样;在科洛缅斯基一家同样折腾了一通。只是到了第三天,人们突然把米科莱本人带回来,是在某个关卡附近的一家旅店里抓获的。他到了那里,从脖子上解下银十字架,要求换一杯酒喝。换给他以后过了几分钟,老板娘走到牛棚旁,朝隙缝里一望,只见他解下宽腰带,系到梁上,做了个活套,站到一个木架上,想把活套套到自己的脖子上。老板娘拼命大喊起来,人们跑过来说:'你干吗要这样啊!'他说:'你们把我带到警察局去吧,我全都招认。'人们就按应有的онеры[1]把他扭送到该去的地方,就来到了警察局开始问这问那,姓名,职业,年龄——答说'二十二岁',如此等等。问:'你和米特雷干活时,某时某刻在楼梯口是不是看到过什么人?'回答:'对不起,或许有什么人走过,但我们没有留意。'问:'你们是否

①这是用俄文字母写出的法语:礼节。

听到过什么声音或者别的东西？'答：'没有听到过任何特别的声音。'问：'你是不是知道，米科莱，就在那一天，一个孤寡老太婆和她的妹妹被人杀害、遭到抢劫了？'答：'一点儿也不知道，什么也不晓得。我是过了三天以后，才头一次在小酒店里听阿法纳西·巴甫雷奇说的。'问：'那么耳环是从哪里拿的？'答：'在便道上捡到的。'问：'为什么第二天没有和米特雷一起去干活？'答：'因为我喝酒误事了。'问：'是在哪儿喝的酒？'答：'在那儿，在那儿。'问：'你为什么要躲着杜什金？'答：'因为我们当时非常害怕。'问：'怕什么？'答：'怕被判罪。'问：'既然你觉得自己是清白无辜的，那怕什么判罪呢？……'喏，佐西莫夫，不管你信还是不信，反正提了这些问题，而且一字不差就是这么说的，我确信别人对我讲这话是确切无误的！怎么样？你认为如何？"

"哦，不，不过罪证是存在的。"

"我现在谈的不是罪证，而是问题，是他们怎样理解问题的实质！哼，真见鬼！……他们就这么逼他，压他，逼来逼去他就认了罪：他说：'不是在便道上捡的，而是在室内找到的，我与米特雷正在那屋里粉刷。'问：'怎样找到的？'答：'事情是这样，我和米特雷在那里刷了一整天，直到八点钟，我们准备离开的时候，米特雷拿了刷子，蘸上油漆往我脸上涂。用油漆涂脏了我的脸后，他拔腿就跑，我紧追不舍。我就这样追着大声叫骂。一下楼梯往门口去，我就飞跑着撞到了看院子的人和几位先生，到底有几位先生我记不得了。看院子的在我身后叫骂，另一个看院子人也骂了起来，看院子人的婆娘走出来也冲着我们大骂。还有一位带着太太走进大门的先生，对我们也大骂起来，因为我和米季卡横倒在了那里：我揪住米特雷的头发，把他按倒揍起来。米特雷也不示弱，他从我的下面揪住我的头发，开始揍我。我们这样做完全不是因为愤恨，而是友好地逗着玩儿。后来，米季卡挣脱出来，跑到了街上，我跟在后面追，没有追上就一个人回到了室内，因为还得收拾整理。我开始收拾，并等着米特雷，或许他会回来。在通往外屋的门边，墙后的拐角上，我踩到了一个盒子。低头一看，地上的盒子用纸包着。我撕下纸，看见里面有些小小的钩子，我取下这些钩子，盒子里便出现了耳环……"

"在门后面？搁在门后面？在门后面吗？"拉斯柯尔尼科夫突然大叫起来，用浑浊的、惊恐的目光望着拉祖米欣，用手支撑着，慢慢地在长沙发上欠起身来。

"对……怎么？你怎么啦？你为什么这样？"拉祖米欣也欠起身来。

"没什么！……"拉斯柯尔尼科夫回答说，含含糊糊，勉强才听得清。他的头又落到枕头上，并且再次转向墙壁。大家都沉默了一会儿。

"一定是在打瞌睡，半睡半醒。"拉祖米欣最后说道，并疑惑地望了一眼佐西莫夫；后者轻轻摇头，表示否定。

"好，你往下讲吧，"佐西莫夫说道，"后来怎么样？"

"什么后来怎么样？他一看到耳环，就立刻忘记了房屋，忘记了米特雷，抓起帽子，跑去找杜什金，像人们知道的那样，从他手里换了一个卢布，并且扯谎说是在便道上捡的，随后就纵酒作乐了。说到谋杀的事他还坚持以前的说法：'一点儿也不知道，什么也不晓得，只是在第三天才听说。'问：'那你为什么一直都没露面？'答：'因为害怕。'问：'你为什么想上吊？'答：'因为我担心。'问：'担心什么？'答：'怕坐牢。'看，这就是事情的全部经过。现在，你想想从中可以得出什么结论呢？"

"有什么好想的，不管怎样，总是有了线索吧。这是事实。总不能把你的油漆工就这么放了吧？"

"要知道，他们现在把他干脆当成凶犯了！他们几乎不再有任何怀疑了……"

"胡说；不要急躁嘛。那么，耳环呢？你得承认，既然那天那个时刻耳环从老太婆的箱子里落到了尼古拉[1]的手里，你必须承认，这耳环不管怎样，总是落到他手里了吧。在这个案件的侦查中，这一点是挺重要的。"

"怎么落到他手里！怎么落到他手里？"拉祖米欣嚷道，"你作为一名医生，首先应当研究人，也比任何人都有机会研究人的本性，难道根据这些材料你竟看不出尼古拉是怎么个人吗？难道你就看不出，他从一开始受审说出的全是实话，绝对诚实吗？耳环正是照他说的那样落到他手上的。是他踩到了盒子，捡了起来！"

"绝对诚实？可他自己也承认说，他从一开始就撒了谎！"

"听我说，仔细地听：看门人，科赫，佩斯特里亚科夫，另一个看门人，头一个看门人的老婆，还有当时和她一起坐在门房里的一个女人，再有那时刚下马车挽着太太的手走进大门的七等文官克留科夫，所有这些人，也就是八九个见证人，异口同声地说，尼

①上文中提及的米科莱，尼古拉是本名，米科莱是小名。

古拉把德米特里[①]推倒在地，骑到身上揍他，对方则揪着尼古拉的头发，也打个不停。他们横在路上，妨碍通行，因此引起了四面八方的叫骂。可他俩“像小孩子一样”（按证人们的说法），一个骑在另一个身上，尖声叫喊，相互殴打，还哈哈大笑，一个比一个笑得厉害，做出的怪相更是荒唐之极。两人像孩子一个追着一个，跑到了街上。听清了吧？现在请务必注意：这时楼上的尸体还热乎乎的，听着，尸体被发现的时候还热乎乎的！如果是他俩杀的，或者只是尼古拉一人杀的，并且撬开箱子，抢了东西，或者是以某种方式参与了抢劫，那么让我只问你一个问题：这样的精神状态，也就是在门口高声叫喊、哈哈大笑、孩子般地打闹，怎能与砍斧头、流血、险恶的阴谋、小心翼翼、抢劫财物等相吻合呢？刚刚杀了人，才过五分钟或十分钟，因为人们进去的时候尸体还是温热的，他们却能突然抛下尸体不管，让屋门敞开，明明知道会有人来，而且扔掉了赃物，却像孩子一样在路上扭成一团，哈哈大笑，吸引人们对自己的普遍注意。而这一点有十个证人异口同声地加以证实了！”

“当然，事情有些蹊跷！显然不合情理，可是……”

“不，老兄，别说可是。如果那天那时落在尼古拉手里的耳环，的确构成了对他不利的重要物证（不过他的口供对此做了直接的解释，因此这一证据尚有争议），那么，我们也应该注意到那些表明他无辜的事实，更何况那是一些无可辩驳的事实。你是怎么想的，根据我们的法律，人们会接受或者能够接受这种仅仅以心理上说不通为基础的事实吗？这种仅仅以精神状态为依据的

①上文提到的米特雷，德米特里是本名，米特雷是他的小名。

事实吗？人们难道能承认这种事实足以推翻那些犯罪物证吗？不，他们是不会接受的，无论如何也不会接受，因为确实捡到了盒子，而且那个人还想上吊。‘如果他觉得自己清白无辜，那他为何上吊？’这是个要害问题，我就是为此而焦躁不安，你明白吗？”

“我看得出，你的确焦躁不安。等等，我还忘了一个问题：怎么证明装有耳环的盒子确实就是老太婆箱子里的东西呢？”

“这已经得到证实了，”拉祖米欣皱起眉头，仿佛很不情愿地答道，“科赫认出了东西，并且指出是谁抵押的。那抵押人肯定地说，这正是他的东西。”

“糟糕。现在还有一个问题：当科赫和佩斯特里亚科夫上楼去的时候，是否有谁看到了尼古拉，能否有事实证明这一点？”

“问题就在于谁也没有看到他，”拉祖米欣懊恼地说，“糟就糟在这里。甚至连科赫和佩斯特里亚科夫上楼的时候，也没有看到他，尽管这两个人的证词现在也没有什么分量了。他俩说：‘我们看到那套住宅的门开着，想必有人在里面干活，不过，我们经过的时候，也没有留心，因此，屋子里当时到底有没有工匠，我们现在也记不准。’”

“嗯。看来，唯一能够证明他们无罪的，只是他们曾经相互打闹、大笑不止。就算这是有力的证据，那么……请允许我现在再提一个问题：你自己又怎样解释这整个事件呢？如果耳环真的如他所说是捡到的，那么，你怎样解释捡到耳环这一事实呢？”

“怎样解释？还用得着解释吗，事情一目了然！至少，侦破案件应取的途径是明了的，是已得到证实了的。正是那个盒子证明了这一线索。真正的凶手丢下了这副耳环。当科赫和佩斯特里亚科夫敲门的时候，凶手就在楼上，在屋里闩了门。科赫犯了糊涂，竟然下楼去了；此时凶手一跃而起，也跑下楼去，因为他没有任何别的出路。在楼梯上，他为了躲开科赫、佩斯特里亚科夫和看门人，躲进了那套空房子。恰好这个时候，德米特里和尼古拉离开了这套房子。看门人和另外两人上楼的时候，凶手躲到屋门后，等到脚步声消失，他走出空房，安安稳稳地下了楼。此时此刻，德米特里和尼古拉跑到了街上。人们全都走开了，谁也没有留在大门口。或许有人看到了这个凶手，但没有留意。进进出出的人难道少吗？当凶手躲在屋门后的时候，装有首饰的盒子从衣袋里掉出，可他没有发觉掉了东西，因为他也顾不到这么多了。盒子清楚地证明，凶手正是躲在那个地方。这就是事情的真相！”

“故弄玄虚！嗨，老兄，这是故弄玄虚！倒是极为精彩啊！”

“为什么？为什么？”

“因为这一切全都太巧了……编得挺妙……仿佛像演戏似的。”

“唉——唉！”拉祖米欣叫道。可这时门打开了，走进一个陌生人，在场的谁也不认识他。

第五章

进来的这位先生已不年轻，样子古板而又神气十足，表情带着谨慎和愠色。他一来先站到门口，颇感委屈地以毫不掩饰的惊讶环顾一下四周，目光仿佛在询问："我这是到了什么地方啊？"他狐疑地，甚至故作惊恐地，几乎蒙受侮辱似的环视了拉斯柯尔尼科夫狭窄低矮的"船舱"；又同样惊奇地移动目光，紧盯住拉斯柯尔尼科夫，只见他蓬头垢面，没有梳洗，和衣躺在自己寒酸而又肮脏的沙发床上，也目不转睛地盯着来人看。随后他同样慢条斯理地打量起衣着不整、既没刮脸也没梳头的拉祖米欣。拉祖米欣则端坐不动，反过来大胆而又疑惑地直逼他的眼睛。紧张的沉默持续有一分钟，后来可想而知，气氛稍稍起了变化。多半是根据某些特别突出的情况，他意识到在"船舱"这种地方摆架子是无济于事的，态度才缓和了一些，转向佐西莫夫发问，尽管语气仍有几分严厉，但显得客气些了。他一字一顿地问道：

"请问谁是大学生或当过大学生的罗季昂·罗曼诺维奇·拉斯

柯尔尼科夫先生？”

佐西莫夫慢腾腾地动了动身子，本来要回答的，可拉祖米欣没被问到却立刻抢先答道：

“躺在沙发上的就是！您有何贵干哪？”

这句不拘礼节的“有何贵干”，使举止古怪的先生十分尴尬。他差点儿把脸转向拉祖米欣，但及时克制住了自己，又迅速朝佐西莫夫回过头去。

“这就是拉斯柯尔尼科夫！”佐西莫夫朝病人点了点头，懒懒地说道，然后打了个哈欠，而且不知为什么，嘴张得异乎寻常的大，而且异乎寻常地长时间这么张着。接着他慢腾腾地把手伸进西装背心的口袋，掏出一块硕大的凸面金表，打开盖看了看，又慢腾腾、懒洋洋地把表放回了衣袋。

拉斯柯尔尼科夫本人一直默默地仰面躺着，虽然脑子里没想什么，却也死死盯着进来的先生。他那张脸不再冲着墙纸上奇异的小花，显得格外惨白，显现出不同寻常的痛苦，仿佛刚刚动过疼痛难忍的手术，或者刚刚受过一场刑讯。但进来的先生逐渐引起他越来越多的注意，继而是困惑，然后是怀疑，甚至是恐惧。当佐西莫夫指着他说“这就是拉斯柯尔尼科夫”的时候，他甚至突然迅速抬起身子，仿佛一跃而起坐在床上，用近乎挑衅但断断续续的微弱声音说：

“对，我就是拉斯柯尔尼科夫！有何贵干？”

来客仔细看了看他，然后郑重其事地说：

“我是彼得·彼得罗维奇·卢仁。我真心希望我的名字对于您并非完全陌生。”

拉斯柯尔尼科夫预料的完全不是这个，所以他茫然而若有所思地看着他，什么也没回答，似乎彼得·彼得罗维奇这个名字他真是头一次听到。

“怎么？莫非直到现在您尚未听到任何消息？”彼得·彼得罗维奇有些不快地问道。

拉斯柯尔尼科夫听了没说话，却慢悠悠将头贴到枕头上，双手抱着脑袋凝视起天花板来。卢仁的脸上露出愁容。佐西莫夫和拉祖米欣更加好奇地端详着他，最后他显然感到窘迫了。

“我约莫着算过，”他含混不清地说，“信发出有十多天了，甚至差不多两个礼拜了……”

“听着，您干吗老是站在门口？”拉祖米欣突然打断了他的话，“既然您有事要说，请过来坐下说吧。您和纳斯塔霞两个人在那里站着不觉得挤吗？纳斯塔休什卡，靠边一点儿，让他走过来！来吧，坐到这儿的椅子上！挤进来吧！”

他把自己的椅子从桌边朝外挪了挪，在桌子和自己膝盖之间腾出了一块空间，稍显费力地等待客人“挤进”这个缝隙。这一时机选得极好，叫人无法拒绝，客人连忙跌跌撞撞地挤着穿过狭窄的空间。够到椅子后，他坐了下来，疑惑地望着拉祖米欣。

“不过，您不必感到不安，”拉祖米欣贸然说道，“罗佳生病已经五天了，有三天神志昏迷，现在醒了过来，甚至有了食欲。这里坐着的是为他看病的大夫，刚刚给他做过检查。我是罗佳的同学，也曾经是大学生，眼下在照顾他。因此，您甭管我们，也不必过于拘束，继续说到底是怎么回事吧。”

“谢谢您。不过我在这里谈话，会不会打搅病人？”彼得·彼得罗维奇向佐西莫夫问道。

“不会，”佐西莫夫含糊地说，“反倒能使他打起精神来。”说罢又打了个哈欠。

“哦，从清早起他就恢复神智了！”拉祖米欣接着说道。他那亲切自然的样子显得极为真诚和善，所以彼得·彼得罗维奇想了想就鼓起了勇气，或许这里部分的原因是这个衣着不整、说话无礼的人自报是大学生吧。

“您的母亲……”卢仁开口说。

“哼！”拉祖米欣大声哼了一下。卢仁疑惑不解地看了看他。

“没事，我没什么，您接着说吧……”

卢仁耸了耸肩。

“……我还在她们那里的时候，您母亲就开始给您写信了。到达这里后，我故意拖了几天才来看您，以便确有把握您已知情。可是现在令我惊异的是……”

“我知情，我知情！”拉斯柯尔尼科夫突然大声嚷了起来，声音中流露出难以忍受的恼恨。“原来您就是那个未婚夫？啊，我知道了……这就够了！”

彼得·彼得罗维奇无疑大受屈辱，但闷声不响。他急切想弄清楚，这一切意味着什么？一时间大家都沉默不语。

与此同时，稍微朝他转过身子来答话的拉斯柯尔尼科夫，突然怀着一种特别的好奇心重新又仔细打量他，仿佛直到现在都还没能看清他，或是他身上有什么新东西令他惊讶。为此，拉斯柯尔尼科夫还特意从枕头上抬起头来，的确，彼得·彼得罗维奇的整个外表，有某种特殊之处令人吃惊，仿佛正是为了证实方才不客气地赠与他的称号“未婚夫”。首先，看得出来甚至是一目了然：彼得·彼得罗维奇竭力利用在京都的这几天时间，赶紧打扮修饰自己，好等未婚妻来。这事倒也完全无可非议。在这种情况下，甚至彼得·彼得罗维奇那种过于自满，以及意识到自己全身焕然一新而怡然自得，也都是情有可原的，因为是未婚夫嘛。他全身衣服都是刚从裁缝那里定做来的，而且都很合身。若说不好，那只有一条：装束太新，用意也暴露得太明显。就连那顶款式讲究的崭新的圆礼帽，也证实了他的用意，因为彼得·彼得罗维奇不知怎的对它特别珍惜，小心翼翼地捧在手里。还有那副雪青色的精美的正宗朱旺式手套[1]，仅凭他不戴在手上而只是拿着给人欣赏，也就同样暴露出他的用意。彼得·彼得罗维奇的服装，以浅色和嫩色为主调。他穿着一件挺漂亮的浅褐色夏季上衣，一条轻柔的浅色裤子，同样浅色的西装背心，新买的薄衬衣，还系着粉红条纹的极薄的细麻布领带。妙还妙在所有这一切同彼得·彼得罗维奇的面容十分相称。他的脸容光焕发，甚至也称漂亮，本来就显得年轻，不像四十五岁的人。深黑的络腮胡，犹如两块肉饼巧妙地从两边遮住面颊，在刮得锃亮的下巴上密集成一团，显得非常漂亮。就连他那仅有几根银丝的头发，虽然在理发店梳洗烫过，并不因此显得可笑，也没有像德国人烫发去举行婚礼的那副愚蠢模样。如果说这张相当漂亮、相当神气的脸真的引起人的反感和厌恶，那就全是出于其他原因了。拉斯柯尔尼科夫毫不客气地把卢仁先生打量一番之后，愤愤地笑了一下，头又躺到枕头上，像先前一样看起天花板来。

①因法国手套制造商克萨维·朱旺而得名。

但是卢仁先生镇定下来,似乎决定暂不理会所有这些古怪的举动。

“看到您的这种状况,我感到非常——非常遗憾,”他又开口说起来,极力打破沉默,“假若知道您身体欠佳,我早来看您了。但不瞒您说,事务缠身啊!……在枢密院里,我还有一件关于律师方面的重要事务需要处理,更不用说您能够猜得着的那些该张罗的事了。也就是说,我时刻等待着您母亲和您妹妹的光临……”

拉斯柯尔尼科夫身子动了一下,似乎想说点什么,脸上显露出激动的神情。彼得·彼得罗维奇停了一下,等他开口,可什么也没等到,于是继续说:

“……随时等她们来。我已经找了一套住房,让她们来了先住下……”

“房子在哪里?”拉斯柯尔尼科夫用微弱的声音问道。

“离这儿很近,是巴卡列耶夫的房子……”

“那是在沃斯涅先斯基大街,”拉祖米欣插话说,“有两层是旅馆,是商人尤申开的,我去过。”

“是的,是旅馆……”

“那地方可糟糕透顶:肮脏不堪,臭气熏天,而且是个不太令人放心的地方,常常出事,住的什么人都有!……我自己去过那里,也是同一桩不怎么光彩的事有关。不过,房租倒很便宜。”

“我自然不可能知道这么多情况,因为我是新来的,”彼得·彼得罗维奇用意微妙地反驳说,“不过,话说回来,那两个房间非常——非常干净,再说只住很短的时间……我已经看好了一套真正的房子，就是将来要住的套房，”他转向拉斯柯尔尼科夫，“现在那房子正在装修，我自己暂时也挤在莉佩韦泽太太开的旅馆里，离这儿只有几步远，是与我的年轻朋友安德烈·谢苗诺维奇·列别贾特尼科夫合住的套房，正是他向我推荐了巴卡列耶夫旅店的……”

“列别贾特尼科夫？”拉斯柯尔尼科夫慢吞吞地说道，仿佛想起了什么。

“对，是安德烈·谢苗诺维奇·列别贾特尼科夫，他是部里的职员。您认识他？”

“啊……不……”拉斯柯尔尼科夫答道。

“对不起，我听您提问，以为您认识。我曾是他的监护人……一个蛮可爱的年轻人……而且很细心……我喜欢结识年轻人，因为能从他们身上知道些新东西。”彼得·彼得罗维奇用企盼的目光看了看所有在场的人。

“是哪个方面的呢？”拉祖米欣问道。

“可以说是指最严肃的、最实质的方面，”彼得·彼得罗维奇急忙接过去说，仿佛非常乐于回答这个问题，“不瞒您说，我已经有十年没来彼得堡了。我们所有的这些新闻、改革、思想，所有这些也传到了我们外省，不过要想看得清楚、全面，那就得到彼得堡来。喏，只有观察我们的年轻一代，才能有最多的见识，最好的了解，这就是我的看法。我得承认：我极其高兴……”

“高兴什么？”

“您的问题太广泛了。也许我说得不对，但我觉得我看到了更加敏锐的眼光，可以说看到了更多的批评精神，更多的实干精神……”

“是这样。”佐西莫夫漫不经心地说。

“你瞎说，没有什么实干精神，”拉祖米欣抓住这个问题不放，“实干精神很难获得，不会平白无故从天上掉下来。我们差不多有两百年一直无所作为[①]……思想嘛，倒很不少，”他转向彼得·彼得罗维奇说，“善良的愿望也是存在的，虽然还很幼稚。甚至还能看到正直公道，尽管这里面藏着各种骗子，多得数不胜数。然而，实干精神却是没有的！实干精神谈何容易啊。”

“我不赞成您的观点，”彼得·彼得罗维奇反驳道，显然很有兴致，“当然喽，人们也有头脑发热和失误的时候，但对人也应当宽容一些。头脑发热恰恰证明了对事业有热情，又说明这事业所处的外部环境不尽合理。如果说没做成许多事，那也是因为时间有限。关于手段我且不说。我个人的观点是，也并非无所作为，还是做了一些事：传播了新的有价值的思想，出版了一些新的有价值的作品，取代了以前那些幻想性作品和浪漫主义作品，文学显得更加成熟了，许多有害的偏见得到根除，遭到嘲笑……一句话，我们毅然割绝了与过去的联系。这一切，依我看，已经是干了实事……”

“老一套！卖弄！”拉斯柯尔尼科夫突然说道。

“什么？”彼得·彼得罗维奇没有听清，因而问了一声，却没有得到回答。

---

①拉祖米欣所说的这句话，也反映了作者于19世纪60年代初在《时代》和《时世》上的观点，即认为彼得大帝的改革使知识分子阶层脱离人民，从而无所作为。他在《时世》上发表的文章的手稿上也包含有这种看法。

“这一切都是正确的。”佐西莫夫急忙插了一句。

“不是吗？”彼得·彼得罗维奇朝佐西莫夫投过愉快的一瞥，继续说道，“您自己也会承认，”他接着转向拉祖米欣，但已经流露出某种得意和自满的味道，差点儿没加上“年轻人”这一称呼，“已经有所成就，或者按人们现在的说法，是有了进步，至少就科学和经济情况而言是这样……”

“老生常谈！”

“不，不是老生常谈！比如人们一直对我说‘去爱人吧’，于是我就去做了，那么结果会怎样呢？”彼得·彼得罗维奇继续说道，也许说得过于急切了，“其结果是，我把自己的衣服撕成两半，其中一半分给了他人，于是，我们俩都半裸着身子，正如俄国谚语所说：‘同时追数兔，一只逮不住。’科学则告诉我们，爱他人先应该爱自己，因为世上一切都是以个人利益为基础的。[①]只要爱你自己，那你就会做好自己的事情，这样你的衣服也就能完整地保存下来。经济学的道理补充说，社会上有保障的个人越多，换句话说衣服完好的越多，那社会的基础也就越牢固，社会公众的事也就办得越好。因此，当我仅仅为自己而发财致富时，我也就是为大家而发财致富，那结果也就使周围的人不只是得到一件破衣服，而且这已经不是出于个别人偶尔的恩赐，而是由于整个社会的富裕。这一思想并不复杂，不幸的是久久未能风行，因为被笼罩在狂热和幻想之中，其实要想懂得这个道理，似乎并不需

①这句话反映了英国资产阶级哲学家、伦理学家边沁(1748—1832)的功利主义伦理学的观点。陀思妥耶夫斯基年轻时接触过边沁的著作，在他于1844年9月19日致П.А.卡列平的信中曾谈到边沁。这里同时也是同车尔尼雪夫斯基的“合理利己主义”进行争论。

要多少才智……”

“对不起,我就没什么才智,”拉祖米欣不客气地打断了他的话,“因此我们就此结束这个话题吧。要知道,我讲这个是有用意的,可这类自慰的空谈,没完没了的老生常谈,所有这一切近三年里早令我极度厌烦,以至于别人在我面前谈论时,我都要脸红。当然喽,您急于炫耀自己的学识,这完全可以原谅,我不会见怪。我刚才只是想知道一下您是干什么的,因为最近一段时间,不瞒您说,有太多各式各样的企业主涉足公众事业,可不管插手什么事情,总为着自己的利益把它歪曲得不成样子,结果整个事情被彻底糟蹋了。好啦!说到这儿吧。”

“请原谅,先生,”卢仁的自尊心大受伤害,不满地开口反驳道,“您这么毫不客气,是不是想说我也是一个……”

“哦,哪里的话,哪里的话……我岂敢!……够了,不说了!”拉祖米欣断然说。他突然朝佐西莫夫转过身子,跟他谈起先前的话题。

彼得·彼得罗维奇相当聪明,立刻表示相信他的解释。他决定再过一两分钟就离开这里。

“我们现在已经相识了,”他转向拉斯柯尔尼科夫说,“我相信,等您康复之后,鉴于您所知道的原因,我们的关系会更加密切……我特别祝愿您健康……”

拉斯柯尔尼科夫甚至连头也没回。彼得·彼得罗维奇从椅子上站了起来。

“一定是来抵押东西的人杀的!”佐西莫夫肯定地说。

“不错,一定是抵押东西的人!”拉祖米欣随声附和着说,“波尔菲里还没透露自己的看法,可已在传讯在她那儿抵押过东西的人啦。”

“传讯在她那儿抵押过东西的人?”拉斯柯尔尼科夫大声问道。

“是的,怎么啦?”

“没什么。”

“他是从哪儿找到他们的?”佐西莫夫问道。

“一些人是科赫讲出来的,还有一些人的名字写在了包东西的纸上,另有一些人是听到消息后自己主动去说明的……”

“那个坏家伙一定是诡计多端的惯犯!多大胆!多残酷!”

“情况恰恰不是这样!”拉祖米欣接过话茬儿,“这正是使你们判断失误的地方。依我说,他既算不上诡计多端,也不是惯犯,或许这是他第一次犯罪呢!如果把他看成是一个诡计多端的坏蛋,这结论难以令人信服。而如果把他看成是没有经验的新手,结论则是他靠了偶然的机会才侥幸脱身,什么样的偶然性没有呢!或许他连会出现什么障碍都没有事先想到呢!他是怎么作案的呢?拿了点只值一二十卢布的东西,塞满口袋,乱翻了一通老太婆的箱子和一堆破烂。可是在五斗柜最上面的抽屉里,在首饰盒里,人们发现光是现金就存了一千五百卢布,更不用说票据了!可见,他压根儿不懂怎么抢劫,只会把人杀掉!这是头一回作案,我跟你说,这是头一回作案,乱了手脚!他能逃脱不是策划得好,而是偶然侥幸!”

“我想,你们是在谈论前不久一个老太婆、一个官吏遗孀被人谋杀的事吧?”彼得·彼得罗维奇转向佐西莫夫插嘴说。他已经拿起了帽子和手套站在那里,但临走前还想说几句有见识的话。他显然想给大家留下一个好印象,一时虚荣心压倒了理智。

“是的。您也听说啦?”

“那当然喽,是邻居嘛……”

“详细情况知道吗?”

“那倒不敢说。但是,这一案件的另一面或者说一连串问题,引起了我的兴趣。且不说最近五年来下层阶级里犯罪数量有所增加,且不说各个地方接二连三发生的抢劫和纵火案,最让我感到震惊的是,上层阶级的犯罪数量也同样在增加,或者说是在同步增加。这里听说是从前的大学生在大道上抢劫邮车,那里是一些社会地位较高的人,居然制造假钞。莫斯科抓获了一个伪造最近发行的有奖债券的团伙,其主要的参加者中,有一个竟是讲授世界史的大学讲师①。还有,我国驻外使馆的一个秘书,由于金钱问题和神秘的原因,被人打死了②……如果现在这个放债的老太婆是被向她抵押物品的人杀掉的,那么很有可能此人也属于较高的社会阶层,因为庄稼汉是不会去抵押金器的。这么一来,又该怎样解释我们社会文明阶层的道德败坏呢?”

“经济上发生了许多变化③……”佐西莫夫回答说。

“怎样解释呢?”拉祖米欣接住了话头,“正好用根深蒂固的

①1865年莫斯科市确实破获了一个类似的犯罪团伙,其中一个成员是世界通史教授,他名叫亚历山大·涅奥菲托夫,关于他的消息不能不让陀思妥耶夫斯基震惊,因为他们有亲戚关系。

②指1865年发生的A.恒基坚柯案件。他是退役俄国军官,因未得到返国的金钱资助,在巴黎暗杀了俄国使馆的秘书。陀思妥耶夫斯基在记事簿里提到此事。

③当指农奴制改革后俄国资本主义经济的发展。

不善实干来解释。”

“这是什么意思呢?”

“您说的那位莫斯科的讲师,对为什么伪造债券这个问题是怎么回答的呢?‘大家都在通过各种手段发财,因此我也想迅速地变得富有。’[①]确切的话我记不得了,但那意思是想无代价地、迅速地、毫不费力地弄到钱!人们习惯了过现成的生活,靠别人牵着走,吃嚼过的饭。喏,伟大的时刻到来之后,各色各样的人纷纷显出原形了[②]……”

“那么,道德怎么办呢?或者说准则到哪里去了呢?……”

“您何必着急呢?”拉斯柯尔尼科夫突然插嘴说,“这正好符合您的理论嘛!”

“怎么叫符合我的理论呢?”

“若是实行您刚才宣扬的观点,结果就是说:人是可以宰割的……”

“得了吧!”卢仁大叫起来。

“不,不是这样!”佐西莫夫做出了反应。

拉斯柯尔尼科夫躺在那儿脸色苍白,上嘴唇不停地颤动,呼吸艰难。

---

①这里的犯罪动机让人联想到作者在手稿中曾经写到的拉斯柯尔尼科夫的犯罪动机:“我想养活自己和母亲……”特别是在致米·尼·卡特科夫的一封信(1865年9月)中,陀思妥耶夫斯基曾谈到《罪与罚》的构思:一个被学校开除了的大学生,要杀死一个放高利贷的老太婆,抢走她的钱,目的是摆脱自己的生活困难,并且使生活在一个小县里的母亲幸福起来,使他在一个地主家里当家庭教师的妹妹能够免受地主的欺凌。

②指1861年俄国农奴制改革后资本主义发展的形势下引起的思想和社会混乱。

“什么事都有个分寸，”卢仁继续自负地说道，“主张一种经济思想，并不意味着叫你去杀人，只要设想一下……”

“真是这样吗？”拉斯柯尔尼科夫那因愤怒而颤抖的声音，又一次突然打断了他的话，在他的话音里还听得出一种羞辱他人的快意。“您真的对您的未婚妻说过……那是在她接受了您的求婚之后……您说最感到高兴的是……她出身穷苦……因为娶个穷妻子最合算，以后可以对她发号施令……可以因为对她施了大恩大德而随便辱骂她？……”

“可敬的先生！”卢仁十分恼怒地喊叫，脸涨得通红，一时不知所措，“先生，怎么可以这样歪曲人家的意思！请原谅，我得跟您讲清楚，您听到的传闻，或者说得恰当些，您得知的消息，是毫无依据的，而且我怀疑有人……总之……这支利箭……总之，您母亲……她尽管人品高尚，但我已感到她的想法过分热情和浪漫……不过，我万万没想到她会把这事如此异想天开地曲解……最后……最后……”

“您知道吗？”拉斯柯尔尼科夫叫道，他从枕头上欠起身子，锐利的目光逼视着他，“您知道吗？”

“什么？”卢仁停下了，一副气恼的、挑衅的样子。沉默持续了几秒钟。

“要是您再……胆敢提一句我母亲……哪怕就一个字……我就叫你从楼梯上滚下去！”

“你怎么啦？”拉祖米欣叫道。

“啊，原来如此！”卢仁脸色变白，咬紧了嘴唇，“先生，听我说，”他竭力克制着自己，但还是显得气急败坏，“从一进门我就看出了您不友好,但我特意留在这里,想要多了解一些。本来我是可以原谅一个病人和亲戚的,可是现在……对您……永远都不会原谅……"

"我不是病人!"拉斯柯尔尼科夫喊道。

"那更是……"

"见你的鬼去吧!"

卢仁话还没说完就已经自顾自站起来了,在桌子、凳子间蹭出去。拉祖米欣站起身给他让路。卢仁没看任何人,甚至没对早已示意他不要打扰病人的佐西莫夫点一下头,弓着身子走出门的时候,特别小心地把帽子举到齐肩,就连他那弯曲的脊背此时仿佛也显示他受到了极大的屈辱。

"怎么能,怎么能这样?"疑惑不解的拉祖米欣摇了摇头说。

"走开,所有的人都给我走开!"拉斯柯尔尼科夫发狂地叫道,"你们到底离不离开,你们这些折磨人的家伙!我不怕你们,现在我谁也、谁也不怕!走开,你们离我远点!我想一个人待着,一个人,一个人,一个人!"

"我们走吧!"佐西莫夫向拉祖米欣点点头说。

"天哪,难道能就这么把他丢下。"

"走吧!"佐西莫夫坚决地重复说,便走了出去。拉祖米欣想了想,跑出去追他。

"如果我们不听他的,可能会更糟。"已经在楼梯上的佐西莫夫说。

"不能刺激他……"

"他到底怎么了?"

“要能往好的方面触动他一下,那就好了! 方才他挺有精神的……你知道吗,他心里肯定有事! 一件放不下的事,折磨他的事……我担心这一点,一定是这样!”

“这位先生可能就是彼得·彼得罗维奇吧! 从他们的谈话中听得出,他要娶他的妹妹,罗佳生病以前收到一封信,信里提到过这件事……”

“是的,他来的真他妈不是时候;他也许把事情完全弄糟了。你有没有注意到,他对一切都很冷漠,对一切都不愿谈,唯有杀死人的那件事,挺让他激动的……”

“对呀,对呀!”拉祖米欣随着说,“太注意到了,他对这事既关心又害怕。就在他生病的那天,在警察局里,人家把他吓着了;他晕了过去。”

“晚上,你再把这事对我详细讲讲,然后我也告诉你一件事。我对他很感兴趣,非常感兴趣! 半小时后我再来看看他……不过,炎症是不会有的……”

“谢谢你! 到时候我在帕申卡那儿等你,让纳斯塔霞去看着他……”

就剩下拉斯柯尔尼科夫一个人了,他不耐烦地阴郁地望着纳斯塔霞。但她仍拖延着不走。

“你喝茶吗?”她问。

“待会儿! 我想睡觉! 你出去吧……”

他焦躁地把脸扭向墙壁,纳斯塔霞走了出去。

第六章

可是她刚一出去，他就爬起来，用门钩把门闩上，打开方才拉祖米欣带来的那包由他重新捆上的衣服，就开始穿戴起来。说也奇怪，他仿佛突然彻底平静下来；既没有不久前那样的疯疯癫癫、精神错乱，也没有像近几天那样的张皇失措、胆战心惊。这是奇异的骤然镇静的头一刹那。他动作认真而明确，显现出坚定的意图。“今天就得解决，今天就得解决！……”他喃喃自语道。当然，他知道自己还很虚弱，但他的精神高度集中，异常的沉着和坚定，并赋予他力量和自信；不过他希望不要在大街上摔倒。穿好所有的新衣后，他看了看放在桌子上的钱，想了想就把它们都装进口袋里，有二十五个卢布。他又把拉祖米欣拿十卢布买衣服找回的那些五戈比的铜币也带上了，然后悄悄地摘下门钩，走出了房间。下楼时，他又向那个完全敞开着的厨房瞥了一眼：纳斯塔霞正背对着他，俯下身在吹旺女主人的茶炊。她什么也没听见。谁会想到他要出去呢？一分钟后，他已经在大街上了。

已是八点钟的样子，太阳就快落山。天气还像从前一样闷热，但是他却贪婪地吸了一口这难闻的、满是灰尘的、被城市所污染了的空气。他的头开始发晕，可突然间在他发红的眼睛中、消瘦蜡黄的脸上，闪现一股巨大的冲力。他不知道，也没想过要去哪儿；他只有一个念头："这一切必须结束，就在今天，一次性解决，马上就解决；否则就不回家，因为他再也不想这样活着了。"该怎么结束呢？用什么法子结束呢？他一点儿也不知道，也不愿去想它。他努力不去想什么，因为思想折磨着他。他只感觉到、只知道必须改变一切，不管用什么办法。他怀着十分强烈、毫不动摇的自信和决心一再地重复着一句话"不管怎么着"。

他依照老习惯，沿着平时散步的路，径直向干草市场走去。在离市场不远的马路上，一家小铺的前面站着一个黑头发的背着手摇风琴的年轻流浪乐师，他正拉着非常感人的情歌曲，给一位姑娘伴奏。那姑娘就站在他前面的人行道上，十五岁光景，穿得像个小姐，一条钟式裙（旧时用细骨头架撑起的那种），一件短斗篷，一副手套，还戴一顶插着火红翎毛的草帽；这些衣着全都又旧又破。她正在用街头卖唱的那种颤抖却又悦耳、嘹亮的声音唱着那情歌，巴望那家小铺能赏她两个戈比。拉斯柯尔尼科夫在仅有的两三个听众边停住了脚步，听了一会儿，掏出一枚五戈比的硬币，塞到姑娘的手里。正唱到最感人处，那姑娘忽然停住了，她是当真不唱了，急躁地冲着拉手摇风琴的流浪乐师喊道："行了！"于是，两个人就拖着沉重的脚步继续往前走，到下一家店铺去了。

"您喜欢街头听卖唱的吗？"拉斯柯尔尼科夫突然对一个刚才和他一起站在手摇风琴边的不太年轻的过路人说。这个人一副游手好闲[1]的样子。那人非常吃惊地看了他一眼。“我喜欢，”拉斯柯尔尼科夫继续说，但是他那副样子好像是在谈一件与街头歌唱根本无关的事，“我喜欢听那种——在寒冷的、漆黑的、潮湿的秋夜，在手摇风琴伴奏下的歌唱。一定要是潮湿之夜，那时，所有过路人脸上都是一副苍白泛青的病容。要是没有风，湿漉漉的雪花一直往下飘，这样更好，您懂我的意思吗？还有瓦斯灯透过雪花闪闪发光……”

“我不懂……请原谅……”那位先生嘟囔道。他被拉斯柯尔尼科夫的问话和古怪的样子吓了一跳，走到马路的另一侧去了。

拉斯柯尔尼科夫一直向前走去，来到干草市场的那个角落，出事那天与丽莎维塔谈话的那个小买卖人和他的婆娘就在这儿做生意。但是他们今天没来。认出了地方后，他便停住了脚步，四处望了望，转身跟一个站在一家面粉店门口发呆的、穿红衬衫的小青年攀谈起来。

“不是有个小买卖人在这个拐角上做生意吗，跟一个乡下女人，就是他老婆，啊？”

“这儿的人都是做生意的。”小伙子傲慢地打量着拉斯柯尔尼科夫说。

“他叫什么名字？”

“洗礼的时候起了什么名，就叫什么名呗。”

“你也是扎拉伊斯克人吧？是哪个省的？”

小伙子又看了看拉斯柯尔尼科夫。

“尊敬的先生，我们那儿不是省，只是个县。从前是我兄弟

---

①原文是用俄文字母写的法语срл1нер。

来，我待在家里，我不知道……请您多多包涵了，尊敬的先生。”

“楼上是家小酒馆吗？”

“是家饭店，还有台球室呢。公主们[1]也会在这儿出现的……再好不过啦！”

拉斯柯尔尼科夫穿过了广场。那边角落里站着一大群人，全是庄稼汉。他打量着人们的脸，费力地挤到人群最密处。不知是什么原因，他很想跟所有的人聊聊。但是庄稼汉们不理睬他，大家一帮一帮地聚在一起吵嚷不休。他站住想了想，就向右拐顺着人行道，朝B大街的方向走去。一出广场，他就走进一条小巷子里……

他以前也经常穿过这条由广场通向花园街的弯曲不长的小巷。最近，每当他心烦的时候，甚至特别想到这一带来溜达溜达，“以便烦上加烦”。现在他什么也没想，就走进去了。这儿有一幢很大的房子，里面全是酒铺和饮食店。不断有女人从这幢房子里跑出来，她们的衣着很随便，就跟到邻居家串门时穿的一样，不戴帽子，只穿一件连衣裙。她们三五成群，聚集在人行道上的几个地方，主要是在通往地下室的斜坡旁，从那儿再往下走几个台阶就可以进入各种各样非常地道的寻欢作乐场所[2]。其中的一处，这时传出一阵阵响彻大街的敲击声和喧哗声，吉他叮咚作响，还有人在唱歌，非常热闹。一大群女人挤在入口处，有坐在台阶上的，也有坐在人行道上的，还有一些站在那儿聊天。旁边马路上，一个喝醉了的士兵在闲逛，嘴里叼着烟卷儿，大声骂人，好像是想

①指妓女或卖唱女郎。

②指妓院，据说当时此处有三家妓院。

进某个地方，可又忘了往哪儿走。两个衣衫褴褛的人在对骂，还有一个喝得烂醉的人横躺在马路上。拉斯柯尔尼科夫在一大群女人旁边停了下来。她们在聊天，声音很嘶哑；女人们都身着印花布连衣裙，脚踩山羊皮矮腰皮鞋，没戴帽子。她们有些已经四十来岁了，有些还不过十七岁，几乎所有人都被打得鼻青眼肿。

不知为什么，那些从下面传上来的歌声、敲击声，还有喧闹声引起了他的兴趣……听得出那里有人在疯狂地跳舞，用鞋后跟打着拍子，四周是哈哈大笑声和尖声怪叫声，还有狂放恣肆的假嗓伴唱和吉他伴奏。

在入口处他俯下身子，一边好奇地从人行道往屋里张望，一边又聚精会神地、忧郁地、若有所思地听着。

你呀，我的可心的壮汉，
不要无缘无故地打我！

歌手唱得尖细婉转。拉斯柯尔尼科夫很想听清楚唱的是什么，好像事情的关键全在于此。

"要不要进去呢？"他想，"他们在哈哈大笑！是因为喝醉了。那么，我要不要也去喝个酩酊大醉呢？"

"您怎么不进去，亲爱的老爷？"一个声音相当响亮且没有十分嘶哑的女人问他。她还很年轻，甚至还不惹人讨厌——是这群女人中唯一一个不叫人讨厌的。

"瞧瞧，好漂亮的小姐！"他稍微直起身子，仔细打量她，答道。

她对他微微一笑。她很喜欢这句恭维话。

“您也潇洒极了。”她说。

“多瘦哇！”另外一个女人粗声粗气地说，“是不是刚出医院哪！”

“看上去倒像是将军的女儿，可就都是翘鼻子！”一个刚刚走过来的、略有醉意的庄稼汉突然插进来说，他身上的厚呢上衣敞着衣襟，丑脸上露出狡猾的讪笑。“瞧瞧，多快活！”

“进去吧，来都来了！”

“好的，我进去！小甜心！”

他跌跌撞撞地走了下去。

拉斯柯尔尼科夫继续走他的路。

“请听我说，老爷！”姑娘跟在他后面喊他。

“什么事？”

她忸怩起来。

“善良的老爷，我随时都乐意陪您玩玩。只是这会儿见了您我就不好意思了。我的好人，就赏我六个戈比的酒钱吧！”

拉斯柯尔尼科夫在衣袋里掏了掏，摸出三个五戈比的硬币。

“瞧哇，这位老爷的心肠可真好！”

“你叫什么名字？”

“您就叫我杜克丽达好了。”

“哪能这样，这太不像话了，”突然人群中一个女人摇着头对杜克丽达说，“真搞不懂，你怎么能这样向人家要钱呢！要是我，早臊得无地自容了……”

拉斯柯尔尼科夫好奇地望着那个说话的女人。这是个三十岁上下的麻脸女子，一身青紫的伤痕，上嘴唇有点肿。她在责怪别人时，神情安详，态度认真。

“我在哪儿读到过，”拉斯柯尔尼科夫边走边想，“我在哪儿读到过，有一个被判了死刑的犯人，处决前一个钟头说过或是想过，如果他不得不生活在高处，在悬崖上，在一块狭小的只够立足的崖面上，周围是深渊、海洋、永久的黑暗、永久的孤独和永久的狂风暴雨，如果他不得不站在只有一俄尺大小的地方，站一辈子，站一千年，以至永远，即使这样活着，也比马上死去要好！只要能活着，活着，活着！不论怎样活着，只要能活着就好！[①]……这话真的还是真理呀！竟有这样的真理！人可真卑鄙！”过了一会儿他又补充了一句，“骂别人卑鄙的那个人，他自己也是个卑鄙的家伙。”

他走到了另一条街上：“哎呀！‘水晶宫’。拉祖米欣刚才还提起过‘水晶宫’呢。我到底想要干什么呢？对了，看报！……佐西莫夫说，他在报纸上看到过……”

“有报纸吗？”他走进一家宽敞、整洁的小酒馆问道。这家酒馆有几间屋子，不过很空。有几个客人在喝茶，较远的那间屋子里好像坐着四个人在喝香槟。拉斯柯尔尼科夫觉得，好像扎米托夫也在里面。只是离得太远看不清楚。

“管他呢，在就在吧！”他想。

“来点儿伏特加吗？”跑堂的问。

---

①这里陀思妥耶夫斯基也许记错了。他所说的并非判处死刑的犯人，而是雨果的《巴黎圣母院》（第11卷，第2章）中被敲钟人夸西莫多推下钟塔的神父，神父跌在钟塔下的水槽上，水槽摇摇欲坠，下临两百多英尺的深渊，他站的地方只有两英尺见方。“他在绝望之余从心底祷告上苍，让他就在那个两英尺见方的处所度过余生，哪怕待上一百年也行。”

“来一杯茶。拿几份报纸来，最近四五天的旧报纸，我会付给你喝伏特加的钱。”

“好的，先生。这是今天的报纸。伏特加也来点儿吗？”

旧报纸和茶都送来了。拉斯柯尔尼科夫坐下来，开始找他需要的消息：“伊兹勒[①]——伊兹勒——阿兹特克人——阿兹特克人——伊兹勒——巴尔托洛——马西莫[②]——阿兹特克人——伊兹勒……呸，真是活见鬼！啊，这儿有几则消息：一个女人从楼梯上摔下去——一个市民酗酒丧命——彼斯卡[③]发生火灾——彼得堡区失火——又是彼得堡区失火——还是彼得堡区失火——伊兹勒——伊兹勒——伊——马西莫——哦，在这儿……”

他终于找到了他需要的那则消息，立即读了起来；一行字一行字在他眼前跳跃，他读完了整篇报道后，又急切地翻看以后几天的报纸，搜寻最新的消息。翻看报纸时，由于急不可待，他的双手在颤抖。突然有个人在他旁边坐下，就在桌子跟前。他抬头一看，原来是那个扎米托夫，他还是老样子，手上戴着戒指，衣服上挂着表链，抹了油的鬈曲黑发梳成中分，一件考究的西装背心，稍微有点破旧的常礼服和一件不大干净的衬衣。他很开心，至少在愉快地、和蔼地微笑。由于喝了香槟酒，他那黝黑的脸上微微泛出了红晕。

---

①彼得堡郊外“矿泉”花园的主人，19世纪60年代报章对他多有报道，广为人知。陀思妥耶夫斯基在记事簿(1862—1864)中提到他。

②1865年彼得堡各报大量报道美洲侏儒来俄展出的消息。据说矮人马西莫(或马克西莫)(少年)和巴尔托洛(少女)均为墨西哥古代阿兹特克人(印第安族)的后裔。

③彼斯卡在当时是彼得堡的一个区，在苏沃罗夫大街以外；彼得堡区则在涅瓦河的对岸，与市中心隔河相望。此处多木屋，故常有火灾。

“怎么，您在这儿呀？”他疑惑不解地问，而那语气好像是跟拉斯柯尔尼科夫认识很久了似的，“昨天拉祖米欣还对我说起过您，说您还昏迷不醒呢。真怪！要知道我还去探望过您……”

拉斯柯尔尼科夫早知道，扎米托夫一定会走过来。他把报纸放在一边，转脸面向扎米托夫。他的嘴上挂着一丝讥笑，讥笑里又显露出一种新的焦躁不安。

“我知道您去过，”他回答说，“听说了。找我的短袜……您知道，拉祖米欣对您佩服得五体投地。他说，您和他一起到拉维扎·伊凡诺芙娜家里去过，就是那天，为了她，您一个劲儿地冲那个波罗赫中尉使眼色，可是他什么也不明白，您还记得吗？怎么会不明白呢，这不是明摆着的事吗……您说是吧？”

“他那个人很爱惹事的！”

“波罗赫吗？”

“不，您的朋友拉祖米欣……”

“您过得挺不错呀，扎米托夫先生；不花一分钱就能到最开心的地方去！刚才又是哪位给您斟香槟酒来着？”

“哦，我们……一起喝点儿酒……有人给我斟酒啦？！”

“酬劳吗！您什么都可以享用！”拉斯柯尔尼科夫笑了起来，“没什么，小伙子，没什么！”他拍了拍扎米托夫的肩膀补充说，“我这么说没什么恶意，‘只是出于友爱，开个玩笑罢了’，就跟你们的那个办事员在受理老太婆的案子时，揍米季卡的时候说的那样……”

“您是怎么知道的？”

“也许，我比您知道的还多呢。”

“您这人真是有些古怪……大概还病得不轻。您不该出来……”

“您觉得我很怪?”

“是的。您这是在看报纸吗?”

“看报。”

“好多是讲火灾的……”

“不,我看的不是火灾[①]的消息。”这时,他神秘兮兮地看了扎米托夫一眼,讥笑着撇撇嘴,“不,我读的不是火灾消息,”他冲扎米托夫使个眼色继续说,“您得承认,可爱的年轻人,您非常想知道我在看什么,对吗?”

“一点儿也不想,只是随便问问罢了。难道问问也不行?您怎么总是……”

“听着,您是个受过教育、有文化的人,不是吗?”

“我读到中学六年级。”扎米托夫有些自负地回答道。

“读到六年级!哎呀,你呀,我的小麻雀!留着个分头,戴着枚戒指——很富有嘛!嘿,多讨人喜欢的小伙子!”说到这儿,拉

①关于早在1862年5月即开始发生的这些火灾,《时代》杂志曾这样写道:“在彼得堡开始发生的火灾,后来又转而燃向了俄罗斯的各个角落;总共发生过多少场火灾,请你们原谅,我们并没有统计过;也许,并不比往年多,或者说,并不比往年多多少,但是,恐惧使人瞪大了眼睛:如今,每一个火灾消息都给人留下了更为深刻的印象,因此,火灾的次数也就显得更多了。”(见《时代》,1862年,第7期,第36页)陀思妥耶夫斯基兄弟曾打算在《时代》上发表两篇文章,以批驳报刊上说的关于有革命倾向的大学生是纵火犯的那些谬论,但这两篇文章都没能通过审查。据车尔尼雪夫斯基后来说,在托尔库奇市场发生火灾之后,陀思妥耶夫斯基曾去找他,要他去对青年学生施加影响,让他们多加小心,因为警方已经在散布谣言,说是大学生们点的火;遭到车尔尼雪夫斯基拒绝。——俄编注

斯柯尔尼科夫直冲着扎米托夫的脸神经质地哈哈大笑起来。扎米托夫急忙躲开了，他倒不是受了委屈，而是觉得很奇怪。

“哎呀，这个人可真怪！”扎米托夫很严肃地说，“我觉得您一直在说胡话。”

“我说胡话？你这个小麻雀才瞎说呢！……我很古怪，是吗？您对我感兴趣吧？啊，感兴趣吗？”

“感兴趣。”

“那么就是说，你想搞清楚我读的找的是什么消息？看看吧，我叫他们拿来了多少报纸！很可疑，是吗？”

“哦，那您说吧。”

“耳朵竖起来了吗？”

“干吗，竖起什么耳朵？”

“竖起什么耳朵，我以后再告诉你。现在呢，我最亲爱的朋友，我要向您声明……不，还是说‘向您承认’好些……不，这也不对，应该说‘我招认，而您做笔录’——就是这样！那么我招认，我读的，我关心的……我在找的……”拉斯柯尔尼科夫眯起眼睛，等了一会儿，“我找的，我来这里的目标，就是有关谋杀那位官太太的新闻。”他把脸贴近扎米托夫的脸，最后，几乎耳语似的说出这些。扎米托夫一动不动、目不转睛地望着他，也没把脸躲开。后来，扎米托夫觉得最为奇怪的是，他们两个你看着我，我看着你，沉默了足足有一分钟。

“您读那消息又怎么样呢？”突然他不解又厌烦地叫道，“关我什么事！跟我有什么相干？”

“就是那个老太婆，”拉斯柯尔尼科夫继续耳语似的说，对扎米托夫的叫喊一点儿反应也没有，“您还记得吗，就是在警察局里你们说起她的时候，我晕过去了，就是那个老太婆呀。这下，总该明白了吧？”

“这究竟是怎么回事？什么……‘总该明白了’？”扎米托夫几乎是担心地说。

拉斯柯尔尼科夫呆板严峻的脸孔霎时变了样，他突然又像先前一样神经质地哈哈大笑起来，似乎完全不能控制自己。此时他不由得清晰记起不久前的那一刻：他拎着斧子站在门后面，门钩在跳动，门外的人破口大骂，想要闯进来，而他突然很想对他们大声叫喊，同他们对骂，冲他们吐舌头，戏弄他们，讥笑他们，哈哈大笑，哈哈大笑，哈哈大笑。

“您要么是疯了，要么是……”扎米托夫说着突然停住，好像被脑子里骤然闪过的念头给吓住了。

“要么？什么‘要么’？要么怎样了？快讲啊！”

“没什么！”正在气头上的扎米托夫回答说，“全是胡思乱想！”

两个人都沉默了。经过一阵突发的大笑之后，拉斯柯尔尼科夫忽然变得若有所思、忧郁起来。他的胳膊肘支撑在桌子上，一只手托着头。他仿佛完全忘记了扎米托夫。沉默持续了好长时间。

“您怎么不喝茶？要凉了。”扎米托夫说。

“哦？什么？喝茶？……好吧……”拉斯柯尔尼科夫拿起玻璃杯喝了一大口，又把一块面包放进嘴里。他看了一眼扎米托夫，突然好像什么都想起来了，好像猛醒过来：那一刻，他的脸上又恢复了最初那种讥笑的表情。他继续喝茶。

“最近这类诈骗案可太多了，”扎米托夫说，“就是前不久，我在《莫斯科新闻》上看到，在莫斯科逮捕了一大批假币制造者。他们是一个有组织的团伙，伪造钞票。”

“哦，这种事很久以前就有了！还是一个月前我就在报上看到过，”拉斯柯尔尼科夫平静地回答，“那么，照您看，这些人都是骗子了？”他冷笑着补充了一句。

“怎么不是骗子呢？”

“他们？他们都是孩子，一些бланбеки[①]，不是什么骗子！为了干这个事，他们纠集了整整五十个人哪！难道可以这样做吗？干这种事，三个人就已经多了，而且相互间还要非常地信任，要胜于相信自己！否则，一个人喝醉了，胡言乱语，泄露了秘密，那一切就都化为乌有了！都是些毛孩子！雇佣了一些不可靠的人去银行事务所兑换钞票：办这样的事情怎么能信赖初次谋面的人呢？且就假定这些毛孩子得手了，假定每个人都换来一百万卢布，那么，以后呢？一辈子怎么过呢？每个人一生都将和别人牵扯在一起了！还不如去上吊呢！其实，他们甚至连钞票也不会兑换：一个人到事务所去兑换，拿到了五千卢布，他的手就颤抖起来了。他只点了四千块，剩下的那一千，点也没点就收下了，他只想把钱放进口袋，快点逃离这里。这样，就引起了怀疑。一切都叫这个笨蛋给搞砸了！难道可以这样去干吗？”

“是说他的手发抖吗？”扎米托夫随着说，“不，这是可能的。不，我完全相信，这是可能的。有些时候是会挺不住的。”

①用俄文字母写出的法语：毛孩子。

“这也挺不住?”

“您难道能挺得住吗?不行,我可挺不住!就为得一百个卢布去干这么可怕的事!拿着假钞票——去哪儿呢?——到银行办事处去,那里的人是辨认假钞的能手哇,——不行,我会惊慌失措的。难道您不会慌乱吗?”

拉斯柯尔尼科夫忽然又非常想“吐舌头”。他的脊背一阵阵感到发冷。

“我决不会那样个做法,”他兜着圈子说,“我会这样去兑换:我要把开始数的一千卢布反复点上好几遍,每张都要仔细看过,然后再点接下来的一千卢布。等数到一半的时候,我会从中抽出一张五十卢布的,对着亮光看,然后反过来,再对着亮光照照——看是不是假钞?‘我担心,’我说,‘我有个亲戚不久前就因这个,损失了二十五个卢布。’接着我就把发生的事讲给他们听。当开始点第三个一千卢布的时候,我就说:‘哦,对不起,我觉得在点第二个一千卢布时好像在七百那里点错了,我很怀疑。’于是我就丢开第三个一千卢布,又去数第二个,——就这样数完五千卢布。全部数完后,我就从第五个一千卢布和第二个一千卢布中分别抽出一张钞票,再对着亮光照照,又疑惑地说:‘请换换。’——直到把那个办事员搞得满头大汗,不知道该怎样把我摆脱掉为止!最后,一切全都办完了,我就该走了,该打开门离开了吧——不,很抱歉,我又返回去了,问个什么问题,要个什么解释,——要是我的话,就会这么做!”

“嘿,瞧您说的多可怕呀!”扎米托夫笑着说,“这只不过是讲空话罢了,真要是让您去做的话,肯定栽跟头。告诉您吧,依我看，不要说是我和您，就是那些老于世故的、不顾死活的人也不能担保这种事一定能得手。远的不说，眼前就有一个例子：我们区有那么个老太婆被打死了。那个凶手好像是个亡命之徒，大白天地冒险干这种事，只是靠着奇迹才逃出去。即便是这样，他的双手还是发抖了，他连东西都没能抢走，已经挺不住了，从案情就能看得出……”

拉斯柯尔尼科夫像是受到了侮辱。

“能看得出！那你们怎么不去抓他呢，快去呀！”他幸灾乐祸地煽动着扎米托夫。

“当然会抓住他的。”

“谁？您吗？你们能抓住他？看您也是瞎蹦跶！你们主要是看这个人是不是在挥霍钱，要是他原来没什么钱，现在突然开始大肆挥霍，你们就会断定，就是这个人了。照这样，就是一个小孩子也会把您给骗了，只要他愿意的话！”

“可不，他们就是这样干的，”扎米托夫回答说，“一个人费尽心思杀了人，连命都豁出去了，可接着马上就到酒馆去挥霍，这样就给抓住了。正是在他们挥霍的时候才好抓他们。他们并不都像您那么有心计。要是您，自然是不会去酒馆的了，对吗？”

拉斯柯尔尼科夫皱起了眉头，凝神静气地看着扎米托夫。

“您好像是很贪心，还想知道，要是我的话，会怎么去做？”他不满意地问道。

“是想知道。”扎米托夫回答得很干脆，很认真。他说话的语气和看人的目光都变得非常严肃。

“很想吗？”

“很想。”

“那好吧，要是我的话，我就会这样去做，”拉斯柯尔尼科夫开口说，又突然把脸凑近扎米托夫的脸，盯着看他，像是在耳语。这次扎米托夫竟然战栗了一下，“我会这样做：我拿到钱和物品，就从那儿离开，哪儿也不去，赶快到一个只有围墙、几乎看不见人影的偏僻地方，一个菜园子或者别的这种地方。事先我就在这个园子里看好一块一普特或是一普特半重的石头，也许从建房子那天起这块石头就躺在围墙的某个角落里了。搬起这块石头，下面会有个小坑，我就把东西和钱都放在这个小坑里。放好后，我再把石头堆在上面，恢复原样，再用脚踩实，然后我就离开那儿。一年过去了，我不去拿，两年过去了，我还不会去拿，三年过去了，我也不会去拿。好啦，就让你们去找吧！一点儿线索也没有，事情就这么过去了！”

“您是疯子。”不知为什么扎米托夫也几乎耳语似的说道，也不知为什么他突然躲开了拉斯柯尔尼科夫。而拉斯柯尔尼科夫双眼闪光，脸色苍白得可怕；他的嘴唇抽搐了一下，颤抖起来。他弯下腰，尽可能地靠近扎米托夫，嘴唇又开始微微地动，但没发出一点儿声音。这样持续了半分钟。他知道自己在做什么，但是控制不了自己，就跟当时门钩在门上跳动一样，一句骇人的话此时也在他的嘴唇上跳动，眼看就要脱口而出了，眼看就要讲出来了，眼看就说出口了！

“要是我杀了那老太婆和丽莎维塔呢？”突然他说出了口，但马上就清醒了。

扎米托夫惊诧地看了看他，脸色煞白像块桌布，不自然地苦笑了一下。

“难道这可能吗?”他说,声音低得几乎听不见。

拉斯柯尔尼科夫恶狠狠地看了他一眼。

“您还是承认吧,您相信我说的话,对吗?说对了吧?”

“一点儿也不信!现在比任何时候都不相信!”扎米托夫急忙说。

“终于落网了!你们抓住了小麻雀。既然您现在‘比任何时候也不相信’,那么就是说,您以前是相信的,对吗?”

“不,完全不是!”扎米托夫喊道,显然感到局促不安,“您这么吓唬我,就是要得出这个结论吗?”

“那么,您不相信啰?可是,当初我离开警察局后,你们在背后议论我什么来着?为什么我突然晕过去后,波罗赫中尉还要盘问我?喂,你过来,”他站起身,拿起帽子对跑堂的喊道,“多少钱?”

“总共三十戈比。”跑堂的跑过来回答道。

“再赏给你二十戈比去买酒喝。瞧,有多少钱啊!”他把攥着几张钞票的发抖的手伸向扎米托夫,“红票子,蓝票子,一共二十五个卢布。哪儿来的?新衣服又是从哪儿来的呢?难道您忘了,我穷得一个戈比也没有哇!恐怕你们已经传讯过我的女房东了吧……哎呀,好啦!Assez causé[①]!...最愉快的再会……”

他出去了,一种发狂似的歇斯底里使他浑身发抖。这其中也掺杂着几分难以抑制的愉悦。不过,他又很郁闷,已经疲惫不堪

①法文:闲扯得够了——陀思妥耶夫斯基喜欢说的话之一,这是巴尔扎克的小说中一个人物伏脱冷说的话。

了。他的脸扭曲着,像是刚突发了一场大病似的。倦意越来越强地袭来。刚才他的劲头是突发的,是随着最初的刺激,随着最初的一股愤怒而涌出的,于是也随着这种感觉的减退而迅速减退。

扎米托夫独自一人留下后,在原地又坐了很久。他陷入沉思之中。拉斯柯尔尼科夫无意中把他有关某一点的全部思维搅得乱七八糟,也使他最终确定了自己的看法。

"伊里亚·彼得罗维奇——是个笨蛋!"他确认。

拉斯柯尔尼科夫刚打开酒店大门,在台阶上突然与正进来的拉祖米欣撞了个满怀。他们两个仅一步之隔,谁也没看见谁,脑袋都差点儿撞在一起了。两个人互相打量了两眼。拉祖米欣非常惊讶,但他的眼里突然闪现出了愤怒,真正的愤怒。

"哦,原来你在这儿呀!"他扯着嗓子大喊道,"你从床上溜走了!可我找你,甚至连沙发底下都寻遍了!还到阁楼上去找过!为了你,我差点儿没把纳斯塔霞揍上一顿……可你却待在这儿!我的罗季昂!这是什么意思!你给我说实话!你说呀!你听见了没有?"

"就是因为你们全都让我烦得要死,我只是想一个人待着。"拉斯柯尔尼科夫平静地说。

"一个人待着?可你还不能走动,脸还苍白得像块麻布,甚至连气都上不来呀!你这个傻瓜!……你到'水晶宫'里来做什么?你快给我招认!"

"让我走!"拉斯柯尔尼科夫说完,想从他身旁过去。这下可把拉祖米欣气坏了,他牢牢地抓住了他的肩膀。

"让你走?你还敢说'让我走'?你知道我现在要怎样对付你

吗？我要把你一把抱住，再把你捆起来，然后夹在胳肢窝下，带你回家，把你锁起来！”

“听我说，拉祖米欣，”拉斯柯尔尼科夫轻声说，显得非常平静，“难道你还没看出来，我不想受你的恩惠？何必要对那些……不领你情的人施恩呢？尤其是那些对此感到难受的人？我生病之初，你干吗要找到我呢？也许，我很乐于一死了之呢？怎么，难道我今天向你表白得还不够明白吗，你在折磨我，我……讨厌你！你真是的，何必要折磨别人呢！我老实告诉你，你干的这一切严重妨碍我恢复健康，因为你老是不停地惹我生气！看在上帝的分上，你也该住手，别再缠我了！再说，你还有什么权利强行阻拦我呢？难道你看不出，我现在说话头脑完全清楚吗？我该怎样才能，请你教给我，我该怎样才能让你不再纠缠我，不再施恩给我呢？就算我是个忘恩负义的家伙，就算我天生下贱好了，只是请你们大家别再缠着我了，看在上帝的分上，别缠我了！别再缠我了！别缠我了！”

刚开始说的时候，他还很平静，甚至对自己已准备好倾泻的那些恶毒的话，事先就感到沾沾自喜，可是说到最后，他却变得狂怒起来，气喘吁吁，就跟不久前同卢仁讲话时一样。

拉祖米欣站着想了想，就放开了他的手。

“你见鬼去吧！”他小声地，差不多是若有所思地说。“站住！”拉斯柯尔尼科夫刚起身，他突然怒吼起来，“听我说。我现在向你宣布，你们这些人全都是些饶舌吹牛皮的专家！遇上一点点痛苦，你们就像下蛋的母鸡一样瞎咯咯！就连这，你们也是鹦鹉学舌。在你们身上半点独立生活的能力都找不到！你们这些人都是鲸蜡软膏捏出来的，身体里流的不是血而是乳浆！你们这种人，我谁也不相信！在任何情形下你们要做的头一件事，就是不能有人样！站——住！”他发现拉斯柯尔尼科夫又要走，越发愤怒地吼叫起来，“你要听我说完！你知道，今天大家准备在我那儿庆贺乔迁之喜，很可能他们现在已经到了。方才我把舅舅留在家里招待客人，自己却跑来看你。要是你不是个傻瓜，不是个庸俗的傻瓜，不是个十足的蠢材，不是个假洋鬼子……罗佳，你也看得出，我认为你是个聪明人，可你却要装成个傻瓜！要是你不是个傻瓜，那今天你最好到我那儿去，过上一夜，这总比白白磨你的鞋底强吧。既然你已经出来了，那也只好这样！我会替你去搞几把软和的沙发椅，我房东那儿有……喝喝茶，凑凑热闹……再不行的话，我会让你躺在长沙发上，反正是在我们中间躺着，消磨时间罢了……而且，佐西莫夫也要去。你来吧，好吗？”

“不好。”

“你在胡说！”拉祖米欣不耐烦地喊道，“你知道为什么会这样吗？因为你都不能对你自己负责！关于这个，你一点儿也不懂……我上千次这样子跟人吵过，事后又跑回去……感到惭愧——又返回去找那个人！好了，记住，波钦科夫公寓，三楼……”

“拉祖米欣先生，你这样乐善好施，准得招来别人一顿痛打。”

“痛打谁？痛打我！谁异想天开，看我不拧下他的鼻子！波钦科夫公寓，四十七号，官员巴布什金家……”

“我不会去的，拉祖米欣！”拉斯柯尔尼科夫转身就走了。

“我敢打赌，你肯定会来的！”拉祖米欣追着向他喊道，“要是敢不来……我就再也不理你了！喂，等等！扎米托夫在里面吗？”

“在里面。”

“你看见他了？”

“看见了。”

“说话了吗？”

“说了。”

“说什么了？算了，去你的吧，不用说了。波钦科夫，四十七号，巴布什金家，记住！”

拉斯柯尔尼科夫走到花园街拐了弯。拉祖米欣若有所思地望着他的背影，最后挥了挥手，走进了房子，但是走到楼梯中间又停下了。

“真该死！”他仍在想，差点儿说出声，“他说起话来倒是头头是道，可是好像……我不也是个傻瓜吗！疯子说话不也会头头是道吗？我觉得，佐西莫夫担心的就是这个！”他用手指敲了敲脑门，“那么，要是……现在怎么能放他一个人走呢？说不定，他会投水自杀……咳，我太大意了！不行！”于是他又跑回去追拉斯柯尔尼科夫，可是已经踪影全无。他啐了一口，随后快步返回“水晶宫”，忙着去问扎米托夫。

拉斯柯尔尼科夫一直走到某座桥上[①]，站在桥中部的栏杆旁，两条胳膊支在了上面，眺望着河面。跟拉祖米欣分手后，他已虚弱到了极点，好不容易才走到这里来。他真想就在大街上随便哪儿坐下或是躺下。他俯身在水面上，机械地看着落日绯红的余晖，看着一排排被暮色渐渐笼罩的房屋。河左岸，远远地有一家

①指沃兹涅先斯基桥。

顶楼的窗户在夕阳刹那间的火光中闪现；运河暗下来，他仿佛很专心地凝视着这片水。最后，一些红色的圆环在他眼前旋转起来，房子、行人、堤岸、马车都在走动。周围所有的一切都旋了起来。突然他战栗了一下，可能是一种古怪离奇的幻象救了他，才没有昏厥过去。他感觉有个人在他身旁，在右边，与他并排站着；他一看是个女人，高高的，围了头巾，一张又黄又瘦的长方脸，一双微红的、深陷的眼睛。她直勾勾地望着他，可是，显然她什么也看不见，谁也认不出。忽然她用右臂扶在栏杆上，抬起右腿，跨过栏杆，然后，左腿再跨过去，纵身跳进了运河。污浊的河水被劈成两半，刹那间将她吞没了，但过了片刻，那个投河的女人又浮到水面上来，顺流而下缓缓漂去，头和腿泡在水里，背朝上，裙子在水面上鼓起来，像个枕头似的隆得老高。

“一个女人投河了！一个女人投河了！”几十个声音叫喊起来；人们都跑拢来，河两岸站满了看热闹的。在桥上，拉斯柯尔尼科夫的周围，聚集了一大群人，在他后面挤来挤去。

“天哪，这不是我们的阿芙罗辛纽什卡吗！”从不远处传来一个女人哭哭啼啼的喊声，“先生们，快救救她呀！好心的先生们，把她救上来呀！”

“叫小船来！”“叫小船来！”人们七嘴八舌地嚷道。

不过已不需要小船了，一个警察跑下台阶，跑到运河边，甩掉身上的大衣、靴子就跳进水里。没费多大劲，投河女人已经被水冲到离斜坡只有几步远的地方，他右手抓住她的衣服，左手拽住一个同事递过来的竿子，马上就把人拖了出来。人们把她放在斜坡上的花岗岩石板上。她很快就醒过来，支起身子，坐了起来，又是打喷嚏又是嗤鼻子，毫无意义地想用手擦干湿漉漉的衣服。她一句话也不说。

“她醉得厉害，天哪，都糊涂了，”刚才那个女人已经站在阿芙罗辛纽什卡的旁边，哭着说，“前些天她上过吊，还是从绳套里救下来的呢。刚才我到小铺去，留下个小丫头看着她，瞧，一会儿就出事了！她是个小买卖人，哎，一个小贩，就住在附近，从边上数第二幢房子，喏，就在那儿……”

人群渐渐散去，警察还在为投河的女人忙碌着，有人提到了警察局……拉斯柯尔尼科夫看着这一切，一种古怪的冷漠而无动于衷的感受左右着他。他觉得厌恶。“不，真卑鄙……投河……不值得，”他嘟囔道，“不会有什么结果的，”他又加了一句，“毫无用处。这是怎么回事，警察局……为什么扎米托夫不在警察局里？九点来钟，警察局该是办公的……”他转过身，背对着栏杆，朝四处望了望。

“好吧！就这么着！”他果断地说。于是，他离开那座桥朝着警察局的方向走去。他的心里又空虚又凄凉。什么也不想考虑，甚至连忧虑也没有了，就连他出门时要“把一切搞定”的那股毅力也没了踪影，完全被冷漠所取代了。

“好吧，这就是结局！”他想，沿着河岸他缓慢地、无精打采地走着。“反正，我要结束这一切，因为我想这样……结局，这算结局吗？反正都一样！有一俄尺大的地方就够了，嘿！可是，就这么完了吗？难道就完了吗？我是告诉他们，还是不告诉呢？唉……真见鬼！再说我可是累了：要是能赶快找个地方躺下，或是坐下就好了！最叫人难堪的是，太不高明了。不过这也不管它了。

呸，脑袋里尽是些愚蠢的想法……”

到警察局去，只要一直往前走，然后在第二个转弯处向左拐，警察局就近在咫尺了。但是，当他走到第一个转弯处时，他停住了，想了想，拐进了一条小巷，绕了一大圈，穿过了两条大街。也许他这样做毫无目的，也许是想再拖延哪怕一分钟，再赢得一点儿时间。他眼盯着地面往前走着。突然，好像有人在他耳边低语。他抬起头来，发现他正站在那幢房子的大门口。从那天起，他就没再来过这儿，也没打旁边经过。

一种难以抗拒的、无法理解的欲望吸引着他。他走进了这幢房子，穿过大门洞，然后进入右边第一个入口，顺着熟悉的楼梯向四楼走去。又窄又陡的楼梯上黑洞洞的。每到一个楼层，他都要停下脚步，好奇地打量一番。一楼楼层的窗扇已经全都卸了下来。“当时可不是这样的。”他想。瞧，这是二楼的那套住房，尼古拉什卡[1]和米季卡就在这儿干过活。“已经锁上了，门是新刷过油漆的，准是要出租。”瞧，这是三楼……这是四楼……“就是这里！”他感到莫名其妙：这套住房的门大开着，里面有人，可以听见他们说话的声音，这是他无论如何也没料到的。稍微踌躇了一下，他迈上最后几级台阶，走了进去。

这房子也在重新装修，里边有工人。这似乎令他吃惊。不知为什么他感觉现在看到的必定还是上次临走时的样子，甚至连尸体都可能还在原处，躺在地板上。可如今见到的，是光秃秃的墙壁，什么家具也没有。真奇怪！他走到窗前，坐到了窗台上。

屋子里总共就两个工人，都是年轻小伙子，一个年龄大一些，

①尼古拉的爱称。

另一个比他年轻得多。他们正在用带紫花的白色新墙纸裱糊墙壁，代替原来那破旧不堪的发黄了的墙纸。不知何故，拉斯柯尔尼科夫一点儿也不喜欢这些，他仇视地看着这新墙纸，好像看见一切发生了变化，觉得很遗憾。

这两个工人显然是干活耽搁了，此刻正匆忙卷起纸，准备回家。拉斯柯尔尼科夫的出现几乎没引起他们的注意。他们正谈着什么。拉斯柯尔尼科夫双手抱在胸前，仔细听他们说话。

“不久前，她一大早就来找我，”年长的工人对年轻的说，“很早很早，浑身穿得漂漂亮亮。我说：‘你在我面前干吗这么打扮，这么卖俏？’她回答说：‘季特·瓦西里奇，从现在起，我全听您的了。’事情就是这样！她打扮得花枝招展：就像画报上的一样，简直跟画报上的一模一样！”

“大叔，画报是什么？”年轻的问。显然，他拿这位“大叔”当师傅。

“画报吗，小老弟，就是那种彩色图画，每个礼拜六都从国外邮寄给这儿的裁缝，里面告诉你，什么样的人该穿什么样的衣服，男人穿什么样的，女人穿什么样的。也就是画样儿。男人大多是穿腰部打褶的大衣，女人嘛，都是些花里胡哨的，衣服那个漂亮劲儿，简直没法说了。”

“彼得堡什么东西没有哇！”年轻工人神往地叹道，“除了买不到娘、老子，什么都有！”

“除了他们以外，老弟，什么东西都可以找到。”年长的工人用教训的口吻肯定地说。

拉斯柯尔尼科夫起身，走进另一个房间，那里以前摆着小箱子、床、五斗柜。他觉得，没有了家具，这间屋子显得小极了。墙纸还是原来的，墙角以前放神龛的地方，现在留下了清晰的印痕。他看了看，就又回到刚才他待过的那扇窗户前。年长的工人斜眼打量着他。

“您有什么事？”工人忽然向他问道。

拉斯柯尔尼科夫站起身，没有回答。他走到过道里，抓住门铃拉了一下。还是那个门铃，还是那个洋铁匣声音！他又拉了第二次、第三次；他倾听着，回忆着。那天那种痛苦、可怕、丑恶的感觉又非常清晰、生动地重现在他的脑子里。门铃每响一下，他就颤抖一下，可他的心里却越来越愉快了。

“你到底要干什么？你是什么人？”那个工人走到他面前，大声质问。拉斯柯尔尼科夫却又返回房间里去了。

“我想租套房子，”他说，“我现在瞧瞧。”

“晚上不是租房子的时候；再说，你该跟看门的一块儿来！”

“地板已经擦干净了，还要涂油漆吗？”拉斯柯尔尼科夫接着说，“血迹没有了吗？”

“什么血迹？”

“有个老太婆和她妹妹被人杀死了。这里本来有一大摊血。”

“你是干什么的？”那个工人不安地喊道。

“我？”

“对，就是你。”

“你想知道？……咱们一起去警察局吧，我在那儿告诉你。”

两个工人莫名其妙地望着他。

“咱们该走了，已经晚啦。走吧，阿廖什卡。应该把门锁上。"年长的那个工人说。

"那么咱们走吧!"拉斯柯尔尼科夫冷冷地接了一句,就先走出去了,慢腾腾地下楼。"喂,看门的!"走到大门口时,他喊了一声。

有几个人正站在这幢房子临街的入口处,望着来来往往的行人。他们是两个看门人,一个乡下女人,一个穿长衫的小市民,还有其他几个。拉斯柯尔尼科夫径直走到了他们跟前。

"您有什么事?"其中的一个看门人问。

"你去过警察局吗?"

"刚去过。您有什么事?"

"那儿还在办公吗?"

"是的。"

"副局长在那儿吗?"

"他去过那儿。您有什么事?"

拉斯柯尔尼科夫没回答,只是站在他身旁思索着。

"他来看房子。"年长的那个工人走过来说道。

"哪套房子?"

"我们干活的那套。他说:'为什么把血迹都洗掉了?这里发生过凶杀案,我是来租房子的。'然后他就开始拉门铃,险些把绳子都拉断。他还说:'咱们一起去警察局,在那儿我会统统讲出来。'他一直缠着我们。"

那个看门人疑惑地皱起眉头,上下打量着拉斯柯尔尼科夫。

"你到底是干什么的?"他有些凶狠地质问道。

"我叫罗季昂·罗曼诺维奇·拉斯柯尔尼科夫,以前是个大学生，现在住在希尔公寓[1]第十四号房，就在这儿的小巷里，离这里不远。你去问看门的……他认识我。”拉斯柯尔尼科夫懒洋洋地、若有所思地说着，没看任何人，只是凝视着黑魆魆的街道。

“您到那套房子里去干什么？”

“看看。”

“那儿有什么好看的？”

“把他抓起来，送到警察局去算了？”那个小市民突然插嘴说，说罢又不做声了。

拉斯柯尔尼科夫回过头去，斜眼瞅着他，专注地打量了一番，然后用同样微弱和懒洋洋的声音说：

“咱们走吧！”

“干脆就把他带走！”那个小市民越发壮了胆，接着说道，“为什么他要提到那件事？他在想什么？嗯？”

“天知道，他是不是喝醉了。”那个工人嘟囔道。

“你到底有什么事？”那个看门人又喊了一句，他当真开始发怒了，“你干吗老在这儿纠缠不清？”

“害怕上警察局了吧？”拉斯柯尔尼科夫讥讽地说。

“怕什么呀？你干吗纠缠个没完？”

“骗子！”那个乡下女人喊道。

“跟他有什么好说的，”另一个看门人喊道，这是一个身材粗

①在彼得堡，希尔有好几处宅子，其中的一处坐落在小海洋街和沃兹涅先斯基大街的转角处，陀思妥耶夫斯基1847—1849年就住在这里，1849年4月23日，他就是在此被捕的。在19世纪20—30年代，希尔还拥有木匠巷中的一处房产（今普尔热瓦尔斯基街9号），这幢房子的正对面，就是陀思妥耶夫斯基写作《罪与罚》时所住的阿隆金公寓。——俄编注

壮的庄稼汉，外套敞开着，腰带上挂了一串钥匙。“滚！……真是个骗子……滚！”

他一把抓住拉斯柯尔尼科夫的肩膀，把他摔到了大街上。拉斯柯尔尼科夫险些跌个倒栽葱，好在没摔倒，他直了直腰，默默地瞅了瞅所有的旁观者，就往前走了。

“怪人。”那个工人说。

“现在的人们都变得怪了。”那个乡下女人说。

“还是应该把他送到警察局里去。”那个小市民加了一句。

“没必要理他。”那个粗壮的看门人断然说，“地地道道的骗子！把他送到警察局，他正求之不得呢，真要是跟他扯到一起，就甩不掉了……这点我们还是知道的！”

“到底是去，还是不去呢？”拉斯柯尔尼科夫想。他在马路当中的十字路口停下，四下里张望，好像在期待有个人替他做出最后决定似的。可是，四周一点儿反应也没有。一切都悄无声息、死气沉沉的，就像他踩着的石头一样。一切都死了，对他来说，对他一个人来说……突然，在远处，离他两百来步，街的尽头，在渐浓的暮色中他看到了一群人，听见他们谈话和叫喊的声音……这群人中间停着一辆轻便马车……大街中间闪烁着灯光。“什么事？”拉斯柯尔尼科夫往右一拐，朝人群走去。他似乎什么事都想过问，想到了这个，他冷冷一笑，因为他已决心要去警察局了，他非常清楚，一切即将结束了。

第七章

马路中央停着一辆套着两匹灰色烈马的豪华型四轮马车，车上没有乘客，马车夫也已从座位上下来，站在马车旁，有人抓住了马的缰绳。四周聚集着许多人，挤在最前面的是几个警察。其中一人手提着点燃着的灯笼，弯下腰，去照马路上车轮旁的什么东西。人们纷纷议论着，叫嚷着，叹息着。马车夫则一脸茫然的神色，不住地嘟哝着：

“真倒霉！上帝呀，真倒霉！”

拉斯柯尔尼科夫尽量朝人群中挤去，终于看到是什么引起人们的骚动和围观。地上躺着一个刚刚被马踩伤的人，显然已经昏迷过去。尽管他穿着破旧，但服饰仍然带有“贵族气派”。这人浑身是血，脸上、头上都在流血；脸被轧坏，轧破，变了形。看来伤势十分严重。

“我的天哪！”马车夫哭诉道，“这叫人怎么能提防得了呢！要是我赶车太快，或是没有冲他喊，那算是我的过错，可我赶车不慌不忙，平平稳稳，大家都瞧见，我赶车赶得跟人家一样。喝醉的人是不会点灯的，这大家都清楚！……我看见他踉踉跄跄地穿过马路，差点儿摔倒，就喊叫起来。我喊了一次，又喊了一次，喊到三次便勒住了马。可他却径直倒在了马蹄下面！假使不是他存心这么做，那肯定是喝得烂醉如泥了……马还小，容易受惊，猛地一拉，他惊叫起来，马就更使劲拽……就这么闯下了大祸。”

“确实是这么回事！”人群中有人作证道。

“他喊过，这是事实，喊了三次。”另一个人附和道。

“的确喊了三次，大伙儿都听见的！”又有人叫道。

其实，马车夫并没有十分沮丧和害怕。显而易见，车主是个相当有钱有势的人，他正在某处等候着这辆马车。警察们当然也非常关心如何处理好这场车祸。现在，必须先把这个受伤的人送到警察局，然后再送到医院。谁也不知道他的名字。

这时，拉斯柯尔尼科夫挤了进去，弯腰凑近。突然灯光照亮了不幸者的脸，拉斯柯尔尼科夫认出了他。

“我认识他，我认识他！”他一边叫喊一边挤到了最前面，“这是退职的九等文官马尔梅拉多夫！他就住在这儿，在附近科泽尔的楼房里……快去请医生！我付钱。”他从口袋里掏出钱，给一个警察看了看。他此刻心情非常紧张。

几个警察很满意，因为得知了伤者的姓名和身份。拉斯柯尔尼科夫也报出了自己的身份和住址。仿佛自己的生父受了伤似的，他竭力劝说警察把昏迷不醒的马尔梅拉多夫抬回家去。

“就在这儿，走过三幢房子就到了，”他急急忙忙地说着，“就是那个有钱的德国人科泽尔的楼房……他刚才大概喝得烂醉，打算回家去。我认识他……他是个酒鬼……那儿住着他的一家人，妻子，孩子们，有一个女儿。有送医院的工夫，不如在这儿，这楼里就有一个医生！我来付钱，我付钱！……还是由自己人照顾好，他立刻会得到救治，要不然没等到医院就会死的……”

他甚至悄悄地把钱塞到了警察手里。其实，事情明摆着，是合情合理的。不管怎样，应该就近医治。受伤的人被抬了起来，大伙儿都来相帮。科泽尔的楼房就在三十步以外。拉斯柯尔尼科夫紧紧跟上，小心翼翼地托着他的头，指点着道路。

“往这边走，往这边走！上楼时应该头朝上，你们转一下……对，就这样！我会付钱的，我谢谢你们啦。”他嘟哝着。

卡捷琳娜·伊凡诺芙娜像往常一样，有点儿空闲，立刻两臂交叉抱在胸前，在自家小屋的窗口到炉子之间来回踱步，一面自言自语，一面不停地咳嗽。近来她常与自己的大女儿、十岁的波莲卡说话，女儿尽管有许多事情还不懂，但清楚地知道母亲需要她，因此总是瞪着一双聪慧的大眼睛望着母亲，竭力装出一副完全懂得的模样。这时，波莲卡正在给弟弟脱衣服，因为他一整天病恹恹的，得让他卧床睡觉。小男孩一声不吭地坐在椅子上，等着给他脱衬衫，因为夜里要洗这件衬衫。他一本正经的样子，挺直身子，一动不动地坐着，两腿也直伸，脚跟靠拢，脚尖分开。他正在侧耳听妈妈与姐姐的谈话，撅着小嘴，瞪着眼睛，纹丝不动，正是聪明孩子临睡前等人脱衣的姿势。有个比他还小的女孩，穿得破烂不堪，正站在屏风旁，等着轮到给她脱衣服。通往楼梯的屋门敞开着，这样多少能散发掉一些其他房里飘来的浓重的烟味。这烟雾常常呛得害肺病的可怜女人久咳不止，痛苦万分。这一个星期里，卡捷琳娜·伊凡诺芙娜好像更瘦了，脸颊上的潮红也比以往更鲜艳。

“你不会相信，你也无法想象，波莲卡，”她一边来回走动，一边继续说道，“我们住在老爷子家里时是多么快活，多么舒适。这个酒鬼毁了我，也毁了你们！老爷子是个上校文官[1]，眼看就要当上省长；他只差这么一步，因此许多人都前来对他说：‘伊万·米哈伊雷奇，我们已经把您看做省长了。’当时我……咳咳！当时我……咳——咳——咳……啊，可恶的生活！”她叫嚷着，双手抓住胸口，想把痰咳出来。“当时我……在最后一次舞会上……那是首席贵族[2]的家里，别泽麦尔娜娅公爵夫人看见了我。后来我嫁给你父亲时，波列娅[3]，她还为我祝福呢。她见了我立刻问道：‘那是不是毕业典礼上跳过披巾舞的可爱的姑娘？’……（“破洞应该补好。你马上去把针线拿来，按照我教你的方法补起来，要不然明天……咳咳！明天……咳——咳——咳！……破洞就会更大！”她吃力地说道）……当时还有刚从彼得堡来的宫廷侍从谢戈尔斯基公爵……他同我跳了个玛祖卡舞，想第二天就前来求婚，被我婉言拒绝了。我告诉他，我早已有了心上人。波列娅，这个心上人就是你的父亲。老爷子为此大为恼火……水准备好了吗？嗯，把衬衫拿来。袜子呢？……莉达，”她对小女儿说，“今晚你不要穿衬衣睡觉，将就一下吧……把袜子也放在旁边……一块儿洗……这个叫花子，酒鬼，怎么还不回来！他把衬衫穿得像块

①俄国的文职上校，相当于四等文官，但只能当副省长。

②俄国省与县贵族会议的首席贵族。

③上文的波莲卡，都是波丽娜的小名。

抹布，全都破啦……最好放在一起洗了，免得连着两天受这份罪！天哪！咳咳，咳咳！又咳个不停！这是怎么回事啊？”当她瞥见过道里有一大群人，又见人们抬着什么东西走进她的房间，便大叫起来，“这是怎么了？抬的什么呀？天哪！”

“放在哪儿？”当人们把满身血迹、昏迷不醒的马尔梅拉多夫抬进屋来，一个警察四下打量着问道。

“放在沙发上！直接放在沙发上，头朝这儿。”拉斯柯尔尼科夫说。

“他在街上被轧伤了！喝醉了！”有人在过道里嚷道。

卡捷琳娜·伊凡诺芙娜愣住了，脸色煞白，呼吸困难。孩子们都吓坏了。小莉多奇卡[1]惊叫了一声，扑向波莲卡，抱住她，浑身直打哆嗦。

把马尔梅拉多夫放下以后，拉斯柯尔尼科夫便跑到卡捷琳娜·伊凡诺芙娜的跟前。

“看在上帝的分上，您得冷静些，不要惊慌！”他急切地说道，“他在穿马路时，被一辆马车轧伤了，别担心，他会醒来的。我叫他们抬到这儿来的……我来过你们家，您记得吗……他会醒过来的，我来付钱！”

“他算达到目的啦！”卡捷琳娜·伊凡诺芙娜绝望地叫了一声，朝丈夫扑去。

拉斯柯尔尼科夫很快就发现，她可不是那种一吓就晕过去的女人。立刻，伤者头下出现了一只枕头，这是谁也没想到的。卡捷琳娜·伊凡诺芙娜开始给他解衣服，查看伤势，她忙碌着，并未

①莉达的爱称。

慌乱。她忘却了自己的痛苦，紧咬抖动的嘴唇，抑制着胸腔里喷涌欲出的号叫。

与此同时，拉斯柯尔尼科夫求了一个人去请医生。医生原来就住在隔一栋楼的房子里。

“我已叫人去请医生了，”他强调地对卡捷琳娜·伊凡诺芙娜说，“别担心，我来付钱。有没有水？……给我一条餐巾，毛巾，什么都行，快点。还不知道他伤势如何……他是受了伤，不会死的，请您放心……看医生怎么说吧！”

卡捷琳娜·伊凡诺芙娜向窗口奔去，那个角落里一张破椅子上放着盛满水的大瓦盆，这是夜里给孩子和丈夫洗内衣用的。卡捷琳娜·伊凡诺芙娜每周至少有两次得在夜里洗衣服，有时次数更多，因为他们几乎没有可替换的，家里每个人都只剩一件内衣。卡捷琳娜·伊凡诺芙娜不能容忍肮脏。她宁愿深更半夜家人睡下以后，干这种力不从心的重活，累得筋疲力尽，到天亮时要晾干挂在绳子上的内衣，让他们穿得干干净净，绝不愿看到家里脏兮兮的。她按照拉斯柯尔尼科夫的要求，把瓦盆端了过来，可差点儿没连盆一起摔倒。拉斯柯尔尼科夫也已找到了毛巾，弄湿后开始替马尔梅拉多夫擦洗满是血迹的脸。卡捷琳娜·伊凡诺芙娜站在一旁，双手抓住胸口，痛苦地喘着粗气。她自己也需要人的照料呢。拉斯柯尔尼科夫这才意识到，他劝人们把这个受伤的人抬到这里来，也许并非上策。一个警察也同样手足无措地站在一旁。

“波列娅！”卡捷琳娜·伊凡诺芙娜叫道，“快去找索尼娅，快去。要是她不在家，你就告诉邻居一声，说父亲被马踩伤了，叫她一回家……就马上来这儿。快去,波列娅!喏,戴上头巾!”

“快跑!”坐在椅上的小男孩突然喊了一声,接着重新又像刚才那样,一声不吭、挺直身子坐在椅子上,瞪着两眼,向前伸着腿,叉开脚趾。

这时,屋里挤得水泄不通。警察走了,只留下一人暂且看守。他正在尽力把楼梯上挤来观看的人赶回楼梯口。然而,从里面的几间屋子里,莉佩韦泽太太的房客们却几乎倾巢出动,起初只堵在门口,后来却成群挤进屋子。卡捷琳娜·伊凡诺芙娜气得发狂。

“起码让人死个安静吧!”她冲着这帮人叫道,“看什么热闹哇!还抽烟!咳——咳——咳!还想不摘帽子就进来吧!……真有个戴帽子的……出去!就是对死人也得尊敬些呀!”[①]

一阵剧烈的咳嗽憋得她喘不过气来,但她的恐吓却很起作用。显然,他们甚至有点儿惧怕卡捷琳娜·伊凡诺芙娜。房客们怀着一种莫名其妙的满足心情,一个接一个挤着退到房门口。这种内心的满足,甚至常出现在遭遇不幸者的亲朋好友身上,无一例外,尽管他们的怜悯与同情是发自肺腑的。

不过,门口倒有人在议论,说应该送到医院去,不该留在这儿平白无故地打扰大家。

“总不该看他死吧!”卡捷琳娜·伊凡诺芙娜冲了过去把房门完全打开,准备狠狠地痛骂他们一顿,但在门口正好撞上了房东莉佩韦泽太太,她刚听说这个不幸的消息,赶紧跑来维持秩序。这是一个生性好斗,做事没有条理的德国女人。

---

①俄国习俗,戴帽子穿大衣进屋,是不礼貌的。

“哎哟，我的上帝呀！”她两手举起一拍，“您那酒鬼丈夫给马猜(踩)啦！送他上医院！我是房东！”

“阿玛丽娅·柳德维戈芙娜！我请您想一想，您所说的话，”卡捷琳娜·伊凡诺芙娜口气傲慢地说道(她与房东太太说话时，向来用这种傲慢的口气，为的是让后者“记住自己的身份”，甚至此刻她也不想失去这份快感)，“阿玛丽娅·柳德维戈芙娜……”

“我要告诉您记住，永远不须(许)叫我阿玛丽娅·柳德维戈芙娜；我叫阿玛丽·伊万！”

“您不叫阿玛丽·伊万，您叫阿玛丽娅·柳德维戈芙娜[①]。因为我不是列别贾特尼科夫先生那种给您溜须拍马的下流坯，此刻他正在门外嘿嘿笑呢(门外确实响起了笑声和叫喊：‘又吵起来啦！’)，所以我永远要叫您阿玛丽娅·柳德维戈芙娜，尽管我压根儿不明白，您为什么不喜欢这个名字。您自己也瞧见了，谢苗·扎哈罗维奇出了车祸，快要死了。我请您马上把门关上，别让任何人进来。至少让他死个安静！要不然，您得明白，明天总督大人就会知道您的所作所为。我还是小姑娘的时候，公爵就认识我，现在也还记得谢苗·扎哈罗维奇，多次帮助过他。大家都知道，谢苗·扎哈罗维奇有许多朋友和靠山；只是出于高尚的自尊心，他疏远了这些人，自己也意识到了这个倒霉的弱点。但是现在(她指着拉斯柯尔尼科夫)，有一个慷慨的年轻人来帮助我们了。他有钱又有关系，谢苗·扎哈罗维奇从小就认识他，您放心吧，阿玛丽娅·柳德维戈芙娜……”

---

①阿玛丽娅是德国人，她想把自己说成俄国人，所以将父称改为伊万(即伊万诺芙娜)。因此卡捷琳娜批驳她。

这番话说得像连珠炮，而且越说越快。然而一阵剧烈的咳嗽打断了卡捷琳娜·伊凡诺芙娜那滔滔不绝的宏论。这时，垂死的人苏醒过来，发出了呻吟。她立刻跑到他身旁。受伤的人睁开眼睛，但还认不出人，也还懵懵懂懂，只是打量俯身看他的拉斯柯尔尼科夫。伤者呼吸困难，气息缓慢而又微弱，嘴角上淌着鲜血，额头渗出汗珠。因为认不出拉斯柯尔尼科夫是谁，他开始不安地转动着眼珠。卡捷琳娜·伊凡诺芙娜忧愁而又严肃地望着他，眼里簌簌滚下了泪水。

"我的上帝呀！他的前胸全轧坏了！血！血！"她绝望地叫道，"得把外衣全脱下来！如果你能动，谢苗·扎哈罗维奇，稍稍侧点身子。"她大声对他说。

马尔梅拉多夫认出了她。

"去请神父！"他用嘶哑的嗓音说。

卡捷琳娜·伊凡诺芙娜退到窗前，额头抵着窗框，绝望地喊道：

"啊，可恶的生活！"

"去请神父！"沉默了片刻之后，垂死的人又一次开口说。

"已经去请了！"卡捷琳娜·伊凡诺芙娜大声对他说道。听到这一回答，他便不做声了。他用怯懦忧郁的目光搜寻她。她又走到他身边，站在枕头旁。他平静了一会儿，但时间不长。很快目光又落到了小莉多奇卡(他的爱女)身上。她正站在墙角，浑身像发疟疾似的哆嗦，一双惊奇而又天真的眼睛正呆呆地望着他。

"啊……啊……"他不安地指着女儿，想说点什么。

"还有什么？"卡捷琳娜·伊凡诺芙娜大声说。

“她光着脚！光着脚！”他嘟哝着，浑浊的目光望着女孩的脚。

“别说啦！”卡捷琳娜·伊凡诺芙娜恼怒地叫道，“你自己也知道她干吗光着脚！”

“谢天谢地，医生来啦！”拉斯柯尔尼科夫欣喜地叫道。

医生是个穿着整整齐齐的德国老头儿。他神色疑惑，四下环顾着走了进来。走到伤者跟前，听了听脉，仔细地检查了一下头部，又由卡捷琳娜·伊凡诺芙娜帮着，解开满是血的衬衫，露出伤者的胸膛。整个胸部都被轧坏了，血肉模糊，不成样子。右胸的几根肋骨也被踩断了。左胸，就在心脏的上面有一大块致命的泛黄的伤口，这是马蹄踩过的痕迹。医生皱起了眉头。警察告诉他，这个受伤的人卷到车轮底下，被马车拖了三十来步远。

“奇怪的是，他怎么还会苏醒过来。”医生悄悄地对拉斯柯尔尼科夫说。

“您看怎样？”他问道。

“马上就会死的。”

“难道没有什么希望吗？”

“没有！这是最后几口气了……况且头上的伤势也很危险……嗯，或许可以放血……但是……这也于事无补。他只能维持五分钟或者十分钟。”

“那您最好还是放放血吧！”

“好吧……不过，我得先告诉您，这根本是于事无补的。”

就在这时，又响起了一阵脚步声，过道上的人群朝两边闪开，门口出现了一个拿着备用圣餐的神父。他是一个头发花白的老头儿。还在来这儿之前，警察就派人去请他了。医生立刻让座给他，并意味深长地跟他交换了一个眼色。拉斯柯尔尼科夫恳请医生再待一会儿。医生耸耸肩，留了下来。

所有的人都往后退去。忏悔仪式一会儿就结束了。垂死的人恐怕也未必清楚这是怎么回事。他只是断断续续地发出些含混的声音。卡捷琳娜·伊凡诺芙娜抓住莉多奇卡，从椅子上拽下了小男孩，拉着他们退到墙角的壁炉前。她跪了下来，并让孩子们跪在她的前面。小女孩只是一个劲儿发抖，男孩则裸露着两个膝盖跪在地上，不慌不忙地举起小手，画了一个完整的十字，额头点地磕了头。显然，这一切使他感到十分有趣。卡捷琳娜·伊凡诺芙娜紧咬嘴唇，强忍着泪水；她也在祷告，偶尔把小男孩身上的衬衫拉拉直，又及时在女孩裸露的肩上披了一条从五斗柜里拿出来的围巾。她一直跪着，嘴里不停地祷告。这时，通往里面房间的几扇门又一次被好奇的人们打开。过道里，看热闹的人和从楼梯上下来的房客们越来越多，挤得水泄不通，但是，他们都没有跨进屋子。只有一支残烛映照这一切。

此刻，跑去找姐姐的波莲卡匆匆地从过道里的人群中挤了出来。她走进屋子，奔得上气不接下气，一面摘头巾，一面用目光寻找母亲，接着走到母亲的跟前，对她说："她来了！我在街上碰到了她！"母亲拉着她跪在自己的身边。人群中一个姑娘悄悄地怯生生地挤了过来。她突然出现在这间屋子里，出现在贫困、褴褛、死亡和绝望之中，令人好生诧异。她同样穿着破烂衣服，是些廉价货，但都是按照街头妓女的方式打扮的，符合这一特殊阶层的爱好和习惯，且带有赤裸裸的可耻目的。索尼娅在过道的门边停住脚，没有跨步进来。她茫然地望着，像是毫无意识，也完全忘记自己穿着那件转手买来的花缎裙衣在这里显得极不适宜，裙摆奇长而且可笑，肥大的钟式裙堵满了整个门口；她也忘了自己穿着一双浅色的皮鞋，带着一把夜间用不着的омберлбка[①]，头上戴着一顶极其可笑的圆草帽，上面插着一根鲜艳的火红羽毛。草帽轻佻地歪向一边，那张吓得目瞪口呆的脸显得更加消瘦苍白。索尼娅个子不高，十七八岁，体形瘦弱，但相当漂亮，一头淡黄发，一双妩媚动人的蓝眼睛。她直勾勾地望望沙发上，望望神父。由于快跑回来，也在气喘吁吁。终于，人群中的窃窃私语和某些闲话飞入了她的耳中。她低下了头，一步跨过门槛进了房间，但仍站立在门边。

忏悔仪式和领圣餐仪式都结束了。卡捷琳娜·伊凡诺芙娜重新回到丈夫身边。神父退到一旁，临走说了几句话来安慰卡捷琳娜·伊凡诺芙娜。

“我拿这些孩子怎么办哪？”她指着孩子们，激烈而又气恼地打断了神父的话。

“上帝是仁慈的；您祈求上帝帮助吧。”神父说道。

“哼！上帝仁慈，可顾不上我们！”

“这样说可是罪过，罪过呀，太太。”神父摇着头说。

“难道这不是罪过吗？”卡捷琳娜·伊凡诺芙娜指着垂死的人，大声地说。

“或许无意中闯了祸的人会同意给你们一些赔偿，哪怕是补偿一些收入的损失……”

①用俄文字母写出的法语：女人用的小阳伞。

“您没有明白我的意思,”卡捷琳娜·伊凡诺芙娜甩一下手,气恼地嚷道,“凭什么要赔偿呢？是他自己喝得烂醉,倒到马车底下去的！又有什么收入？他没有收入,给我们的只有痛苦。要知道他是个酒鬼,把一切都换酒喝了。他偷走了我们的一切,都拿到酒店里给喝光了,把孩子们和我的生活都毁到酒店里了。谢天谢地,他快要死了！还少一点儿花费!”

“人快死了应该宽恕他,您这样说可是罪过,太太,这种感情是极大的罪过!”

卡捷琳娜·伊凡诺芙娜一直在病人身旁忙碌着,端水给他喝,替他擦去头上的汗珠和血迹,扶正枕头。她只是偶尔转过身跟神父说上句话。这时她却突然冲他发作,几近疯狂。

“哎呀,我的天哪！这都是些空话！宽恕！今天他要没有被轧伤,回家来也会喝得醉醺醺的。他只有一件衬衫,又脏又破;他一回来,倒头便睡,我却得洗涮到天亮,洗他的和孩子们的破衣服,然后再挂到窗外去晾干。天一亮,我又得坐下来缝衣服。我每夜就是这么过的！……还用得着说什么宽恕吗！我早已经宽恕了呀!”

一阵剧烈可怕的咳嗽打断了她的话。她咳出一口痰吐在手帕上,递给神父看,另一只手痛苦地按住自己的胸膛。手帕上沾满血丝……

神父低下了头,什么也没说。

马尔梅拉多夫已处于最后的弥留状态。他目不转睛地盯着卡捷琳娜·伊凡诺芙娜的脸,后者重又俯身照料他。他一直很想对她说点儿什么。他艰难地掀动舌头,含混地说起来。卡捷琳娜·伊凡诺芙娜知道他是求她宽恕，立刻用命令的口吻对他叫道：

“别说啦！没有必要！……我知道你要说什么！……”他于是不再做声。就在此刻，他那游移的目光落到了门口，他看见了索尼娅……

他一直没有发现她，因为她站在墙角的阴影中。

“那是谁？那是谁？”他突然声音嘶哑、气喘吁吁地问道。他极度不安、惊恐地望着门口女儿站着的地方，并竭力想欠起身来。

“躺下！躺——下！”卡捷琳娜·伊凡诺芙娜叫了起来。

但他用一只手强撑着欠起身，直愣愣对着女儿茫然瞧了片刻，仿佛认不出她来。他还从未见她打扮成这副模样。他蓦地认出了她，他的这个忍辱负重、悲痛欲绝、穿戴花哨却面含愧色的女儿。她正顺从地等待轮到自己去跟垂死的父亲诀别。他的脸上露出万分痛苦的表情。

“索尼娅！我的女儿！原谅我！”他喊着，想向她伸出手去，但一失去支撑便摔了下来，咕咚一声从沙发掉到了地板上。人们扑上去把他抬起来，再放到沙发上。但他已经奄奄一息。索尼娅声音微弱地惊叫了一下，跑过去一把抱住他，就这样一直抱着没动。他死在了她的怀里。

“他算达到了自己的目的！”卡捷琳娜·伊凡诺芙娜望着丈夫的遗体叫道，“可现在怎么办呢？我用什么来安葬他？明天我给孩子们，给他们吃什么呀？”

拉斯柯尔尼科夫走到卡捷琳娜·伊凡诺芙娜跟前。

“卡捷琳娜·伊凡诺芙娜，”他开始对她说，“上个星期，您的亡夫对我讲述了他的全部经历和现在的处境……请您相信，他谈到您时，语气里充满了敬意。从打那天晚上我就明白了，他对你们家所有的人是多么依恋。我还知道他特别敬重您，爱您，卡捷琳娜·伊凡诺芙娜，尽管他有着不幸的弱点。从那晚上我们便成了朋友……现在请您允许我……能够……对已故的朋友尽自己的一份义务。这里大约是……二十个卢布。要是这些钱对你们有所帮助的话，那么……我……总之，我会来的，我一定会来的……大概我明天还会来的……再见！”

他匆匆走出屋子，想尽快穿过人群下楼去。但不料在人群中他碰上了尼科季姆·福米奇。后者得知了这一惨祸，想亲自来处理一下。上次在警察局出现了那一幕之后，他们两人再也没有相遇过。尼科季姆·福米奇却立刻认出了他。

“啊，是您？”他向拉斯柯尔尼科夫问道。

“他死了，”拉斯柯尔尼科夫回答说，“医生来过了，神父也来了，一切都照规矩办了。别再去打扰那个不幸的女人，她自己就患有肺病。要尽量帮她振作起来……您是个心地善良的人，我知道……”他直视着尼科季姆·福米奇的眼睛，笑着补充说。

“您身上怎么沾了血迹。”尼科季姆·福米奇说道。他借着灯光发现拉斯柯尔尼科夫坎肩上沾有几滴鲜血。

“是的，沾上了血……我浑身都是血！”拉斯柯尔尼科夫面带某种异样的神情说道。接着他又微笑一下，点点头便下了楼。

他轻轻地从容走下楼去，浑身发着热却未意识到，内心充满一种全新的深广无尽的感受，觉得突然涌来充沛而强大的生命力，仿佛一个死囚突然获得意想不到的赦免[①]。在楼梯上，回教堂去的神父追上了他。他一声不吭地闪到一旁，让神父先走。他们两人彼此默默点头打了个招呼。可当他走到楼梯最后几级时，忽听身后有急促的脚步声，有人追他，这是波莲卡。她在后面一边跑一边冲着他叫："等等！等等！"

他朝她转过身去。她跑到楼梯最后一级，停在他的面前，正好站在比他高一个台阶上。一道昏暗的光线从院子里射了进来。拉斯柯尔尼科夫看清了小女孩那消瘦却可爱的脸庞，正冲着他微笑，天真快乐地望着他。她跑来显然是为了大人托付的一件她乐意做的事。

"喂，您叫什么？……还有，您住在哪儿？"她喘着气急匆匆地问道。

他把两只手放在她的肩膀上，望着她感到了某种欣喜。这样望着她，令他觉得十分愉快，却连自己也弄不清为什么。

"谁叫你来问的？"

"索尼娅姐姐叫我来问的。"女孩回答说。她笑得更加甜了。

"我猜就是索尼娅姐姐叫你来的。"

"妈妈也叫我来问。索尼娅姐姐叫我来问的时候，妈妈也走过来，对我说：'快去，波莲卡！'"

"你喜欢索尼娅姐姐吗？"

"我最喜欢她！"波莲卡用强调的语气说。她的笑脸突然变得

---

①此处以及小说《白痴》（第1部，第11章）中均有死囚突获赦免的比喻，显然来自作者年轻时遭遇的亲身感受。1849年12月22日，陀思妥耶夫斯基曾因参加彼得拉舍夫斯基小组的革命活动而被判死刑，在死刑即将执行的瞬间，突然得到赦免，改判流放西伯利亚。

严肃了。

“你也会喜欢我吗?”

小女孩没有回答,他看见她那张脸蛋凑到他跟前,肉乎乎的小嘴天真地撅起来,亲了一下他的脸。突然间,她那两条细得像根火柴棒似的胳膊紧紧搂住了他,小脑袋靠在他的肩头,轻轻地抽泣起来,脸越贴越紧。

“爸爸真可怜!”沉默了片刻,她扬起那张满是泪水的脸,用手抹去泪珠说道,“现在常有这种不幸的事。”她装出一副特别稳重的模样,出人意料地补充了一句。小孩子想用“大人”的口气说话时,总是竭力装出这副模样。

“爸爸喜欢你们吗?”

“他最喜欢莉多奇卡,”她一本正经板着脸继续说道,完全像个大人。“他喜欢她,因为她还小,身体也不好,他总是给她带些好吃的东西回来。他教我们读书,也教我们学语法和神学,”她颇为自负地补充说,“妈妈不说什么,但我们知道她喜欢这样,爸爸也明白。妈妈想教我学法语,因为我到受教育的年龄了。”

“你们会祷告吗?”

“当然会的!我们早就会了。我长大了,就自己默默地祷告。科利亚和莉多奇卡跟妈妈一起大声地祷告;他们先喊‘圣母’,再念祷告词:‘上帝,请宽恕并保佑索尼娅姐姐。’接着又祷告:‘上帝,请宽恕和保佑我们的继父。’因为我们以前的爸爸已经死了,这个是我们的继父,我们也要给那个爸爸祷告。”

“波列奇卡[1],我叫罗季昂;你们什么时候也替我祷告一下:

①波列娅的爱称。

‘请宽恕并保佑您的仆人罗季昂。’这就够了。”

“我会一辈子永远替您祷告。”小女孩热情地说，突然又笑了，扑上去再一次紧紧地搂住他。

拉斯柯尔尼科夫把自己的姓名和住址告诉了她，并答应明天一定再来。女孩兴高采烈地回去了。拉斯柯尔尼科夫走到街上时，已经十点多钟。五分钟后他上了桥，站在不久前一个女人投河的地方。

“够了！”他果断而又庄严地说道，“幻觉见鬼去吧，虚张声势的恐惧见鬼去吧，幽灵见鬼去吧！……还有生活！难道我现在不是活着吗？我的生活没有与那个老太婆同归于尽！让她进天国吧！够啦，老婆婆，该安息啦！如今是理智和光明的世界……也是意志的世界，是力量的世界……现在让我们走着瞧吧！让我们较量一番吧！”他语气傲慢地补充说，好像在向某种黑暗势力挑战。“要知道，我已经甘愿生活在那一俄尺大小的地方[①]！”

“……现在我浑身软弱无力，但……我的病好像完全好了。刚才我出来的时候，就知道病会好的。凑巧波钦科夫公寓离这儿只有几步路。一定得去找拉祖米欣，哪怕再远点也去……这次打赌让他赢好啦！……让他也高兴一下，没关系，让他高兴一下！……力量，需要力量；没有力量，将会一事无成；而力量是需要用力量来获得的，他们对此却一无所知。”他自傲自信地补充说，费力地迈着两条腿走下了桥。他的得意和自信越来越强烈，顷刻间变成了截然不同的另一个人。然而，发生了什么特别的事

①此处同上文呼应。上文曾说到在“一俄尺大小的地方站一辈子，站一百年”。

竟使他判若两人呢？他自己也弄不清楚；他仿佛抓住了一根救命稻草，突然感到自己也“可以活下去，他还活着，他的生命并没有与那个老太婆同归于尽”。或许他的结论下得过早，不过他没有想这个。

“可是，我还要人替上帝的仆人罗季昂祷告了。”他的脑海里忽地冒出这个想法，“这个嘛……只是以防万一呀！”他添上了一句，但随即嘲笑自己做出了那个幼稚的举动。此刻他心情好极了。

他轻而易举地找到了拉祖米欣。在波钦科夫公寓里，人们都认识这位新来的房客，看门人马上告诉他该怎么走。他刚上了一半楼梯，就听到一大群人的喧闹声和热烈的交谈声。通往楼梯的门完全敞开着，屋里传出阵阵叫嚷声和争吵声。拉祖米欣的住处很大，里面聚了有十五个人。拉斯柯尔尼科夫走进前室就站住了。在这个间壁里摆着两只大茶炊，还有从房东家厨房端来的大盘小碟，盛着各种馅饼和菜肴；房东家的两个女仆正在一旁忙碌着。拉斯柯尔尼科夫求人去找拉祖米欣，他兴冲冲地跑来了。显而易见，他已经喝了不少酒，尽管以前从没喝醉过，这一回真有点儿醉了。

“听着，”拉斯柯尔尼科夫赶紧说道，“我来只是为了告诉你，是你赌赢啦；确实谁也不知道自己会出什么事。我不能进去，因为我浑身无力，马上就会摔倒。所以我这就走，向你说声晚安，再见！你明天到我家里来吧……”

“那我送你回去吧！你刚才不是说浑身无力吗……”

“那客人呢？那个鬈发的是谁，就是刚才朝这里看了一眼的人？”

“那个人吗？天知道是谁！大概是我舅舅的熟人，也许是自己跑来的……我让舅舅招待客人。他可是个大好人，可惜你现在不能去跟他认识一下。不过，让他们所有的人都见鬼去吧！他们此刻顾不上管我，我也正需要透透气，所以老兄，你来得正是时候。要再过两分钟，我可要和他们干起仗来啦，真的！竟然这样信口开河……你简直无法想象，一个人胡言乱语到这种地步！其实，也难怪。难道我们自己不也信口开河吗？就让他们胡扯吧，这样以后就免得去瞎说了……你坐一会儿，我去叫佐西莫夫。”

佐西莫夫简直是迫不及待地向拉斯柯尔尼科夫奔来。很显然，他出于一种特别的好奇心，转眼间脸色也变得温和了。

“马上就去睡觉，”他尽量仔细地观察病人后，不容反驳地说道，“夜里得服一包药，好吗？我早就配好了……是包药粉。”

“哪怕服两包也行。”拉斯柯尔尼科夫回答说。

他立即吃了一包药。

“你亲自送他回去，那太好了，”佐西莫夫对拉祖米欣说，“明天怎么样我们再看，可今天相当不错，比以前好多了。真该是活到老，学到老哇……”

“你可知道，刚才我们出来时，佐西莫夫对我低声说了些什么？”他们刚走到大街上，拉祖米欣便脱口而出地说道，“老兄，我把一切都直言不讳地告诉你，因为他们都是些糊涂虫。佐西莫夫吩咐我在路上同你聊聊，引得你也开口说点儿什么，然后把谈话的内容告诉他，因为他有个看法……说你……神经错乱，或者近似神经错乱。你想得到吗！首先，你要比他聪明几倍；其次，如果你神经正常，你不必理会他脑子里这种荒谬的念头；再则，按专业说这个胖子是外科医生，现在却迷恋上了精神病学。对你的事，今天你同扎米托夫的一番谈话彻底改变了他的看法。”

“扎米托夫把一切都告诉了你？”

“一切都告诉了，他这样做很好。现在我弄清楚了全部内情，扎米托夫也明白了……嗯，总而言之，罗佳……问题在于……我现在有点儿醉……不过这没关系……关键在于这种想法……你明白吗？真的，他们脑子里有这个念头……你明白吗？也就是说，他们谁也不敢公开说出来，因为这太荒诞无稽了，尤其是捉了那个油漆匠以后，所有这些不攻自破，永远消散了。为什么说他们是糊涂虫呢？当时我就把扎米托夫数落了一番。这话只是我俩之间说说，老兄，请别让人觉得你知道了这件事。我发现他是精细谨慎的人。那是在拉维扎那里。不过今天，今天一切都弄清楚了。主要是那个伊里亚·彼得罗维奇！当时他就你在警察局晕倒这件事大做文章，后来自己也觉得羞愧难言；我可是知道的……”

拉斯柯尔尼科夫贪婪地听着，拉祖米欣醉意里什么都说。

“当时我晕倒，是因为闷热和油漆味呛人。”拉斯柯尔尼科夫说。

“那还用解释吗！不只是油漆呛人，当时你已经有一个月生病发烧了，佐西莫夫可以作证嘛！只是这小子现在可懊恼透了，你都无法想象！他说：‘我连此人的一个小拇指都赶不上！’也就是比不上你的一个小指头！老兄，有时他倒是好心肠呢。不过这次教训，今天在‘水晶宫’里给他的教训，实在太棒啦！要知道，起初你让他胆战心惊，差点儿昏过去！要知道，他对这种荒诞的无稽之谈差一点儿再次信以为真。接着你又冷不丁地对他伸出舌头，说：‘喏，你要的就是这东西！’实在太棒了！现在他一败涂地，无地自容！你真是好样的，对他们就该这样。唉，可惜我不在场！现在他非常渴望见到你。波尔菲里也希望同你认识……”

“啊……还有这个人……可人们为什么说我神经错乱？”

“倒不是说你疯了。老兄，我大概对你啰唆太多了……是这样，他早就感到奇怪，你为什么只对这件事感兴趣。现在弄清楚了你为什么感兴趣。一切情况都了解了……当初你是受了刺激，加上生病……我呀，老兄，是有点醉了，可天知道，他脑子里转着什么念头……我告诉你：他对精神疾病着了迷。只是你不必介意……”

他俩都不做声，沉默了片刻。

“听着，拉祖米欣，”拉斯柯尔尼科夫开始说道，“我想直截了当地告诉你：刚才我到过一个死了人的家里，是个官吏死了……我把自己所有的钱都给留下了……此外，刚才还有个人吻了我，就算我杀了人，那这个人同样也会……总之，我在那里还看见了另一个人……插着根红羽毛……其实，我又在胡说八道了。我浑身无力，扶着我点……就要上楼梯了……”

“你怎么啦？你怎么啦？”拉祖米欣惊慌不安地问道。

“有点儿头晕目眩，这倒没关系，只是我心里难过，非常难过！简直像个女人……你瞧，这是怎么回事？你瞧！你瞧！”

“什么？”

“难道你没看见？我的屋子里有灯光，你看见了吗？看门缝里……”

他们已经到了最后一段楼梯前面，靠近房东家的门口。确实如此，从下面可以看见拉斯柯尔尼科夫的小屋里有灯光。

“真奇怪！也许是纳斯塔霞吧。”拉祖米欣说。

“她从来不在这时候到我那儿去，再说她早睡了。不过……我倒无所谓！再见吧！”

“你说什么？我是送你来的，当然陪你一起进去！”

“我知道你要陪我一起进去，但我想在这里同你握握手，告个别。来，握握手吧，再见！”

“你怎么啦，罗佳？”

“没什么。我们走吧，你可以当个证人……”

他们开始拾级而上，拉祖米欣脑海里蓦地闪过这样的一个念头：或许佐西莫夫没有说错。“唉，我胡扯一通，弄得他心神不定！”他暗自寻思道。他们走到门口时，突然听到屋子里有说话声。

“这是怎么回事？”拉祖米欣叫道。

拉斯柯尔尼科夫抢先抓住门把，猛地把门打开。房门大开，他却像根木桩似的呆立在门口。

他的母亲和妹妹正坐在屋里的沙发上，已经等了一个半小时。尽管他今天再次获悉，她们已经动身，正在路上，马上就会到达，却为什么根本没有盼望她们，也没有想到她们？在整整一个半小时里，她俩争先恐后地向纳斯塔霞问这问那。此刻纳斯塔霞也还站在她俩面前，已经把所有的情况乃至细枝末节，都一五一十告诉了她俩。当她俩听说他“今天逃跑了”，还生着病，照她说的情形看可能神志也不清，两人都吓得魂飞魄散！“天哪，他出了什么事啊！”她俩哭了起来，在这样的痛苦熬煎中等了一个半小时。

拉斯柯尔尼科夫一出现，响起了一阵欣喜兴奋的呼叫。她俩朝他扑去，他却呆若木鸡地站着。一种突如其来的难以忍受的感觉，如同晴天霹雳打得他晕头转向。他甚至没有伸出胳膊去拥抱她们，因为毫无气力。母亲和妹妹紧紧地拥抱他，亲吻他，又是哭又是笑……他向前迈了一步，身子摇晃了一下，便扑通一声栽倒在地板上，昏了过去。

一片慌乱，响起了惊惧的喊叫声和哀号……站在门口的拉祖米欣一个箭步跨进屋子，伸出自己强壮的胳膊一把抱起拉斯柯尔尼科夫，立刻把他放在沙发上。

“不要紧，不要紧！”他对那母女俩大声地说，“这是昏迷，不要紧！刚才医生还说过，他好多了，说他完全健康！拿些水来！看，他已经醒过来了，完全清醒了！……”

他猛地用力抓住杜涅奇卡[①]的手，差点儿把她的手臂扭脱，拉着她弯腰去看“他已经完全清醒了”。母女俩不胜感激地望着拉祖米欣，如同望着天神。她们已从纳斯塔霞口里听说，在罗佳生病期间这个“机灵的小伙子”是如何照料他的。当天夜里，普莉赫里娅·亚历山德罗芙娜·拉斯柯尔尼科娃在与杜尼娅私下交谈时，就叫他是“机灵的小伙子”。

①杜尼娅的爱称。

第三部

第一章

拉斯柯尔尼科夫起身,坐在沙发上。

他有气无力地向拉祖米欣摆摆手,不让他继续往下说,因为他正在口若悬河,前言不搭后语地热情安慰那母女俩。拉斯柯尔尼科夫拉住她俩的手,一声不吭地看看妈妈,又瞧瞧妹妹。他的眼神令母亲惊恐不安,既流露出一种几近痛苦的强烈感情,又有些呆滞甚至是狂躁。普莉赫里娅·亚历山德罗芙娜大哭起来。

阿芙多季娅·罗曼诺芙娜[①]脸色苍白,她的手握在哥哥手里瑟瑟发抖。

"你们回去吧……同他一起走,"他指着拉祖米欣,断断续续地说道,"明天见,明天一切都会……你们早就到了?"

"晚上到的,罗佳,"普莉赫里娅·亚历山德罗芙娜回答说,"火车晚点了很长时间。不过,罗佳,我现在绝不离开你!我要在这儿,在你身边过夜……"

---

①即杜尼娅,杜尼娅是小名。

“别折磨我啦!”他生气地挥着手说。

“我留下照顾他!”拉祖米欣大声说,“我片刻也不离开,让我的那些客人见鬼去吧,随他们发狂好了! 有我舅舅替我张罗呢。”

“我真不知怎么,该怎么感激您哪!”普莉赫里娅·亚历山德罗芙娜又一次抓住拉祖米欣的手,本想再说些什么,但是拉斯柯尔尼科夫再次打断了她的话。

“我受不了,受不了啦。”他气恼地反复说道,“别折磨我啦! 够了,走吧……我受不了啦! ……”

“我们走吧,妈妈,哪怕是离开一会儿,”杜尼娅惊慌地低声说,“我们让他感到非常痛苦,这很明显。”

“分别三年,难道我就不能看看他吗!”普莉赫里娅·亚历山德罗芙娜哭了起来。

“等一等,”他又叫住了他们,“你们老是打断我的话,把我的思路都搞乱了……你们见过卢仁吗?”

“没有,罗佳,但他已经知道我们来了。罗佳,我们听说,彼得·彼得罗维奇很不错,今天来看过你。”普莉赫里娅·亚历山德罗芙娜怯生生地补充道。

“是的……很不错……杜尼娅,我刚才对卢仁说,我要把他从楼梯上撵下去,让他见鬼去……”

“罗佳,你怎么啦! 你或许……你不是想说……”大惊失色的普莉赫里娅·亚历山德罗芙娜本想往下说,但瞧了一眼杜尼娅,便收住了话头。

阿芙多季娅·罗曼诺芙娜目不转睛地凝视着哥哥,等待着他往下说。她和母亲事先从纳斯塔霞那儿知道了吵架的事。纳斯塔霞就自己的理解告诉了她们。两人因困惑和期待而十分痛苦。

“杜尼娅，”拉斯柯尔尼科夫吃力地往下说，“我不喜欢这门婚事，因此你明天见了面立即就回绝卢仁，叫他马上滚蛋。”

“我的天哪！”普莉赫里娅·亚历山德罗芙娜惊叫起来。

“哥哥，你想想你在说些什么！”阿芙多季娅·罗曼诺芙娜也要发火，但马上忍住了。“或许你今天精神不好，你太累了。”她温和地说道。

“我是说胡话？不……你嫁给卢仁是为了我。我不接受这种牺牲。因此今天夜里你就写封信……一封回绝的信……明早让我看一看，这事就到此为止！”

“我不能这样做！”姑娘感到受了委屈，大声叫道，“你有什么权利……”

“杜涅奇卡，你也爱生气，别说啦，明天……难道你没看见……”大惊失色的母亲向杜尼娅扑去，“唉，我们最好还是走吧！”

“他在说胡话！”带点醉意的拉祖米欣叫了起来，“要不然他怎么敢这样！明天他就把这种糊涂想法抛到九霄云外了……今天他确实把卢仁赶走了。事情确实如此。那一位也很生气……他在这里夸夸其谈，炫耀自己的博学，走的时候却灰溜溜的……”

“这是真的吗？”普莉赫里娅·亚历山德罗芙娜叫起来。

“明天见，哥哥，”杜尼娅怜惜地说道，“咱们走吧，妈妈……再见，罗佳！”

“听着，妹妹，”他用自己仅有的一点儿力气，冲着她们又说道，“我没有说胡话，这门婚事是可鄙的。就算我卑鄙，但你不应该……一个够了……尽管我是个卑鄙的家伙,也不会把这样的妹妹认做妹妹。或者要我,或者要卢仁!你们走吧……”

“你疯啦!专横跋扈的家伙!”拉祖米欣吼道。不过拉斯柯尔尼科夫不再搭理,或许他没有力气了。他在沙发上躺下,侧身面对墙壁,完全筋疲力尽。阿芙多季娅·罗曼诺芙娜好奇地打量了一眼拉祖米欣;她那乌黑的眼睛闪亮一下:拉祖米欣被看得浑身一颤。普莉赫里娅·亚历山德罗芙娜呆立在那里。

“我绝不能离开,”她几乎绝望地对拉祖米欣低声说,“我留在这里,不管待在什么地方……您送杜尼娅回去吧。”

“您只会把事情弄得更糟!”拉祖米欣感到气恼,同样低声地说,“我们至少先到楼梯上去。纳斯塔霞,拿灯来!我对您说实话,”来到楼梯上,他仍旧压低声音说,“前不久他差点儿打了我和医生!您明白这话吗?差点儿揍了医生!医生怕惹他发火忍气走了,我则守在楼下。可是他马上穿好衣服,偷偷地溜了出去。假如您现在惹他发火,他又会偷偷地溜出去,而且是夜里。说不定他会对自己干出蠢事来……”

“哎呀,您说会这样!”

“况且,如果您不回去,阿芙多季娅·罗曼诺芙娜独自一人住在那家旅馆里是不行的。您想一想,你们住的是什么地方!难道这个卑鄙的家伙,彼得·彼得罗维奇,就不能给你们找一个好点的住处吗……不过,您知道我多少有点醉了,因此……出口伤人,请别介意……”

“我去找这里的房东太太,”普莉赫里娅·亚历山德罗芙娜固执地说,“我要恳求她给我和杜尼娅找个角落过夜。我不能就这样离开他，我不能！”

他们说这些话时，正站在楼梯的平台上，恰好是房东太太的门口。纳斯塔霞从下面梯阶上给他们打着灯。拉祖米欣的情绪异常兴奋。还在半小时以前，当他送拉斯柯尔尼科夫回来时，他尽管废话不断，连自己都意识到太饶舌了，但挺有精神，头脑几乎是清醒的，虽说这晚上喝了不少酒。可此刻他的心情甚至更像某种喜悦，同时喝下去的酒仿佛一下子用双倍的力量又一下冲上头来。他站在两个女人的身边，抓着她俩的手劝说着，极其坦率地向她俩讲明道理；大概为了更加令人信服，他几乎每说一句话，就用老虎钳般的大手紧握一下她俩的手，弄得她们好生疼痛；他的两眼贪婪地望着阿芙多季娅·罗曼诺芙娜，没有丝毫羞涩。因为疼痛，她们有时从他那瘦骨嶙峋的大手中往外抽手，可他不仅毫无觉察，反而更紧地拽住她俩的手。倘若她们现在命令他立即头朝下滚下楼梯，去为她们效力，那他也会毫不犹豫地立即执行这个命令。普莉赫里娅·亚历山德罗芙娜一直惦记着自己的罗佳，虽说觉得这个年轻人举止显得古怪，又把她的手捏得生疼，可同时又把他看做她的保护神，也就没在意他的那种古怪举止了。然而，阿芙多季娅·罗曼诺芙娜尽管也心情不安，尽管生性并不胆怯，但一遇到哥哥这位朋友那炽热的目光，不仅惊异，甚至还感到害怕；只是由于纳斯塔霞的介绍使她对这个怪人产生了无限的信任，她才没想避开他并拽上母亲一齐走。她心里也明白，现在她们大概只有依靠他。不过，十来分钟以后，她便极为放心了，因为拉祖米欣的个性是不管心情如何，他绝不会掩饰而总是一下子暴露无遗，因此别人很快就能了解自己在与怎样的人打交道。

“可别去找房东太太，这是最愚蠢的！”他叫道，千方百计地说服普莉赫里娅·亚历山德罗芙娜。“尽管您是他的母亲，但如果您留下来不走，他也会气得发狂，到时候天知道他会干出什么事来！听我说，我打算怎么办：现在让纳斯塔霞留在他这里，我呢送你们两人回去，因为你俩不能单独上街，在这方面我们的彼得堡……好，不说它了！……接着我立即赶回来，我保证，十五分钟以后便去告诉你们他怎样了，睡了没有，等等的情况。然后，听我说，我马上回自己住处。我那里有客人，全都喝得醉醺醺的。我呢拽上佐西莫夫。他是给罗佳看病的医生，此刻正在我那儿做客。他不喝酒，此人滴酒不沾。我先把他拽到罗佳这儿来，接着立即到你们那儿去。这就是说，在一个小时内你们有两次可以了解到他的情况，而且一次是从医生那儿了解情况，明白了吗，从医生本人口里了解情况，这可不同于听我说！如果他的情况不好，我保证会亲自接你们来这儿，如果情况不错的话，那么，你们可以好好睡上一觉。我会整夜都守在这个过道里，他听不见的；让佐西莫夫在房东太太家中过夜，以便随叫随到。对他来说，现在谁更有用，是你们还是医生？要知道，医生更有用，更有用。好了，你们回去吧！不要去找房东太太，我能去，你们可不能去，因为她不会同意，因为……因为她太蠢。她会因为我而妒忌阿芙多季娅·罗曼诺芙娜，您要知道，她同样也会妒忌您的……对阿芙多季娅·罗曼诺芙娜，她一定要忌妒。这是一个非常、非常令人难以捉摸的女人！其实，我也很蠢……不说这个了！我们走吧！你们相信我吗？你们是不是相信我呀？”

“咱们走吧，妈妈，”阿芙多季娅·罗曼诺芙娜说，“他一定会说到做到的。他曾经救过哥哥，而且，要是医生真的同意在这里过夜，那就再好不过了。”

“看，您……您……您很理解我，因为您是个天使！”拉祖米欣高兴地叫道，“咱们走吧！纳斯塔霞，快上去，坐在他那里，点上灯。我一刻钟以后就回来……”

普莉赫里娅·亚历山德罗芙娜尽管还没有完全被说服，但已经不再固执己见了。拉祖米欣挽住她俩的胳膊，拽着她们下了楼。不过，她对他仍然不太放心：“尽管人很机灵，心地也善良，但他能说到做到吗？要知道他喝醉了呀！……”

“啊，我明白，你们当我喝醉了！”拉祖米欣猜透了她们的心思，打断她说，同时迈着大步沿人行道走去。母女俩勉勉强强才跟上他，而他对此并没有察觉。“胡说！……我哪里醉糊涂了，不是这么回事。我不是喝酒醉了，是见到你们头就眩晕起来……不过别把我这话当真！你们可别介意，我在瞎说，我配不上你们……我完全配不上你们！……等把你们送到住处，我立刻回到这河边，往自己头上浇两桶水，清醒清醒……你们可知道，我是多么爱你们两人！……别笑话我，也别生气！……你们可以生别人的气，可别生我的气！我是他的朋友，因而也是你们的朋友。我非常希望……我有过这种预感……去年我曾闪过这样的念头……其实也根本不算预感，因为你们简直是从天而降。或许我要整夜睡不着觉了……这个佐西莫夫刚才还担心他是精神失常……因此不该去刺激他……”

“您说什么！”母亲叫道。

“难道医生亲口这么说过？”阿芙多季娅·罗曼诺芙娜提心吊

胆地问道。

“他是这么说过，但事实并不是这样的，压根儿不是这样的。他还给了这类的药，一包药粉，我看见的，这时你们正好来了……唉！……要是你们明天来就好了！现在我们离开了就好。一小时以后，佐西莫夫会亲自告诉你们这里的一切情况。这个人是滴酒不沾的！我也不会再喝醉了……这回我干吗要喝这么多呢？就是因为他们，这些该死的家伙让我卷入了一场是非争论！我曾经发誓再也不参加什么辩论了！……可他们完全是在胡说！我差点儿跟他们干了起来！我让舅舅留在那里，替我招待……嗯，你们能相信吗：他们要求完全没有个性，并以此为自己最大的乐趣！只求不再有自己的样子，只求失去原来的自己，那就好了！这就是他们眼中最大的进步和最大的幸福。哪怕这种胡说是他们用自己的话讲出来也好哇！事实不然……”

“听我说。”普莉赫里娅·亚历山德罗芙娜胆怯地打断了他的长篇大论。然而，这却更助长了他讲话的兴致。

“你们是怎么认为的呢？”拉祖米欣提高嗓门嚷道，“你们认为，我赞同他们胡说的内容吗？不对！我倒是喜欢人们瞎说！因为瞎扯是所有生物中只有人类才享有的特权。从胡说开始，你最终才能达到真理！正因为我胡说，所以我才算个人。要不先胡说上十四次，你是无法获得一个真理的，或许还得胡说上一百一十四次，这也可算是件体面事。可是，我们却不会用自己的脑子去胡说！你可以对我胡说，但要照你自己的想法来胡说，那我就情愿亲吻你。按照自己的想法胡扯，这比按照别人的观点说出真理甚至要更好些。因为在前一种情况下，你算是个人，而在后一种情况下，你只不过是只学舌的鹦鹉！真理是会永存的，可生命则能被扼杀；这是有先例的。那我们现在怎么样呢？我们所有的人毫无例外就科学、文化修养、思维、创造发明、理想、愿望、自由主义、理智、经验等一切的一切而言，还处于中学预科的阶段！人们一旦喜欢上靠他人的脑子来生活，就再也改不了了。果真不错吧？我说的果真不错吧？”拉祖米欣一边叫着，一边摇晃着被他紧紧捏着的母女俩的手，“果真不错吧？”

“天哪，我不清楚。”普莉赫里娅·亚历山德罗芙娜可怜巴巴地说。

“是这样，是这样……虽说我并非完全同意您的观点，”阿芙多季娅·罗曼诺芙娜认真地补充说，但随即尖叫了一声，因为这一次他把她的手捏得实在太疼了。

“是这样？您说是这样？那么，这就是说您……您……”他兴奋地喊道，“您真是善良、纯洁、理智……完美的化身！请把手给我，请您同样伸出手来，我要在这里马上下跪着吻吻你们的手！”

他便在人行道当中跪了下来，幸好此时街上空无一人。

“别这样，求求您，您要干什么呀？”普莉赫里娅·亚历山德罗芙娜极度惶恐地叫了起来。

“起来吧，起来吧！”杜尼娅笑着，也感到有些不安。

“你们不伸出手来，我是绝对不会站起来的！就这样，好了。我站起来啦，我们走吧！我是个不幸的傻瓜，比不上你们，又是个醉汉，羞愧难当……我不配爱你们，但崇拜你们可是每一个人的义务，只要他不是十足的牲口！所以我就下跪了……这就到了你们的旅馆。罗佳不久前把你们的彼得·彼得罗维奇赶走了，这件事,他算做对了!他怎么能让你们住这样的旅馆?简直胡闹!你们可知道什么人来这里住?您可是他的未婚妻呀!您是他的未婚妻,对吗?我可以告诉您,就凭这事您的未婚夫便是个卑鄙小人!”

“听我说,拉祖米欣先生,您有些失礼了……”普莉赫里娅·亚历山德罗芙娜开口说道。

“对,对,您说得不错,我失礼了,十分惭愧!”拉祖米欣猛醒过来,“不过……不过……你们不能因我这句话而生我的气!因为我说的是真心话,而不是由于……那样就太卑鄙了;总之,不是由于我对你们……好啦,不说因为什么啦,我不敢启齿!……他一进来,我们立刻就明白了他跟我们不是一路人。这倒不是因为他在理发店里烫了发,也不是因为他急着炫耀自己的才华,而是因为他是个奸细,是个投机家,因为他是个犹太佬[①],一个演杂耍的小丑,这是显而易见的。你们以为他是个聪明人吗?不,他是个傻瓜,是个傻瓜!他与您般配吗?啊,天哪!你们要知道,女士们,”他已经登上旅馆的楼梯,突然又停住了脚步,“别看我的客人都喝得醉醺醺,但全是正直的人;尽管我们也胡说,我同样是如此,但最终要求得到真理,因为我们走的是光明正道,可彼得·彼得罗维奇……他走的却是歪门邪道。别看我此刻在大骂特骂我的那些客人,但我尊重他们中的每一个人。尽管我甚至瞧不起扎米托夫,但喜欢他,因为他是个狗崽子!我甚至喜欢那个狗东西——佐西莫夫,因为他为人诚实,业务精通……行啦,我说完了,也得到了你们的谅解。你们原谅了我,是吧?好,我们走吧。

①当时俄国人大多鄙视犹太人。

我熟悉这地方，我来过这里；就在这里的三号房间，曾经出过事……你们住在哪个房间？几号？八号？噢，夜里把门锁好，别让任何人进去。一刻钟以后，我会带消息来的，然后再过半小时，我会带佐西莫夫来，你们会见到的！再见，我走啦！”

“天哪，杜涅奇卡，会出什么事呀？”普莉赫里娅·亚历山德罗芙娜惊恐不安地对女儿说道。

“别担心，妈妈，”杜尼娅回答说，同时脱下帽子和披肩，“上帝亲自安排这位先生来帮助我们，虽说他刚喝了酒，但可以信赖他。您放心吧，他已为哥哥做了一切……”

“唉，杜涅奇卡，谁知道他会不会来！我怎么能撇下罗佳……我压根儿没想到，没想到见面会是这样！他多么冷淡哪，像不愿见到我们似的……”

泪水在她的眼眶里直打转。

“不，不是这样，妈妈。您没看清楚，您一直在哭泣。他由于生了大病，心情不好，全都是这个原因。”

“真要命啊，这场病！会出事的，会出事的！看他跟你说了些什么呀，杜尼娅！”母亲一边说，一边胆怯地望着女儿的眼睛，试图猜透她的全部心思；杜尼娅还替罗佳辩解，也就是说原谅了他，这使母亲稍稍放心了一些。“我相信明天他会改变主意的。”她又补充了一句，想探个究竟。

“可我倒相信，他明天……在这件事上也不会改口的。”阿芙多季娅·罗曼诺芙娜毫不客气地说道。当然，这是个棘手的话题，普莉赫里娅·亚历山德罗芙娜现在最害怕提及此事。杜尼娅走到母亲跟前，吻了她。母亲默默地紧紧拥抱了她，接着坐了下来，焦急不安地等待拉祖米欣,同时又心虚地望着女儿。杜尼娅也抱着胳膊在等待着,在屋子里来回踱步,想着自己的心思。边思索问题边在屋子里来回走动,是阿芙多季娅·罗曼诺芙娜的一个习惯;这种时候母亲总是害怕打断她的思绪。

拉祖米欣在醉眼蒙眬中对阿芙多季娅·罗曼诺芙娜一见钟情,当然是可笑的。然而,只要看一眼阿芙多季娅·罗曼诺芙娜,尤其是此刻她抱臂锁眉,若有所思地在屋里踱步,大概有许多人会原谅他的,何况他是处于一种特殊的状态下呢。阿芙多季娅·罗曼诺芙娜是个美丽动人的女子:她个子高高的,体态十分匀称,健康有力,又非常自信,一举一动都显示出这种自信,但丝毫也没有影响她的举止的温柔和妩媚。她的相貌很像哥哥,但称得上是个美人儿。她的头发是棕黄色,比哥哥稍淡一些。眼睛几乎是乌黑的,明亮有神,透着骄傲,不过时而又显得非常善良。她的面色白净,但不是病态的苍白;脸上容光焕发。嘴稍嫌小了点,下唇红润,同下巴一起微微前突,这是这张漂亮脸蛋上唯一的缺憾。不过这个缺憾倒让这张脸显出独特的倔强个性,同时似乎也带点傲慢的神情。她的表情总是严肃多于欢乐,总是若有所思;其实这张脸是多么适合嫣然微笑哇,多么适合快活地、充满活力地、忘我地开怀大笑哇!拉祖米欣热情开朗,有点憨厚,为人正直,又像武士般强壮有力,这时微带醉意,因为从未见过这样的女性,一下子便神魂颠倒起来,这也是可以理解的。况且,好像鬼使神差似的,他初见杜尼娅正赶上她要与哥哥重逢的那相亲相爱和欢乐的美妙时刻。接着他又看到,杜尼娅听到哥哥那番粗鲁而又无情的话时,气得下唇直打哆嗦的模样,那时他简直无法自持了。

其实，他刚才在楼梯上借着酒劲说到拉斯柯尔尼科夫的房东太太普拉斯科维娅·巴甫洛芙娜脾气怪异，不仅会忌妒他与阿芙多季娅·罗曼诺芙娜亲近，而且也会忌妒普莉赫里娅·亚历山德罗芙娜，这倒是实话。尽管普莉赫里娅·亚历山德罗芙娜已经四十三了，但她风韵犹存，看上去比实际年龄小得多，那些到老保持着开朗的心境、敏捷的思维和正直的热情的妇女几乎总是这样的。附带说一句，保持这一切乃是让青春长驻的唯一方法。她的头发已经开始变白、脱落，细小的鱼尾纹早已爬满眼睛的四周。由于操劳和忧愁，脸颊也已凹进发干，但脸庞仍然很漂亮。这张脸完全就是杜涅奇卡的肖像，只不过老了二十岁；此外，她的下唇并不向前翘起。普莉赫里娅·亚历山德罗芙娜多愁善感，但并不令人厌腻。她胆小，随和，却有一定的限度：她会做出很多的让步，她会附和许多事情，有的甚至是违背自己信念的。然而她始终都有一个界限，就是要正直，有原则，有起码的信念，这是无论如何也不可违背的。

在拉祖米欣走了整整二十分钟以后，门上响了两下轻微但又急促的敲击声；他回来了。

“我不进来了，没时间！”当她们把房门打开后，他匆匆忙忙地说道，“他正呼呼地鼾睡着，睡得很熟，很安宁，上帝保佑，让他睡上十个小时吧。纳斯塔霞在他屋里，我叫她等我回去后再离开。我这就去找佐西莫夫。他会向你们说明情况的，然后你们就去睡觉。我看得出，你们都累得筋疲力尽了。”

说完他离开她们，顺着走廊走了。

“多么机敏……多么可信赖的小伙子呀！”普莉赫里娅·亚历

山德罗芙娜十分高兴地叫道。

“看来是个非常好的人！”阿芙多季娅·罗曼诺芙娜略显热切地应声说，又开始在屋里踱起步来。

差不多过了一个小时，走廊里传来脚步声，又有人敲门。母女俩正等着，这一次完全相信拉祖米欣会说到做到的。果然他真的把佐西莫夫带来了。当时佐西莫夫立刻同意离开酒席去看拉斯柯尔尼科夫，但不太情愿来见这母女俩，并且满腹狐疑，因为他不信醉酒的拉祖米欣。不过他立即变得心平气和，甚至自尊心得到了满足，因为看出她们确实像等待先知那样等着他的到来。他整整坐了十分钟，成功地劝说、安抚了普莉赫里娅·亚历山德罗芙娜。他说话时口气充满了同情，但神态矜持，故作严肃，完全是一副二十七岁青年医生做重要答疑时的样子，没有一句离题的话，也没流露出一丝要与这母女进一步建立私人关系的愿望。还在进门时他就注意到了阿芙多季娅·罗曼诺芙娜惊人的美貌，但立刻努力不去看她，甚至在整个交谈过程中，他只对着普莉赫里娅·亚历山德罗芙娜一个人说话。所有这一切都使他内心非常满意。至于病人，他说病人这会儿的情况是很令人满意的。根据他的观察，除了最近几个月恶劣的物质条件之外，生病还有着某种精神上的原因。“也就是说，这是由许多复杂的精神上的和物质上的影响，以及惊恐、担忧、操劳、某些念头等等造成的。”由于瞥见阿芙多季娅·罗曼诺芙娜听得全神贯注，佐西莫夫便在这个话题上发挥了一通。当普莉赫里娅·亚历山德罗芙娜惊慌不安、忧心忡忡地问到是否“怀疑他神经错乱”时，他平静而又坦然地一笑，回答说，他的话被夸大了；当然啰，病人显然有了某种固执的念头，有些偏执狂的症状，因为他佐西莫夫现在正特别留意医学界这一极其重要的学科。再说还应该看到，几乎直到今天病人还在说胡话，并且……当然啰，亲人们到来会有助于他的康复，消除他的忧愁，起到良好的治疗作用。“只不过要避免新的特殊的刺激。”他又意味深长地添上了这一句。接着他站起身来，郑重而热情地告别，引来一阵热烈的祝福、感激和央求。阿芙多季娅·罗曼诺芙娜甚至主动伸出手去与他握别。他对自己这次来访，尤其是对自己的举止，感到非常满意。

“我们明天再谈；现在你们一定得好好睡上一觉！”拉祖米欣说道，并与佐西莫夫一起走了。“明天我尽量早一点儿来告诉你们他的情况。”

“不过，阿芙多季娅·罗曼诺芙娜可真是个让人动心的姑娘！”当他俩走到街上时，佐西莫夫几乎羡慕地说。

“让人动心的姑娘？你是说让人动心！”拉祖米欣大叫，猛地朝佐西莫夫扑去，一把掐住他的脖子。“要是你再敢……明白吗？明白吗？”他一边叫嚷，一边抓住他的衣领摇晃，把他按到墙上。“听见了吗？”

“放手，醉鬼！”佐西莫夫用力挣脱了出来。当拉祖米欣放开他以后，他定神瞧了瞧拉祖米欣，冷不丁地哈哈大笑起来。拉祖米欣站在他的面前，垂着手，神色忧郁而严肃地沉思着。

“当然啰，我是个傻瓜，”他脸色阴沉地说，“可要知道……你也一样。”

“不，老兄，我才不是哩。我可不痴心妄想那种蠢事。”

他俩默默地走着，只是快到拉斯柯尔尼科夫的住处，心神不宁的拉祖米欣才打破了沉默。

“听着，”他对佐西莫夫说，“你是个不错的家伙，但除了你那些劣习之外，你还是个好色之徒，这我清楚，你还是个堕落的家伙。你是个神经质的、软弱的坏蛋，你讲究享受，如今发了财，就什么都不肯节制，我把这叫做堕落，因为这确实会让人堕落。你竟会变得如此娇气，说实在的，我弄不明白，在这种情况下你怎么可能当个出色的、富有自我牺牲精神的医生。睡在羽毛褥子上（你是医生嘛），半夜却得起来去出诊……不，问题并不在此，问题在于：今天你得在房东太太的家里过夜（我费了九牛二虎之力才让她同意），我却得睡在厨房里。这给了你一个接近的机会！不过可不是你想象的那样！老兄，这和你想的根本不一样……”

“我并没有想怎么样。”

“老兄，这里是羞怯沉默、腼腆忸怩、严守贞节，同时一劲儿唉声叹气，渐渐她就像蜡烛似的熔化，就是这样！求求你啦！让我摆脱她吧！她是个非常有魅力的人！……我会报答你的，不惜肝脑涂地！”

佐西莫夫的笑声更洪亮了。

“你被搞得神志不清啦！我要她干吗？”

“相信我，你不用费多大的劲儿，只要随便聊点什么，只要坐在她身边闲扯。况且你是个医生，找个病给她治治。我保证你不会后悔的。她家里有一架旧式的小钢琴。你知道，我会瞎弄几下。那儿有我的一张歌谱，一首俄罗斯民歌，地地道道的俄罗斯民歌：《我热泪盈眶……》。她喜欢地道的俄罗斯民歌，事情就是从歌曲开始的。你可是个钢琴能手，行家，是鲁宾斯坦[①]……相信我，你不会后悔的！”

“你怎么，向她许过什么诺言吗？啊？签了婚约？或许你答应娶她？……”

“没有，没有，什么也没有！她根本不是那种人。切巴罗夫曾追求过她……”

“那你甩了她不就完了吗！”

“不能这样抛弃她！”

“为什么不能？”

“不能，不能，就是不能！老兄，这里有种吸引力。”

“当初为啥勾引她呢？”

“我根本没有，倒是由于自己愚蠢，受了她的勾引。可对她来说，是你还是我，根本无所谓；只要有人坐在她身边唉声叹气就行了。这里，老兄……我无法把一切都说清楚，你看，你精通数学，而且现在还在学数学，我知道……喏，你就从教她微积分开始好了，真的，我不是在开玩笑，我是说正经的。说什么对她完全无所谓。她只会望着你一劲儿地唉声叹气，可以整年都这样。比如，我曾经花了很多时间，连续两天对她大谈普鲁士的贵族院[②]（想想我同她有什么好谈呢），她只是唉声叹气，并且浑身冒汗！不过，你可别谈爱情，她会羞得昏厥过去。但你又得装出离不开她的模样，这就够了。那儿舒适极了，完全像在自己家里。你可以

①安·格·鲁宾斯坦（1829—1894），俄国作曲家和钢琴家，在彼得堡创建“俄罗斯音乐协会”（1858）和第一所俄国音乐学院（1862）。陀思妥耶夫斯基曾听过鲁宾斯坦的演奏。

②当时普鲁士议会中的参议院。

看书，坐着，躺着，写点东西……甚至可以吻她，小心翼翼地吻她一下……”

“我要她干吗？”

“我真不知道怎么才能跟你解释清楚！你瞧：你们两人非常般配！我以前就考虑到你了……要知道，这正是你的归宿！早一些还是迟一些，对你来说还不是一样吗？老兄，这里有羽毛褥子般的舒适，啊哈！还不单是羽毛褥子呢！这里会让你流连忘返；这里是世界的尽头，是停泊地，是安静的栖居所，是地球的中心，是支撑地球的三条鱼基架[1]；这里有美味的油煎薄饼，油腻腻的大烤饼，晚上有茶炊，轻声的叹息，暖乎乎的敞怀女褂，以及烧热的炉炕。就好像你已与世长辞，但同时又在享受人生，真是一举两得！嗯，老兄，见鬼，我又扯远了，该睡觉去啦！听着，夜里我会不时醒来去看看他。不过没什么事的，小有不适，一切都会很好的。你也用不着特别担心，如果愿意，也可以起来看他一次。不过要是有什么情况，比如说胡话，或者发烧，或者其他什么，立刻来叫醒我。但这是不可能的……”

①俄国民间传说中地球是由三条鱼支撑着的。

第二章

第二天早上七点多钟的时候，拉祖米欣醒来，心事重重，神情严肃。这天早晨他脑海里突如其来地冒出许多新的从未有过的困惑。他没想到有一天醒来会是这样。他记得昨天发生的一切，乃至细枝末节，并且明白自己身上发生了一件不同寻常的事，产生了一种从未有过的、与过去截然不同的感情。与此同时他又清醒地意识到，脑子里出现的那个梦想是绝对不可能实现的；因为是绝不可能，他都为这梦想感到羞愧，于是思绪急忙转到其他的事上，转到“该死的昨天”遗留给他的迫切需要解决的忧虑和困惑上。

他想到的最可怕的事，就是他昨天的表现竟然如此“卑鄙下流”，不仅由于他喝醉了，而且还利用这位姑娘的处境，出于莽撞急切的忌妒心，当着她的面辱骂了她的未婚夫，非但不了解他们之间的关系和允诺，甚至还没有认真了解这个人。他有什么权利这么匆忙轻率地对他做出判决呢？谁委派他充当法官的呢！难道像阿芙多季娅·罗曼诺芙娜那样的女性,会为了金钱委身于一个卑鄙的人吗?可见,他并非一无是处。说到那家旅馆呢,为什么他就应该知道那是一家怎样的旅馆?他可是在装修房子呀……呸,这一切多么卑鄙!难道能以喝醉了来开脱吗?这是一个愚蠢的借口,越解释越丢人。酒后吐真言,真的说出了真心话,“也就是说,内心的粗暴、忌妒等脏东西全都暴露无遗!”难道他拉祖米欣还可以抱有一丝幻想吗?与这样的姑娘相比,他这个昨日喝酒胡闹的家伙,一个吹牛大王,可算个什么人呢?“难道可以这样恬不知耻地滑稽可笑地相提并论吗?”想到这一点,拉祖米欣不禁感到一阵绝望,并羞得满脸通红。突然间,像是故意捉弄他,他清晰地忆起昨天站在楼梯上,对她们说过房东太太会忌妒他与阿芙多季娅·罗曼诺芙娜的关系……这简直令他无地自容。他朝炉灶猛击一拳,弄破了手,也砸碎了一块炉砖。

“当然啰,”过了片刻,他有些自暴自弃地对自个儿嘟哝着,“当然啰,覆水难收,因此,对此也没什么可想的了……只能默默地去那里……默默地……尽自己的义务,而且……而且不必求人家原谅,什么也别说……显然……现在一切都完了!”

可是他穿衣服时,比平时更加仔细地察看自己的衣着,他没有别的衣服,即便有他大概也不会换的,“我偏不换”。但也不能再马虎邋遢了:他没有权利辜负别人的感情,尤其是那些正需要他的帮助、请他前去的人。他用刷子仔细地刷净自己的衣服。他身上的衬衣总是非常干净的,在这方面他有洁癖。

这天早上,他很勤快地梳洗了一番,从纳斯塔霞那里找来肥皂,洗了头发、脖子,尤其是手。面临要不要刮胡子的问题时(普拉斯科维娅·巴甫洛芙娜有相当不错的剃须刀,这还是已故的扎尔尼岑先生的遗物),他毫不犹豫地做出了否定的决定:“让它留着吧！要不然她们还以为我刮胡子是为了……一定会这么想的！无论如何也不刮胡子!”

而且……而且主要是他显得粗鲁,肮脏,举止很粗俗。他知道,就算自己多少还是个正派人……哼,是个正派人有什么可骄傲的呢？人人都应该是正派的呀,而且还要整洁些……不管怎样(他记起了这一点),他干了那些荒唐事……虽然并非什么卑鄙的事,但还是……是多么差劲的念头哇！……这些怎么能和阿芙多季娅·罗曼诺芙娜相比呢！是呀,真见鬼！随它去吧,那我就故意显得脏些,显得粗俗些,管它呢！我还会更肮脏,更粗鲁！……”

在普拉斯科维娅·巴甫洛芙娜家的客厅里过夜的佐西莫夫走进来时,正撞上他一个人在这样独白。

佐西莫夫准备回家去,临走前匆匆来看一下病人。拉祖米欣告诉他,病人睡得像个土拨鼠似的。佐西莫夫吩咐尽量让他睡,不要叫醒他。他自己又答应十点多钟再来看一次。

“只要他还待在家里。”他补充了一句,“呸,见鬼！连自己的病人都管不了,还能给人看病呢！你是否知道,他去她们那儿呢,还是她们来这儿?”

“我觉得,她们会来的,”拉祖米欣明白他问这句话的用意,回答说,“他们当然要谈谈家事。我得回避。作为医生,你当然比我更有资格留下来。”

“我可不是接受忏悔的神父。我来一下就走,还有许多事要做呢。”

“有一件事让我感到不安，”拉祖米欣皱着眉头，打断他的话，“昨天我喝醉了，路上对她们瞎说了一通……讲了乱七八糟的……顺便说到你担心他好像……有神经错乱的趋势……”

“昨天你对那母女俩也说了这个话吧。”

“我知道，这太蠢了！真该揍！你真的能肯定这一看法吗？”

“没的事，听我说，怎么能肯定呢！你带我到他那儿去的时候，你自己不也把他说成是个偏执狂吗……嗯，我们昨天还火上浇油，也就是说你讲了那件事……关于油漆匠的事。他也许是给这件事弄得神经错乱了，你还讲它！假如我确知当时警察局里发生了什么事，确知他在那里遭到某个坏蛋的怀疑……受了侮辱，那么……那么昨天我就不会讲这个话。要知道，这些偏执狂总是小题大做、以假当真……昨天从扎米托夫的叙述中，就我所记得的，事情有一半我已经弄清楚了。噢，对了！我知道有这样一件事，一个四十岁的忧郁症患者由于无法忍受一个八岁男孩每天吃饭时的嘲笑，一怒之下就把他杀了！他则是由于一贫如洗，警察们蛮横无理，自己又得了病，还无端受到怀疑！这一切发生在一个极度的忧郁症病人身上！况且他的虚荣心很强，非同一般！这或许就是致病的症结所在！准是这样！……顺便说一句，这个扎米托夫的确是个不赖的小伙子，只不过，嗯……昨天他不该讲这些。闲话太多！”

“他对谁讲了？不就是你和我吗？”

“还有波尔菲里。”

“对波尔菲里讲了又怎么样呢？”

“还有，她们，那母女俩，会听你的话吗？今天她们对他得更加些小心……”

“她们会听的!”拉祖米欣一脸不高兴地回答说。

“他干吗这样对待卢仁？是个有钱人，好像她也不讨厌他……要知道，她们可是一无所有哇！啊？”

“你干吗刨根问底？”拉祖米欣恼怒地嚷道，“我怎么知道她们是不是一无所有？你自己去问嘛，或许会弄清楚……”

“嘿，你有时真笨！昨天的酒劲还没过去……再见。替我谢谢你的普拉斯科维娅·巴甫洛芙娜，谢谢她让我住了一夜。她锁上了门，我隔着门问安，她也没有回答。今天早晨她七点钟就起床了，仆人从厨房经过走廊，给她送去了茶炊……我连见她一面的这份荣幸也没得到……”

九点整，拉祖米欣来到了巴卡列耶夫旅馆。那母女俩早已等得不耐烦。她们七点钟就起床了，或许还要早些。他阴沉着脸走进来，笨拙地点头打着招呼，随即就生了气，当然是生自己的气。他完全没有想到，普莉赫里娅·亚历山德罗芙娜会这样向他扑来，抓住他的双手，几乎要亲吻起来。他怯生生地瞥了一眼阿芙多季娅·罗曼诺芙娜；连这张傲慢的脸上此刻也露出了感激和友好之情，以及出乎他意料的尊敬(不是嘲讽，也不是难以掩饰的不由自主的鄙视)；这使他感到极其窘迫，倒不如迎面遭一顿骂，说实在的，那他会觉得好受些。幸亏他准备好了话题，于是赶紧进入正题。

听说“他还在熟睡”，但“一切都很好”之后，普莉赫里娅·亚历山德罗芙娜便说，这太好了，因为她非常、非常、非常需要先商量一些事情。接着她问他是否喝了早茶，并邀请他一起进茶；她们自己也因等着拉祖米欣还没喝过茶。阿芙多季娅·罗曼诺芙娜打了铃,应声而来的是个浑身肮脏、衣衫破烂的人;她吩咐上茶,茶是端来了,摆在桌上,却那么不干净,那么不体面,弄得母女俩很难为情。拉祖米欣语气激烈地痛骂了句这家旅馆,但一想到卢仁,便缄口不语,感到十分窘迫。不过,当普莉赫里娅·亚历山德罗芙娜接二连三提出各种问题时,他可高兴了。

他整整说了三刻钟,回答她们的问题,不时被打断、被反问;讲出了他自己所知道的有关罗季昂·罗曼诺维奇最近一年生活中最主要、必不可少的事实,最后又详细叙述了他的病情。不过,他略去了许多该略去的事情,包括警察局里发生的事,以及那事所引起的一切后果。她们贪婪地听着他所说的每一句话,然而,当他以为自己已经说完,并让她们感到十分满意时,她们却觉得,他还没有开始呢。

"说说,跟我说说,您是怎么看的……啊呀,对不起,我还不知道您的名字呢?"普莉赫里娅·亚历山德罗芙娜连忙说。

"德米特里·普罗科菲伊奇。"

"是这样的,德米特里·普罗科菲伊奇,我非常、非常想知道……一般地……他现在对事情的看法怎么样,也就是说,请您讲讲,怎么对您说呢,也就是说,您讲一讲他喜欢什么,不喜欢什么?他是否一直是这样好发火?他有什么愿望,或是有什么理想?能说说吗?现在,什么事对他的影响特别大?总之我是想……"

"啊呀,妈妈,怎么能一下子回答所有这些问题呢!"杜尼娅说道。

“啊，我的天哪，要知道我根本没料到会瞧见他这副模样，德米特里·普罗科菲伊奇。”

“这是很自然的，”德米特里·普罗科菲伊奇回答道，“我的母亲已经去世，我舅舅每年都来看我，但差不多每次都认不得我，甚至连外貌也认不得，可他还是个聪明人呢。你们分别了三年之久，有了许多变化。该怎么对您说呢？我认识罗佳已有一年半了，他郁郁寡欢，傲气。最近（或许已有很长时间了），他变得多疑，忧郁。他为人慷慨，善良，不喜欢流露自己的感情，宁可显得冷酷无情，也不愿意讲出自己的心愿。不过有时候他根本不是忧郁，倒是冷酷无情到了不近人情的地步，说实在的，仿佛他内心有两种截然不同的性格在交替出现。有时他就硬是一言不发！他总是说没有时间，总是说别人在妨碍他，可他自己却躺着什么也不干。他从不嘲笑别人，这倒不是他笨嘴拙舌，而是他没有工夫去干这类事。他从不听人把话说完。他也从不对当前人们津津乐道的话题感兴趣。他自视甚高，不过也并非没有道理。嗯，还有呢？……我觉得，你们的到来将会是医治他最有效的良药。”

“哎呀，但愿上帝保佑！”普莉赫里娅·亚历山德罗芙娜叫了起来。拉祖米欣对她的罗佳的这番评论令她感到痛苦。

而拉祖米欣终于鼓起勇气，看了一眼阿芙多季娅·罗曼诺芙娜。他说话时不时瞥她一眼，但目光只是一扫而过。阿芙多季娅·罗曼诺芙娜时而坐下，全神贯注地倾听；时而又站起身来，按照自己的习惯在屋里来回走动；她抱着两只胳膊，紧抿着嘴唇，边走边思索，不时地提出些问题。她同样也有不听人把话说完的习惯。她穿着一件深色的薄料连衣裙，脖子上围着一条薄薄的围巾。根据种种迹象，拉祖米欣一眼便发现，这母女俩的生活非常贫困。倘若阿芙多季娅·罗曼诺芙娜穿得像个皇后，那么他大概根本不会惧怕她。现在，或许正由于她穿戴那么寒素，正由于他察觉到了她那穷困的境况，他心里才产生了一阵恐惧。他开始担心自己的每一句话，每一个手势；这对本已失去自信的人来说，当然是很不自在的事。

"您生动地描述了我哥哥的性格特点，并且……说得很公道。这很好，我原以为，您一味景仰他，"阿芙多季娅·罗曼诺芙娜微笑着说，"看来，您说得也对，他身边是应该有个女人。"她若有所思地添上了一句。

"我没这么说，不过，或许这一点上您也是对的，只是……"

"什么？"

"要知道，他谁也不爱；大概永远也不会爱上别人。"拉祖米欣断然地说道。

"也就是说，他不会爱他人？"

"您要知道，阿芙多季娅·罗曼诺芙娜，您自己就非常像您的哥哥，甚至一切都像！"他唐突地说出了这句话，连他自己都感到意外，随即想起刚才对她说的有关她哥哥的话，于是羞得满脸通红，像个煮熟了的大虾似的，并且感到极度地窘迫不安。看到他这副模样，阿芙多季娅·罗曼诺芙娜不禁哈哈大笑起来。

"关于罗佳，你们两人可能都弄错了，"普莉赫里娅·亚历山德罗芙娜带点怪罪地接过话头说，"我不是指他的现在，杜涅奇卡。彼得·彼得罗维奇在那封信上说的……以及你我所猜测的，或许是不对的，但是您无法想象，德米特里·普罗科菲伊奇，他是多么爱幻想，而且怎么说呢，非常任性。我从来就捉摸不透他的性格，从他十五岁起就是这样。我相信，他现在也能突如其来地干出别人绝对想不到的事……不说远的，您是否知道，一年半前他有一回就让我提心吊胆，吓得半死，差点儿送了老命。当时他竟然打算娶那个……她叫什么呀？是他房东太太扎尔尼岑娜的女儿。”

“您是否知道这件事情的详情？”阿芙多季娅·罗曼诺芙娜问道。

“您以为，”普莉赫里娅·亚历山德罗芙娜激动地接着往下说，“那时我流泪，我哀求，我生病，我或许忧愁而死，我们生活贫困，这一切能阻止他吗？他会毫不理会地一意孤行。难道说，难道说他不爱我们吗？”

“他本人从未对我谈起过这件事，”拉祖米欣小心翼翼地回答道，“然而我从扎尔尼岑娜太太那儿听说了一些，不过她也不是一个爱饶舌的人，我听到的情况甚至还有些让人感到不可思议……”

“那您听到了什么？”母女俩异口同声地问道。

“其实，也没什么太特别的。我只是了解到，扎尔尼岑娜太太本人对这门已经完全说定，只因女方去世才作罢的婚事，也很不满意……此外，据说姑娘本人并不漂亮，甚至可以说有点丑……而且身体不好……而且……而且性情古怪……不过，好像也是有些优点的。一定会有优点的，要不然就让人无法理解了……她也没有什么嫁妆，而他本来也不会指望什么嫁妆……总之，这种事外人是很难评判的。”

“我相信,她是个好姑娘。”阿芙多季娅·罗曼诺芙娜简捷地发表了自己的看法。

“上帝饶恕我吧,当时对她的死我确实有些幸灾乐祸,尽管我不知道他俩是谁害了谁:他害了她呢,还是她害了他?”普莉赫里娅·亚历山德罗芙娜结束了这个话题,接着小心而又迟疑地问起罗佳与卢仁昨日争吵的情况,同时不断瞅瞅杜尼娅,这显然使得杜尼娅很不高兴。看来,这件事最使母亲感到不安,甚至害怕。拉祖米欣又详细说了一遍,但这一回他添上了自己的结论:他直截了当地责备拉斯柯尔尼科夫有意侮辱彼得·彼得罗维奇,同时没有拿生病为他开脱。

“还没生病时,他就打算这样做了。”他补充说。

“我也是这样认为的。”普莉赫里娅·亚历山德罗芙娜痛苦地说道。但她觉得十分惊奇,这一回拉祖米欣谈起彼得·彼得罗维奇时,语气十分谨慎,甚至似乎带些敬意。阿芙多季娅·罗曼诺芙娜对此也感到非常惊讶。

“那您对彼得·彼得罗维奇是什么看法呢?”普莉赫里娅·亚历山德罗芙娜忍不住问道。

“对您女儿的未婚夫,我不可能有其他的看法,”拉祖米欣坚定而又热情地回答说,“我这么说不是出于某种庸俗的客套,而是因为……因为……就因为阿芙多季娅·罗曼诺芙娜本人情愿选中了这个人。如果说我昨天那么骂了他,这只是因为我昨天喝得烂醉,加上……失去了理智,对,完全失去了理智,昏了头……今天我为此十分羞愧!……”他羞得满脸通红,缄口不语了。阿芙多季娅·罗曼诺芙娜也涨红了脸,但仍然一声不吭。自从谈起卢仁,她还没有开口说过话。

与此同时，普莉赫里娅·亚历山德罗芙娜由于没有得到她的支持，显然有些举棋不定。后来她一边不断朝女儿张望，一边讷讷地说，现在有一件事让她特别担心。

“您要知道，德米特里·普罗科菲伊奇……”她开始说了起来，“杜涅奇卡，我可以把一切都告诉德米特里·普罗科菲伊奇吗？”

“当然可以，妈妈。”阿芙多季娅·罗曼诺芙娜神色严肃地回答说。

“事情是这样的，”普莉赫里娅·亚历山德罗芙娜迫不及待地说下去，她因能一吐内心的忧虑，感到如释重负。“今天一大早，我们便收到了彼得·彼得罗维奇的一张便笺，是收到我们昨日已到达这里的消息之后所做的答复。您瞧，他昨天本应该到车站来接我们，他曾经许诺过。可他却打发一个仆人带着这家旅馆的地址去车站接我们，并给我们带路；他还叫那个仆人告诉我们，说今天早上他将亲自来这里看望我们。而今天早上他却送来了这张便笺……您最好自己看吧；上面有些话令我感到极其不安……您马上会明白这是怎么回事，并且……请坦率地说说您的看法，德米特里·普罗科菲伊奇！您最了解罗佳的个性，能帮我们出最好的主意。我得先告诉您，杜涅奇卡已经做出了决定，她一下子就做出了决定，但是我，我还不知道该怎么办……所以……所以我一直在等您。”

拉祖米欣打开一张写着昨天日期的便笺，读了起来：

普莉赫里娅·亚历山德罗芙娜夫人，敬启者：

兹因意外之事缠身，无法去车站迎候，特此派一能干之人前往。又因枢密院有数件刻不容缓的公务亟待办理，并为不致妨碍夫人与令郎，阿芙多季娅·罗曼诺芙娜与兄长之亲人团聚，吾明晨亦不便登门拜访，但明晚八时整我将有幸去居所问候，并冒昧提出一个恳切且极为坚决之请求：我们晤面时，罗季昂·罗曼诺维奇不应在场；因昨日我去拜访时，他在病中，极其无礼地侮辱我。此外尚有一事必须向夫人细述，并期望听到夫人亲自解释。谨先此奉告。倘若无视我之恳求，致我与罗季昂·罗曼诺维奇不期而遇，我将不得不立即告退，届时夫人当自引咎。我写此信，盖因推测罗季昂·罗曼诺维奇或许会上门看望夫人，因吾昨日去探望时，他正重病缠身，而两小时后突然痊愈，并走出家门。昨日我亲眼目睹他在一被马踩死之酒鬼家里，以助安葬为借口，赠与酒鬼之女，一品行不端女人，达二十五卢布之多，令我万分震惊，因我深知夫人此钱筹来不易。最后，请代问候阿芙多季娅·罗曼诺芙娜。此致敬礼

您忠顺的仆人　彼得·卢仁

“德米特里·普罗科菲伊奇，我现在该怎么办？”普莉赫里娅·亚历山德罗芙娜说着差点儿哭了出来，“我怎么能不让罗佳来呢？昨天他那么坚持要回绝彼得·彼得罗维奇，而这封信又吩咐不许他参加！他要是知道了，会非来不可，那……那到时候该怎么办哪？”

“您就依阿芙多季娅·罗曼诺芙娜的决定办吧。”拉祖米欣立

即平静地回答道。

“哎呀，我的天哪！她说……鬼才知道她说了些什么，也不告诉我是什么用意！她说，最好，也许不是最好，但为了某种理由一定得让罗佳在今晚八点钟专门到这儿来一趟，让他们见上一面……可我不愿意就这么让他看到这张便笺，想通过您的帮助，采取巧妙的方法不让他来……因为他脾气暴躁……还有，我怎么也弄不明白，那个死去的酒鬼是怎样一个人，他的女儿又是怎样一个人，他怎么能把仅有的几个钱都送给他的女儿……这些钱……”

“这些钱可代价不低呀，妈妈。”阿芙多季娅·罗曼诺芙娜补充说。

“昨天他情绪反常，”拉祖米欣若有所思地说，“要是你们知道他昨天在那酒店里说了些什么，那就好了，尽管话说得很在理……是啊！昨天当我们回家时，他的确对我说起一个什么死人和一个女子的事，但我一句也没听明白……不过，昨天我自己也……”

“妈妈，最好我们亲自去他那里，我保证，在那儿我们一下就会知道该怎么办。况且我们也该走啦。天哪！十点多钟了！”她瞥了一眼自己那只极其漂亮的珐琅面金表，叫了起来。这只金表用一根细细的威尼斯链子穿着，挂在她脖子上，跟她的服装极不相称。“未婚夫送的礼物。”拉祖米欣思忖道。

“是啊，该走啦！……该走啦，杜涅奇卡，该走啦！”普莉赫里娅·亚历山德罗芙娜慌张地忙碌起来，“他还以为我们在生昨天的气呢，所以迟迟不去。唉，天哪！”

她边说边忙乱地披上披肩，戴上帽子；杜涅奇卡也同样穿戴起来。拉祖米欣发现，她戴的手套不仅很旧，甚至都破了，不过，穿着上这种显而易见的贫困，反而使这母女俩有了某种特别的尊严；衣着寒素的人往往是这样。拉祖米欣怀着恭敬的心情望着杜涅奇卡，因能陪伴她感到自豪。“在监狱中缝补自己袜子的王后，”他暗自寻思道，“倒更像真正的王后，强似在豪华的庆典上和出游时。”①

“我的天哪！”普莉赫里娅·亚历山德罗芙娜感叹道，“我真没想到，我竟会害怕见到自己的儿子，自己亲爱的、亲爱的罗佳，现在我是多么害怕呀！……我真害怕，德米特里·普罗科菲伊奇！”她胆怯地瞥了他一眼，补充说。

“别怕，妈妈，”杜尼娅一边亲吻着她一边说，“您最好相信他。我就相信他。”

“唉，我的天哪！我也相信，可是我整夜都无法入睡！”这个可怜巴巴的女人叫道。

他们走到了大街上。

“你要知道，杜涅奇卡，我只是天亮时才打了个盹，突然梦见已故的玛尔法·彼得罗芙娜……她一身素服……走到我的跟前，抓住我的手，并对我直摇头。她的神情是那么严厉，那么严厉，仿

---

①此处指法国路易十六的妻子玛丽·安多奈特(1755—1793)被囚的情形。陀思妥耶夫斯基为小说准备的写作笔记中提到过她的名字。玛丽·安多奈特原为奥皇之女，在法国大革命时被处死刑。法国作家夏多布里昂曾描写过她在狱中的情况：“……皇帝的女儿身披一件破衣，竟落到自己动手缝补衣服的地步，在潮湿的牢房里，她不得不将冰凉的双腿伸进破烂不堪的毯子……”

佛在责备什么似的……这是好兆头吗？唉，我的天哪，德米特里·普罗科菲伊奇，您还不知道，玛尔法·彼得罗芙娜已经去世了！”

“不知道，我不知道。玛尔法·彼得罗芙娜是谁？”

“她是突然死去的！您想象一下……”

“以后再说吧，妈妈，”杜尼娅打断了她的话，“他还不知道玛尔法·彼得罗芙娜是谁哩。”

“哎哟，您还不知道？可我以为您一切都知道了。请您原谅，德米特里·普罗科菲伊奇，这几天我简直都被搞得晕头转向。说真的，我把您当做了我们的上帝，因此我确信您已经知道了一切。我把您当做自己人……我这样说，您可别生气。唉，我的天哪，您的右手怎么啦！弄伤了？”

“是的，弄伤了。”拉祖米欣喃喃地说，而心里却美滋滋的。

“有时我太心直口快，所以杜尼娅总是提醒我……但是，我的天哪，他住的算什么房间哪！不过，他醒了吗？那个女人，他的房东太太，竟会把这也算作房间？听着，您说他不喜欢表露自己的心思，所以我大概会因自己那些……毛病而使他感到讨厌？……德米特里·普罗科菲伊奇，您能否教教我？我该怎么对待他呢？您要知道，我完全不知所措了。”

“如果看见他皱起了眉头，就什么也别问；尤其不要问他的身体状况，他讨厌别人问。”

“唉，德米特里·普罗科菲伊奇，当母亲有多难哪！就是这条楼梯……多么可怕的楼梯呀！”

“妈妈，你甚至脸都白了，别紧张，亲爱的妈妈，”杜尼娅依偎着母亲说，“他见到你一定会很高兴的，你不必这样折磨自己。”

她两眼闪闪发亮，补充说道。

“你们等一等，我先去看一眼他醒了没有。”

拉祖米欣先上楼，母女俩则悄悄跟在后面。当她们经过四楼房东太太的门口时，她们发现房东太太的房门开了一条窄窄的缝隙，黑暗中有两只乌黑的眼睛正在飞快地打量着她俩。当她们的目光相逢时，房门便立刻砰的一声关上了，关门的声音如此之大，吓得普莉赫里娅·亚历山德罗芙娜差点儿惊叫起来。

第三章

“他的病好啦，他的病好啦！”佐西莫夫冲着来人兴奋地叫喊。他已经来这儿待了十来分钟，坐在沙发上自己昨天坐过的那一头。拉斯柯尔尼科夫坐在沙发的另一头，他穿得整整齐齐，甚至仔细地梳洗了一番，这是很久没有的事了。房间立刻挤满了人，但纳斯塔霞仍然设法跟在客人后面挤了进去，她想听听人们的谈话。

拉斯柯尔尼科夫的病真的几乎好了，尤其是与昨天相比，只不过他的脸色还很苍白，神情涣散、忧郁。从外表上看，他像一个受了伤的人，或者忍受着极大的肉体痛苦：他双眉紧蹙，咬着嘴唇，眼睛发红。他很少开口说话，也不愿意说话，说起来似乎力不能支，或者只是为了尽义务，他的举动不时透露出内心的不安。

只差手上没扎绷带，或手指没套塔夫绸的套子，要不然他就活似手指肿痛化脓的人，或者手上受伤的人，或者诸如此类的人。

不过，当母亲和妹妹进屋时，这张苍白阴郁的脸，如被阳光照亮,发出了刹那间的光彩,然而这似乎只是在先前那种忧郁的心不在焉之上增添了痛苦的表情。他脸上的光彩很快就消失了,痛苦却留了下来。佐西莫夫怀着刚刚行医的青年医生所特有的热情,观察并研究着自己的病人;他惊奇地发现,随着亲人们的到来,病人内心深处不是高兴和欢乐,却像是下了痛苦的秘而不宣的决心:忍受一两个小时无可逃避的盘问。他后来发现,接下去所说的每一句话几乎都像触到病人的某个痛处,刺激了他的伤口。但同时还令佐西莫夫惊奇的是,病人今天能够控制住自己,能够掩饰自己那偏执狂的情绪;可昨天,一句无足轻重的话就引得他几乎发疯。

"是的,现在我自己也发现,我的病几乎好了。"拉斯柯尔尼科夫一边说一边亲切地吻了母亲和妹妹,这使普莉赫里娅·亚历山德罗芙娜立刻心花怒放。"我再不会像昨天那样讲话啦。"他对着拉祖米欣补充道,并友好地握了握他的手。

"今天,他甚至让我大吃一惊。"佐西莫夫开口说道,并因有人来而十分高兴,因为他与自己的病人说了十分钟就已无话可谈了。"如果这样下去,三四天以后他就会完全像以前那样,也就是像一个月前,或者两个月前……也许是三个月前那样。要知道,这病由来已久……啊?现在您是否意识到,可能对于生病您自己也有责任?"他小心翼翼地笑着补充说,仿佛仍然害怕会刺激他似的。

"很有可能。"拉斯柯尔尼科夫冷冷地回答道。

"我是说呀,"佐西莫夫说得来劲了,接下去讲,"您是否能完全康复,现在完全取决于您自己。现在同您已经可以谈话了,我想告诉您,您必须消除发病的最初诱因,最根本的原因,那样才会痊愈。否则情况可能会更严重。我不知道这些最初的原因是什么,但您自己一定明白。您是个聪明人,当然一定进行过自我观察。我觉得,您开始发病与您从大学退学差不多是同时的。您没有事情做是不行的,因此我认为,找一个事做,并给自己树个坚定的目标,会使您受益匪浅。"

"对,对,您说得完全对……我这就尽快地复学,那时就会……一切顺利……"

佐西莫夫提出自己那聪明的主意,起初也是为了给那母女俩留下深刻的印象,但当他把话说完瞥了一眼自己的病人,发现他脸上明显带有嘲讽神色时,当然感到有些窘迫。不过,这感觉只是一闪而过。普莉赫里娅·亚历山德罗芙娜立即向佐西莫夫表示谢意,还特别感谢他昨晚去旅馆看望她们。

"怎么,他昨夜去看你们?"拉斯柯尔尼科夫几乎吃惊地问道,"难道你们长途奔波以后也不休息?"

"唉,罗佳,要知道他们是两点钟以前来的。我和杜尼娅在家时两点之前也从不就寝的。"

"我同样也不知道该怎么感谢他,"拉斯柯尔尼科夫冷不丁地蹙起眉头,垂下眼帘,接着说道,"撇开钱的问题,请您原谅我提到了这个问题(他对佐西莫夫说),我真不知自己哪一点值得您如此操心费神?我简直弄不明白……并且……这甚至让我感到十分苦恼,因为我百思不得其解;我对您说的都是实话。"

"您别激动,"佐西莫夫强做笑脸说,"假定说您是我的第一个病人,我们这些刚开始行医的大夫,都像爱自己孩子似的爱自己初遇的病人，有的几乎可以说对他们着了迷。再说，您知道我的病人也并不多吗。”

“他就更没说的了，”拉斯柯尔尼科夫指着拉祖米欣补充说，“除了辱骂和操劳，他从我这儿还得到了什么呢？”

“又在胡扯！你今天怎么变得多愁善感了？”拉祖米欣大声说。

倘若他观察得敏锐些，会发现这绝不是什么多愁善感，而是某种截然不同的情绪。不过，阿芙多季娅·罗曼诺芙娜却觉察到了这一点。她目不转睛，不安地盯着哥哥。

“至于您，妈妈，我真的难以启齿，”他继续往下说，好像背诵一大早就念熟的课文，“今天我才算明白过来，昨天您在这儿等我回来时心里多么痛苦。”说完这话，他突然默默地、面带微笑地向妹妹伸出手去。可这一回的微笑真正是发自肺腑的。杜尼娅立刻抓住向她伸过来的手，热烈地握紧，心中充满欢乐和感激。自从昨天发生小小的争执以来，他还是第一次对她表露自己的感情。看到兄妹默默地完全重归于好，母亲顿时满面喜色，眉开眼笑。

“我就喜欢他这一点！”喜欢夸张的拉祖米欣用力在椅子上转过身来，低声说道，“他常常这样！……”

“他做什么都显得那么得体，”母亲暗自思忖着，“他的感情多高尚，他多么简单而又委婉地了结了昨天同妹妹的争执，只是恰到好处地伸出手去，亲切地望了一望……他的眼睛多么美呀，他的脸多么英俊哪！……他长得比杜涅奇卡还要漂亮……然而，我的天哪，他穿的是啥衣服哇，他穿得太差了！阿法纳西·伊凡诺维奇的铺子里那个送货的瓦夏也要比他穿得好些！……我恨不得、恨不得扑上去搂住他……抱头痛哭，可是我害怕，我感到胆战心惊……他有点……天哪！……他说话虽很亲热，但我害怕！可我怕什么呢……”

“哎呀，罗佳，你无法想象，”她突然接过话茬儿，赶紧回答他，“昨天我和杜涅奇卡是多么……伤心哪！现在一切都过去了，都结束了，我们大家重又感到幸福了，这些总算可以说说了。你要知道，我们一下火车就直奔这儿，为了能拥抱你，可是那个女人，喏，就是她！你好，纳斯塔霞！……她突然对我们说，你正在发酒疯，刚才背着医生跑掉，神志不清地上了街，他们都跑去找你了。你无法想象，我们是多焦急！我顿时想到了波坦奇科夫上尉，你父亲的朋友，我们的熟人，惨死的事情。你不记得他啦，罗佳，他也是发着酒疯跑了出去，失足掉进院里的一口井里，直到第二天才把他捞上来。当然啰，我们有些过分担心。我们本想去找彼得·彼得罗维奇，请他帮忙……要知道我们两人可是孤单无靠。”她悲戚地拖长声音缓缓地说，但蓦地刹住了话头，因为她想到，提起彼得·彼得罗维奇还是相当危险的，尽管“现在我们重又感到幸福了”。

“是呀，是呀，这当然很令人烦恼……”拉斯柯尔尼科夫嘟哝着回答道。但他的神态却显得那么漫不经心，几乎毫不在意，以致杜涅奇卡不禁惊讶地望了他一眼。

“我还想说点什么呢，”他竭力回忆着，继续说道，“对，是这样的，妈妈，还有你，杜涅奇卡，别以为我今天不愿先去看望你们，而等着你们先来。”

“你说什么呀，罗佳。”普莉赫里娅·亚历山德罗芙娜也大为惊奇，不禁嚷道。

“难道他只是出于义务才这样回答我们吗？”杜尼娅寻思道，“他又是同我和解，又是请求我们原谅，如同在办一件公事或在背功课。”

“我一醒来就想去看望你们，但是衣服耽误了。昨天我忘了告诉她……纳斯塔霞……洗掉血迹……我刚刚才穿好衣服。”

“血迹？什么血迹？”普莉赫里娅·亚历山德罗芙娜惊慌起来。

“没什么要紧的……请别担心。这是我昨天有些迷迷糊糊地东游西逛时，遇到一个被轧伤的人……一个文官……沾上一点儿血。”

“迷迷糊糊？可你一切都记得清清楚楚哇。”拉祖米欣打断了他的话。

“不错，”不知怎么，拉斯柯尔尼科夫特别注意地回答这个问题，“我记住了一切，乃至细枝末节，可奇怪的是，我为什么要这样做，为什么要去那儿，为什么要说那些话，我却无法解释清楚。”

“这是一种极其熟悉的现象，”佐西莫夫插嘴说，“有时一个人干件事，完成得极好，极有技巧，但行为控制力和行为的起因却是紊乱的，受制于种种病态的感受。这就如同在做梦。”

“他几乎把我当做了疯子，这倒也不错。”拉斯柯尔尼科夫心想。

“其实，健康的人好像也会这样。”杜涅奇卡不安地瞧着佐西莫夫说道。

“相当准确的见解，”佐西莫夫回答道，“就这个意义说，我们所有的人确实常常像疯子，只有一个很小的区别，‘病人’比我们更加疯狂一些，因此，这里必须有个界限。和谐的人几乎是不存在的，的确如此。或许几十个人中，甚至几十万个人中才能遇上一个，而且也还不很理想……”

佐西莫夫就自己喜欢的话题高谈阔论，不慎漏出了“疯子”这个词，大家一听不禁皱起眉头。拉斯柯尔尼科夫正在想着什么，好像并没有在意，他那苍白的嘴唇上挂着一丝古怪的微笑。他还在沉思着。

“喏，那个被轧伤的人怎么样啦？我把你的话给打断了！”拉祖米欣赶紧叫道。

“什么？”他如梦初醒，“对……我帮着把他抬回家去的时候，沾上了血……顺便说一句，妈妈，昨天我做了一件不可饶恕的事；我真的是糊涂了。昨天我把您寄给我的钱，全都给了……他的妻子……用于下葬。现在，她成了寡妇，肺病缠身的可怜女人……她有三个小孤儿，没有饭吃……家里一贫如洗……还有一个女儿……如果让您看到的话，也许您自己也会这么做的……不过，我却没有任何权利这么做，我心里明白，我清楚地意识到，您弄到这些钱是多么不容易。如果想行善，那么首先就得有这个权利。要不然的话，‘Crevez chiens, si vous n’êtes pas contents’[①]！”他哈哈大笑起来，“是这样的吗，杜尼娅？”

“不，不是这样的。”杜尼娅语气坚定地回答道。

---

①法文：“畜生，要是你们还不满意，就死掉吧！”

“好啦！就连你……也是要计算的！……”他喃喃地说，几乎仇视地瞧了她一眼，脸上露出了一丝嘲笑。“我本应该想到这一点……好吧，这值得称赞，这样对你更好些……你会走到这样一个临界线，不越过它你会不幸，越过它呢，或许会更加不幸……不过，这都是胡扯！”他气恼地添上了一句，怨恨自己不由自主地又钻牛角尖了。“我只是想说，妈妈，我要请您原谅。”他忽然生硬地结束了这番话。

“行啦。我完全相信，罗佳，你的所作所为都是正确的！”母亲兴冲冲地回答道。

“您不该相信。”他回答说，并撇嘴微微一笑。接着是一阵沉默。在这场谈话中，在这阵沉默中，在这和解与宽恕中，存在着某种令人紧张不安的东西，大家都感觉到了这一点。

“他们好像怕我。”拉斯柯尔尼科夫蹙着眉头，望着母亲和妹妹，心里暗暗思忖着。普莉赫里娅·亚历山德罗芙娜的确越是沉默不语，心里越是忐忑不安。

“她们不在身边时，我似乎是很爱她们的呀。”这个念头在他的脑海里一闪而过。

“你知道吗，罗佳，玛尔法·彼得罗芙娜死啦！”普莉赫里娅·亚历山德罗芙娜突然说。

“玛尔法·彼得罗芙娜是谁？”

“唉，我的天哪，就是玛尔法·彼得罗芙娜·斯维德里盖洛娃！我给你的信中多次提到过她。”

“啊……是呀，我记得……她死了？哎哟，真的吗？”他猝然一震，如梦初醒地说道，“难道她死了？怎么死的？”

“你想不到吧，是突然死亡！”普莉赫里娅·亚历山德罗芙娜见他感兴趣，很是振奋，急忙接着说，“就在我给你寄信的那时候，甚至就在这一天，你想想，这个可怕的人可能就是她致死的原因。据说他毒打了她！”

“难道他们的生活是这样的吗？”他转身向妹妹问道。

“不是的，甚至恰恰相反。他对她总是很忍让，甚至敬重。在许多场合，他甚至过分地迁就她的个性，整整七年……可不知怎的他突然失去了耐心。”

“既然他能够把婚姻维持七年，那么他压根不是非常可怕的啰？杜涅奇卡，你大概是在为他辩护吧？”

“没有，没有，他是一个可怕的人！我无法想象会有比他更可怕的人。”杜尼娅回答道，浑身差点抖起来。她紧锁双眉，陷入了沉思。

“他打人的事发生在早上，”普莉赫里娅·亚历山德罗芙娜紧接着说下去，“事后，她立即吩咐备马，以便吃罢午饭马上进城，因为在这种时候她总是往城里跑；据说，她午饭时胃口很好……”

“被打了以后？”

“……不过，她一直有这种……习惯，一吃罢午饭便立即动身去浴场，以免耽搁……看来她是在那儿进行浴疗。他们那里有冷泉，她每天定时在那实行浴疗。她刚进入水中，就突然中风了！”

“那是当然的！”佐西莫夫说道。

“他打得很厉害吗？”

“要知道，这反正都一样。”杜尼娅答道。

“其实，妈妈，您唠叨这种荒唐事有什么意思。”拉斯柯尔尼科夫突然气恼地，又像不经意地说道。

“啊呀，亲爱的，我真不知道该说些什么好。”普莉赫里娅·亚历山德罗芙娜脱口而出。

“怎么啦，你们都害怕我，是吗?”他说着不自然地一笑。

“确实是这样的，”杜尼娅说着，严肃地盯着哥哥，“刚才妈妈上楼时，害怕得画起十字来。”

他的面容仿佛抽搐般扭曲着。

“唉哟，你在说什么呀，杜尼娅！别生气，罗佳……你干吗这样啊，杜尼娅！”普莉赫里娅·亚历山德罗芙娜窘迫不安地说道，“说实在的，我来时坐在火车上，一路都在想我们会如何见面，如何交谈一切情况……我是那么快活，毫不感到路途的劳累！我没有什么！我现在也很快活……你不该这么说，杜尼娅！我能见到你，就够快活了，罗佳……”

“别说啦，妈妈，”他握住她的手却不看她，不好意思地嘟哝说，“我们还有时间好好谈谈！”

说完这话，他突然窘困万分，脸色变得煞白：不久前那种可怕的感觉，像刺骨的寒气再次袭上他的心头；他再一次突然大悟，刚才完全是在说假话，因为他如今不仅再不能好好谈谈，而且已经无法与任何人，在任何时候，谈任何的事情了。这一令人痛苦不堪的念头给了他很大的打击，他几乎失魂落魄，突然站起身来，谁也不看，便朝门口走去。

“你怎么啦?”拉祖米欣一把抓住他的手臂，叫道。

他重又坐下，开始默默地四下环顾；所有的人都困惑不解地望着他。

“你们怎么都这样没意思呢!”[①]他冷不丁地叫道,完全出乎大家的意料。“倒是说点什么呀! 干吗这么干坐着? 哎,说话呀! 我们来谈谈吧……大家聚在一起,却又一声不吭……随便说说嘛!”

“上帝保佑! 我还以为他又像昨天那样了。”普莉赫里娅·亚历山德罗芙娜画着十字说道。

“你怎么啦,罗佳?”阿芙多季娅·罗曼诺芙娜疑惑地问道。

“没什么,我想起了点小事。”他回答说,突然笑了起来。

“嗯,如果是点小事,那就好! 不然我也以为……”佐西莫夫一边嘟哝着,一边从沙发上站起身来,“不过,我该走啦;我还会来的,或许……如果我还能见到……”

他鞠了个躬,走了出去。

“多么好的人哪!”普莉赫里娅·亚历山德罗芙娜说。

“是的,一个出色的、有教养的、聪明的好人……”拉斯柯尔尼科夫忽然突如其来地快速说道,表现出迄今不同寻常的热情。“我不记得生病前是在哪儿见过他……好像是见过面……这个同样也是个好人!”他朝拉祖米欣点点头,“你喜欢他吗,杜尼娅?”他突然向她问道,不知为何哈哈大笑起来。

“很喜欢。”杜尼娅回答说。

“呸,你真是……太不够朋友了!”拉祖米欣羞得满脸通红,从椅子上站起身来。普莉赫里娅·亚历山德罗芙娜微微一笑,而拉斯柯尔尼科夫则哈哈大笑起来。

“你去哪儿?”

---

①据陀思妥耶夫斯基夫人说,当家里的亲戚们聚在一起却又一言不发的时候,陀思妥耶夫斯基自己就常说这句话。

“我也……我也该走啦。”

“你根本不该走,留下来吧！佐西莫夫走了,你就该走？别走了……几点钟啦？有十二点吗？杜尼娅,你这只表真可爱！你们怎么又都不吭声啦？总是我一个人在说！[①]……”

“这是玛尔法·彼得罗芙娜送的。”杜尼娅回答说。

“是很贵重的。”普莉赫里娅·亚历山德罗芙娜添上了一句。

“啊……真大呀,几乎不像是坤表。”

“我喜欢这种式样。”杜尼娅说。

“看来这不是未婚夫送的礼物。”拉祖米欣暗自思忖着,不知为何竟高兴了起来。

“我还以为是卢仁送的聘礼呢。”拉斯柯尔尼科夫说道。

“不是,他还没送过杜尼娅任何东西。”

“是这样！妈妈,您可记得,我还谈过一回恋爱,曾经打算结婚。”他眼望着母亲,突然说道。那出乎意料的语句和语调,使母亲不禁吃了一惊。

“哎呀,亲爱的,我还记得!”普莉赫里娅·亚历山德罗芙娜同杜涅奇卡和拉祖米欣交换了个眼色。

“嗯！是啊！不过我对您能讲什么呢？连我自己都记不清了。她是个体弱多病的姑娘,”他仿佛又一次突然陷入沉思,低下头继续往下说,“终年病魔缠身;她喜欢帮助穷人,一直向往着进修道院,有一次她对我谈起此事时,都流下了眼泪;对,对……我记得……我清楚地记得。她长相……不好看。说实在的,我也不

①据陀思妥耶夫斯基夫人说,在家庭的谈话中,常常是陀思妥耶夫斯基唱独角戏,其他人都不大搭腔,这总是让陀思妥耶夫斯基很生气。

知道那时为什么会迷恋上她，或许是由于她总是生病……倘若她是瘸腿或者驼背，我大概会更爱她（他若有所思地微微一笑）……就这样……做了一场美梦……”

“不，这不只是一场美梦。”杜尼娅兴奋地说道。

他专注而又紧张地瞧了妹妹一眼，但没听清或者没有听懂她的话。随后，他沉思着站起身，走到母亲跟前吻了吻她，再转身回到自己的座位上，坐了下来。

“你现在还爱她！”深受感动的普莉赫里娅·亚历山德罗芙娜说道。

“爱她？现在？啊，对……您在说她！不。如今这一切像是在另一个世界上……而且是好久以前。其实周围的一切似乎都不是发生在这个世界上……”

他仔细打量了他们一眼。

“现在我望着你们……就好像在千里之外看你们一样……不过天晓得我们干吗要谈这些？又有什么可问的呢？”他恼怒地添上一句，就不再吭声了。他一面咬着指甲，一面重又陷入了沉思。

“罗佳，你住的这屋子太差了，像口棺材，”普莉赫里娅·亚历山德罗芙娜突然开口，打破了令人难堪的沉默，“我相信，你这么闷闷不乐，有一半是这屋子造成的……”

“屋子？……”他心不在焉地回答说，“不错，这间屋子有很大的影响……我也想到了这一点……可是您哪里知道，您刚才讲了一个多么奇怪的想法。”他突然补充一句，并且怪异地笑了一下。

要是再过片刻，他恐怕就无法忍受这个场面，这些分别三年的亲人，无法忍受这种亲情的口吻，因为根本没有可能谈什么事情了。然而,有一件事刻不容缓,无论如何都必须今天了结。还在不久前他刚刚醒来时,就做出了这样的决定。现在他很高兴能用这件事来作为话题。

“听我说,杜尼娅,”他认真而冷漠地说起来,“当然啰,昨天的事我请你原谅,但是我认为我有责任再次提醒你,在主要的看法上我是绝不会让步的。或者要我,或者要卢仁。就算我是个卑鄙的人,你却不应该这样。一个就够了。要是你嫁给卢仁,那么我立刻与你断绝兄妹关系。”

“罗佳,罗佳!要知道,这不跟昨天一样吗,”普莉赫里娅·亚历山德罗芙娜伤心地嚷道,“你又干吗老是骂自己是卑鄙的人,我可受不了!昨天也是这样……”

“哥哥,”杜尼娅坚定但也同样冷漠地回答道,“在整个这件事上,是你弄错了。我考虑了一夜,找出了错在哪里。关键是你大概以为,我是为了别人而牺牲自己,根本不是这么回事。我出嫁只是为了自己,因为我自己日子艰难;如果说这对亲人会有好处,我当然也很高兴,不过这并不是促使我下决心的主要动机……”

“扯谎!”他生气地咬着指甲,心里想,“好一个骄傲的女子!不愿承认她想行善救人哩!啊,卑劣的人们!你们爱人如同恨人……我是多么……恨所有这些人哪!”

“总之,我决定嫁给彼得·彼得罗维奇,”杜涅奇卡接着说,“因为两害相权取其轻。我决不辜负他对我的期望,因此我也不会欺骗他……你干吗要这样笑?”

她也面红耳赤,眼睛里闪着怒火。

“决不辜负吗?”他尖刻地冷笑着问道。

“有一定的限度。彼得·彼得罗维奇求婚的姿态和求婚的方式让我一下子便明白了他需要什么。当然啰,他大概是自视太高,但我希望他也能尊重我……你干吗又笑了?”

“你为什么又脸红了呢?你在说谎,妹妹,你在故意说谎,只是由于你那女性的固执,要在我面前维护自己的决定……你不会尊重卢仁的,因为我见过他,并同他交谈过。看来,你是为钱而出卖自己;看来,不管怎样你的行为是卑鄙的,但我感到宽慰的是,至少你还会脸红!”

“不对,我没有说谎!……”杜尼娅再也不能冷静,大叫了起来,“要是我不确信他尊重我、珍视我,我是不会嫁给他的;要是我没有把握能尊重他,我也不会嫁给他的。幸而,我对此可以确信,甚至就在今天。这样的婚姻不会像你说的那样是卑鄙的!就算你是对的,就算我真的决心干卑鄙的事,——难道你这样对我说话,不觉得冷酷无情吗?为什么你要我表现出连你自己都可能不具备的英雄气概?这是专制,这是横行霸道!假如我会害人的话,那么我也只会害自己……我还从未害过任何人!……你干吗这样望着我?你的脸怎么变得这么苍白?罗佳,你怎么啦?罗佳,亲爱的……”

“天哪!你会把他气昏的!”普莉赫里娅·亚历山德罗芙娜叫道。

“没什么,没什么……算不了什么……没关系!……就有点儿头晕。什么昏厥过去呀……你们总是记着我的昏厥!……噢!对……我想说什么来着?对了,你今天怎样才能确认你会尊重他，他也会……尊重你，像你说的那样？你好像说在今天？或许是我听错了？”

“妈妈，把彼得·彼得罗维奇的信给哥哥看看。”杜涅奇卡说。

普莉赫里娅·亚历山德罗芙娜双手颤抖着，把信递了过去。他十分好奇地接过信。但是在打开信之前，他突然好像惊奇地看了杜涅奇卡一眼。

“奇怪，”他慢吞吞地说着，仿佛一个新的想法忽然让他吃惊，“我何必多管闲事？何必多嘴多舌？你想嫁给谁就嫁给谁吧！”

他似乎在自言自语，但说出了声；他望了妹妹一会儿，似乎有些惆怅。

他终于展开了信，仍然一副惊异的表情；接着他慢慢地、仔细地读了起来，从头到尾读了两遍。普莉赫里娅·亚历山德罗芙娜特别不安，其他人也都预感到会发生什么特别的事情。

“这让我好生奇怪，”沉思了片刻后，他一边把信递还给母亲，一边开口说道，但并不是对着某一个人讲，“要知道，他是成天办案的，是个律师，甚至说话也是……那种派头，可写得却不高明。”

所有的人都为之一怔，他们根本没料到他会说这个。

“他们可都是这样写东西。”拉祖米欣冲口而出。

“难道你看过？”

“看过。”

“我们给他看过，罗佳，我们……刚才一起商量过。”窘迫不安的普莉赫里娅·亚历山德罗芙娜说道。

“其实，这是一种诉状文体，”拉祖米欣插嘴说，“现在司法文件都是这么写的。”

“诉状文体？对，正是诉状文，公文式的写法……既不是很不通，也不是非常通顺规范；公文嘛！”

“彼得·彼得罗维奇并不隐讳，因家境困难他只勉强受了一点教育；他甚至炫耀说，他是靠自力更生奋斗出来的。”阿芙多季娅·罗曼诺芙娜说道。她对哥哥方才的语气有点不满。

“好吧，既然炫耀，那总有东西可以炫耀，对此我并不反对。妹妹，你大概觉得委屈，因为我看了信竟发表了这么轻薄的意见，而且你还以为我是故意拿这鸡毛蒜皮来让你感到不快。恰恰相反，联系这信的笔法，我的脑海里出现了一个想法，它在现在这个时刻绝不是多余的。那里有‘当自引咎’一句话，值得特别注意，它的含义也是一目了然的；此外，还有一个威胁，说如果我来，他就立即告退。威胁告退也就是威胁抛弃你们两人，如果你们不听他的话，那么他就在把你们叫到彼得堡之后抛弃你们。嗯，你是怎样想的，假如卢仁信上的这些话是他写的（他指着拉祖米欣），或者是佐西莫夫写的，或者是我们之中任何一个人写的，难道不同样令人感到屈辱吗？”

“不，”杜涅奇卡激烈地争辩道，“我完全明白，这样表达是太幼稚了，他可能只是不善写作而已……这一点你分析得不错，哥哥，我甚至没想到……”

“这是用诉状文体写的，而用诉状文体只能写成这样，结果比他本意显得粗鲁了一些。不过，我不得不让你失望，因为信中还有一句对我的诽谤，相当卑鄙的诽谤。昨天我把钱送给了一个肺病缠身、悲痛欲绝的寡妇，并不是‘借口安葬’，是的确用于安葬；我不是把钱给了那个女儿，他所说的‘品行不端的’女子(昨天我是有生以来第一次见到她)，而是给了那个寡妇本人。在这字里行间，我发现隐藏着一个迫不及待的愿望：诬陷我并挑拨我与你们的关系。这又是用诉状文体写的，也就是说既有过于露骨的目的，又有太幼稚的急迫。他是个聪明人，但要办事聪明，光凭一个聪明的脑袋是不够的。从这一切中能看出一个人来……我并不认为他非常看重你。我这样对你说，只是为了提醒你，因为我真心希望你能幸福……”

杜涅奇卡没有回答，她早已做出了决定，只是等到晚上再说。

“那么你怎么决定的呢，罗佳？”普莉赫里娅·亚历山德罗芙娜问道。他那出人意料的新出现的公文腔调使她比先前更加惊惶不安。

“什么‘怎么决定的’？”

“就是彼得·彼得罗维奇在信中说的，你晚上别去我们那儿，要是你去了……那他就离开。那么你……去不去？”

“这当然不是由我来决定的，首先，应该由您来决定，如果彼得·彼得罗维奇的这个要求不使您感到屈辱；其次，该由杜尼娅来决定，如果她也同样不见怪的话。我呢，你们认为怎样最好，我就怎么做。”他口气冷淡地补充道。

“杜尼娅已经做出了决定，我也完全同意她的看法。”普莉赫里娅·亚历山德罗芙娜赶紧插嘴说。

“我决定请你，罗佳，务必来我们那儿参加这次见面，”杜尼娅说，“你来吗？”

“我来。”

“我也邀请您八点钟到我们那儿去，”她对拉祖米欣说，“妈妈，我也邀请了他。”

“那太好了，杜涅奇卡。嗯，就照你当时决定的那样去办吧，”普莉赫里娅·亚历山德罗芙娜补充说，“这样我自己也轻松些，我不喜欢装样子说假话，我们最好实话实说……现在不管彼得·彼得罗维奇会不会生气了！”

第四章

就在这时，门被人轻轻推开，一个姑娘胆怯地四下张望着走进了房间。所有的人都惊讶而又好奇地转脸看她。拉斯柯尔尼科夫一下子没认出来。她就是索菲娅·谢苗诺芙娜·马尔梅拉多娃。昨天他初次见到她，但在那种时刻、那种场合、又穿着那种衣服，在他的脑海里留下的完全是另一个形象。现在，这是一个衣着俭朴甚至有些寒碜的姑娘；她年纪还很轻，几乎是个女孩；举止朴实大方，神情开朗，但好像有些胆怯。她穿件极普通的家常便服，戴着式样过时的旧帽，只是手中还像昨天那样拿着一把小伞。突然看见一屋子的人，她不只是忸怩不安，而是完全惊慌失措，像孩子似的畏缩不前，甚至想向回退。

“哎呀……是您？”拉斯柯尔尼科夫极为惊讶地说道，自己也突然慌乱起来。

他马上想起，母亲和妹妹已经从卢仁的信中大体知道了有这么一个“品行不端的”女子。刚才他还对卢仁的诽谤提出了抗议，并且提到他只是初次见到这位女子,可突然间她自己走了进来。他同样又想到,对“品行不端”这一说法他并没提出异议。所有这些念头在他脑海里模模糊糊地一闪而过。但是,当他定神看她一眼后,立刻发现这个忍辱负重的女子已是屈辱不堪,他不由得蓦然产生怜悯之心。当她吓得向后退去打算逃走时,他心里真不是滋味。

“我怎么也没料到您会来,”他急忙说道,用目光示意她留下。“请坐。一定是卡捷琳娜·伊凡诺芙娜叫您来的吧。对不起,不是这边,请往那儿坐……”

当索尼娅进来时,在门口占了拉斯柯尔尼科夫仅有的三把椅子之一的拉祖米欣,站起身来给她让路。起初拉斯柯尔尼科夫朝她指着佐西莫夫坐过的沙发一角,但转念一想,坐沙发太随便了些,因为这是他睡觉的地方。于是他赶紧向她指了指拉祖米欣坐过的椅子。

“那你坐到这来。”他对拉祖米欣说,让他到佐西莫夫坐过的地方。

索尼娅坐了下来,怕得几乎浑身发抖,怯生生地瞥了一眼那母女俩。显然,她自己也弄不懂怎么好与她们坐在一起呢。想到这一点,她吓得又噌地站了起来,极度不安地对着拉斯柯尔尼科夫。

“我……我……我只待一会儿,对不起,打扰了你们,”她结结巴巴地说道,“是卡捷琳娜·伊凡诺芙娜叫我来的,她找不到别人……卡捷琳娜·伊凡诺芙娜叫我请您明天去参加安魂祈祷,早上……做弥撒之后……在米特罗法尼耶夫墓地[1]教堂,然后到我们那里……到她那里……吃饭……她将感到荣幸……她吩咐我请您去。"

索尼娅结结巴巴说完,便不做声了。

"我一定……一定设法去参加,"拉斯柯尔尼科夫回答道。他也欠起身来,也结结巴巴地说,但没有说完。"请坐吧,"他突然又说道,"我得与您谈谈。请坐吧,您大概很忙,请给我两分钟的时间……"

于是,他把椅子挪到她的跟前。索尼娅再次坐了下来,再次惊慌失措地飞快瞥了那母女俩一眼,突然垂下了眼睛。

拉斯柯尔尼科夫苍白的脸刷地涨红了,心里仿佛翻江倒海,两眼闪闪发光。

"妈妈,"他口气坚定地说,"这是索菲娅·谢苗诺芙娜·马尔梅拉多娃,那位惨遭不幸的马尔梅拉多夫先生的女儿,我昨天亲眼看见他被马踩死,我已对您说起过……"

普莉赫里娅·亚历山德罗芙娜瞥了索尼娅一眼,微微地眯缝起眼睛。尽管对罗佳那固执而挑战的目光她感到惶惑不安,但还是决不肯放弃这审视的快意。杜涅奇卡神情严肃,目不转睛地直望着可怜姑娘的脸,并困惑不解地打量着她。索尼娅听到在向人介绍她,又抬起眼来,但更加窘迫了。

"我想问问您,"拉斯柯尔尼科夫迅速地向她转过脸来,"你们今天事情办得怎么样了?有没有人来找你们麻烦?……比如

①建于霍乱流行时的1831年,安葬的多为一些贫穷的小官吏、士兵、手艺人和工人。

说警察。”

“没有，一切还顺利……要知道这死因太清楚了，没人来找麻烦。只是那些房客们非常不满。”

“为什么？”

“因为遗体停放久了……现在天气很热嘛，有气味……因此今天晚祷时，要把遗体送到墓地去，在小教堂里停放到明天。卡捷琳娜·伊凡诺芙娜起初不愿意，但现在她自己也发现，只能这样做了……”

“那么今天送走？”

“她请您赏脸明天到教堂去参加安魂祈祷，然后再到她那儿去吃饭。”

“她要办葬后宴？”

“是的，准备些冷餐。她吩咐我要好好地感谢您，因为您昨天帮了我们……要是没有您的帮助，真不知该怎么安葬他。”她的嘴唇和下巴突然抖动起来，但她竭力克制住自己，又连忙垂下眼睛，瞧着地面。

谈话中间拉斯柯尔尼科夫仔细打量着她。这是一张消瘦的、十分消瘦而且苍白的脸，远算不得端正，仿佛是削尖的，尖尖的小鼻子和尖尖的下巴。她甚至称不上好看。不过她那双蔚蓝色的眼睛非常清澈明亮，闪烁起来时，脸上表情显得那么善良，那么天真纯朴，你会不由自主地被吸引住。此外，她的脸庞，她的整个体态，都显示出她的特点：尽管她年已十八，看上去像个比自己年龄小得多的女孩,几乎是个小女孩[①],有时她的某些举动甚至显得很可笑。

“难道卡捷琳娜·伊凡诺芙娜用这么点钱就够安葬了,甚至还办个葬后宴?……”拉斯柯尔尼科夫问道,他固执地继续讲这个话题。

“棺木是很普通的……一切从简,因此并不需要很多钱……刚才我与卡捷琳娜·伊凡诺芙娜一起仔细地算了一遍,还能剩些钱办葬后宴……而且卡捷琳娜·伊凡诺芙娜很想办。不能不办……这对她是一个安慰……您是知道的,她就是这种性格……”

“我明白,我明白……当然啰……您干吗仔细打量我的房间?刚才妈妈还说,这房间像口棺材。”

“昨天您把所有的钱都给了我们!”索涅奇卡[②]突然应声说道。这是急促有力的低语,说完忽然又一次双眼低垂。她的嘴唇和下巴重又颤抖起来。拉斯柯尔尼科夫这贫困的住处早令她震惊,此刻这些话是突然间不由自主地脱口而出。接着便是一片沉默。杜涅奇卡的眼睛不知怎的闪亮了,而普莉赫里娅·亚历山德罗芙娜甚至亲切地望了一眼索尼娅。

“罗佳,”她站起身来说道,“我们当然是一起吃午饭啦。杜涅奇卡,咱们走吧……你呢,罗佳,出去散散步,然后休息一下,躺一会儿,早一点到我们那边去……要不然我怕你太累了……”

---

①陀思妥耶夫斯基这么形容她是有深意的。《新约全书·马太福音》(第18章,第4~5节):“……凡自己谦卑像这小孩子的,他在天国里就是最大的,凡为我的名,接待一个像这小孩子,就是接待我。”

②索尼娅的爱称。

“对，对，我一定去，”他也站起身来，慌忙地回答道，“不过，我还有件事……”

“难道你们还不在一起吃午饭？”拉祖米欣叫道，惊异地望着拉斯柯尔尼科夫，“你这是怎么啦？”

“对，对，我去，当然去，当然去……可你得稍留片刻。妈妈，你们现在不需要他吧？或许我可以留他一会儿？”

“不，不需要！那么您，德米特里·普罗科菲伊奇，也来吃午饭，赏光吗？”

“请您也来吧。”杜尼娅邀请说。

拉祖米欣鞠躬致谢，满脸喜气洋洋。但就在那一瞬间，大家不知怎的都莫名其妙地感到很不自然。

“别了，罗佳，也就是说再见。我不喜欢说‘别了’。别了，纳斯塔霞……哎哟，我又说‘别了’了……”[①]

普莉赫里娅·亚历山德罗芙娜本想对索尼娅点点头，但不知怎的却没有这样做便匆匆走了出去。

然而阿芙多季娅·罗曼诺芙娜似乎正等着轮到自己，当她跟在母亲身后从索尼娅身边走过时，殷勤客气地向她深深鞠了个躬，表示告别。索涅奇卡窘得不知所措，赶紧匆忙而又慌张地鞠躬还礼，她脸上甚至流露出痛苦，仿佛阿芙多季娅·罗曼诺芙娜的殷勤礼貌倒使她痛苦难言。

“杜尼娅，再见！”已经来到走廊，拉斯柯尔尼科夫大声说，

①陀思妥耶夫斯基夫人曾写道：“费奥多尔·米哈伊洛维奇总是不爱听他所喜欢的人对他说‘别了’，他总要回答：干吗说‘别了’呢，最好说‘再见’。”

“握握手吧!”

“我不是已经跟你握过手了,你忘了?”杜尼娅亲热而又腼腆地向他转过身去,回答道。

“那有什么,再握一次!”

他紧紧地握住她的手。杜涅奇卡朝他微微一笑,脸刷地红了,她赶紧抽出自己的手,跟着母亲走了,不知怎的她心里充满了欢乐。

“太好啦!”他回到了自己的房间,坦然地望着索尼娅说,“上帝会让死者安息,而生者还得好好活下去!不是这样吗?不是这样吗?难道不是这样吗?”

索尼娅甚至惊讶地望着他那突然云开雾散的脸。他一声不吭,目不转睛地看了她片刻,这时他的脑海里突然涌现出她那已故的父亲所讲的有关她的事情……

“天哪,杜涅奇卡!”她们一走到街上,普莉赫里娅·亚历山德罗芙娜马上开口说道,“现在我好像是巴不得离开他,觉得松了口气。嗯,昨天在火车上我哪里会想到,我甚至会愿意离开他!”

“我又要对您说啦,妈妈,他还病得厉害呢。难道您没发现?他或许是由于过度地思念我们,搞坏了自己的身体。应该对他宽容些,许多事上应该谅解他。”

“你就没有对他宽容!”普莉赫里娅·亚历山德罗芙娜立刻激烈地反唇相讥,“你要知道,杜尼娅,我看着你们两人,发现你整个就是他的翻版,不但面貌相像,而且性格也相像:你们两人都是忧郁型的;两人都阴郁,急躁;两人都高傲,又都慷慨大度……他不可能是一个自私自利的人，杜尼娅，是吧？……可一想到今晚我们那儿会发生的事，我的心就乱成一团了！”

“别担心，妈妈，顺其自然吧。”

“杜涅奇卡！你想一想我们现在的处境！要是彼得·彼得罗维奇拒婚，那可怎么办？”可怜的普莉赫里娅·亚历山德罗芙娜不小心脱口而出说了这个话。

“那他还算个什么人嘛！”杜涅奇卡鄙夷地断然回答道。

“我们现在离开他，这样做是对的，”普莉赫里娅·亚历山德罗芙娜急急忙忙地打断了她的话，“他急着要去什么地方办事，让他去吧，他得透透气……他屋子里太闷了……可是这里哪有能透气的地方呢？在这儿，在这些大街上，就好像在没有通风窗的屋子里似的。天哪，这算什么城市！站住，让开些，小心轧着，运什么东西呢！这不是运钢琴吗，真的……就这么拥挤……那个女子也让我感到非常害怕……”

“哪个女子，妈妈？”

“就是那个索菲娅·谢苗诺芙娜，刚才来的……”

“为什么呢？”

“我有这种预感，杜尼娅。嗯，不管你信不信，她一进来，我立刻想到，她就是祸根……”

“没有的事！”杜尼娅恼火地说，“您爱信那些预感吗，妈妈！他昨天才认识她，而且她进屋时，他都没能认出来。”

“哼，你瞧着吧！……她令我不安，你瞧着吧，你瞧着吧！我心里可是吓坏了：她看着我，看着我，是那种眼神。他开始介绍她，我在椅子上都几乎坐不住了。我真纳闷，彼得·彼得罗维奇把她写成那样,可他却把她介绍给我们,还介绍给你！看来,她对他来说很重要！”

“管他写了些什么呢！不是同样有人议论过我们,编派过我们,您忘记了吗？我相信,她……是个好人,那些全都是胡说八道！”

“上帝保佑她！”

“彼得·彼得罗维奇是个卑鄙的诽谤者。”杜涅奇卡突然狠狠地说道。

普莉赫里娅·亚历山德罗芙娜顿时缄口不语。谈话中断了。

“听着,我有事要跟你说……”拉斯柯尔尼科夫把拉祖米欣拽到窗前,说道。

“那我就去告诉卡捷琳娜·伊凡诺芙娜,说您会去的……”索尼娅匆匆地说着,鞠了个躬,准备离去。

“等一等,索菲娅·谢苗诺芙娜,我们没有什么秘密,您不会妨碍的……我还想对您说几句话……听着,”他没把话说完,就冷不丁地转过身子,对着拉祖米欣说,“你不是认识那个……他叫什么来着？……波尔菲里·彼得罗维奇？”

“当然认识！他是我的亲戚。怎么啦？”拉祖米欣好奇心突发,补充了一句。

“是他现在承办这个案子……嗯,就是那桩杀人案……昨天你们说……他在办这个案子？”

“是的……怎么啦？”拉祖米欣忽然瞪大了眼睛。

“他在找抵押人,我就有东西抵押在那儿,倒不值什么钱,但那是妹妹的一只戒指，我来这儿时她送给我的礼物；还有父亲的一块银表。这两件东西总共才值五六个卢布，不过对我来说，却是珍贵的，是纪念品嘛。现在我该怎么办呢？我不愿失去这两件东西，尤其是那块表。刚才说起杜涅奇卡的手表，我心跳得厉害，唯恐妈妈要看那块表。这是父亲留下来的唯一一件东西。要是弄丢了，她准会病倒的！女人嘛！你告诉我该怎么办！我知道，应该到警察局去申述。直接去找波尔菲里是不是更好些，啊？你看呢？得尽快把事情办好。你看吧，妈妈吃午饭以前也许就要问到哩！”

“绝不能去警察局，一定要去找波尔菲里！”拉祖米欣似乎异常激动地说，“嗯，我真高兴！为什么还待在这儿，现在就去，他就住在附近，一定能遇到他！”

“好吧……我们走……”

“他会非常、非常、非常、非常高兴同你认识！我对他谈起过你的许多事情，多次谈起过……昨天还谈过呢。我们走吧！……你就是这样认识老太婆的？原来是这么回事……这太棒了！……啊，还有……索菲娅·伊凡诺芙娜……”

“是索菲娅·谢苗诺芙娜，”拉斯柯尔尼科夫纠正道，“索菲娅·谢苗诺芙娜，这是我的朋友拉祖米欣，他是个好人……”

“如果你们现在要走……”索尼娅开口说道。她也没敢去看一眼拉祖米欣，因此更加忐忑不安。

“我们走吧！”拉斯柯尔尼科夫做出了决定，“我今天就去您那里，索菲娅·谢苗诺芙娜，不过您得告诉我，您住在哪儿？”

他倒不是慌乱得不知所措，而好像是匆忙间想避开她的目光。索尼娅说出了自己的地址,同时涨红了脸。大家一起走了出来。

“难道你不锁门?”拉祖米欣跟在他们后面走到了楼梯上,问道。

“从来不锁门!……我想买把锁的念头已有两年了,”他漫不经心地补充了一句,“不需要锁门的人不是很快活吗?”他笑着对索尼娅说。

他们上了街,在大门旁站住了。

“您该往右走吧,索菲娅·谢苗诺芙娜?顺便问一句,您是怎么找到我的?”他问道,似乎很想对她说些别的什么话。他一直想看看她那双温顺而明亮的眼睛,但总是没机会看到……

“昨天您不是把地址告诉了波列奇卡吗?”

“波莲卡?啊哈,对……波列奇卡!这个……小女孩……是您的妹妹?这么说我把地址告诉她了?”

“难道您忘了?”

“不……我记得……”

“我从父亲那儿听说过您……只不过那时我不知道您姓什么,他也不知道……刚才我来找您……因为昨天我知道了您姓什么……今天便向人打听:拉斯柯尔尼科夫先生住在这儿的哪一间屋子?……我并不知道,您也住在借租的房子里……再见……我去告诉卡捷琳娜·伊凡诺芙娜……”

她非常高兴,终于可以离去了。她低着头急匆匆地走着,以便尽快走出他俩的视线,尽快地走完这二十步路,然后向右拐走到大街上,好剩下自己一个人。等她一人快步走在大街上,她目不旁视，思索着，回忆着，琢磨着刚才听到的每一句话，经历的每一种情况。她还从未有过类似的感受。一个完整的新世界，不知不觉、朦朦胧胧地涌入她的心田。她突然想起，拉斯柯尔尼科夫今天要去找她，或许就在上午，或许马上就会来！

"但愿别在今天，但愿别在今天！"她嘟哝着，心里一阵紧张，如同一个慌张的孩子在恳求。"天哪！来找我……到那个房间去……他会看到……哎呀，我的天哪！"

当然，此刻她不可能发觉有一个陌生先生跟在她的后面紧盯着她。从她出大门，他就一直尾随着。当拉祖米欣、拉斯柯尔尼科夫和她三人站在人行道上话别时，这个过路人从旁经过，无意之中听见了索尼娅的那句话："我便向人打听：拉斯柯尔尼科夫住在这儿的哪一间屋子？"他似乎猛地一怔。他飞快又仔细地打量了一下这三个人，尤其是正在与索尼娅说话的拉斯柯尔尼科夫；接着他又看了一眼房子，暗自记住。所有这一切都发生在从旁经过的刹那间。他还竭力不引人注意，继续向前走，但放慢了脚步，仿佛在等待什么似的。他是等待索尼娅，他看出，他们在告别，索尼娅马上就要回家了。

"她住在哪儿呢？我在什么地方见过她。"他回忆着索尼娅的脸，暗自思忖着，"应该弄清楚。"

走到拐角处，他穿过马路，走到对面的人行道上，回头发现索尼娅跟在他后边，也沿着这条路走来，不过她什么也没注意到。等走到转弯处，她恰好也转向了那条马路。他跟在她身后，从对面的人行道上目不转睛地盯着她；走了五十来步，他又穿过马路，到索尼娅那边的人行道上，赶上了她，不过仍然跟在她的身后，相隔五步远。

这是一个五十来岁的男子，身材偏高，体格健壮，双肩宽阔隆起，这使他看上去有点儿像个驼背。他衣着讲究、合体，俨然一个威风凛凛的贵族老爷。他手里拄着一根漂亮的拐杖，每走一步便在人行道上笃地敲一下，手上还戴着新手套。他那颧骨突起的宽脸也颇不讨人嫌，面色透红，容光焕发，看上去不像是个彼得堡人。头发还很浓密，完全是淡黄色的，不过掺着几根银丝；浓密宽直的大胡子匀称地下垂着，颜色比头发还要浅；眼睛是淡蓝色的，目光显得冷淡、全神贯注，陷入深思的样子；他那两片嘴唇则是鲜红的。总之，这是一个保养得相当不错的人，外表比实际年龄小得多。

当索尼娅走上河岸时，人行道上只剩下他们两人。他观察着，注意到了她那若有所思、心不在焉的神态。走到自己住处，索尼娅拐进了大门，他仿佛有点惊讶似的跟随着她。进了院子，她向右拐朝角落走去，通往她屋子的楼梯就在那儿。“真怪！”那位陌生的贵族老爷嘟哝着，跟着她上了楼。只是这时索尼娅才注意到他。她来到三楼，拐进一条走廊，按了按九号的门铃，门上用粉笔写着：“裁缝卡佩瑙莫夫”。“真怪！”这个陌生人又嘟哝了一声，因奇怪的巧合而感到十分惊讶。他按了按旁边八号的门铃。两扇门相隔只六步远。

“您住在卡佩瑙莫夫的房子里！”他望着索尼娅，笑着说，“昨天他替我改了一件坎肩。我就住在这儿，您的旁边，是格尔特鲁达·卡尔洛芙娜·列斯丽赫太太的房子。真巧！”

索尼娅留神地看了他一眼。

"我们是邻居，"他不知为何特别兴奋地继续说道，"要知道我前天才到城里。嗯，再见。"

索尼娅没有搭腔；门开了，她一下子就溜进了自己的房间。她不知怎的感到害羞，而且好像感到惧怕……

在去找波尔菲里的途中，拉祖米欣显得特别兴奋。

"这下好了，老兄，"他反复地说道，"我真高兴！我真高兴！"

"你有什么可高兴的吗？"拉斯柯尔尼科夫暗自寻思道。

"我可不知道，你也在老太婆那儿抵押东西。这……是很久了吗？也就是说，你很久以前去过她那儿？"

"真是幼稚的傻瓜！"

"什么时候去的？……"拉斯柯尔尼科夫站住脚步，回想着，"大概是在她被杀的两三天前我去过她那儿。不过，我并不是去赎抵押品的，"他应声说道，并对这些东西表现出某种急切而又特别的关心。"要知道我身上总共又只剩一个卢布了……都因为昨天该死的神志不清！……"

"神志不清"这儿个字他说得特别用力。

"对，对，对，"拉祖米欣不知为何急忙附和道，"怪不得你那时……有点儿惊惧不安……你要知道，你在神志不清时还念念不忘什么戒指和表链哩！……对，对……这就清楚了，现在一切都清楚了。"

"竟然如此！他们倒信了这种想法！要知道这个人将替我去上十字架。他还很高兴，因为可以解释清楚为什么我会在神志不清时提起戒指！这下子他们所有人都不怀疑了！……"

“我们能见到他吗？”他大声地问道。

“能见到，能见到，”拉祖米欣急忙回答说，“老兄，这是一个好人，你会瞧见的！有点儿笨拙，我是说他人很斯文，但从另一方面来说有点儿笨拙。他有头脑，算得上聪明，甚至是非常聪明，只不过想法有些特别……他生性多疑，成天疑神疑鬼的，厚脸皮……他喜欢骗人，不是说欺骗人，而是愚弄人……使用一套讲实际的老办法……他精通业务，是个行家……去年他破了一个几乎毫无任何线索的谋杀案！他非常、非常想认识你！”

“他为什么非常想认识我？”

“倒不是……你瞧，最近你一生病，我势必经常、多次地提到你……他一听说你是学法律的，但由于经济状况没能完成学业，就说：‘真可惜！’我推断说……这里各种因素都有，不仅仅是一个，昨天扎米托夫……你瞧，罗佳，昨天我们往回走时，我醉醺醺地对你胡扯了一通……我非常害怕你把事情夸大了，你瞧……”

“夸大什么？夸大他们认为我是疯子吗？对，或许他们说得不错。”

他勉强笑了一笑。

“是啊……是啊……不，我是说……我那时说的一切（包括其他一些话），都是酒后胡说八道。”

“你干吗要道歉！这一切我讨厌透了！”拉斯柯尔尼科夫带着夸张的气恼嚷嚷道。其实，他有几分装腔作势。

“我知道，我知道，我心里明白。你要相信，我心里明白。我甚至连说这些都不好意思……”

“要是不好意思，那就别说啦！”

两人都不吭声了。拉祖米欣兴奋异常，拉斯柯尔尼科夫觉察到了这一点，极为厌恶。拉祖米欣有关波尔菲里情况的介绍，也令他惶惶不安。

“对此人还得唱拉撒路[①]。”他暗暗琢磨着，脸色变白，心跳加速，“而且要唱得自然些。最最自然是什么都不唱。应该努力做到什么都别唱！不，一努力就不自然了……嗯，到那儿会怎么样……走着瞧吧……现在……我去那儿是好呢，还是不好呢？飞蛾扑火，自投罗网。我的心直跳，这可不是好兆头！……”

“就在这幢灰楼里。”拉祖米欣说。

“最重要的是，波尔菲里是否知道，我昨天去过那个老巫婆的住处……打听过那摊血？应该马上把这一点弄清楚，进门后看他的脸色便可明白；要不然……哪怕露馅，我也要把这一点摸清楚！”

“你知道吗？”他狡黠地微微一笑，突然对拉祖米欣说道，“老兄，我今天发现，你从早上就显得有些异常激动，对吗？”

“异常激动？根本谈不上什么激动。”拉祖米欣心里一惊。

“不，老兄，真的这很明显。刚才你坐在椅子上，那样子从未有过，不知怎的只坐个椅子边儿，身子不住扭动，时常无缘无故地跳起来。一会儿怒气冲冲，一会儿那张脸活像蜜甜的冰糖，甚至脸都红了；尤其是邀请你去吃午饭的时候，你的脸红得厉害。”

“没有的事；你在胡扯！……你想说什么？”

①典出《新约全书·路加福音》(第16章，第19~31节)。拉撒路是个穷人，他在一个冷酷的富翁门口，乞讨残羹剩饭充饥。此处用在转义上：唱拉撒路——就是抱怨自己的命运不好。在当时俄国，一些盲人常在街头唱关于拉撒路的宗教诗以乞求施舍。

“你怎么像小学生似的大献殷勤！呸，见鬼，他的脸又红了。”

“你可真不是个东西！”

“那你干吗不好意思呢？罗密欧[①]！等着瞧吧，今天我还会找个场合说说这个事，哈哈！我要逗妈妈开开心……还有一个人……”

“你听我说，听着，听着，这可不是闹着玩儿的，这可不是……这要是说了可怎么办哪，真见鬼！”拉祖米欣吓得浑身发冷，完全不知所措了。“你要对她们说什么呀？老兄，我……呸，你真不是东西！”

“简直像一朵含苞待放的玫瑰！这个比喻对你是多么恰如其分哪，要是你自己知道就好了；身高两俄尺十俄寸的罗密欧！今天你洗得多彻底呀，连指甲也干净了，啊？什么时候有过这种事？你还抹头油了吧！把头低下来！”

“你这畜生！！！”

拉斯柯尔尼科夫笑得几乎无法控制。他就这样笑着走进了波尔菲里·彼得罗维奇的住所。这也正是拉斯柯尔尼科夫所需要的：从屋里可以听到他们大笑着进来，甚至到了前室还在哈哈大笑。

“在这里不许提一个字，要不然我……把你揍扁！”拉祖米欣抓住拉斯柯尔尼科夫的肩头，愤愤地低声说道。

①莎士比亚的悲剧《罗密欧与朱丽叶》中的男主人公。一般被用做恋爱中的情人（男性）的代称。

第五章

拉斯柯尔尼科夫正往屋里走。他进来的时候像是在竭力忍着,免得扑哧一声笑了出来。跟在他身后的,是窘困的拉祖米欣,一脸懊丧和怒气,面颊通红,又高又瘦的身子显得那么笨拙。这时他的表情和举动确实十分滑稽可笑,证明拉斯柯尔尼科夫笑得有理。拉斯柯尔尼科夫不等别人介绍,就向站在屋子中央大惑不解地望着他们的主人行了个礼,并伸出手去,握住了他的手;此时他仍做出样子,在竭力抑制自己的笑声,想起码说上两句话来作一番自我介绍。然而,他刚做出正经样子,含糊地说句话,突然无意间又瞥了拉祖米欣一眼,顿时克制不住,笑声势不可挡地爆发出来。拉祖米欣听到这"发自内心"的笑声时,不禁火冒三丈,恰好使这个场面具有了最真实的欢快气氛,更主要的是场面显得十分自然。而拉祖米欣却好像是有意地促成了这一点。

"呸,真见鬼!"他吼叫起来,把手一甩,正好碰到了一个小圆桌,桌上放着喝完了茶的杯子。桌子和杯子都飞了起来,发出清脆的响声。

“干吗要摔椅子[1]，先生们，这只会使国库受到损失！”波尔菲里·彼得罗维奇欢快地叫道。

此时的场景是这样的：拉斯柯尔尼科夫笑意犹未尽，甚至还没把手从主人的手里抽回，但他知道分寸，等待时机迅速而自然地收场。拉祖米欣因为掀翻桌子，打碎茶杯而彻底手足无措。他神色抑郁地看了看茶杯碎片，唾了一口，猛地转身向窗口走去。他站在那儿，背对着大家，愁眉不展地瞧着窗外，但什么都没有看见。波尔菲里·彼得罗维奇笑了还想笑，可他显然需要弄清这是怎么回事。坐在屋角一把椅子上的扎米托夫，当客人们进来时就欠起身子，站着等候，同时咧开嘴巴笑着，但他也迷惑不解，甚至好像难以置信地瞧着这个场面，看到拉斯柯尔尼科夫还有些不安。与扎米托夫不期而遇，也使拉斯柯尔尼科夫感到一阵不快和惊讶。

“这还真没想到！”他暗自寻思着。

“对不起，”他故作不安地开口说道，“我是拉斯柯尔尼科夫……”

“没关系，非常高兴，你们来，也是高兴的嘛……怎么，他不想打个招呼？”波尔菲里·彼得罗维奇朝拉祖米欣点了下头说。

“说实在的，我也不知道他为啥对我大发雷霆。我只是来的

①这里引用了果戈理的喜剧《钦差大臣》第1场第1幕中的一句台词。剧中县长谈到一个历史教师，讲课讲到马其顿的亚历山大时，就从讲台上跑下来抓住一把椅子使劲地往地上扔。县长接着说：“当然，马其顿的亚历山大是一位英雄，可是为什么要摔坏椅子呢？这不会使国家受到损失吗？”此处的意思是说，何必如此激动呢？

路上说他像个罗密欧，并且……并且举例证实了，好像再没说什么别的。”

“你这畜生！”拉祖米欣头也不回地骂道。

“为一句话就大发雷霆，足见一定有重要理由。”波尔菲里笑着说。“去你的吧！你这密探！……哼，你们都见鬼去吧！”拉祖米欣毫不客气地叫道。突然他自己也哈哈大笑起来，就像什么事情也未发生过似的，眉开眼笑地走到波尔菲里·彼得罗维奇的面前。

“够了！全都瞎胡闹，还是谈正经的吧。这是我的朋友，罗季昂·罗曼诺维奇·拉斯柯尔尼科夫。首先，他久闻你的大名，很想同你认识一下；其次，他有一桩小事求你帮忙。咦，扎米托夫！你怎么在这儿？难道你们认识？你们相识有多久了？”

“这又是怎么回事！”拉斯柯尔尼科夫不安地思忖着。

扎米托夫好像拘谨起来，但并不厉害。

“昨天在你那儿认识的嘛。”他很随便地说。

“这么说，老天爷让我省事啦。上个星期他还一个劲儿地求我把他介绍给你，波尔菲里，可你们却背着我串通一气了……你的烟叶在哪儿？”

波尔菲里·彼得罗维奇穿着家常便服，外面套一件睡袍，内穿干干净净的衬衣，脚蹬一双破旧的便鞋。他大约三十五岁，身材中等偏低，膀粗腰圆，甚至有了肚子；脸上刮得精光，既没留短须，也没蓄连鬓胡；脑袋又圆又大，长着一头浓密的短发，后脑勺不知怎地特别凸出。他那胖乎乎的圆脸上，长着一只翘鼻子，脸色发病似的蜡黄，但精神饱满，甚至带有嘲讽人的神气。眼睛几乎被白色睫毛遮挡起来。睫毛不时地眨着，仿佛在向别人使眼色。睫毛后面微露严厉的目光。要不是这目光,他这脸还挺温厚善良的。他的目光不知怎的与他那多少带些女相的体态极不和谐,给他增添了更多严肃的神情,远不像初看上去那样。

波尔菲里·彼得罗维奇一听说客人有件“小事”要找他帮忙,立刻请客人坐到沙发上,自己坐在沙发的另一端,两眼目不转睛地盯着客人,急切等着听取事情原委。他是那样认真专注,那样过分严肃,使得初次见面、而且是完全陌生的人感到一种压力,感到慌张不安,尤其当您自以为您要说的事不值得那么专注重视的时候。拉斯柯尔尼科夫用简洁而有条理的语言,清楚准确地讲了自己的事情;又因为得以仔细观察波尔菲里而相当满意。在他述说时,波尔菲里同样也凝视着他。拉祖米欣坐在那张桌子对面,热情又急切地听着,两只眼睛不停地在他们两人身上来回扫视,不免有些失态。

“蠢货!”拉斯柯尔尼科夫暗暗骂道。

“您需要向警察局交一份申请书,”波尔菲里一本正经地说道,“写上您得知发生某事,也就是那桩谋杀案之后,请求通知承办此案的侦探,某些东西是属于您的,您打算把它赎回……或者……其实,有人会替您写的。”

“事情是这样的,我现在,”拉斯柯尔尼科夫尽可能地装出一副窘迫的模样,“手头拮据……甚至这么个小数目……我都拿不出,您瞧,我现在只是想说明一下这些东西是我的,等我一旦有钱……”

“这没关系,”波尔菲里·彼得罗维奇不动声色地听完他解释自己的经济状况,回答说,“不过,如果您愿意,也可以直接写给我,也是写这些内容,说您知道了这件事,声明一下哪些东西是您的,并且请求……”

“这可以用普通的纸写吗?”拉斯柯尔尼科夫又是只关心钱的问题,急忙插嘴问道。

“哦,可以用最普通的纸写!”突然,波尔菲里·彼得罗维奇不知怎的用显而易见的嘲讽目光瞥了他一眼,并眯缝起眼睛,好像对他使了个眼色。不过,这或许只是拉斯柯尔尼科夫的错觉,因为这是瞬间的事。但至少是有点这个意思,拉斯柯尔尼科夫可以对天发誓,波尔菲里对他使了个眼色,但天知道是为了什么。

“他知道了!”这个念头像闪电般出现在他脑海里。

“对不起,因这么点小事来麻烦您,”他有点儿不知所措地接着说,“我的这些东西总共只值五个卢布,但是它们对我来说却是非常珍贵的,是有纪念意义的,我坦白地说,我一听说此事,就非常害怕……”

“怪不得我昨天对佐西莫夫说起波尔菲里在询问那些抵押人时,你急得双脚直跳!”拉祖米欣显然故意地插嘴说。

这实在让人难堪。拉斯柯尔尼科夫再也忍不住了,一双乌黑的眼睛闪出愤怒的目光,恶狠狠地瞪了拉祖米欣一眼。但他立刻醒悟过来。

“老兄,你大概在嘲笑我吧?”他巧妙地装出愤愤的样子,对拉祖米欣说,“我承认,在你看来我大概是过分关心这些无用的东西。但不能因此把我看做一个自私的家伙,或者是一个吝啬鬼,因为在我眼里这两件微不足道的东西也许绝非什么破烂。我刚才已经对你说过,那块不值钱的银表是我父亲留下来的唯一遗物。你可以笑话我,可我母亲来看我了,”他冷不丁地转身对波尔菲里说,“要是让她知道了,”他又急剧地朝拉祖米欣转过脸去,竭力使声音发抖,“这只表弄丢了,我可以保证,她会痛不欲生的! 女人嘛!”

“完全不是这样! 我根本不是这个意思! 我的意思恰好相反!”拉祖米欣懊恼地叫道。

“这样说好不好? 是不是自然? 会不会太夸张了?”拉斯柯尔尼科夫心里忐忑不安,“我为什么要说‘女人嘛’?”

“母亲来看您了?”波尔菲里·彼得罗维奇不知为何问道。

“是的。”

“什么时候来的?”

“昨天晚上。”

波尔菲里没做声,仿佛在揣度什么。

“不管怎样,您的东西是不会弄丢的,”接着,他平静冷淡地说道,“要知道我在这儿恭候您多时了。”

他这么说着,却若无其事般关切地把烟灰缸递给正在毫不客气往地毯上弹烟灰的拉祖米欣。拉斯柯尔尼科夫不由一愣,但波尔菲里似乎也没瞧一眼,只顾着拉祖米欣的烟灰。

“什么? 你恭候多时了! 难道你知道他在那儿抵押过物品?”拉祖米欣嚷道。

波尔菲里·彼得罗维奇直接对着拉斯柯尔尼科夫说:

“您有两件东西,戒指和手表,在她那儿用一张纸包着,上面用铅笔清晰地写着您的姓名,以及她收到您这东西的日期……”

“您怎么这样清楚? ……”拉斯柯尔尼科夫尴尬地笑了笑,竭力想正眼看着他，但实在按捺不住，突然又补充说："我这么说，是因为抵押的人一定很多……您很难把他们全都一一记住……不过，您倒都记得那么清楚，并且……并且……"

"真笨！真糟！我干吗要加上这么几句！"

"现在几乎所有的抵押人都弄清楚了，因此只剩您一个人还没有来。"波尔菲里带着隐约可辨的嘲讽意味回答道。

"我不大舒服。"

"这个我也听说了。我甚至还听说，您的心情也很不好。您现在的脸色好像还很苍白？"

"根本不是苍白……恰恰相反，我完全健康了！"拉斯柯尔尼科夫语气突然一变，粗鲁而又愤怒地说道。他怒火中烧，再也控制不住。"我一愤怒可就会说走嘴的！"这个念头又在他的脑海里一闪而过，"他们干吗要折磨我呢……"

"还不是完全健康！"拉祖米欣接过话茬儿，"他在胡说！直到昨天他还几乎神志不清……喂，你相信吗，波尔菲里，他站都站不稳，可当我们，我与佐西莫夫，刚一转身，他便穿上衣服悄悄跑了，不知在何处逛到深更半夜。我告诉你，这完全是由于神志不清，你能想象吗！这是个非常有趣的事例！"

"难道真的是完全神志不清吗？请说说看！"波尔菲里像个老婆婆似的摇晃着脑袋。

"什么呀，全是胡扯！您别相信！其实，您本来也不相信嘛！"拉斯柯尔尼科夫过于愤恨，脱口而出。但波尔菲里·彼得罗维奇好像并没有听清这些莫名其妙的话。

"假如不是神志不清，那你怎么会跑了呢？"拉祖米欣突然发起火来，“干吗出走？为了什么？……而且为什么偷偷摸摸地？你当时难道脑子清醒吗？现在一切危险都已过去，我可以直言不讳地对你说了！”

“昨天，他们太让我厌烦，”拉斯柯尔尼科夫蓦地转身对波尔菲里说，脸上露出蛮横挑衅的微笑，“所以我躲开他们，想去租间房子，让他们找不到我，随身带了一大笔钱。扎米托夫先生是见过这笔钱的。扎米托夫先生，您说说看，昨天我是脑子清醒呢，还是神志不清？”

此刻他似乎恨不得一把掐死扎米托夫。扎米托夫的目光和他的沉默不语，使他非常不自在。

“据我看，您当时说话很有条理，甚至很机灵，只不过太易动怒了。”扎米托夫冷冷地说。

“今天尼科季姆·福米奇告诉我，”波尔菲里·彼得罗维奇插嘴说，“昨天他碰到了您，已经很晚了，在一个被马踩死的官吏家里……”

“就说这个官吏的事吧！”拉祖米欣接过话茬儿，“嗯，你在他家不就疯疯癫癫的吗？把仅有的一些钱全都给了那个寡妇作为安葬费用！是啊，你要想助人，给上十五个卢布，给上二十个卢布，哪怕给自己留三个卢布也好，可你却把所有的二十五卢布全给了人！”

“或许我在什么地方掘到了一座金库，你却不知道？昨天我慷慨大方了一回……扎米托夫先生就知道我掘到了金库！……对不起，”他转身对波尔菲里说，双唇微微颤抖，“我们因这么一件微不足道的小事打扰了您半个小时，您一定感到厌烦了，是吧?”

“没关系,我很高兴,我很高兴!但愿您能知道,我对您是多么有兴趣!我看着您听着您,都很有趣……坦白地说,我很高兴您终于来了……”

“哪怕来杯茶也好哇!嗓子都干啦!”拉祖米欣嚷道。

“真是个好主意!或许我们一起来喝点。在喝茶之前,你是否想……来些厉害的东西?”

“去你的吧!”

波尔菲里·彼得罗维奇出去叫人备茶。

拉斯柯尔尼科夫的脑子里,思绪旋风似的飞转。他气恼之极。

“可气的是,他们甚至毫不掩饰自己的态度,也不讲点礼貌!既然你根本不认识我,你凭什么同尼科季姆·福米奇谈论我呢?看来,他们并不打算掩饰他们像一群狗似的在追踪我!他们就这样公然地蔑视我!”他气得浑身直抖,“哼,径直出击好了,别玩什么猫捉老鼠的把戏。要知道,这可是无礼行为,波尔菲里·彼得罗维奇,要知道我会不答应的!……我也许会站出来,当着众人的面说出真相。你们会看到我是多么瞧不起你们!……”他好容易才换过气来,“可万一这只是我自己的想象呢?万一这是一种幻觉呢,万一全是我想错了呢,万一是我因幼稚而大发雷霆,万一是我不能把这一卑劣的角色演好呢?或许这一切并非是别有用心?他们的这些话都是很一般的话,但话中有着某种意思……这些话随时都可以说的,但话中有着某种东西。为什么他直截了当地说‘在她那儿’?为什么扎米托夫会补充说什么我讲话机灵?

为什么他们用这种口气说话？是的……口气不对……可拉祖米欣就坐在这儿，为什么他会毫无察觉？这个天真的傻瓜是从来也察觉不到什么的！是我又在发热病吗？……刚才波尔菲里有没有对我使眼色？准是我胡思乱想，他干吗要使眼色呢？想激怒我，还是想愚弄我？要么这一切都是幻觉，要么是他们知道了真相！……甚至连扎米托夫也很无礼……扎米托夫是显得无礼吗？扎米托夫一夜之间改变了看法。我预感到他会改变主意的！他在这儿如同在自己家里一样，其实他是第一次来。波尔菲里不把他当做客人，背对着他坐着。他们串通一气！一定是因为我走到一起的。在我们来之前，他俩一定正在谈我！……他们知道房子的事情吗？但愿早点知道！……当我说我昨天躲开他们想去租房子的时候，他漏过了，没有提出来问……我那么艺术地提出了租房的事，以后会有用！……他们说什么我神志不清！……哈哈！昨天晚上的事他全都知道了！却不知道我母亲来了！……那老巫婆还用铅笔写上了日期！……你们在瞎说，我不会缴械的！要知道，这还不是证据，这只是想象！不，你们要拿出证据来！房子也不是证据，而是我的狂想。我知道该对他们说些什么……他们知道房子的事情吗？不摸清楚，我绝不离开！我干吗要来这儿呢？而我现在怒气冲冲，或许这也是证据！呸，我多么容易发火呀！这也许是件好事，我在扮演生病的角色……他在摸我的底。他要打乱我的阵脚。我干吗要来这儿呢？”

所有这些如闪电般在他的脑海里掠过。

波尔菲里·彼得罗维奇很快就回来了。不知为何，他突然高兴起来。

“老兄,昨天从你那儿回来,我的脑袋就疼……我整个人都有些支撑不住了。”他用一种截然不同的口气,笑着对拉祖米欣说。

“怎么,有意思吗?昨天我正是在你们谈论最有趣的话题时离开的。谁赢啦?”

“当然啰,谁也没赢。我们扯到了一些永恒的问题,大家海阔天空地瞎聊。”

“你想想看,罗佳,我们昨天扯到了什么事上去了:犯罪是否存在?告诉你,我们扯得没有边了!”

“那有什么可大惊小怪的?一个普通的社会问题。”拉斯柯尔尼科夫心不在焉地说。

“这个问题的提法就不大对头。”波尔菲里指出。

“不完全对头,是这样的,”拉祖米欣随即附和道,他像往常一样出语急促,情绪激动,“罗佳,你听听看,说说你自己的看法。我很想知道你的看法。昨天我拼命与他们争辩,就等着你前来助阵;我对他们说到了你,说你会来的……问题是从社会主义者的观点谈起的。这个观点众所周知:犯罪是对社会制度不正常的一种抗议,实际就是这么回事,如此而已,不可能再有其他的原因,不可能!……”

“这可是胡扯了!”波尔菲里·彼得罗维奇叫道。他显得很活跃,眼睛望着拉祖米欣,不停地笑着,这引得拉祖米欣情绪更加激动。

“不可能有其他的原因!”拉祖米欣激烈地打断了他的话,“我没有胡扯!……我给你看看他们写的几本书:他们认为,一切都由于'环境的影响'[①],别无其他原因!这是他们喜爱的口头禅!由此直接引出结论,假如社会结构是正常的,那么一切犯罪便一下子不复存在,因为没有什么可抗议的了,所有的人一下子全变得正直了。天性无须考虑,天性可以忽略,天性无法指望。在他们看来,不是人类通过历史的、活生生的道路而发展到底,最终自然而然地形成一个正常的社会;恰恰相反,是由某个数学头脑计算出来的一种社会体系,赶在任何活生生的过程之前,不必通过任何历史的、活生生的道路,就能立刻把整个人类组织好,一下子就使他们变成正直的毫无过失的人!因而他们就本能地厌恶历史:'历史上净是些不成体统的事和蠢事',一切都只能用愚蠢来解释!因而他们也就厌恶活生生的生活过程,因为不需要活的心灵!活的心灵要有生命,活的心灵不会听命于机械,活的心灵是可疑的,活的心灵是顽固落后的!而这里[②]虽然死气沉沉,可以用橡胶制成,但是它不是活的,因此没有意志,是奴性的,不会反抗!结果是,人们只要在法伦斯泰尔[③]里砌砖筑墙,规划建造走廊和房间!法伦斯泰尔是建成了,可你们的天性对法伦斯泰尔而

---

①"环境的影响说"于19世纪50—60年代之交在俄国自由主义和民主主义批评界与文学界间广泛流行。持此说者认为"多余人"以及平民中的有才华的人不能施展才能以至堕落,原因在于农奴制的社会环境。陀思妥耶夫斯基和其《时代》杂志则反对这 一观点,认为个人应对自己的行为负责。实际上"环境说"虽有机械性质,但其宗旨是要求促进社会变革,在当时是进步的。

②指没有活的心灵。

③此词源自希腊文,是指严整的步兵队伍。法国空想社会主义者傅立叶(1772—1837)曾设想未来社会中以"法郎吉"为基层组织,它的理想规模是1620人。法郎吉的成员居住的地方为法伦斯泰尔,由自愿者以资金入股建成,是宏伟美观的建筑群,每一法伦斯泰尔占地一平方公里。

言,还没有准备好,它还要按原样活下去,还没有结束生命的过程,还没有进入坟墓!单纯逻辑是无法跳越人的天性这一环节的!逻辑只能预料三种可能性①,而可能性却有千百万种!排除千百万种可能性,把一切都归结于一个舒适问题!这是一种最简易的解决问题的办法!令人羡慕地一目了然,又用不着费脑筋!主要的是用不着费脑筋!生活的全部秘密只用两个印张的篇幅就包容无遗了。"

"真是信口雌黄,胡说八道!得让他住嘴,"波尔菲里笑了起来,"您想想看,"他转身对拉斯柯尔尼科夫说道,"昨天晚上,六个人就这样挤在一间屋子里大吵,事先还喝了许多潘趣酒②,您能想象是个什么样子!不,老兄,你胡说,'环境'在犯罪中是有很大的作用;这一点我可以给你用事实证明。"

"我自己也知道有很大影响,但你说,一个四十岁男人猥亵十岁少女,难道这是环境迫使他做的吗?"

"那又怎样,严格地说这也可能是环境所致,"波尔菲里特别郑重地说,"猥亵少女的犯罪甚至完全、完全可以用'环境'来解释。"

拉祖米欣几乎气得发疯。

"要是你愿意,我现在就给你来个推论,"他吼叫起来,"推论你之所以有两道白眉毛,只是因为伊凡大帝③有三十五俄丈④高;

---

①当指形式逻辑的三段论法。

②用朗姆酒加水、糖、葡萄酒和香料等加热制成的饮料。

③这里是指莫斯科克里姆林宫里伊凡大帝钟楼,是克里姆林宫的最高建筑。

④一俄丈等于一点一三四米。

而且我能推论得清清楚楚,十分准确,很有进步的思想,甚至带有自由主义的倾向。我敢打赌!哎!你想打赌吗!”

“那就赌吧!让我们听听,他是怎么个推论法!”

“尽是装腔作势,真见鬼!”拉祖米欣叫嚷着,一面跳起来挥舞双手,“不值得与你白费口舌!要知道他是故意这么说的,罗佳,你还不了解他。昨天他支持他们那一方,也是为了捉弄大家。他昨天说了些什么呀,天哪!可他们都听得兴高采烈!……要知道他能就这样撑上两个星期。去年他不知为啥让我们相信他要进修道院:整整两个月他始终不改口!不久前,他又想法让我们相信他要结婚了,一切准备就绪,只等举行婚礼。他甚至还做了新衣服。我们都向他表示祝贺。但是没有新娘,什么都是子虚乌有,一切都是空中楼阁!”

“你又在胡说了!我是先做了件衣服。因为有了套新衣服,我才想和你们开个玩笑。”

“您真的是个爱弄玄虚的人吗?”拉斯柯尔尼科夫有点不太客气地问道。

“您以为我不是吗?等着瞧吧,我也要跟您开一次玩笑,哈哈哈!不,您瞧,我要把一切真相都告诉您。说到所有这些问题——犯罪、环境和少女,我现在想起了您的一篇文章《论犯罪》……或者其他什么题目,我忘记了,我没记住。不过这文章一直令我很感兴趣。两个月前,我在《周期言论》上读到的,我很喜欢这篇文章。”

“我的文章?在《周期言论》上?”拉斯柯尔尼科夫惊讶地问

道，“半年前从大学退学时，我确实写过一篇书评[①]，但当时我是投寄给《每周言论》的，不是《周期言论》。”

“结果在《周期言论》上发表了。”

“要知道《每周言论》停刊了[②]，因此当时没有发表……”

“这倒是事实，但《每周言论》停刊后，并入了《周期言论》，所以您的文章在两个月前登在《周期言论》上了。您还不知道？”

拉斯柯尔尼科夫确实一无所知。

“好哇，您可以向他们索取稿费啦！真有您的！这么离群索居，连与自己直接有关的事情都不知道。这可是事实呀。”

“太棒了，罗佳！我也不知道！”拉祖米欣嚷道，“今天我就去阅览室借这一期杂志！两个月以前的？哪天出的？反正我总能找到！竟有这种事！他还不说呢！”

“您怎么会知道这是我写的？我用的可是缩写的名字呀。”

“这是由于一个偶然的机会，也是前几天才知道的。一个编辑告诉我的；我认识他……我对这篇文章很感兴趣。”

“我记得是分析罪犯在整个犯罪过程中的心理状态。”

“是的，您还坚持认为，干犯罪的行为时，总是伴随着疾病。

---

①据学者考证，所评的书可能是拿破仑第三写的《凯撒传》或德国哲学家施蒂纳(1806—1856)写的《唯一者及其所有物》(1844)。后者认为，真正的具体的现实是个人——一个自负的独断的人物。这个人物用他的观念和意志创造出这个世界。施蒂纳是“唯我主义者”，宣扬肆无忌惮的追求——“我无所顾忌”。

②《俄国言论报》在出了39期之后，于1861年停刊，并与《莫斯科导报》合并。这里所指的，也许是H. B.卡拉乔夫出版的杂志《法学导报》，它在1862—1864年每月出版，1864年在出到第6期时停刊。该杂志的许多作者，同时也在《时代》杂志上发表法学方面的文章。

这是非常、非常独特的观点，不过……最使我感兴趣的不是您文章中的这一部分，而是文章结尾提出的一种看法，遗憾的是您只是暗示了一下，不很清晰……总而言之，如果您记得的话，那是暗示世上仿佛存在一种人，他们能够……也不仅能够，而是完全有权胡作非为，有权犯罪，对他们来说法律似乎并不存在。”

对于这番故意极力曲解自己看法的话，拉斯柯尔尼科夫只是冷笑一声。

“什么？这怎么讲？有权犯罪？这可不是‘环境的影响’啊？”拉祖米欣甚至有点吃惊地问道。

“不，不，不全是这样，”波尔菲里回答说，“问题在于他的文章中把所有的人都分成了‘普通的人’和‘特殊的人’两类。普通的人应该俯首帖耳地生活，没有权利逾越法律，就因为他们是普通的人；而特殊的人则有权从事各种犯罪，有权践踏法律，只是因为他们是特殊的人。要是我没弄错的话，您好像就是这个意思？”

“这怎么可能呢？这是不可能的！”拉祖米欣困惑不解地嘟哝着。

拉斯柯尔尼科夫又冷笑了一声。他顿时恍然大悟，明白了他们想引他说什么。他还记得自己的那篇文章，决定接受挑战。

“我的观点不完全是这样，”他很自然而又谦逊地开口说了起来，“不过，坦白地说，您几乎准确地阐述了我的看法，如果愿意的话，甚至可以说是完全准确（他似乎很乐意承认完全准确）……唯一的不同之处在于：我根本没有像您说的那样，坚持认为特殊的人一定而且必须总是胡作非为。我还以为，那样的文章是不会被允许发表的。我只不过暗示说，特殊的人有权……倒不是指正式的权利，而是有权让自己良心越过某些障碍，但这只能是在为实现自己理想（有时这种理想可能是拯救全人类的）而不得不这样做的时候。您说，我的文章含糊不清；我很乐意尽可能地给您解释清楚。我大概没有弄错，这正是您所希望的；那么请让我解释一下吧。据我看来，假如开普勒[1]或牛顿的发现由于某些原因不能公之于众，除非牺牲掉一个、十个、百个或者更多的阻碍这一发现或者成为这一发现绊脚石的人，那么牛顿就有权，甚至应该……除掉这十来个或上百个人，以便让自己的发现为全人类所知。但是，由此绝不能得出结论说：牛顿有权随心所欲地逢人就杀，或者有权每天在市场上偷盗。我记得在文章中还发挥说，所有的人……比如说人类社会的立法者们和创始者们，从远古起到李库尔赫[2]、梭伦[3]、穆罕默德[4]、拿破仑之类的人，单凭一条就全都是罪犯，那就是他们为了制定新的法律而破坏了古老的、受社会尊崇并由父辈传下来的法律；当然他们也不会因需要流血杀人而趑趄不前，只要流血杀人（有时被害者完全是无辜的，为了维护古老法律而流血牺牲）有助于他们实现自己的目的。更能说明问题的是，这些人类的恩人和创始者们甚至大多数都是残酷的刽子手。总之，我的结论是：所有这些人，不单是伟大的人，还多少有

---

①开普勒（1571—1630），德国天文学家，近代天文学的创立者之一，发现行星运动定律（开普勒定律）。

②李库尔赫（或译莱喀尔古，公元前9—前8世纪），传说中的斯巴达立法者。希腊人认为，斯巴达社会制度和国家体制都是他制定的。

③梭伦（约前638—约前559），古雅典政治家和诗人。公元前594年被选为雅典的首席执政官。他实行政治改革，奠定了雅典民主政治的基础，促进了氏族社会的崩溃。

④穆罕默德（约570—632），伊斯兰教的创始者。

些逾越，也就是甚至多多少少能提出某种新见解的人，就其本性来说，一定会成为罪犯，当然在程度上有所不同。要不然他们很难逾越常轨，而墨守成规他们自然又不愿意，这也是由他们的本性所决定的，要依我看，他们甚至就应该不愿意。总之，您瞧，说到现在我并没有什么特别的新见解。这都是老生常谈，在报纸杂志上发表过千百次，真是屡见不鲜。至于说我把人分成普通的人和特殊的人两类，我承认这样分有些随意性，但要知道我并没有举出精确的数字。我只是相信我的主要观点没错。这个观点的关键在于，一般来说，人按照天性可以分成两类，一类是低级的人（普通的人），也就是说他们只能成为传宗接代的材料；另一类是真正的人，也就是说他们有才能或天赋，能在自己的环境中讲出新的见解。类别当然可以无止境地分下去，但这两类人的不同却是相当明显的：第一类人，也就是传宗接代的材料，一般说天生就因循守旧，安于现状，他们过着低声下气的生活，乐意唯命是从。照我看，他们也应该俯首帖耳，因为这是他们的使命，这对他们来说根本不是什么屈辱。第二类人，总在践踏法律，尽其所能破坏法律或者具有这种倾向。这些人的犯罪当然都是相对而言的，而且是各种各样的；他们之中大多数人都通过极其多样的方式，呼唤为美好的未来而破坏现状。但是，如果为了实现自己的思想不得不踩着尸体和鲜血去干，那么依我看来他们内心也许会坦然地让自己趟过血泊；不过这要看是为什么思想和这思想的规模，这一点请注意。就是在这个意义上我在文章里谈到他们有权去犯罪（您该记得，我们可是从法律问题上说起的）。其实，也用不着大惊小怪：民众几乎从不承认他们有这个权利，总要处决他们或绞死他们(程度有所不同),以此完全正当地实现自己那保守的使命。可到了以后的几代人,同样的民众又会把被处决的人尊为圣贤,对他们顶礼膜拜(程度有所不同)。第一类人永远是当代的主人,而第二类人则是未来的主人。第一类人维护世界的现状,增加世界上的人口;而第二类人则推动世界前进,引向预定的目标。不管是第一类还是第二类人,都有完全一样的生存权利。总之,我认为所有的人都有完全相等的权利——vive la guerre eternelle[①],当然啰,直到建立起新耶路撒冷[②]!"

"那么您终究相信会有新的耶路撒冷[③]?"

"是的。"拉斯柯尔尼科夫坚定地回答道。他说这句话时同刚才滔滔不绝地发表长篇大论时一样,垂眼望着地面,凝视着地毯上的某一点。

"那——那您也相信上帝?对不起,我太好奇了。"

"是的。"拉斯柯尔尼科夫抬起眼睛,望着波尔菲里,又重复了一遍。

"您——您也相信拉撒路复活[④]?"

"是——的。您干吗老是问这种问题?"

---

①法文:永恒的战争万岁。

②意为一个全新的世界,语出《新约全书·启示录》(第21章,第2节):"我又看见一个新的天地,因为先前的天地已经过去了。……我又看见圣城新耶路撒冷由上帝那里从天而降……"(又见该书第3章,第12节)。在陀思妥耶夫斯基读过的圣经中,这句话下用铅笔画一横杠。

③在圣西门主义者看来,相信新的耶路撒冷,就是相信未来的"黄金时代"。

④耶稣使拉撒路从坟墓里出来,死而复生。见《新约全书·约翰福音》(第11章,第38~44节)。

“您的确相信？”

“的确相信。”

“原来是这样……我是出于好奇心。对不起。不过，”他又回到原来的话题，“他们可不总是遭到处决的，有些人恰恰相反……”

“他们生前就很得志了？对，有些人生前就得了志，于是便……”

“于是他们自己也开始处决别人？”

“如果有必要的话。您要知道，甚至大多是这样。总之，您的看法很机智。”

“谢谢。但请您说说，怎么区分特殊的人与普通的人呢？难道他们生来就带有这种标记？我的意思是说，这里更需要的是准确性，也就是说需要较为明显的外部特征。请原谅，我这个讲实际、好心肠的人，自然而然要产生忧虑。比如说，能不能穿上什么特别的服装，戴上什么饰物，或者打上什么烙印呢？……因为您也承认，要是一旦搞混了，有人自以为属于另一类，他就会像您那绝妙的说法，开始‘排除一切障碍’，那可怎么好……”

“哦，这是常有的事！您的这个看法甚至比前一个更为机智……”

“谢谢。”

“别客气。不过您得注意，这类错误只会发生在第一类人身上，即‘普通人’身上（我这样称呼他们或许极不妥当）。尽管他们天生就乐于俯首帖耳，但由于具有连母牛都免不了会有的顽皮天性，他们之中相当多的人喜欢自诩为进步人士、‘破坏者’，喜欢攀附‘新见解’，而且是非常真诚的。同时，真正的新人他们却常常不会发现，甚至加以鄙视，视之为观念落后、思想低下的人。然而，据我看这样不会有什么大危险，说实在的，您大可不必担忧，因为他们从来也不会走得太远。当然啰，有时因他们过于冲动也可以抽他们一顿鞭子，提醒他们记住自己的身份，但仅此而已。这时甚至不需要打手，他们会自己动手，因为都太诚实善良了；有些人会互相抽打，有些人则自我鞭挞……同时他们还会进行各种不同的公开忏悔，结果蔚为壮观而且可资借鉴，总之，您没什么可担忧的……这是一个规律。”

“嗯，至少在这一方面您让我感到放心些了。但我还有一个忧虑：请您告诉我，那种有权杀害他人的‘特殊的人’多不多呢？我当然乐意对他们顶礼膜拜，但您也得承认，假如他们人数很多，不是很可怕吗？”

“哦，这个您不必担忧，”拉斯柯尔尼科夫用同样的语调继续说道，“拥有新观念的人，甚至稍能说出新见解的人，生来就极少，甚至少得出奇。只有一点是很清楚的，即人出生的规律，各类人出生的规律，想必是由某个自然法则来确定的，相当准确无误。这个法则当然现在无人知晓，但我相信它的确存在，以后会为人所知。芸芸众生，也就是大批的材料，来到世上只是为了通过某种努力，经过迄今为止仍神秘莫测的过程，借助不同种族的交融，终于在千人之中奋力生出一个多少有些独立精神的人。也许在万人之中才会生出一个具有更多独立精神的人（我是举例来说，以便直观）。十万人之中或许有一个独立精神更足一些的人。几百万人中才生得出几个天才人物。而伟大的天才，人类的缔造者,或许要待大地上出生几十亿人之后才出一个。总之,我没有去看过产生这一切的熔炉。但某种规律肯定是存在的,也应该存在;这里绝不可能是偶然性。”

“瞧你们两人,不是在开玩笑吧?”拉祖米欣终于叫起来,“你们彼此挖苦嘲讽,不是吗?坐在这儿,你笑话我,我笑话你!你是当真的吗,罗佳?”

拉斯柯尔尼科夫一声不吭地抬起自己苍白的、几乎是忧愁的脸,望着他没有回答。与这张沉静忧郁的脸相比,波尔菲里那赤裸裸毫不礼貌的、气势逼人的、挖苦的神情,令拉祖米欣觉得奇怪。

“喂,老兄,如果这确实是当真的话,那么……你说这个观点并不新颖,与我们千百次读到与听到的观点全然相似,这当然是对的。但是这当中确实有其独到之处,也确是你独有的,令我深深惊骇的是,你居然会允许凭着良心去杀人流血,请原谅我的用词,甚至带一种狂热……看来,这就是你那篇文章的主要观点。要知道,这样允许凭着良心去杀人流血……我认为要比正式的法律上允许杀人流血更为可怕……”

“说得完全有理,是更可怕。”波尔菲里应声说。

“不,你准是入迷了!这样说是错误的。我要读一读文章……你入迷了!你不可能有这种想法呀……我要读读文章。”

“文章里没有这些,只有一些暗示。”拉斯柯尔尼科夫说道。

“是这样,是这样,”波尔菲里都坐不住了,“我现在差不多明白了您对犯罪的看法,但是……请原谅我爱刨根究底(再三烦扰,连我自己都觉得不好意思了!)——您瞧,您刚才给我消除了混淆两类人的担心，不过……还有各种实际的情况让我感到不安！比如有个汉子或是个年轻人，自以为是李库尔赫或穆罕默德……当然是说未来会是，于是为此就去排除一切障碍……比方说他将远征，而远征需要钱……于是他开始为远征而去找钱……您明白吗？”

扎米托夫突然在角落里发出了扑哧一笑。拉斯柯尔尼科夫甚至都没抬眼去看他。

“我应该承认，”他平静地回答道，“这种事是会有的。愚蠢的人、爱虚荣的人尤其容易上这个钩，特别是年轻人。”

“您看是吧。那该怎么办呢？”

“那又怎样呢，”拉斯柯尔尼科夫微微一笑，“这又不是我的错。现在有这种事，将来也会有这种事。这不，他(他朝拉祖米欣点点头)刚才说，我允许杀人流血。那怎么办呢？要知道社会上防范的方法多得很：流放、监狱、法庭和苦役，有什么可担忧的？您去捉贼好了！……”

“那要是抓住了呢？”

“那是他咎由自取。”

“您的看法很合逻辑。可对他的良心怎么办呢？”

“他的良心与您有什么相干？”

“从人道的角度来说嘛。”

“谁有良心，如果意识到自己错了，让他痛苦去吧。这也是对他的惩罚，苦役之外的惩罚。”

“那么那些真正的天才人物呢，”拉祖米欣皱着眉问道，“就是说那些有权杀人的人，即使是杀人流血以后，他们就必然完全感觉不到痛苦吗?”

“为什么要说‘必然’呢? 这里不存在允许或禁止的问题。要是怜悯牺牲者,就让他痛苦吧……对思想开阔、感情深厚的人来说,痛苦折磨是永远无法避免的。[①]我觉得,那些真正的伟人在世上一定会感受极大的忧虑。”[②]他突然若有所思地添上了一句,甚至连口气也同刚才的谈话不大协调。

他抬起头,面带沉思地瞧了众人一眼,微微一笑,便拿起了帽子。与刚才进来时相比,他显得太冷静了,对此他自己也有所觉察。大家都站起身来。

“啊,随您骂我也好,生气也好,我都实在忍不住,”波尔菲里·彼得罗维奇又说道,“请允许我再提一个小问题(我太打扰您啦),我想说说一个脑际闪现的想法,要不然会忘了……”

“好,说说您那想法吧。”拉斯柯尔尼科夫站在他面前等待着;他表情严肃,脸色苍白。

“是这么回事……真的,我不知道怎么表达更恰当……这个想法完全是玩笑式的……心理上的……是这样,当您写那篇文章时,您不可能,哈哈! 您不可能不认为自己多少就是一个‘特殊的人’,一个能说出新见解的人,这里是指您自己所理解的新见解……是这样的吗?”

“很有可能。”拉斯柯尔尼科夫用不屑的口吻答道。

---

①此说法接近作者对屠格涅夫的《父与子》中的巴扎罗夫的看法。可参看《冬天记的夏天印象》。

②法国空想社会主义者傅立叶曾谈道:凯撒登上全世界的皇帝宝座之后,因自己处于如此高位得到的却只是空虚和忧虑之感而吃惊。按:凯撒并未称帝,但他是军事独裁官,一切大权在握,实际上等于皇帝。

拉祖米欣浑身扭动了一下。

“假如是这样的话，那您本人难道能下决心——比如，因为生活所迫，或者为了推动整个人类社会的前进，去逾越障碍吗？……比如去杀人、抢劫？……”

不知怎的他又突然朝拉斯柯尔尼科夫眨了眨左眼，并且不出声地笑了起来，与刚才完全一样。

“即便我越过了，我当然也不会告诉您。”拉斯柯尔尼科夫的回答，是一种挑战、傲慢和鄙视的语气。

“不，我不过是感兴趣，想弄懂您的文章，吃透文章的意思而已……”

“呸，这也太露骨，太放肆了！”拉斯柯尔尼科夫厌恶地思忖着。

“我要告诉您，”他冷冷地说道，“我并不认为自己是穆罕默德或者拿破仑……或者这类的什么人，既然不是他们，我也就无法给您一个满意的解释，说我会怎么办。”

“嗯，得了吧，在俄罗斯现在谁不认为自己是拿破仑哪？”波尔菲里突然用过分亲昵的口气说道。甚至在他的声调里，这一次也流露出某种特别明显的意思。

“上个星期用斧头砍死了我们的阿廖娜·伊凡诺芙娜的别是哪个未来的拿破仑吧？”扎米托夫突然在角落里冒出了一句。

拉斯柯尔尼科夫没有吭声，目不转睛地盯着波尔菲里。拉祖米欣双眉紧锁，脸色阴沉。他似乎早已觉察到了点什么，气冲冲地四下扫视着。一场令人难堪的沉默持续了片刻。拉斯柯尔尼科夫转身要走。

“您要走啦!”波尔菲里亲切地说道,同时又极其殷勤地伸出手去。“认识您非常高兴。至于您的请求,是不会有问题的。不过,您还得照我说的那样写一份申请。最好亲自到我那儿去一趟……就在这两天里……明天也行。我十一点钟左右肯定在那儿。我们可以把一切都办妥……再谈一谈……您是最后一个去那儿的,或许您会告诉我们一些情况……”他脸上带着一副极其友好的表情,补充道。

“您想在那种场合里正式审问我是吗?”拉斯柯尔尼科夫厉声问道。

“干吗要这样呢?暂时完全没有这个必要。您误会了,您要知道,我是不会放过任何一个机会的……我已与所有的抵押人谈过话……我从一些人口中得到了些线索……而您是最后一个……哦,赶巧了!”他叫道,不知为什么突然兴奋起来。“你看我,刚想起来!……”他转身对拉祖米欣说,“那会儿你老是对我讲起那个尼古拉什卡……其实我自己也知道,我自己也知道,”他又转身对拉斯柯尔尼科夫说,“这个人是清白的,可有什么办法呢;也不得不打扰米季卡……关键就在于:当上楼梯的时候……请问,您可是在七点多钟去的?”

“是的。”拉斯柯尔尼科夫回答道,但立刻不快地感到他本可以不回答这个问题。

“那么当您七点多钟上楼去的时候,您是否看见在二楼,在那个敞着门的房间里,您还记得吗?有两个工人,还是只有一个?他们在那里油漆房间,您注意了没有?这对他们来说可是非常、非常重要!……”

“油漆工？不，我没看见……”拉斯柯尔尼科夫慢吞吞地回答，仿佛在努力回忆。而与此同时，他全身高度紧张，经受着痛苦的煎熬，只想识破这里所设的圈套，千万别忽略了什么。“不，我没有看见，好像也没有注意有敞着门的房间……可在四楼（他已完全识破圈套，为此暗自得意），我记得有一个官吏在搬家……阿廖娜·伊凡诺芙娜的对门……我记得……这事我清楚地记得……几个士兵把沙发搬出来，我被挤到了墙边……但油漆工我没看见，我不记得那里有什么油漆工……而且好像也没有敞着门的房间。是的，没有敞着门的房间……”

“你在说什么呀！”拉祖米欣仿佛恍然大悟，蓦地叫道，“要知道，油漆工是在谋杀的当天油漆房间的，而他是在三天前去那儿的？你干吗问这个？”

“呸！我都搞糊涂了！”波尔菲里拍了一下自己的额头。“真见鬼，我被这个案子搞得晕头转向！”他对拉斯柯尔尼科夫说道，甚至似乎十分内疚。“弄清楚是否有人在七点多钟在那套房子里见过他们，这对我们来说是很重要的。所以我刚才就想，您也许能告诉我们……我完全弄糊涂了！”

“应该细心些嘛。”拉祖米欣脸色阴沉地说道。

他们说最后几句话时已经在前室了。波尔菲里·彼得罗维奇极其殷勤地把他们送到门口。他俩闷闷不乐，阴沉着脸来到大街上，走了好几步都没有开口说话。拉斯柯尔尼科夫深深地吸了一口气。

第六章

“……我不相信！我无法相信！”情绪沮丧的拉祖米欣反复地说着，极力想驳倒拉斯柯尔尼科夫的观点。他们已经快要走到巴卡列耶夫旅馆，那里普莉赫里娅·亚历山德罗芙娜和杜尼娅早已在等着他们了。拉祖米欣不时地停下脚步，与拉斯柯尔尼科夫激烈争论。他显得困窘而且激动，因为他们是第一次坦率地谈起这个问题。

“你不信好啦！”拉斯柯尔尼科夫漫不经心地冷笑一声说，“你总是什么也不察觉，我可掂量了每一个字……”

“你疑神疑鬼的，所以总是掂量……啊……说实在的，我承认波尔菲里的语气相当奇怪，尤其是那个坏家伙扎米托夫！……你说得不错，他是有点用意，可为什么？为什么呢？”

“他一夜之间改变了主意。”

“恰恰相反！恰恰相反！假如他们有这个愚蠢的想法，那他们就该尽力掩盖，不露出自己的底牌，以便能抓住你……可现在这种做法太无理，也太轻率呀！”

“假如他们有事实，即真正的罪证，或者哪怕有些怀疑的根据，那他们确实会尽力掩盖自己的意图，因为他们还期望获得更多的证据（其实，他们早就会搜查了），但他们没有证据，一件都没有，一切都是想象，一切都是模棱两可，只有一个凭空而来的想法，所以才想诈我说出来。或许他因没有证据而恼火，气得爆发出来。或许他是怀着某种目的……他似乎是个聪明人……或许他装作了解真相，想以此来吓住我……老兄，他有他的想法……不过，我讨厌解释这一切。别说啦！”

“而且是侮辱，是侮辱！我理解你的心情！但是……既然我们现在已经把这个问题挑明了（我们终于能坦率地谈论这个问题，真是太好了，我很高兴），那我现在就直说了，我早已发现他们有这种想法，当然啰，这种想法一直还只是一点儿暗示，含沙射影。可为什么要含沙射影呢！他们怎么能这样做？他们有什么真凭实据？你要知道，我是多么气愤哪！就凭一个穷大学生由于贫困和忧郁变得神经质，在一场重病弄得神志不清之前，或许那时已开始发病（请注意这一点），因生性多疑，自尊心强，傲慢，六个月来闭门不出，穿着破衣烂衫和没有鞋掌的鞋，就凭他站在一些警官前面，忍受着他们的侮辱，而为了他面前放着的一张意想不到的借条，七等文官切巴罗夫带来的一张过期的借条；加上油漆味熏人，列氏温度达到三十度①，空气沉闷，一大群人大谈他前一天去找过的那个老太婆被杀的案子，偏偏此时又正赶上他饥肠

①列氏温度沸点是八十度，冰点是零度。列氏三十度等于三十七点五摄氏度。

辘辘。结果他怎么能不晕倒呢！这就是，这就是他们所有的猜疑的根据！真见鬼！我理解，这是令人气恼的。然而要是我处于你的地位，罗佳，我就会冲着他们所有人哈哈大笑，或者最好啐他们一脸唾沫，越黏越好，再左右开弓狠狠扇他们二十个耳光，还应该像模像样地扇得漂亮些，然后就此了结。别去理睬它！振作起来！这样可不好！”

“他这番话倒说得很清楚。”拉斯柯尔尼科夫思忖道。

“别去理睬它？明天又要审问啦！”他愁眉苦脸地说道，“难道我该去向他们申辩吗？我已够懊丧的了，昨天在酒馆里犯不上同扎米托夫一般见识……”

“让他见鬼去吧！我会亲自去找波尔菲里！我以亲戚的身份去追问他，让他把一切都告诉我！至于那个扎米托夫……”

“他终于想到这一招了！”拉斯柯尔尼科夫暗自寻思道。

“等等！”拉祖米欣突然一把抓住他的肩膀叫道，“等等！你弄错了！我反复考虑，觉得你弄错了。这算什么诡计？你说查问工匠的情况是个诡计？可你得明白，假如你真的干了这件事，你会说出来你看见了这两个工匠……在油漆房间吗？恰恰相反，即使你看见了，你也会说你什么也没看见！谁会承认对自己不利的事呢？”

“假如我真的干了这件事，那我一定会说我看见了这两个工匠和这个房间。”拉斯柯尔尼科夫带有明显的厌烦表情，极不乐意地继续回答说。

“干吗要说对自己不利的话？”

“因为只有乡下人，或者毫无经验的新手，受审时才会一劲儿地矢口否认一切。稍有头脑的和有经验的人,一定会尽可能地承认一切表面上的、无法抵赖的事实;只不过他们会为这些事实寻找其他的理由,再添上那么与众不同、意想不到的两笔,结果便使事实具有了完全不同的含意,呈现出另一种面貌。波尔菲里可能正是以为我一定会这么回答,一定会说见过的,以便更像真实的情况,又以为我同时还会添油加醋地进行辩解……"

"要知道他可能立刻对你说,两天前工匠不可能在那儿,因而你一定是在谋杀的当晚七点多钟去那儿的。这样他便能让你在件小事上栽了跟头!"

"他正是这样估计的,以为我来不及转过弯来,会急着回答得更符合实际,这样我便能忘了两天前工匠不可能在那儿。"

"这怎么会忘呢?"

"这是很容易忘的!正是在这类毫不起眼的小事上,甚至连狡猾的人也往往会上当。一个人越是有心计,就越是料不到自己会在小事上栽跟头。最狡诈的人往往会栽在最不起眼的小事上。波尔菲里根本不像你所想象的那么笨……"

"他这么干,可太卑鄙了!"

拉斯柯尔尼科夫情不自禁地笑了起来。但与此同时他觉得,自己在做最后这一番解释时表现出的兴奋和健谈颇为奇怪,因为刚刚他谈话时还怀着闷闷不乐的厌恶之情呢,想必这是为了某种目的才不得已而为之。

"在某些方面我倒蛮有兴致呢!"他暗自想道。

但几乎就在这一瞬间,他突然感到一阵不安,好像有一个突如其来的不安念头使他大吃一惊。他越来越担心了。这时两人已经来到了巴卡列耶夫旅馆的门口。

“你一个人先进去吧，”拉斯柯尔尼科夫突然说道，“我马上回来。”

“你去哪儿？我们已经到了呀！”

“我得去，我得去，我有事…过半小时再来…你告诉她们吧。”

“随你的便，我跟你一起去！”

“怎么，你也想折磨我！”他嚷道，眼睛里流露出痛苦和愤怒，一种绝望的神色，弄得拉祖米欣立刻不知所措。他在台阶上站了片刻，忧郁地望着拉斯柯尔尼科夫疾步朝自己住的那条胡同走去。末了，他咬紧牙关，握紧拳头，立刻发誓今天就去把波尔菲里肚子里的一切都掏出来，就像挤柠檬汁似的。然后他便上楼去安慰因他们久久未到而已经惊慌不安的普莉赫里娅·亚历山德罗芙娜。

拉斯柯尔尼科夫回到自己住处时，已是两鬓汗湿，气喘吁吁。他飞奔上楼，走进自己那间不上锁的房间，随即把门钩扣住。接着他惊恐而疯狂地扑向角落，扑向墙纸里放东西的那个窟窿，把手伸进去，仔细摸索了几分钟，逐一检查墙纸上的所有皱褶。他什么也没发现，才站起身来深深地舒了口气。刚才已经走到巴卡列耶夫旅馆时，他蓦地觉着有一件什么东西，一个链子、扣子或者甚至是一张老太婆做过记号的包东西的纸片，当时可能会在不知不觉中掉出来，落进某个裂缝里，那以后会突如其来地成为指控他的一件意想不到却无法抵赖的证据。

他若有所思地站着，嘴角浮现一丝古怪的、隐忍的、又几乎毫无意义的微笑。末了,他拿起帽子默默走出房间。此刻他心烦意乱,一边想着自己的心思,一边朝大门口走去。

“就是他!”有人大声叫喊。他抬起了头。

看门人正站在自己小屋门口,手指着他对一个身材不高的人叫道。那人看上去像个小市民,穿了件像袍子似的东西,外面套件坎肩,远看活似婆娘。他戴着一顶油腻腻的帽子,耷拉着脑袋。整个人就像个驼背。他那张皮肤松弛、布满皱纹的脸,看上去有五十多岁,一双浮肿的小眼睛现出忧郁、严厉而又不满的神情。

“怎么回事?”拉斯柯尔尼科夫走到看门人身旁问道。

那个小市民蹙起眉头,斜着眼不慌不忙仔细打量着他,接着慢腾腾转过身去,什么也没说便出了大门,朝街上走去。

“怎么回事!”拉斯柯尔尼科夫大声叫道。

“就是这个人来打听,这里有没有住着一个大学生。他报出了您的姓名,问您住在谁的房子里。您正好出来,我指给他看,可他倒走掉了。就是这么回事。”

看门人同样觉得有些莫名其妙,但没有特别奇怪,想了想便转身钻进自己的小屋里。

拉斯柯尔尼科夫跑去追那个人,立刻看见那人仍然不慌不忙迈着均匀的步子,走在马路的对面,眼睛盯着地面,仿佛正在琢磨着什么事。拉斯柯尔尼科夫很快就赶上那人,尾随了一会儿,末了才跟上去并排走,从侧面打量他的脸。那人立即发现了拉斯柯尔尼科夫,飞快地扫了他一眼,但又一次垂下双眼。他们就这样并排走了一会儿,谁也不吭声。

“您找看门人……打听我？”拉斯柯尔尼科夫终于开口提问，但不知怎的声音很低。

那个小市民没有回答，甚至也没有抬头看一眼。又是一片沉默。

“您为什么……来打听我却又不吭声……这是怎么回事？”拉斯柯尔尼科夫的声音断断续续的，好像有点儿不愿把话说清楚。

这一回那个小市民抬起了眼睛，恶狠狠地冷冷瞪了一眼拉斯柯尔尼科夫。

“杀人凶手！”他冷不丁地用低沉而清晰的声音说道……

拉斯柯尔尼科夫正走在他身旁，这时两腿突然发软，脊背上发凉，心仿佛一下子揪紧了，接着又猛地扑腾扑腾跳个不停，简直要蹦出胸膛。他们两人就这样又并排走了百十步，谁也没吱声。

那个小市民连看也不看他一眼。“您说什么……什么……谁是凶手？”拉斯柯尔尼科夫用勉强听得到的声音，喃喃地说。

“你是个杀人凶手。”小市民说道。他的声音更加清晰，更加威严，仿佛还夹杂着一丝幸灾乐祸的冷笑。他又直愣愣地盯了一眼拉斯柯尔尼科夫那张苍白的脸和那双毫无生气的眼睛。这时他们两人正好走到了十字路口。那小市民头也不回地向右拐去，而拉斯柯尔尼科夫则呆呆地站在原地，久久地望着小市民的背影。他看到小市民走出五十来步后，转过头瞧了他一眼，而他仍然一动不动地待在原地。虽然已经无法看清楚了，但是拉斯柯尔尼科夫觉得，那个小市民这一回仍然“幸灾乐祸”地冷笑了一下。

拉斯柯尔尼科夫拖着缓慢瘫软的步子往回走，他的膝盖不停地哆嗦，浑身一阵阵发冷。他勉强上楼回到了自己的小屋。他摘下帽子放到桌上，呆呆地在桌旁站立了十来分钟。接着，他浑身无力地倒在沙发上，像生病似的轻轻呻吟着，在沙发上伸直两腿，闭上眼睛。他就这样躺了半个小时。

他什么也没有去想。可脑海里却闪现出某些思绪，支离破碎的念头，某些想象，混乱而不连贯；有某些人的脸，也许是还在孩提时代见过的，或者在哪里只见过一面，若专程去回忆倒根本想不起来；有B—й教堂[1]的钟楼、一家小酒店里的台球桌和桌旁的一个什么军官；某家开在地下室里的烟草店里的雪茄味，一家零饮酒铺，一条漆黑的楼梯，伸手不见五指，满地泔水，蛋壳狼藉；不知从何处还传来礼拜日的钟声……脑海中的这些物体不断地更替着，旋风般转换着。有些物体甚至令他喜欢，他便想抓住这些幻觉，但它们却一闪而过。他的内心总是有件什么事压抑着他，但并不很厉害。有时他甚至觉得舒服……浑身还有些微微发冷，但这也几乎让他感到舒坦。

他听到了拉祖米欣急匆匆的脚步声和说话声，便闭上了眼睛装睡。拉祖米欣打开房门，在门槛上站立了片刻，仿佛在考虑什么似的。接着，他蹑手蹑脚地走进屋子，小心翼翼地走到沙发跟前。拉斯柯尔尼科夫听到纳斯塔霞低低的声音。

“别去弄醒他；让他好好睡上一觉；过后他才会有胃口。”

“对。”拉祖米欣回答道。

他俩轻手轻脚地走出屋子，关上了门。又过了半个小时，拉斯柯尔尼科夫才睁开眼睛，他把手枕在脑后重新仰面躺好……

“他是谁呢？这个从地底下冒出来的人是谁呢？当时他在哪里？看见了什么？他看见了一切，这是没有疑问的。那么当时他

①大概指沃兹涅先斯基教堂。

是站在什么地方，从哪儿看见的呢？为什么他直到现在才冒出来呢？他怎么看见的呢——难道这是可能的吗？……哼……”拉斯柯尔尼科夫思索着，浑身发冷，直打哆嗦，“尼古拉在门后捡到了只盒子：难道这也是可能的吗？这是罪证吗？你只要有万分之一的疏忽，人们就会抓住像埃及金字塔那么大的罪证！飞过一只苍蝇，这苍蝇就说看见了！难道会有这种可能吗？”

他突然极其厌恶地感到，自己是那么地虚弱，浑身无力。

“我本该明白这一点，”他苦笑着想道，“我有自知之明，我预感到自己不行，可怎么竟敢带着斧头去杀人！我本该明白的呀……唉！我本来事先是明白的呀！……”他绝望地嘟哝着。

有时，他想到某个念头，会呆呆地琢磨个没完。

“不，那些人可是非同一般的。真正的主宰者[①]是能够为所欲为的：他攻克土伦，在巴黎展开了大屠杀[②]，在埃及扔下了一支军队[③]，在莫斯科的远征中耗费了五十万生命[④]，可在维尔那用一句语义双关的俏皮语[⑤]就推卸了自己的责任；但在他死后，人们还为他树碑立传。由此可见，他是可以为所欲为的。不，这类人显然不是血肉之躯，他们是用铜铸成的！”

一个突如其来的并不相关的念头，险些令他放声大笑。

---

①指拿破仑一世。1793年12月，当时还默默无闻的拿破仑在法国南部城市土伦赢得了自己的第一次胜利。

②拿破仑1795年10月13日在巴黎镇压了保皇党分子的起义，为此动用了大炮，打死数人。

③指拿破仑1799年把自己指挥的军队丢在埃及，秘密返国以求攫取最高权力。

④1812年拿破仑率大军进攻俄国，遭到重创败退。

⑤指拿破仑名言：“从伟大到可笑只一步之差。”

“一边是拿破仑、金字塔、滑铁卢[1],另一边是个干瘪可憎的十四等文官的遗孀,床下藏着红箱子的放债老太婆,这两者的不同,就连波尔菲里·彼得罗维奇也吃不透呢!……他们怎能明白这个!……这在美学上是说不过去的:难道拿破仑会爬到‘可憎的老太婆’的床底下去吗!哼,废物!……”

他不时觉得自己好像在说胡话,因为正处于热病的亢进状态。

“可恶的老太婆算不了什么!”他激昂冲动地琢磨着,“老太婆的事看来也许是个错误,但关键并不在她身上!老太婆不过只是一种病……我是想尽快越过她去……我杀死的不是一个人,而是一个原则!这个原则我倒是杀死了,但没能越过这个坎儿,仍然留在了这一边……我所能做到的,只是杀了人。其实我就连杀人也不会……至于原则吗,刚才拉祖米欣这个傻瓜凭什么要骂那些社会主义者呢?他们是些勤劳的人,是做买卖的人;他们在张罗‘共同的幸福’……不,我只有一次生命,永远不会再有第二次,因此我不愿坐等着‘共同的幸福’降临。我自己也想生活,否则最好去死。怎么办呢?我只是不愿意捏着自己口袋里的一个卢布,看着母亲挨饿而不管,而去等待‘共同的幸福’。说什么‘我为共同的幸福添一块砖[2],所以我感到心安理得’。哈哈!可你们为什

①比利时布鲁塞尔以南的居民点。1815年6月18日拿破仑在滑铁卢附近的战斗中大败,被迫第二次退位。

②此话出自法国空想社会主义者傅立叶的信徒B.孔西德朗(1808—1893),原话是:我搬来自己的砖石建设未来社会的大厦。陀思妥耶夫斯基青年时曾热衷傅立叶思想,19世纪60年代已持怀疑态度(参看《地下室手记》)。

么把我给漏了呢？ 要知道我总共只能活一次，要知道我也想……唉，我是一只有审美感的虱子[①]，仅此而已。”他冷不丁疯子似的哈哈大笑着补充道，“对，我确实是一只虱子。”他幸灾乐祸地紧紧抓住这个念头，反复地琢磨着，玩味着，感到快意。“这只是因为，第一，我现在能说我是一只虱子；第二，这一个月来我一直在烦扰仁慈的上帝，求他证明我这样做不是为的自己私欲，而是抱有美好有益的目的。哈哈！ 第三，我在实施计划时，尽可能地公道，掌握分寸，精心计算：我从所有的虱子中挑选了一只最无用的虱子；杀死它之后，我决定只从它那儿拿走我迈出第一步所需要的东西，不多不少（这样一来，剩余的钱便可以按照死者的遗嘱，捐给修道院——哈哈！）……我之所以是一只地地道道的虱子，”他咬牙切齿地添上一句，“是因为我比那只被杀的虱子也许更加可恶、更加卑鄙；我早已预感到，我杀人以后会对自己这么说的！ 难道有什么能比这事更可怕的吗！ 噢，多么庸俗！ 噢，多么卑鄙！ ……噢，我是多么理解骑在马背上、手拿大刀的‘先知’[②]呀。安拉[③]一声令下，你就服从好了，‘怯懦的’生灵[④]！ 当‘先知’

①这句话颇费解，可能与上文有关。上文说，美学不容许拿破仑爬到“可憎的老太婆”的床底下去，所以说自己是“有审美感的虱子”。

②《古兰经》称穆罕默德是“先知”。穆罕默德自称为最后一位先知。

③或译阿拉，是伊斯兰信者的唯一的神。伊斯兰的基本信条是：“除安拉外，再无神灵。穆罕默德是安拉的使者。”

④亦可译作“发抖的生灵”，语出《古兰经》和普希金的诗。普希金在1824年的《仿〈古兰经〉》一诗中写道：“请勇敢些，蔑视欺骗，/昂扬地走上真理的路，/去爱孤儿，把我的《古兰经》/ 向怯懦的生灵们宣读。”在小说《少年》中，陀思妥耶夫斯基同样引用了这段诗。在陀思妥耶夫斯基的藏书中，有一本法文版的《古兰经》。——俄编注

在某个十字路口筑起一座坚——坚——实——实——的炮台，不加解释地轰击那些好人和罪人时，他是对的，是对的。你只要服从就行了，'怯懦的'生灵，别有什么自己的希望，因为这不是你该干的事！……噢，我无论如何，无论如何也饶不了这个可恶的老太婆！"

他的头发被汗水打湿，颤抖的嘴唇干涩已极，呆滞的目光投向天花板。

"母亲和妹妹，我曾经是多么爱她们哪！为什么我现在憎恨她们？是的，我憎恨她们，在生理上憎恨她们，无法容忍她们待在我身边……刚才我走到母亲跟前亲吻她，我记得……我拥抱着母亲，心里却想，假如她知道了实情，那么……难道当时能告诉她吗？我会这样做的……哼！她应该像我一样才是。"他补充道，同时竭力地思索，仿佛想抑制自己的梦呓。"噢，现在我是多么憎恨那个可恶的老太婆！假如她活过来，我怕会再次把她杀死！可怜的丽莎维塔！她干吗偏偏在这个时候回来！……奇怪，为什么我几乎从未想到过她，好像我没有杀她？……丽莎维塔！索尼娅！可怜的、温柔的人哪！长着温顺的眼睛……可爱的人们！她们为什么不哭泣？她们为什么不呻吟？……她们奉献了一切……温柔而安详地望着……索尼娅，索尼娅！温顺的索尼娅！……"

他陷入了昏迷。他好生奇怪，怎么不记得是如何来到大街上的。时间已经很晚了。暮色越来越浓，圆月越来越亮；但不知怎的天气特别郁闷。人们成群结队地在街上走着；手艺人和下班的人纷纷往家里走，另一些人则在溜达。空中弥漫着石灰、尘土和死水的气味。拉斯柯尔尼科夫闷闷不乐、心事重重地走着；他十分清楚地记得是为干一件事才出来的，并且记得他要去干一件事，要尽快地去，但具体是什么事他却忘得一干二净。突然间，他停住了脚步，看见对面人行道上有个人站着向他招手。他穿过马路朝那人走去，但那人突然转过身，若无其事地走了，低着头，装出没叫过他的样子。“算了吧，他叫了吗？”拉斯柯尔尼科夫这么寻思着，却追了上去。没走上十步，他猛地认出了那个人，顿时感到不寒而栗。这就是刚才碰见的那个小市民，还是穿着那件袍子，还是那样驼着背。拉斯柯尔尼科夫远远地尾随着，心扑腾扑腾地直跳。他俩拐进一条胡同，那人依然没有回头。“他是否知道我跟在身后呢？”拉斯柯尔尼科夫暗暗揣度着。那人走进一幢大楼的大门。拉斯柯尔尼科夫快步走到门口，朝里张望：那人会不会回头看看，会不会叫他？果然，那人穿过门廊进了院子时，突然转过身来，好像又向他招了招手。拉斯柯尔尼科夫立刻穿过门廊，可院子里已经看不见那人的踪影。看来他已上了楼。拉斯柯尔尼科夫朝他追去。的确，从头上两层远的楼梯上传来不慌不忙均匀的脚步声。奇怪的是，这条楼梯好像眼熟！那是一楼的窗户，月光从玻璃窗外射进来，显得凄清神秘。他来到了二楼。咦！这正是那两个工匠刷油漆的房子……他怎么没马上就认出来呢？走在前面那人的脚步声听不见了。“看来他是站住了，或是在什么地方躲了起来。”他已来到了三楼，还要继续往上走吗？那里一片死寂，甚至令人毛骨悚然……不过，他还是上去了。可自己的脚步声都令他惶恐不安。天哪，真是伸手不见五指！那小市民一定是躲在这儿的某个角落里。啊！正对楼梯的一扇房门敞开着；他略微想了一下便走了进去。前室一片漆黑，空无一人，仿佛里面的东西都被搬走了。他蹑手蹑脚地走进了客厅，整个屋子洒满明亮的月光；这里一切照旧：几把椅子、一面镜子、一只黄沙发和几幅镶框的油画。一个硕大浑圆的红铜色月亮，直照在窗上。“是有月光才显得这么静，”拉斯柯尔尼科夫寻思道，“月亮现在大概是在给我出谜。”他站在那里等待着，过了许久；月光越是宁静，他的心跳动得越是厉害，甚至开始隐隐作痛。周围一直这么死寂。而后突然间传来咔嚓一下的断裂声，似乎有人折断了一根松明，接着复又寂无声息。一只睡醒了的苍蝇飞起，猛地撞到了玻璃上，悲哀地嗡嗡直叫。就在这时，在角落里柜子与窗户之间的墙上，他好像看见挂着一件肥大的女式大衣。“这里怎么会挂着女式大衣？”他思忖着，“要知道，先前这里可没有女式大衣……”他悄悄地走了过去，猜想大衣后面可能藏着人。他小心地伸手撩开大衣，发现后面放着一把椅子，而在这把椅子上坐着那个可恶的老太婆。她垂着头，浑身抽搐，所以，他怎么也看不清她的脸。不过，这人一定是她。他在她身旁站了一会儿。“她害怕啦！”他暗自想道，接着便从套环里抽出斧子，朝老太婆的天灵盖砍下去，砍了一下又一下。可奇怪的是，斧头砍下去，她却一动也不动，像木头做的。他吓坏了，俯下身子凑近去看；而她仍然低垂着脑袋。于是，他弯腰到地，从下面打量她的脸。他看了一眼，便呆住了。原来老太婆正坐着发笑呢。[1]她就这样悄悄地不出声地笑着，竭力忍着不让他听到。他突然觉得，通卧室的门开了一条缝，里面也好像有人在发笑，在窃窃私语。他气得发疯，使足全身力量，开始用斧头猛击老太婆的头，然而他每砍一下，卧室里传出的笑声和低语声就更加响亮，那个老太婆更是笑得前仰后合，浑身摇晃。他拔腿就跑，可整个楼道里都挤满了人，通往楼梯里所有的门都敞开着；楼梯的平台上，楼梯上，楼下面，到处都是人，人挤着人，大家都在观望。所有的人却又屏息等待着，一声不吭……他的心揪成一团，两条腿挪不动步，像长到了地上……他想大声叫喊，这时便醒了过来。

他长出了一口气，奇怪的是好像还在梦中：他的屋门敞开着，门口站着一个陌生人，正仔细地打量着他。

拉斯柯尔尼科夫还没完全睁开眼睛，就又闭上了。他一动也不动地仰面躺着。“这是不是还在梦中啊。”他思忖着，又稍微抬起眼皮张望：那个陌生人还站在原处，继续打量他。突然，那人小心翼翼地跨过门槛，又小心翼翼地随手把门关上，然后走到桌旁，

①拉斯柯尔尼科夫梦中遇见的这个发笑的老太婆的形象，令人想起普希金的小说《黑桃皇后》中那个在棺材中对盖尔曼眨眼的老伯爵夫人与纸牌上的“黑桃皇后”形象。陀思妥耶夫斯基很推崇普希金的《黑桃皇后》。他在1880年6月15日给尤·费·阿巴扎的信中写道：“普希金为我们几乎创造了所有的艺术形式，他写的《黑桃皇后》是虚构艺术的登峰造极之作。您会相信盖尔曼真的具备幻觉，而这幻觉又是与其世界观相吻合的。与此同时，在小说的结尾，也就是说，当您读完了小说之后，还是无法断定，这场梦究竟来自盖尔曼的本能，还是他确实接触过与人敌对的另一个厉鬼世界(请注意：这便是招魂术及其理论)。”拉斯柯尔尼科夫的梦在一定程度上也很接近于雨果的《死囚的末日》，陀思妥耶夫斯基向来非常喜爱雨果的这部作品，写《罪与罚》时更爱读它。

等待了片刻。此刻他的目光一直没有离开拉斯柯尔尼科夫。而后他悄悄地、无声无息地坐到沙发旁的椅子上。他把呢帽放在自己脚旁的地板上，双手撑着拐杖，下巴贴到了双手上。显然，他准备长时间地等待下去。透过眯缝着的睫毛看得出，这人已不年轻，体格壮实，花白胡子很浓密……

这样过了十来分钟。天色还亮，但已近黄昏。屋子里寂静无声。甚至连楼梯上都没有一丝动静。只有一只大苍蝇在嗡嗡地叫着，不时撞到玻璃窗上。这一切终于使人难以忍受了，拉斯柯尔尼科夫蓦地欠起身子，坐在沙发上。

"喂，您说吧，您要干什么？"

"我就知道您并没有睡着，只不过在装样子，"那个陌生人平静地笑了起来，怪怪地回答道，"请允许我做一下自我介绍，我叫阿尔卡季·伊凡诺维奇·斯维德里盖洛夫……"

第四部

第一章

“难道这还是在做梦吗?”拉斯柯尔尼科夫又一次不由自主地想道。他谨慎而又狐疑地打量着这位不速之客。

“斯维德里盖洛夫？真是胡扯！不可能!”他终于大声叫起来,感到困惑不解。

看来,这位客人对他的叫嚷丝毫不觉得惊奇。

“我前来拜访是出于两个原因:第一,我想见见您本人,因为我久闻您的大名,听说了许多关于您的趣闻和美谈;第二,我希望您或许不会拒绝帮助我处理一件与令妹阿芙多季娅·罗曼诺芙娜的切身利益有关的事情。因为如果没有您的推荐,她出于成见是不会见我的,反之,如果有您的帮助,我就能指望……”

“没什么可指望的。”拉斯柯尔尼科夫打断了他的话。

“请问,她们不是昨天才到的吗?”

拉斯柯尔尼科夫没有回答。

“是昨天才到的,我知道;我自己也不过是前天才到的。好吧，在这件事上，我有话要对您说，罗季昂·罗曼诺维奇；我认为没有必要替自己辩护，但是请允许我申述一下：也就是说，如果不抱偏见，公正地进行评判，在这件事中，在所有这一切当中，我真的有什么罪过吗？”

拉斯柯尔尼科夫继续一声不吭地端详着他。

“说我在自己家里折磨一个无依无靠的女孩，‘用自己卑鄙下流的求婚侮辱了她’，是这样吗（我自己先说了吧）？要知道，您只要设身处地地想一下，我也是人，et nihil humanum[①]……总之，我也会受到诱惑，也会落入情网（当然这不是我们自己的意志所能控制的），那么，一切就是自然而然的事了。那么问题在于：我是个恶棍呢，或者本人就是牺牲品？万一我是个牺牲品呢？要知道，当我要意中人与我一起跑往美国或瑞士的时候，我兴许是出于真心实意，由衷地希望创造两人的共同幸福呢！……要知道，理智总是屈从于情感的；这样我可能受害更大呢！……”

“根本不是这么个问题，”拉斯柯尔尼科夫厌恶地打断了他的话，“您就是叫人讨厌，不管您做得对还是不对。她们就是不想与您交往，会把您赶出去的，您走吧！……”

斯维德里盖洛夫冷不丁地哈哈大笑起来。

“不过您……不过您是不会上当的！”他坦诚无忌地大笑着说道，“我本想施点诡计，但没成，让您一下子就识破了！”

“您此刻还在继续耍诡计。”

“那又怎样？那又怎样？”斯维德里盖洛夫毫无顾忌地大笑

①拉丁文：人所具有的……这是套用古罗马剧作家泰伦提乌斯（公元前11世纪）的剧本《自责者》中的一句名言：“我是人，人所具有的，我皆具有。”

着，一边重复地说道，“要知道，这就是所谓的bonne guerre[①]，是满可接受的诡计呢！……不过您还是打断了我的话；不管怎样，我还要强调一下：倘若花园里不出那件事，那就不会有任何的麻烦了。玛尔法·彼得罗芙娜……”

“听说玛尔法·彼得罗芙娜也是被您害死的？”拉斯柯尔尼科夫毫不客气地打断了他的话。

“您也听说了此事？其实，怎么会没听说呢……嗯，对您的这个问题，我真不知道如何回答是好，虽然在这件事上我可是完全问心无愧的。也就是说，您别以为我还有什么可提心吊胆的，因为一切都是严格照章办理，一切弄得准确无误：医生检查是中风，其原因是饱餐并喝了差不多一瓶酒以后马上洗澡所致。其实医生也不可能发现别的什么原因……倒是我曾暗自揣摩过此事，尤其是在途中，坐在火车里的时候：难道是我给了精神上的刺激或者诸如此类的原因，促成了这一……悲剧的发生？但我得出的结论是，这完全不可能。”

拉斯柯尔尼科夫笑了起来。

“何必如此惴惴不安呢！”

“那您笑什么呢？您想一想，我只用小鞭子抽了她两下，连印迹都没留下……请别把我看做无耻之徒，要知道，我清楚地意识到自己这么干是卑鄙的，还有些事也是这样。但是我也同样明确地知道，玛尔法·彼得罗芙娜准是喜欢我的这种多情。令妹的事几乎是了结了。玛尔法·彼得罗芙娜不得不待在家里已有两天多，她没有什么理由再去城里；她和她那封信，已经使所有人都感

①法文：诚实的斗争。

到了厌烦(您听说她念那信的事了吗)。这突如其来的两鞭子仿佛从天而降!她立刻吩咐套上马车!……我现在且不说女人有时非常非常喜欢受到点屈辱,尽管表面上是一副怒不可遏的样子。所有的人都有过这种情况。您是否注意到,一般来说,人甚至都喜欢受到些屈辱?尤其是女人。甚至可以说,只有这样才能使她们感到乐趣。"

拉斯柯尔尼科夫本打算起身一走了之,结束这一场见面。然而,某种好奇心,甚至还有某种企图,又使他暂时留了下来。

"您喜欢打架吗?"他心不在焉地问道。

"不,不是非常喜欢,"斯维德里盖洛夫平静地回答说,"我和玛尔法·彼得罗芙娜几乎从来没打过架。我们生活得非常和睦,她对我一直很满意。在我们婚后的整整七年中,我只用过两次鞭子(如果不算第三次,其实那一次的事很难说清):第一次在我们结婚两个月后刚到乡下时发生的。这一次就是最后的一次。可您还以为我是个恶棍,是个顽固分子,是个农奴制的拥护者?嘿嘿……顺便问一句,您是否记得,罗季昂·罗曼诺维奇,几年前在那声誉良好的广开言路的时期,我们这里人们和各家报刊都纷纷谴责一个贵族,[1]我忘记了他的姓名!弄得他声名狼藉,因为他在火车上打了一个德国女人,您是否记得此事?就在那一年,好像

①这话是斯维德里盖洛夫讽刺19世纪60年代初期自由派报刊。当时报上曾揭露地主A.Π.科兹利亚伊诺夫在火车上殴打一个乘车的德国女人。此事引起社会关注,报刊上出现激烈争论。作者主办的《时代》也参加揭露和讨论。

还有一个《〈世纪〉杂志的丑闻》[1]（当众朗诵《埃及之夜》，还记得吗？黑幽幽的眼睛！啊，你在哪儿，我们青春的黄金时代）。我的看法是：对殴打德国女人的那位先生并不很同情，因为事实上……有什么可同情的呢！但是，我同时又不能不说，有时真有这种令人火冒三丈的'德国女人'，我觉得，没有哪一个进步人士能管住自己不动手。当时谁也没有从这一点上去看这事，其实这个观点才是真正的人道主义的观点，确实如此！"

说完这番话，斯维德里盖洛夫突然又一次大笑起来。拉斯柯尔尼科夫明白了，这是一个打定了主意的人，又很有心计。

"您是几天没同人说话了吧？"他问道。

"差不多吧。怎么，您或许觉得奇怪，我这个人怎么这样随和？"

"不，我是对您太过于随和感到惊奇。"

"是不是由于我对您提出无礼的问题并不恼怒？是不是这样？是啊……有什么可恼怒的呢？问什么，就答什么呗，"他露出一副古怪的、天真无邪的表情补充说，"要说，我可几乎对任何事情都没有什么特别的兴趣，真的，"他若有所思地接着往下说，"尤其是现在，我无所事事……您可能认为，我巴结您是别有用心的，更何况我自己也说过，我有件事关系到令妹。但是，我要坦率

①这是妇女解放运动的热烈拥护者和宣扬者，《现代人》杂志的撰稿人米·拉·米哈伊洛夫的一篇著名文章的标题。文章愤怒抨击了巴·伊·魏因贝格发表在《世纪》周报上的一篇小品文，小品文讽刺一个小官吏的太太在一次晚会上当众朗诵普希金长诗《埃及之夜》是放荡的、不知羞耻的行为。米哈伊洛夫这篇批判文章得到了当时所有进步报刊的支持。陀思妥耶夫斯基也参与了与魏因贝格的论战。

地告诉您,我真是百无聊赖!尤其是这三天,所以见到您我甚至很高兴……别生气,罗季昂·罗曼诺维奇,不知何故我觉得您这个人非常与众不同。不管您怎样掩饰,您心事重重,就是现在;倒不是说此时此刻,而是指目前状况……好吧,好吧,我不说了,我不说了,别愁眉苦脸的!要知道,我并不是像您想象中的那么蠢。"

拉斯柯尔尼科夫脸色阴沉地望了他一眼。

"或许,您一点儿都不蠢,"他说,"我甚至觉得您非常善于交际,或者说至少善于在适当的场合表现得像个正人君子。"

"要知道,我对任何人的看法都不特别在乎。"斯维德里盖洛夫口气冷淡,并似乎有点傲慢地回答道,"正因如此,我干吗不当一回庸俗凡人呢,况且我们的气候非常有利于这种庸俗之辈的产生……尤其是一个人天生就有这种倾向的话。"他补充了一句,再次大笑起来。

"不过,我听说您在此地有许多熟人,您可谓是个'交游很广的人'。要不是别有目的,您这时怎么会需要我呢?"

"您说得不错,我有一些熟人,"斯维德里盖洛夫回避主要的问题,顺着话头附和着说道,"我见到过他们了,要知道我已闲逛了两天多啦;我认出了他们,他们好像也认出了我。这是理所当然的,我穿着体面,不算个穷光蛋;要知道农民改革并没有危及到我们,还有树林和牧场,我们的收入也没损失。[①]然而……我是不会去找他们的;我早就讨厌他们了,所以闲荡了两天,也没有去找任何人聊聊……这里还算是座城市呢!也就是说,我们怎么造出

①这是指俄国1861年废除农奴制的改革,改革后划分地界,把好地留给了地主,故说"没有危及"。

这样的城市来，请您说说看！一座满是公务员和各式各样的学生的城市！[①]说实在的，过去，八年前我在这里消磨时光时，我并没有注意到许多事情……真的，我现在只是指望着解剖学了！”

“指望什么解剖学？”

“至于那些俱乐部、迪索餐馆[②]，你们的普安特[③]，或者还有那些文明的场所——哼，没有我们去还不是照样生意兴隆，”他又一次牛头不对马嘴地接着往下说，“再说哪有兴致去做赌徒呢？”

“您还是个赌徒呢？”

“怎么不是呢？八年前，我们有整整一大帮人，都是些最体面的人，一起消磨时光；您要知道，都是些举止文雅的绅士，有诗人，有产业家。总之，在我们俄国的社交界里，那些举止最文雅的人往往是遭到抨击的人，您是否注意到了这一点？要知道，我如今是在乡下堕落了。那时我欠了内津的一个希腊人的债，被判入狱。就在那时我遇到了玛尔法·彼得罗芙娜，她跟那人讨价还价，花了三万银币把我赎了出来（我总共欠了七万银币）。我跟她正式结了婚，她立刻把我当宝贝似的带到她的农庄里。要知道，她比我大五岁。她非常爱我。七年来我从未离开过农庄。您要注意，她生前一直持有一张对我不利的，以别人名义出借的三万银

---

①这是陀思妥耶夫斯基对彼得堡的一贯看法。他不时称彼得堡为“幻想的”“不现实”的城市，认为它是彼得大帝人为地建立起来的。它破坏了人民在东正教基础上建立的相互亲切关系，又促使人民与知识分子的隔阂。这也反映了陀思妥耶夫斯基对彼得大帝改革的看法。

②迪索是彼得堡一家著名餐馆的老板，这家餐馆坐落在大滨海街（今赫尔岑大街）上，是上流社会人士常去的地方。

③法语pointe的音译，原意为“点”。这里指彼得堡叶拉金岛的一端，当时是一处游艺场所。

币的借条，因此，一旦我要反抗，我就会立即身陷囹圄！她会这么做的。要知道，在女人身上爱与恨是并存的。"

"假如没有这张借条，您会离开她吗？"

"我也不知道该如何回答您。这张借条几乎并没有使我感到什么束缚。我哪儿也不想去，而玛尔法·彼得罗芙娜看到我寂寞无聊，有两次亲自要我出国去玩玩。那又怎么样！我去过国外，但在那里总感到不舒服。我也说不出因为什么，哪怕是旭日初升，观望那不勒斯海湾和大海，不知怎地都会有一阵惆怅。最令人讨厌的是，确实能勾引起你对什么事情的忧愁！不，还是在祖国更好些：至少在这里可以把一切责任都推给别人，为自己开脱。或许我此刻应该去北极探险，[1]因为jai le vin mauvais[2]，讨厌喝酒，但不喝酒又能干些什么呢。我也尝试过。听说，星期天在尤苏波夫花园里，别格尔[3]将乘坐一只大气球飞行，并出钱邀请同行者，是真的吗？"

"怎么，您会乘气球去飞行吗？"

"我？不……随便问问而已……"斯维德里盖洛夫仿佛确实陷入沉思似的，嗫嚅地说道。

"他怎么，真的是这样吗？"拉斯柯尔尼科夫思忖着。

"不，借条并没有束缚我，"斯维德里盖洛夫沉思着，继续往下说，"是我自己不愿离开农村。再说大约一年前，在我的命名日里，玛尔法·彼得罗芙娜把这张借条还给了我，同时还送给我一大

---

①据报纸报道，1865年俄国正筹备组织一支北极探险队。

②法文：我喝醉时，样子很难看。

③游艺场的老板，是当时轰动一时的著名航空家。

笔钱。要知道，她非常富有。'您瞧，我是多么信任您，阿尔卡季·伊凡诺维奇。'——真的，她就是这么说的。您不相信她会这么说？要知道，我已经成了一个规矩的庄园主，那个地方的人都知道我。我甚至还订购了书籍。玛尔法·彼得罗芙娜起初还夸奖我，后来则担心我看书太多累坏了身子。”

“您似乎还很怀念玛尔法·彼得罗芙娜？”

“我？或许是这样的吧。说真的，或许是这样的吧。顺便问一句，您相信有鬼魂吗？”

“怎样的鬼魂？”

“当然是普通的鬼魂啰，还有什么样的！”

“那您相信吗？”

“相信，也不相信，pour vous plaire[①]……也就是说，不是完全不信……”

“鬼魂出现了，还是怎么啦？”

斯维德里盖洛夫有些异样地望了他一眼。

“玛尔法·彼得罗芙娜不时来访。”他嘴一撇，露出有点儿古怪的笑容说道。

“怎么不时来访？”

“已经来过三次了。我第一次看见她是在下葬的那一天，在我离开墓地后一小时。这是我动身来这儿的前一天。第二次是在前天，在路上，黎明时分，在小维谢尔车站里。而第三次则是在两个小时前，在我现在落脚的房子里，就我一个人在。”

“不是在做梦？”

---

①法文：为了投您所好。

“完全不是。所有这三次都是醒着的时候。她来了，说上几句话，便朝门外走去，每一次都是朝门外走。甚至好像都能听到她的声音。”

“不知怎的我一直在想，您一定是经常遇到这种事！”拉斯柯尔尼科夫突然开口说道，同时又因自己的这番话而感到大吃一惊。他非常激动。

“真的？您是这样想的，”斯维德里盖洛夫惊讶地问道，“难道是真的？嗯，我是不是说过，我们两人之间有着某种共同之处，啊？”

“您从来没有这样说过！”拉斯柯尔尼科夫很激动又毫不客气地回答道。

“我没说过？”

“没有！”

“我觉得我说过了。刚才我进来时，看见您闭着眼睛躺着，佯装睡着的样子，我便立即对自己说：‘正是这个人！’”

“正是这个人——是什么意思？您说这话是什么意思？”拉斯柯尔尼科夫大叫起来。

“什么意思？说实在的，我也不知道是什么意思……”斯维德里盖洛夫支支吾吾地坦诚说道，自己也觉得有点儿糊涂。

他俩沉默了片刻，大眼瞪小眼，面面相觑。

“全是一派胡言！”拉斯柯尔尼科夫恼怒地嚷道，“她来的时候，对您说了些什么？”

“她？您想不到，都是些鸡毛蒜皮的琐事；我这人也真叫怪，这竟使我大为恼火。第一次，她走了进来（您也知道，我已经疲惫不堪啦。举行葬礼，安灵祷告，然后举办葬后宴，终于剩我一人独自待在书房里，抽起了雪茄烟，陷入了沉思），她走进了门，说：‘阿尔卡季·伊凡诺维奇，今天您忙了一天，忘记了给饭厅里的钟上发条啦。’说实在的，这七年来，我每个星期总是亲自给这只钟上发条的，而且要是忘了，这也是常有的事，她也会提醒我的。第二天，我就动身到这儿来了。黎明时，我走进了车站，由于夜里我只打了个瞌睡，精神委靡，睡眼惺忪，我便要了杯咖啡；我突然看见玛尔法·彼得罗芙娜在我身旁坐了下来，手里还拿着一副纸牌：‘阿尔卡季·伊凡诺维奇，要不要为您的出行卜上一卦？’她精通占卦术。嘿，我真不能原谅自己，为什么不先卜上一卦！我吓得赶紧跑开了。就在这时，正好上车的铃声响了。今天，我在一家小餐馆里吃了一顿糟糕透顶的饭后，肚子胀鼓鼓地坐着抽烟，玛尔法·彼得罗芙娜突然又出现了。她打扮得非常漂亮，身穿一件崭新的绿色绸缎做的连衣裙，裙摆拖到地上。‘您好，阿尔卡季·伊凡诺维奇！您喜欢我的这件连衣裙吗？阿尼西卡做不出这种式样。’（阿尼西卡是我们村子里的女裁缝，出身于农奴家庭，在莫斯科学过手艺，是个不错的姑娘。）她站在我的面前，转动着身子。我打量了她的连衣裙，然后又仔细地瞧了瞧她的脸。‘玛尔法·彼得罗芙娜，’我说道，‘您可真乐意为这点琐事来找我，为这个操心。’‘哎呀，天哪，我的老爷，还不能打搅您一下呀！’我想捉弄一下她，便对她说道：‘玛尔法·彼得罗芙娜，我想结婚。’‘您可别这么做，阿尔卡季·伊凡诺维奇；您刚刚埋葬了妻子，马上就又结婚，那对您来说，可不是很光彩的。哪怕您选中了一个很好的未婚妻，但我知道，不管是对她，还是对您自己，都是不很光彩的，这只会成为那些善良的人们的笑料。'说着她突然走了出去，裙摆仿佛都在窸窣作响。这简直是瞎扯淡吧，啊？"

"其实，您这可能全是胡编的？"拉斯柯尔尼科夫应声答道。

"我很少瞎说。"斯维德里盖洛夫若有所思地回答道，仿佛根本没有注意到他问得那么唐突无礼。

"过去，在这以前，您从未见过鬼魂吗？"

"嗯……不，见到过，一生中只有一次，在六年前。菲利加是我家的一个家仆，刚刚把他埋葬了，可我却忘了此事，大声叫道：'菲利加，拿烟斗来！'他走了进来，径直朝我那放烟斗的架子走去。我坐着，心里琢磨着：'这是他对我的报复，'因为就在死前不久，我们还狠狠地大吵了一场。'你怎么敢穿着胳膊肘带窟窿的衣服到我这儿来，'我说道，'滚，浑蛋！'他转身走了，再也没有来过。那时，我没有把这件事告诉玛尔法·彼得罗芙娜。我曾想为他举行一场追荐仪式①，为我于心有愧。"

"您应该去看医生。"

"我有病，这一点用不着您提醒，我自己心里明白，尽管我实际上并不知道自己有什么病；据我看来，我的身体或许要比您的身体强上五倍。刚才我不是问您是否相信鬼魂会出现，而是问您是否相信有鬼魂。"

"不相信，我绝对不相信！"拉斯柯尔尼科夫甚至有点儿恶狠狠地叫道。

"要知道，人们通常都会这么说的。"斯维德里盖洛夫仿佛自言自语地嘟囔着，微低着脑袋，眼瞧着一旁，"人们说：'你有病，

①基督教中在死者遗体旁，或在忌日（生日）举行的一种宗教仪式。

因此你见到的都是并不存在的幻觉。'但这并不是一个严密的逻辑推理。只有病人才能看见鬼魂,我同意这一看法;然而这种看法只不过说明:除了病人谁也看不见鬼魂;但不能证明鬼魂本身不存在。"

"当然是不存在的!"愤怒的拉斯柯尔尼科夫一口咬定说。

"不存在?您是这样认为的?"斯维德里盖洛夫慢腾腾地瞧了他一眼,接着往下说,"然而,能不能这样认为(请您指教):'鬼魂——不妨说另一些世界的小块和碎片,是它们的基础。当然啰,健康的人用不着看见他们,因为健康的人是地地道道的尘世间的人,所以他们为了生活美满和井然有序,只应过这种尘世的生活。然而,人一旦生点儿病,正常机体遭到点儿破坏,那他接触另一个世界的可能性就立即产生了。而一个人病得越重,他与另一个世界的接触就越多;所以等他一死,便径直跨入另一个世界了。'我早已得出了这个结论。如果您相信有来世的话,那么您就会相信这个结论。"

"我不信有来世。"拉斯柯尔尼科夫说道。

斯维德里盖洛夫若有所思地坐着。

"可如果那里只有蜘蛛或者类似的东西呢。"他突然说道。

"这人是发疯了。"拉斯柯尔尼科夫暗自思忖着。

"我们总觉得永恒是一个无法理解的思想,是某种庞然大物!为什么一定是个庞然大物呢?突然间,您瞧,它并非庞然大物,却是一间小房子,像乡下被熏得漆黑的澡堂,屋里各个角落都爬满了蜘蛛,这也就是整个的永恒。您要知道,我有时正是这样感觉的。"

“难道，难道您就想不出比这更加令人宽慰、更加公平的东西吗！”拉斯柯尔尼科夫带着一种病态的感受大叫起来。

“更加公平？凭什么知道呢？或许这就是公平的，我一定会故意去这样干！”斯维德里盖洛夫似笑非笑地回答道。

听到这一番胡搅蛮缠的回答，拉斯柯尔尼科夫突然感到浑身发冷。斯维德里盖洛夫抬起头，凝视着他，突然又哈哈大笑起来。

“不，您怎么也想象不到，”他叫嚷着，“半小时前，我俩彼此还不相识，视为仇敌，我们之间还有一件未了结的事；可我们却抛开正事不谈，扯到什么玄虚的地方去了！嗯，我俩是一丘之貉，难道我说的不对吗？”

“劳驾，”拉斯柯尔尼科夫愤愤地接过话头，“烦请尽快赐教，为什么光临寒舍……而且……而且……我非常忙，没有时间，我要外出……”

“好吧，好吧。令妹阿芙多季娅·罗曼诺芙娜要嫁给彼得·彼得罗维奇·卢仁先生吗？”

“是否可以不谈舍妹的事，也别提到她的名字？我甚至都弄不明白，如果您确实是斯维德里盖洛夫的话，您怎么敢在我的面前提到她的名字呢？”

“而我正是来谈她的事，怎能不提她的名字呢？”

“好吧，您说吧，但要快些！”

“我相信，要是您见过这位卢仁先生，我妻子的亲戚，哪怕只有半小时，或者听到过有关他的真实准确的情况，那您一定已经有了自己的看法。他配不上阿芙多季娅·罗曼诺芙娜。据我看来，阿芙多季娅·罗曼诺芙娜在这件事上是为了……为了自己的家庭而牺牲自己,很慷慨,却是失策的。根据我所听到的有关您的情况看来,我觉得,如果这个婚约能够解除而不损害令妹利益,您会满意的。现在,在我亲自了解了您以后,我甚至对此确信不疑了。"

"从您这方面说,所有这一切是过分天真了,请原谅,我想说是厚颜无耻。"拉斯柯尔尼科夫说道。

"您是想说我是为了自己的私利。别担心,罗季昂·罗曼诺维奇,倘若我真为了私利,我就不会这样直截了当地说了,要知道我可绝不是个傻瓜。就此我得向您坦白一件心理上的怪事。刚才我还为自己对阿芙多季娅·罗曼诺芙娜的爱慕之情辩解,说自己才是一个牺牲品。可您要知道,现在我却感觉不到这种爱慕之情了,一点儿也感觉不到了,连我自己都觉得奇怪,因为我的确是有过某种感受……"

"因为你无聊和放荡。"拉斯柯尔尼科夫插嘴说。

"是的,我是个放荡和无聊的人。可令妹有那么多长处,我总不可能不受点儿影响吧。不过这一切已是无关紧要了,现在我自己也明白这一点。"

"您早就看出来了吗?"

"我早有察觉,不过彻底地明白是在前天,差不多在刚到彼得堡的时候。在莫斯科的时候还打算来向阿芙多季娅·罗曼诺芙娜求婚,与卢仁先生竞争一番哩。"

"恕我打断您的话,您是否能简短些,直截说出来意。我很忙,要外出……"

"非常乐意遵命。我到这儿以后,现在决定做一次……远行,想先做些必要的安排。我的孩子们寄养在他们的姨妈家里;他们都很富有,也不需要我亲自照顾。再说,我算不上什么好父亲!我只拿了玛尔法·彼得罗芙娜一年前送给我的那笔钱,够我用的了。对不起,我立刻言归正传。在我可能做的这次远行之前,我打算把卢仁先生的事做个了结。倒不是我特别无法容忍他,但正因为他我才跟玛尔法·彼得罗芙娜大吵了一架,当我听说这门婚事是她牵的线时。我现在希望能通过您的帮助,见一见阿芙多季娅·罗曼诺芙娜,最好当着您的面告诉她:首先,她从卢仁先生那儿不但得不到丝毫好处,反而定会受到明显的损害;其次,对不久前的一切不快请她原谅,我还要请她允许我送给她一万卢布,以便她更容易解除与卢仁先生的婚约。我相信,只要有可能,她是不会反对解除这个婚约的。”

“您确实,确实是疯啦!”拉斯柯尔尼科夫叫道,他与其说是愤怒,还不如说是惊诧。“您竟敢说这种话!”

“我料到您会大叫起来的;然而,首先,虽说我不富有,但这一万卢布是我闲置的钱,也就是说我完全、完全不需要。如果阿芙多季娅·罗曼诺芙娜不接受,我说不定会胡乱花掉。这是其一。其次,我问心无愧;我出这钱并没有任何的打算。不管您信还是不信,以后您和阿芙多季娅·罗曼诺芙娜会明白的。问题在于,我的确给您这位可敬的妹妹添了麻烦和不愉快,因此我后悔莫及;我不是为了赎罪,也不是对那些不愉快做出补偿,我是真诚希望为她做件好事。因为我总不能只做恶人吧。倘若我的提议哪怕百万分之一是别有用心,那我就不会这么直截了当地提出来;也不会只送一万卢布,因为仅仅在五个星期以前我曾提出要送给她更多的钱。此外，我可能很快就要娶一个年轻的女子，这样一来，有关我对阿芙多季娅·罗曼诺芙娜存心不良的怀疑自然都会烟消云散。最后我还要说一句：阿芙多季娅·罗曼诺芙娜嫁给卢仁先生，同样也要拿那么一笔钱，只不过是另一个人的钱而已……是的，您别发火，罗季昂·罗曼诺维奇，您应该心平气和、冷冷静静地考虑一下。”

说这番话时，斯维德里盖洛夫自己显得异常地心平气和，异常冷静。

“请您到此为止吧，”拉斯柯尔尼科夫说道，“不管怎样，这是不可饶恕的无礼之举。”

“丝毫不是无礼。否则，在这个世界上人与人之间只能以恶相见，为了无聊的陋习也无权为他人做一点儿好事，这是荒唐的。比如说，倘若我死了，在正式的遗嘱上写明这笔钱是留给令妹的，难道她也会拒绝接受吗？”

“非常可能。”

“不会这样。其实，不要就不要，随她的便。只不过在缺钱时，一万卢布可是一笔可观的数目哇。不管怎样，请把这件事转告阿芙多季娅·罗曼诺芙娜。”

“不，我不会转告的。”

“这样一来，罗季昂·罗曼诺维奇，我就不得不自己设法单独见她一面，自然也会打扰她。”

“如果我替您转告，您就不去设法单独见她啦？”

“说实在的，我也不知道该怎么对您说。我确实非常想再见她一面。”

“别白日做梦。”

“真遗憾。其实,您不了解我。或许我们会十分投机呢。”

“您以为我们会十分投机吗?”

“为什么不呢?”斯维德里盖洛夫笑了一下说,接着站起身拿了帽子,“要知道,我其实并不想打扰您,来这里时我甚至都没抱什么希望,尽管不久前的早上,您的面容让我大吃一惊……”

“不久前,在早上,您是在哪儿见到我的?”拉斯柯尔尼科夫神色不安地问道。

“偶然见到的……我总觉得,您身上有某种与我相似的东西……别担心,我不会讨人嫌的;我既跟赌徒们相处得不错,也没让斯维尔别伊公爵——我的远亲、一位达官贵人,讨厌我;我还在普利鲁柯娃夫人的纪念册上写上几句有关拉斐尔圣母像[①]的评语,而且形影不离地与玛尔法·彼得罗芙娜生活了七年。很久以前我还常在干草市场的维亚泽姆斯基大院[②]里过夜,或许我还将与别格尔一起乘气球旅行。”

“嗯,好吧。请问,您很快就要远行吗?”

“什么远行?”

“就是那‘远行’啊……是您自己说的。”

“远行?噢,对了!……的确,我是对您说到远行的事……嗯,这个问题牵涉很广……但愿您能知道您在问什么问题!”他添上了一句,突然朗声大笑,“或许,我不是去远行,而是去结婚,有

①指意大利画家拉斐尔(1483—1520)的《西斯廷圣母》。

②在干草市场附近,是彼得堡最底层人们的栖居场所,有客栈、饭店、酒馆以至妓院等。

人在给我提亲呢。”

“在这里?”

“是的。”

“怎么这样快呀?”

“不过我非常想见见阿芙多季娅·罗曼诺芙娜。我郑重地拜托您。好吧,再见……啊,对呀!我差点儿忘了。请转告令妹,罗季昂·罗曼诺维奇,玛尔法·彼得罗芙娜在遗嘱中提到送给她三千卢布。这是千真万确的。玛尔法·彼得罗芙娜在去世前一个星期就立下了这份遗嘱,而且是当着我的面办的。大约两三个星期以后,阿芙多季娅·罗曼诺芙娜就可以拿到钱了。”

“您说的是真话吗?”

“是真话。请您转告一下。嗯,拜托啦。要知道,我住的地方离您这儿不远。”

斯维德里盖洛夫出去时,在门口与拉祖米欣撞了个满怀。

第二章

差不多已经八点钟了,他俩匆匆赶往巴卡列耶夫旅馆,以便抢在卢仁之前到那里。

“喂,这个人是谁?”拉祖米欣一来到街上便问。

“这是斯维德里盖洛夫,就是那个地主,我妹妹在他家当家庭教师时受到过侮辱。由于他纠缠不休,我妹妹被他妻子玛尔法·彼得罗芙娜赶了出来。这个玛尔法·彼得罗芙娜后来又求杜尼娅宽恕,现在她却突然死去。我们刚才就谈到了她。不知为何,我非常害怕这个人。他在自己妻子的葬礼后,立即来到了这里。他很古怪,决心要干个什么事……他仿佛知道些什么……不能让他接近杜尼娅……这就是我想告诉你的,听见了吗?”

“不让他接近!可他会把阿芙多季娅·罗曼诺芙娜怎么样呢?嗯,谢谢你,罗佳,把这一切都告诉了我……我们一定不能让他接近她!……他住在哪儿?”

“我不知道。”

“你为什么不问问？唉！真可惜！不过，我能打听到的！”

“你见过他吗？”拉斯柯尔尼科夫沉默了片刻后问道。

“是的，我见过他，而且记得很清楚。”

“你确实见过他？看清楚啦？”拉斯柯尔尼科夫固执地问道。

“是的，我记得清清楚楚，在一千个人里我也认得出他，我善于记人的面孔。”

又是一阵沉默。

“嗯……是呀，是呀……”拉斯柯尔尼科夫嗫嚅地说，“可你要知道……我还以为……我一直觉得……这或许是幻觉。”

“你说什么呀？我听不太明白。”

“你们都在说，”拉斯柯尔尼科夫撇着嘴一笑，继续往下说，“我神经错乱了。现在我觉得，或许我真的神经错乱了，我看到的只是幽灵！”

“你说些什么呀？”

“谁知道呢！或许，我的确神经错乱了，这几天所发生的一切或许全是在我想象之中……”

“哎呀，罗佳！你怎么又心烦意乱啦！……他说了些什么，他来干什么？”

拉斯柯尔尼科夫没有回答，拉祖米欣沉思了片刻。

“好吧，我给你讲一讲情况，”他开始说道，“我来找过你，你还睡着。后来我们去吃了午饭，然后我去找波尔菲里。扎米托夫还在他那里。我本打算开口谈一谈，但没谈成。我仍然无法认真地同他们说这个事。他们似乎不理解，也不可能理解，可是他们却丝毫不觉得难为情。我把波尔菲里叫到窗前，与他谈了起来，但不知为何又毫无结果:他不看我,我也不看他。最后,我在他的面前挥动拳头说,我要像老子打儿子似的狠狠揍他一顿。他只瞧了我一眼。我啐了一口,就走了,事情就这样结束了。这事干得真蠢。跟扎米托夫我一句话也没说。只是你要知道,我还以为这下子坏了,可下楼时脑海里突然出现一个念头:我们何必奔忙呢?倘若你真的有危险,或者有其他什么事,那当然值得。可你能有什么呀!你与此事毫不相干,别去理他们。以后我们甚至还要嘲笑他们,假如我处在你的境地,我还会戏弄他们一番。那他们可就无地自容了!去他们的,将来我们可以揍他们一顿,现在不妨先嘲笑他们!"

"那当然啰!"拉斯柯尔尼科夫回答道。"可明天你会说什么呢?"他暗自思忖着。说来也奇怪,直到现在他都从来没有想到过:一旦拉祖米欣知道了真相,他会怎样想!想到这一点,拉斯柯尔尼科夫定睛看了他一眼。对拉祖米欣刚才说的见到波尔菲里的情况,他并不十分关切,须知自那以后已经发生了多少变化啊!……

在走廊上他们遇到了卢仁,他是八点钟准时到的,正在寻找房间。结果三人一起走了进去,但彼此都没有看一眼,也没有打招呼。两个年轻人先走了进去,而彼得·彼得罗维奇出于礼节,在外间待了一会儿,脱去了大衣。普莉赫里娅·亚历山德罗芙娜立刻走到门口来迎接他。杜尼娅向哥哥问好。

彼得·彼得罗维奇走进屋来向女士们点头行礼,相当殷勤却又加倍地拿着架子。不过,他看上去仿佛有点惶惑,还不知怎么办好。普莉赫里娅·亚历山德罗芙娜同样也显得非常窘迫,赶紧请大家在圆桌旁坐下，桌上的茶炊正在沸腾着。杜尼娅和卢仁面对面地坐在桌子的两边。拉祖米欣和拉斯柯尔尼科夫则坐在普莉赫里娅·亚历山德罗芙娜的对面，拉祖米欣靠近卢仁，而拉斯柯尔尼科夫则挨着妹妹。

一阵短暂的沉默。彼得·彼得罗维奇不慌不忙地拿出一条香气袭人的麻纱手帕，擤起鼻涕来，那样子活像一个正人君子受到了人格侮辱，坚决要理论一番。还在外间时，他便闪过这样的念头：不脱大衣，立即离开，以此狠狠惩罚一下这两个女人，让她们立即明白这里的利害关系。然而他下不了这个决心。再说他这个人凡事不喜欢不清不楚的。这会儿得把一切都搞个水落石出，因为既然他的命令这样公然遭到违抗，那定是事出有因。看来最好先把情况弄清楚，总有机会治她们，反正是攥在他手心里。

“我想你们一路平安吧？”他打着官腔向普莉赫里娅·亚历山德罗芙娜问道。

“平安无事，彼得·彼得罗维奇。”

“那太好了。阿芙多季娅·罗曼诺芙娜也不觉得累吧？”

“我年轻，身强力壮，不觉得累。妈妈可累坏了。”杜尼娅回答道。

“有什么办法呢，我国的道路都非常漫长。真可谓‘俄罗斯母亲幅员辽阔……’虽然我很希望能尽快赶来看你们，但昨天实在走不开。但愿一切都还顺利？”

“啊，不，彼得·彼得罗维奇，我们可非常着急，不知所措，”普莉赫里娅·亚历山德罗芙娜赶紧用一种异样的语调解释道，“昨天要不是上帝给我们派来德米特里·普罗科菲伊奇，那我们简直就不知该怎么办了。您瞧,这就是德米特里·普罗科菲伊奇。"她补充了一句,给卢仁做了介绍。

"那还用说,我有幸……昨天就……"卢仁一边嘟哝着,一边怀着敌意瞟了拉祖米欣一眼,接着皱起眉头一声不吭了。总之,彼得·彼得罗维奇属于这样一类人:表面上待人接物非常殷勤,也特别期望得到别人的奉承,但稍稍不合心意立刻就原形毕露,手足无措,与其说变成一个放荡不羁、哗众取宠的绅士,不如说是笨手笨脚的呆子。又是一阵沉默:拉斯柯尔尼科夫执意不开口,阿芙多季娅·罗曼诺芙娜一时也不愿打破沉默,拉祖米欣则无话可说,因此,普莉赫里娅·亚历山德罗芙娜又不安起来。

"玛尔法·彼得罗芙娜死了,您听说了吗?"她转到自己主要的话题上说起来。

"当然听说了,我最早得到这个消息,现在正是来告诉你们。阿尔卡季·伊凡诺维奇·斯维德里盖洛夫在安葬妻子以后,也立刻赶到了彼得堡。至少我所获得的最可靠的消息是这么说的。"

"到彼得堡?到这儿来?"杜涅奇卡惊慌地问道,并与母亲对视了一下。

"正是这样。而且考虑到他匆忙上路,加上先前的一些情况,那么他来是别有用心的。"

"天哪!难道在这儿他也不让杜涅奇卡安宁吗?"普莉赫里娅·亚历山德罗芙娜叫了起来。

"我觉得,不管是您,还是阿芙多季娅·罗曼诺芙娜,都不必惊恐不安,当然啰,只要你们自己不愿与他有任何的来往。至于我嘛,我正在留神,在打听他的住处……"

“哎呀，彼得·彼得罗维奇，您不会相信，刚才您可把我吓坏了！”普莉赫里娅·亚历山德罗芙娜接着说道，“我才见过他两次，可他使我觉得可怕，非常可怕！我相信，玛尔法·彼得罗芙娜的死与他有关。”

“关于这一点还不能做出结论。我有可靠的消息。我不想争辩，或许他促使事态发展，也就是说，他在精神上施加了折磨；至于这个人的行为以至整个的人品嘛，我完全同意您的看法。我不知道，他现在是否有钱，玛尔法·彼得罗芙娜是否给他留下了财产；这些问题我很快就会弄清楚的。但毫无疑问，在这儿，在彼得堡，他只要有一些钱，就会旧病复发。他是他们那类人中最淫荡好色，最腐化堕落的人！我有充分的理由相信，不幸爱上了他，并把他从债务中解救出来的玛尔法·彼得罗芙娜，在八年前还曾在另一个案子上给予他很大的帮助：正是由于她大力斡旋并做出牺牲，那桩凶残的、也可以说是离奇的杀人案才刚刚立案就不了了之了，要不然他很有可能被流放到西伯利亚。如果你们想知道的话，他就是这样的一个人。”

“啊，天哪！”普莉赫里娅·亚历山德罗芙娜叫道。拉斯柯尔尼科夫全神贯注地听着。

“您说，您有这方面的可靠消息，这是真的？”杜尼娅问道，语气严厉，很是认真。

“我说的只是一些私下里从已故的玛尔法·彼得罗芙娜那里听来的事情。应该说从法律的角度看，这个案子是非常不清楚的。这里以前住着、现在大概还住着一个名叫列斯丽赫的外国女人，又是个兼做其他生意的放小额高利贷者[①]。斯维德里盖洛夫先生与这位列斯丽赫早就有着某种极其亲切而又暧昧的关系。有个远房亲戚住在她家，大概是侄女，是个又聋又哑的女孩，十五岁甚至只有十四岁。那个列斯丽赫非常恨她，骂她白吃饭，甚至毒打她。结果发现她吊死在顶楼，法院判定她是自杀。在经过一般的法律程序后，案子就这样了结了。可后来有人告密说，这个孩子……受到了斯维德里盖洛夫粗暴的凌辱。不过这都是可疑的，告密者是另一个下流而毫无信誉可言的德国女人。结果，由于玛尔法·彼得罗芙娜出力出钱，这次告密实际上也就不了了之；一切只是传闻而已。不过，这一传闻可是另有深意的。当然啰，阿芙多季娅·罗曼诺芙娜，您在他们那儿同样也听到了一个名叫菲利普[②]的人。他是在六年前，还在农奴制时代，被残酷折磨致死的。”

“恰恰相反，我听说这个菲利普是自杀的。”

“确实如此，然而是斯维德里盖洛夫不断迫害和处罚逼得他，或者更正确地说是促使他走上了自杀这条路。”

“这我不知道，”杜尼娅冷冷地说道，“我只听说了一个很离奇的故事，说这个菲利普好像是忧郁病患者，是个什么自己学成的哲人。大家都说他是读书入魔了，说他自杀更多地是由于斯维德里盖洛夫先生的嘲讽，而不是受了他的殴打。我在那里时，他对人非常和蔼可亲，大家甚至都喜欢他，尽管确实因菲利普的死

①在小说手稿中，用的是她的真实姓氏：列伊斯列尔。她实有其人，曾是陀思妥耶夫斯基的债主，她的名字多次出现在陀思妥耶夫斯基的书信和笔记中。——俄编注

②此人上文叫菲利加，此处可能是传闻之误。

责怪过他。”

“我看出来，阿芙多季娅·罗曼诺芙娜，您突然要为他辩护了，”卢仁一边说一边撇着嘴，露出意味深长的笑容，“的确，他是个诡计多端的家伙，又是风流场上的老手，那位死得莫名其妙的玛尔法·彼得罗芙娜就是个可悲的例子。我只想给您和令堂一个劝告，因为毫无疑问他马上会有新的图谋。至于我嘛，我坚信这个人一定又得进债务拘留所。为了子女，玛尔法·彼得罗芙娜绝不会给他留下什么遗产的，即使给他留下些什么的话，那一定也是一些最必需的东西，值不了多少钱，只够应付一阵子，像他这种德性的人不够一年用的。”

“彼得·彼得罗维奇，求求您，”杜尼娅说道，“别再提斯维德里盖洛夫先生的事啦。这只能让我烦恼。”

“他刚才去找过我。”拉斯柯尔尼科夫冷不丁地说道，这是他第一次开口说话。

大家都惊叫起来，所有的人都转过脸去看他。甚至连彼得·彼得罗维奇也紧张起来。

“一个半小时前，我正睡着，他走了进来把我叫醒，做了一番自我介绍，”拉斯柯尔尼科夫接着往下说，“他态度相当随便，乐乐呵呵的，十分希望我与他交个朋友。与此同时，他多次要求见见你，杜尼娅，他还求我从中促成。他要向你提出一个建议；此事他已告诉了我。此外，他肯定地告诉我说，玛尔法·彼得罗芙娜在去世前一周立下了遗嘱，留给你杜尼娅三千卢布，你很快就能拿到这笔钱。”

“谢天谢地！”普莉赫里娅·亚历山德罗芙娜画着十字，大声叫道，“为她祈祷吧，杜尼娅，祈祷吧！”

“这确实是真的？”卢仁脱口而出。

“那后来呢？”杜尼娅催促说。

“后来他说，他本人没什么钱，所有的田产都分给了现在寄养在姨妈家里的孩子们。接着他又说，他住的地方离我那儿不远，可住在哪里我不知道，也没有问……”

“可是他对杜涅奇卡提了什么建议，什么建议呀？”惊惧不安的普莉赫里娅·亚历山德罗芙娜问道，“他对你说了？”

“是的，他对我说了。”

“什么建议？”

“我等一会儿再说。”拉斯柯尔尼科夫不再吭声了，眼睛看着自己的那杯茶。

彼得·彼得罗维奇拿出表来，看了一眼。

“我有事必须走了，这样也免得妨碍你们。”他带点揶揄的口吻补充了一句，站起身来。

“别走，彼得·彼得罗维奇，”杜尼娅说道，“您不是打算在这儿待一个晚上嘛。况且您自己还在信中说，想与妈妈谈谈。”

“确实如此，阿芙多季娅·罗曼诺芙娜，”彼得·彼得罗维奇重新坐到了椅子上，但手里仍然拿着呢帽，神色庄重地说了起来，“我确实想与您，还有您那可敬的妈妈说说清楚，甚至想说些非常重要的事。但是，就像令兄不能当着我的面说出斯维德里盖洛夫先生的某种建议那样，我也不愿意，也不能……当着别人的面……谈一些极其重要的事情。况且，我那个最大的最恳切的请求也没得到满足……”

卢仁摆出一副痛心疾首的模样，神色凛然地收住了话头。

“您不让哥哥参加我们的会面，这个请求没能满足，完全是我的意思，”杜尼娅说，“您来信说，您受到了哥哥的侮辱，我认为，这件事应该立刻说清楚，你们应该言归于好。要是罗佳真的侮辱了您，那么他应该，也一定会向您道歉。”

彼得·彼得罗维奇顿时装腔作势起来。

“有的侮辱，您就是想忘也忘不了，阿芙多季娅·罗曼诺芙娜。凡事都有个界限，越过这个界限是很危险的；因为一旦越过，就无法再后退了。”

“我对您说的并不是这个，彼得·彼得罗维奇，”杜尼娅有点不耐烦地打断了他的话，“请您弄明白，我们两人的未来现在取决于能否尽快地把这一切都解释清楚，顺利和解。我一开始就直截了当地说，我就是这个态度，倘若您多少还在乎我的话，那么尽管很为难，这事也必须今天了结。我再对您说一遍，如果哥哥做错了，他会向您赔礼道歉。”

“我真觉得奇怪，您竟然会这样提出问题，阿芙多季娅·罗曼诺芙娜，”卢仁越来越恼怒了，“我在乎您，也可以说，非常珍视您，但同时我也完全可能不喜欢您家中的某个人。我希望有幸能娶您，但同时我不可能承担我所不同意的义务……”

“啊，别再斤斤计较了，彼得·彼得罗维奇，”杜尼娅有些冲动地打断了他的话，“您应该做一个聪明高尚的人，正如我一直认为的和希望的那样。我将以身相许，我是您的未婚妻；在这件事上请您相信我，相信我有能力做出公正的判断。至于我来充当评判人这件事，哥哥也像您一样，事先并不知道。收到您的来信后，我请他一定参加我们的会面，但丝毫没有向他透露我的意图。您应该明白，倘若你们不和解，我就不得不在你们两人之中做出选择：或者是您，或者是他，他和您都面对着这样的问题。我不愿意，也不应该做出错误的选择：为了您，我得和哥哥断绝关系；为了哥哥，我得和您断绝关系。我想知道而且现在也能够知道：他是不是我的哥哥？至于您呢，您是否在乎我，是否珍视我，因此您是不是我的丈夫？”

“阿芙多季娅·罗曼诺芙娜，”卢仁傲慢地说道，“鉴于我俩关系中我所处的这种地位，您讲这一番话对我是太意味深长了，说得严重些，甚至是对我的侮辱。更不用说带一种侮辱、莫名其妙地把我与……那个狂妄自大的青年人相提并论，您的话中表明您有可能撕毁您对我许下的婚约。您说：‘或者是您，或者是他？’借此向我表示，我对您来说是多么微不足道……鉴于我们之间既有的关系……和义务，我无法容忍这一点。”

“什么？”杜尼娅一下子火起来，说道，“我是把您的利益视同我生活中最珍贵的东西，视同迄今为止构成我整个生命的东西，可您却突然抱怨说我认为您微不足道。”

拉斯柯尔尼科夫一声不吭，只是嘲讽地冷笑一声。拉祖米欣浑身一颤。而彼得·彼得罗维奇并没有把她的反驳听进去，相反越说越胡搅蛮缠，越说越气愤，仿佛来了兴致。

“爱未来的生活伴侣，爱丈夫，应该超过爱兄长，”他用教训人的口吻说道，“不管怎样，不能把我看成同……尽管我刚才坚持说，令兄在场时我不愿意、也不能说出我来此要说的话，现在却准备请您那位可敬的妈妈解释清楚一个重要的问题，于我有伤害的问题。令郎，”他转向普莉赫里娅·亚历山德罗芙娜说，“昨天当着拉苏德金先生(或许是……对不起，我忘记了您尊姓大名，——他客气地向拉祖米欣点了点头)侮辱了我，因为他歪曲了我那次与您喝咖啡时私下说的一番话，即据我看来，娶一个饱尝了生活艰辛的穷姑娘，要比娶一个过惯富裕生活的姑娘，对夫妻关系更为有益，因为这有益于道德。但令郎故意把这话的含意夸张到了荒诞的地步，怪罪我用心险恶，而且据我看是根据您的来信得出的。如果您，普莉赫里娅·亚历山德罗芙娜，能够向我证明说不是这样，令我放心，那我会感到很高兴的。请告诉我，您在给罗季昂·罗曼诺维奇的信中是怎么传达我的话的?”

“我记不得了，”普莉赫里娅·亚历山德罗芙娜不知所措地回答道，“就是按照我自己的理解写的。我不知道，罗佳是怎么对您说的……或许，他是有点夸张。”

“没有您的暗示，他是无法夸张的。”

“彼得·彼得罗维奇，”普莉赫里娅·亚历山德罗芙娜不失尊严地说道，“我们到这儿来了，这就足以证明我和杜尼娅并没有恶意曲解您的话。”

“说得对，妈妈!”杜尼娅赞同地附和道。

“您看，彼得·彼得罗维奇，您一直在责怪罗佳，而您自己在不久前写的那封信中谈到他时也有与事实不符的地方。”普莉赫里娅·亚历山德罗芙娜鼓起勇气，补充了一句。

“我不记得在信中说过什么与事实不符的话。”

拉斯柯尔尼科夫没向卢仁转过脸去，毫不客气地说道：“您在信上说，昨天我的钱不是给了被马踩死的人的妻子(尽管我的确是送给她的)，而是给了他的女儿(在昨天之前我还从未见过她)。您在信中说这番话的用意，就是想挑拨我和亲人之间的关系，为此您又用恶毒的语言污蔑您并不认识的姑娘的品行。这完全是诽谤，是卑鄙的行为。"

"对不起，先生，"卢仁气得发抖，"我在自己的信中提到您的所作所为，全是应令妹和令堂的请求：她们要我在信中谈谈我是怎样找到您的，您给我留下了怎样的印象。至于我信中所写的内容，您能找出哪一句是不符合事实的呢，能说您没有乱花钱吗，能说那个家庭里虽然发生了不幸，但没有任何不体面的人吗？"

"照我看来，您本人连同您的全部体面尊严，都抵不上被您向其扔石头[①]的那个不幸姑娘的一个小指头。"

"看来，您已决定让她与令堂、令妹交往？"

"我已经这么做了，如果您想知道的话。今天我就让她与家母和杜尼娅坐到一起了。"

"罗佳！"普莉赫里娅·亚历山德罗芙娜叫了起来。

杜涅奇卡满脸通红。拉祖米欣皱起了眉头。卢仁讥讽而又傲慢地微微冷笑。

"您自己看到了，阿芙多季娅·罗曼诺芙娜，"他说道，"这里可能有和解吗？现在我希望，这件事就算了结了，就算说清楚了。我这就走，免得妨碍你们一家人愉快的团聚和密谈(他站起身来，拿起了帽子)。但临走我想冒昧地说一句，我希望今后能避

---

①见《新约全书·约翰福音》(第8章，第3~7节)：文士和法利赛人带着一个行淫时被拿的妇人来到耶稣面前，要用石头把她打死。耶稣对他们说："你们中间谁是没有罪的，谁就可以先拿石头打她。"

免这类的会面，也可以说这类的会面，也可以说这类的妥协。我特别要请求您，最尊敬的普莉赫里娅·亚历山德罗芙娜，注意这一点，况且我的信也是写给您的，而不是写给别的什么人。”

普莉赫里娅·亚历山德罗芙娜有些生气了。

“您好像完全摆布着我们，彼得·彼得罗维奇。杜尼娅已经向您解释了我们为什么没有按照您的愿望办，她是出于好意。而且您给我写信，也像下达命令似的。难道我们就应该把您的每一个愿望都看做命令？我倒要告诉您，现在相反，您应该对我们特别客气些，体谅些，因为我们信任您才丢下了自己的一切来到这里。可见，即便不是这样，我们也几乎在您的控制之中。”

“您这话说得并不完全正确，普莉赫里娅·亚历山德罗芙娜，尤其是在此刻，已经宣布了玛尔法·彼得罗芙娜赠送三千卢布的遗嘱。这来得似乎正是时候，从你们对我说话所用的全新语气就看得出来。”他讥讽地补充道。

“从您这话里确实可以看得出，您是指望我们无依无靠。”杜尼娅气愤地指出。

“不过至少现在我无法指望了，而且我特别不愿妨碍你们听取阿尔卡季·伊凡诺维奇·斯维德里盖洛夫委托令兄转告的秘密建议，这些建议据我看对你们来说是非常重要的，也可能是很愉快的。”

“哎呀，我的天哪！”普莉赫里娅·亚历山德罗芙娜尖叫道。

拉祖米欣在椅子上坐不住了。

“你现在不羞愧吗，妹妹？”拉斯柯尔尼科夫问道。

“羞愧，罗佳，”杜尼娅说，“彼得·彼得罗维奇，您走吧！”她对他说道，气得脸色煞白。

彼得·彼得罗维奇看来根本没有料到会出现这样的结局。他太自信了，太相信自己的权利，太相信自己所控制的牺牲品是无依无靠的。此刻，他也无法相信眼前的一切。他脸色刷白，双唇颤抖。

"阿芙多季娅·罗曼诺芙娜，如果我此刻听了您的这句赠言走出这扇门，那请您注意，我是不会再回来的。好好考虑一下吧！我决不食言。"

"真是厚颜无耻！"杜尼娅噌地一下从椅子上站起身来，叫道，"我也不愿意您再回来！"

"什么？原来是这样！"卢仁嚷道，直到最后一刻他还完全不相信会出现这样的结局，一时变得不知所措。"原来是这么回事！但您要知道，阿芙多季娅·罗曼诺芙娜，我也可能提出异议的。"

"您有什么权利对她这么说！"普莉赫里娅·亚历山德罗芙娜激动地说，"您能有什么异议？您有什么权利？哼，我会把我的杜尼娅嫁给您这种人？走吧，彻底离开我们吧，是我们自己不好，干出这种错事，尤其是我……"

"但是，普莉赫里娅·亚历山德罗芙娜，"卢仁狂怒地喊道，"您用许诺来约束我，现在却翻脸不认账了……结果……结果我受骗花了许多钱……"

这最后一句牢骚话完全符合彼得·彼得罗维奇的性格，以至于拉斯柯尔尼科夫再也忍不住了，突然放声大笑起来，尽管他刚才气得脸色发白，竭力控制住自己。可是，普莉赫里娅·亚历山德罗芙娜却怒不可遏：

“花了许多钱？花了什么钱？您不是在说我们的衣箱吧？可这是列车员免费为您托运的呀。天哪，我们约束了您！您好好想一想吧，彼得·彼得罗维奇，是您约束了我们，而不是我们约束您！”

“够了，妈妈，够了！”阿芙多季娅·罗曼诺芙娜央求道，“彼得·彼得罗维奇，请行行好，走吧！”

“我这就走，但最后还有一句话要说！”他说道，几乎已经完全失去自制力。“令堂似乎已经忘得一干二净，我决定娶您，可以说是在您名誉扫地，闹得满城风雨的时候。我为了您不顾社会的舆论，想挽回您的名誉，这样我当然完全、完全可以期望得到报答，甚至可以要求您知恩图报……只是到了此刻我才恍然大悟！我才明白，我不顾社会舆论，是一种非常、非常轻率的举动……”

“他太狂啦！”拉祖米欣嚷着，从椅子上霍然站起，准备要教训他一顿。

“您可真是个低贱、狠毒的小人！”杜尼娅说。

“住嘴！住手！”拉斯柯尔尼科夫一边叫喊，一边阻止拉祖米欣；接着他走到卢仁跟前，几乎紧贴着他：

“请您离开这儿！”他声音不高，一字一顿地说道，“别再开口，否则……”

彼得·彼得罗维奇脸色发青，气歪了脸，瞪了拉斯柯尔尼科夫几秒钟，便转身走了。毫无疑问，此时他对拉斯柯尔尼科夫的愤怒和仇恨已是无以复加。他把一切都归咎于拉斯柯尔尼科夫，归咎于他一个人。令人难以置信的是，他下楼时仍然认为，事情或许还远没有失去希望，至于这两个女人嘛，甚至是“完完全全”可以说服的。

第三章

关键在于他直到最后一刻都无法想象事情会这样了结。他傲慢到了极点,根本没料到两个贫困无援的女人竟然可能摆脱他的控制。虚荣心,极端的自信或最好称为沾沾自喜,极大地助长了他的这一想法。彼得·彼得罗维奇是从社会底层熬出来的,所以他习惯于近似病态地自我欣赏,在才智和能力方面自视甚高,甚至有时会一个人对着镜子顾影自怜。然而,在世上他最喜爱最珍重的,是他用劳动和各种手段弄来的金钱:因为金钱能使他跻身于在他之上的人群中。

当彼得·彼得罗维奇刚才痛苦地提醒杜尼娅,他是不顾她声名狼藉决意要她时,他讲的完全是真心话,甚至对这种"忘恩负义"之举感到极端愤懑。其实,他在向杜尼娅求婚时,已经完全确信这些谣言是无稽之谈,因为玛尔法·彼得罗芙娜亲自当众辟谣,全城的人早已不再议论,反而激烈地为杜尼娅辩护。就是现在他本人也不会否认,当时已知事情的真相。虽然如此,他仍然觉得自己能做出这一决定，能把杜尼娅抬高到自己的地位上，是一种了不起的壮举。他此刻向杜尼娅说的这番话，其实是吐露了自己内心珍视的隐秘思想，他不止一次地欣赏这一想法；他无法理解别人怎么能对他的壮举无动于衷。当他去拜访拉斯柯尔尼科夫时，感到自己是恩人，准备有人报恩，听到相当悦耳的恭维。如今他下楼时，毫无疑问觉得自己蒙受了奇耻大辱，壮举没有得到承认。

对他来说，杜尼娅简直是必不可少的；对他来说，与杜尼娅断绝关系真是不可想象。许久以来，有几年了，他一直梦想着美满的婚姻，他一边攒钱，一边等待时机。在内心深处，他如醉如痴地幻想有这样一位姑娘：她善良而且贫穷（一定要贫穷），年轻而又美貌，气质高雅而又受过教育，胆小怕事而且饱尝困苦，对他俯首帖耳而且终身感恩戴德，只对他一个人百依百顺，佩服得五体投地。工作之余，他耽于这一令人神往的有趣幻想，他在想象中用这个诱人、有趣的题材为自己编造过多少场面、多少甜蜜的情景啊！而此时，这个多年的幻想眼看就要成为现实：阿芙多季娅·罗曼诺芙娜的美貌与学识令他惊讶，她的无依无靠尤其使他动心。这甚至比他幻想的还要好：出现了这样一位高傲、有个性、品行端正、学识和修养都高于自己的姑娘（他觉察到了这一点）。就是这样一个女子将会因他的壮举终身奴仆般地对他感恩戴德，虔诚地对他俯首帖耳，而他将无限地而又绝对地拥有对她的控制权！……似乎出于巧合，不久前他经过多日的思索和期待，终于做出决定，要彻底改变仕途，扩大业务范围，逐渐跻身于更上层的社会，这是他早就梦寐以求的……总之，他决定在彼得堡试试身手。他知道,靠女人可以赢得"许许多多"东西。一个美貌、贤惠、有教养的女人能为他开拓道路,使他引人注目,博得盛名……然而,如今一切都化为泡影。现在这一意外的难堪的决裂,就像晴天霹雳打得他目瞪口呆。这简直是个可恶的玩笑,荒诞透顶!他只不过举止有些傲慢,甚至还没说出自己的意见。他不过是开开玩笑,一时冲动,结果竟是这样严重!再说,他甚至已经照自己的想法爱上了杜尼娅,想象中已经控制了她,岂料……不!明天,明天马上应该恢复原样,挽回和弥补,而主要的是除掉那个妄自尊大、乳臭未干的小子,因为他是罪魁祸首。卢仁不由自主,同样痛苦地想到了拉祖米欣……不过,这一方面他很快就放心了:"还有这个家伙也一起制服!"事实上令他胆战心惊的人,正是那个斯维德里盖洛夫……总之,往后有许多操心的事呢……

"不,是我,主要是我的错!"杜涅奇卡拥抱着母亲,吻着她说,"我贪图他的钱财,但我起誓,哥哥,我没料到他是这么个卑鄙小人。假如从前我看清了他的真面目,我决不会贪图任何东西!别责备我,哥哥!"

"多亏上帝保佑!多亏上帝保佑!"普莉赫里娅·亚历山德罗芙娜似乎下意识地嘟哝着,仿佛还没完全清楚发生了什么事。

大家都很高兴,过了五分钟甚至都笑了起来。只有杜涅奇卡偶尔回想发生的事,脸色变得苍白,双眉紧锁。普莉赫里娅·亚历山德罗芙娜全没料到自己也会高兴。就在今天早上,她还认为解除与卢仁的婚约是一个可怕的灾难。拉祖米欣却是欣喜若狂。虽说他还不敢完全喜形于色,却像发疟疾似的全身直哆嗦,好像压在心头的一块巨石落了地。现在他已有权为她们献出自己的生命,帮助她们了……谁知道往下还会发生什么事呢！其实,他更害怕往下想,害怕自己胡思乱想。只有拉斯柯尔尼科夫一人仍然坐在原来的位置上,几乎忧心忡忡,甚至心不在焉。是他刚才最坚决地要求卢仁离开,现在却仿佛对所发生的一切都无动于衷。杜尼娅不由得想到,他仍然很生她的气,而普莉赫里娅·亚历山德罗芙娜则胆怯地打量着他。

“斯维德里盖洛夫对你说了什么?”杜尼娅走到他的跟前。

“啊,是呀！是呀!”普莉赫里娅·亚历山德罗芙娜嚷道。

拉斯柯尔尼科夫抬起头来:

“他一定要送你一万卢布,同时希望有我在场的时候见你一面。”

“见一面！这绝对不行!”普莉赫里娅·亚历山德罗芙娜叫道,“再说他怎么敢提出送钱给她!”

接着,拉斯柯尔尼科夫叙述了(很冷淡地)自己与斯维德里盖洛夫之间的谈话。为了简明扼要,他略去玛尔法·彼得罗芙娜幽灵的事,因为除了最必要的话以外,他不想岔到别的事情上。

“你是怎么回答他的?”杜尼娅问道。

“我先对他说,我是什么也不会转告你的。于是他声称,他要设法亲自与你见面。他表示对你的迷恋是一时胡闹,现在他对你已经没有任何想法……他不愿意你嫁给卢仁……总之他讲得很乱,前言不搭后语。”

“你自己是怎么理解他的呢,罗佳？你觉得他这人怎么样?”

“我承认,我不太理解。他提出送一万卢布,却又说自己不是个富有的人。他说他想远行,过了十分钟便忘记了说过这个话。

他同样突然间说想结婚，有人给他提亲……当然，他是有目的的，而且多半是居心不良。不过想来有点儿奇怪，如果他对你不怀好意，这样做不是太蠢了吗……当然啰，我替你断然拒绝了这笔钱。总之，我觉得他非常古怪，而且……甚至……有些神经错乱的迹象。但我也可能弄错，可能这也是一种夸张吧。玛尔法·彼得罗芙娜的死看来对他刺激很大……”

“天哪，让她的灵魂安息吧！”普莉赫里娅·亚历山德罗芙娜叫道，“我要永远、永远为她向上帝祈祷！杜尼娅，要是没有这三千卢布，我们现在可怎么办哪！天哪，真像是天上掉下来的！哎，罗佳，要知道早上我们总共只剩下三个卢布了，我与杜尼娅一直在盘算，如何尽快地把这块表拿到什么地方去抵押一下，以免我们在那个人想到给我们钱之前，开口向他要。”

不知怎的，斯维德里盖洛夫的提议让杜尼娅着实大吃一惊。她一直若有所思地站着。

“他定是又有了可怕的念头！”她差点儿全身战栗，几乎喃喃地自言自语道。

拉斯柯尔尼科夫注意到了这一极度的恐惧。

“看来，我还会见到他。”他对杜尼娅说。

“我们会注意他！我一定跟踪找到他！”拉祖米欣坚决地嚷道，“我会盯紧的！这是罗佳叫我这么做的。刚才他亲口对我说：‘保护好我妹妹。’您同意吗，阿芙多季娅·罗曼诺芙娜？”

杜尼娅笑了笑，向他伸出手去，但仍是愁眉不展。普莉赫里娅·亚历山德罗芙娜忐忑不安地瞧了她一眼。不过，这三千卢布显然已经使她感到宽心了。

十五分钟以后，所有的人都热烈地交谈起来。甚至拉斯柯尔尼科夫尽管没有说话，也全神贯注地听了一会儿。拉祖米欣说得滔滔不绝。

“你们干吗要走，干吗要走呢！”他兴高采烈地说，“在那个小城里你们能干些什么呢？而主要的是，在这儿你们全家团聚，你们需要互相照顾，非常需要，你们得明白这一点！嗯，至少住些日子……可以把我看做你们的朋友，你们的伙伴；我相信，我们能办一个很好的企业。听着，我详细地给你们解释整个这一方案！还在早上，那时还什么事也没有发生，我的脑海里闪现出这样的一个念头……事情是这样的：我有一个叔叔（我会介绍你们认识，这是一个仪表堂堂、德高望重的老头儿），他有一千卢布的积蓄，而他本人靠养老金生活，用不着这笔钱。有一年多了，他三番五次地要我拿了他的这一千卢布，只需付给他六厘利息。我知道这是怎么回事，他只不过想帮助我。但去年我不需要这笔钱，今年我只等他到这儿来，我已决定向他借用这笔钱。尔后，你们从三千卢布中拿出一千卢布，在最初阶段，这笔钱就足够了，我们合伙一起干。我们将干些什么呢？”

接着拉祖米欣开始描述自己的方案，并详细地解释说，几乎所有我们的书商和出版商都不懂得自己的业务，因而一般来说出书都是亏本的。其实好的出版物通常能收回成本，并能赢利，有时还有相当大的赢利。拉祖米欣期望能在出版方面干一番事业，因为他已经给别的出版商干过两年，并且通晓三种欧洲语言，尽管他在六天前对拉斯柯尔尼科夫说，他的德语“很糟”，其实这是为了劝说拉斯柯尔尼科夫承担一半的翻译工作，获取三个卢布的报酬，所以当时他扯了谎，而拉斯柯尔尼科夫心里也明白，他这是在扯谎。

"我们干吗要放过到手的东西呢，既然我们有了最重要的条件——本钱。"拉祖米欣兴奋地说，"当然啰，需要做许多事，但我们会努力干，有您、阿芙多季娅·罗曼诺芙娜、我、罗季昂……现在有的出版物很赚钱！干这行的关键，在于我们必须知道该翻译些什么。我们又翻译，又出版，又学习，同时并进。[①]现在我会很有用的，因为我有经验。我与出版商打交道已经快两年了，他们的底细我都知道，并非高不可攀，请相信我！干吗要坐失良机呢！我自己知道，而且还从未告诉过别人，有两三本书是可以翻译的。仅仅提供翻译和出版这几本书的主意，每本书就能赚到一百卢布。其中有一本，就是给我五百卢布，我也不卖这个主意的。你们想，要是我告诉了某个人，他还会犹豫不决，脑子转不过弯来！至于印刷、纸张、销售方面的业务，你们就托付给我吧！我知道所有的门道！我们从小事着手，最终会干出一番大事的，至少我们可以靠这些来养活自己，无论如何也会收回成本的。"

杜尼娅的眼睛发光了。

"您讲的这些，我非常赞赏，德米特里·普罗科菲伊奇。"她开口说道。

"当然，对此我一窍不通，"普莉赫里娅·亚历山德罗芙娜回答道，"或许这事不错，但谁知道呢。这是新行当，没什么把握。

①拉祖米欣的这些翻译出版计划，会使人联想到陀思妥耶夫斯基本人在初登文坛时的翻译出版计划，当时，他在给哥哥的信中(1844年4月、9月)说他想和哥哥一起翻译出版一套席勒的文集。

当然啰,我们必须留在这里,哪怕少住些日子……"

她望了罗佳一眼。

"你觉得怎么样,哥哥?"杜尼娅问道。

"我觉得他的主意很不错,"他回答道,"当然,不必先考虑成立公司的事,但确实能够出五六本肯定获利的书。我就知道有一本书一定会畅销。至于他处理业务的能力,也是无可怀疑的:他是个行家……不过,你们还得花些时间好好商量一下……"

"乌拉!"拉祖米欣大叫起来,"现在你们就住到这儿,这里有一套房子,就在这幢楼里,还是同一房主。这套房子有三间小屋,自己一个门,同这些客房不连通,还带家具,租金也适中。你们先把这房子租下来。明天我帮你们去抵押手表,并把钱拿来,那就一切都解决了。主要的是,你们三人可以住在一起,罗佳与你们……你去哪儿,罗佳?"

"罗佳,你怎么要走啦?"普莉赫里娅·亚历山德罗芙娜惊恐地问道。

"在这种时候!"拉祖米欣嚷道。

杜尼娅难以置信而又惊奇地望着哥哥。他手里拿着制帽,准备走了。

"你们好像在埋葬我,或者在跟我永别似的。"他有点儿莫名其妙地说道。

他好像微微一笑,但似乎又不是在笑。

"谁知道呢,或许这是我们的最后一次见面。"他冷不丁地添上了一句。

他本来是心里想着这句话,不知怎的竟脱口而出。

“你这是怎么啦！”母亲叫道。

“你去哪儿呀，罗佳？”杜尼娅感到奇怪地问道。

“是的，我得走啦。”他含糊其辞地回答说，好像想说些什么可又犹豫不决。然而，他那苍白的面孔却露出果断的神情。

“我本想告诉……来这儿时，我本想告诉您，妈妈……和你，杜尼娅，我们最好分开一段时间。我觉得自己不舒服，心境不宁……以后我会来的，我自己会来的，到……能来的时候。我不会忘记你们，我爱你们……别管我！让我一个人去吧！我早已下定决心……对此我早已下定决心……不管我出什么事，不管我是死还是活，我只想独自一个人待着。把我彻底忘了吧。这样最好……别打听我的事。一旦需要，我自己会来的，或者……我会叫你们去的。或许，一切都会恢复原样！……可现在，你们爱我，就别管我……否则，我会恨你们的，我觉得……再见！”

“天哪！”普莉赫里娅·亚历山德罗芙娜惊叫起来。

不管是母亲还是妹妹，都惊恐万状。拉祖米欣也同样如此。

“罗佳，罗佳！咱们言归于好吧，让我们像从前那样！”可怜的母亲大声喊道。

他缓缓地朝门口转过身去，缓缓地走出了房间。杜尼娅追上了他。

“哥哥！你怎么能这样对待妈妈。”她眼里闪着怒火，低声地说。

他心情沉重地看了她一眼。

“没关系，我会来的，我以后会来的！”他低声地嘟哝着，似乎不太清楚自己想说什么，随着就走出了房间。

“冷酷无情的利己主义者!”杜尼娅嚷道。

“他有点儿神经错乱,并不是冷酷无情!他神经不正常了!难道您没有发现吗?您这样说倒是有些冷酷无情!……”拉祖米欣紧紧地抓住她的手,在她耳边急切地悄声说道。

“我马上就回来!”他向目瞪口呆的普莉赫里娅·亚历山德罗芙娜叫了一声,跑出了房向。

拉斯柯尔尼科夫正在走廊的尽头等待着他。

“我就知道你会跑出来,”他说,“回到她们身边去,和她们在一起……明天也待在她们那儿……永远待在她们那儿。我……或许,会来的……如果可能的话。再见!”

他没有跟拉祖米欣握手,就转身走了。

“那你上哪儿去?去干什么?你怎么啦?怎么能这样!……”完全不知所措的拉祖米欣嘟哝着。

拉斯柯尔尼科夫又停住了脚步。

“咱们一言为定:任何时候什么也别问我。我没什么好回答你……别来找我。或许我会来这儿的……别管我,但不要离开……她们。你明白我的话吗?”

走廊里一片漆黑,他们站在一盏灯旁。两人默默对视了片刻。拉祖米欣一辈子都忘不了这一时刻。拉斯柯尔尼科夫的目光越来越炽烈锋利,仿佛要刺入他的心灵,刺入他的意识。突然,拉祖米欣浑身一哆嗦。仿佛有种奇怪的东西在他们中间闪过……出现了某个像心灵感应一般的念头;这是件可怕的,见不得人的,双方突然心照不宣的事情……拉祖米欣的脸色灰白,像死人一般。

“现在你明白了吗?”拉斯柯尔尼科夫突然开口说,他的脸因痛苦而歪扭着。“回去吧,回到她们身边去吧。”他突如其来地补充了一句,迅速地转过身去,走出了这幢房子……

现在,我不打算描述那天晚上普莉赫里娅·亚历山德罗芙娜那里的情景:拉祖米欣是如何回到她们身边,如何安慰她们,如何发誓说应该让罗佳去休息治病,又如何保证说罗佳一定会来,每天都会来,现在他心情非常沮丧,不该去刺激他,而他,拉祖米欣,将会关心他,为他找一个好医生,让他得到最好的全面的治疗……总之,从那天晚上起,拉祖米欣便成了她们的儿子和哥哥。

第四章

拉斯柯尔尼科夫径直来到了位于河边的索尼娅住的那幢房子。这是一幢绿色三层旧楼。他找到了看门人,从他那儿大略打听到裁缝卡佩瑙莫夫的住处。在院中的一角,他找到了漆黑狭窄的楼梯口。他终于摸上二楼,进入临院一边的长走廊。当他在黑暗中摸索,弄不清卡佩瑙莫夫住在哪儿时,突然在两三步远的地方,有一扇门打开了,他不由自主地拉住了这扇门。

“谁在这儿?”一个女子的声音惊恐地问道。

“是我……我来找您的。”拉斯柯尔尼科夫应道,走进了一间小小的门厅。屋里一把破椅上,放着一个歪歪扭扭的铜烛台,上面插了一支蜡烛。

“是您! 天哪!”索尼娅轻声叫了起来,愣在那儿一动不动。

“您的房间在哪儿? 在这里?”

于是,拉斯柯尔尼科夫竭力不去看她,快步走进了房间。索尼娅随后也端着烛台走了进来,她放下蜡烛,站到他面前,心慌意乱，焦虑不安。显然，他的突然来访使她手足无措，苍白的面孔猛地涨得通红，甚至泪水盈眶……她既感到难受羞愧，又感到高兴……拉斯柯尔尼科夫赶紧扭过脸去，在桌旁的一把椅子上坐下。他飞快地环视了一下这间屋子。

这间屋子很大，但屋顶非常低，是卡佩瑙莫夫家唯一出租的房间。左边墙上有一扇上了锁的、通往卡佩瑙莫夫家的门。对面右边的墙壁上，还有一扇一直紧锁着的门。门后面是相邻的另一套住宅，属于另一个门牌号。索尼娅的房间像一个棚子，是不规则的四边形，显得有些奇形怪状。临河那面开着三扇窗子的墙，走向稍斜，因而一个墙角又尖又深，在微弱的光线下甚至无法看清；另一头的墙角则成了极不像样的钝角。在这大房子里几乎没有什么家具。右边墙角放着一张床，床旁靠着门有一把椅子。挨床的那面墙，在通向邻家住宅的门旁，搁着木板钉成的普通桌子，上面铺了一块蓝台布，桌旁是两把藤椅。在对面墙靠近锐角处，孤零零地摆着一个不大的普通木制的五斗柜。这就是屋子里的全部家具。在每个墙角里，肮脏发黄、破破烂烂的糊墙纸都已成了黑色，看来冬天这里一定是阴冷潮湿，煤气呛人。贫穷之状显而易见，甚至床上都没有床幔。

索尼娅默默地望着自己这位客人那么聚精会神、那么毫无顾忌地打量她的房间，末了甚至吓得哆嗦起来，就像面对着法官，面对着掌握她命运的人。

“我来得太晚了……有十一点钟了吧？”他问道，仍然没有抬起眼来看她。

“有了，”索尼娅喃喃地说，“啊，有十一点钟了！”她突然急切地说道，仿佛抓到一根救命稻草似的。“房东家的钟刚刚敲过……我听到的……有十一点钟了。”

“我是最后一次来看您了，”拉斯柯尔尼科夫神色忧郁地接着往下说，尽管现在他只是头一次来，“或许，我再也见不到您了。”

“您……要离开此地？”

“我也不知道……明天一切就会……”

“那么明天您不去卡捷琳娜·伊凡诺芙娜那儿？”索尼娅的声音有点发颤。

“我不知道，一切看明天早上……问题并不在这里，我来只是想对您说一句话……”

他抬起了自己那若有所思的目光，望着她，突然发现自己坐着，她却仍然站在他面前。

“您为什么站着呢？坐吧。”他突然换了语气，轻声柔和地说道。

她坐了下来。他亲切地、几乎是怜悯地望了她一会儿。

“您这么瘦哇！瞧您的手！皮薄得透明一般。手指冰冷得像死人。”

他抓住了她的手。索尼娅淡淡地一笑。

“我一直是这样的。”她说道。

“住在家里时，也是这样的？”

“是的。”

“嗯，那当然啰！”他断然地说，脸上表情和语气突然又变了。他再一次环顾了一下四周。

“这房间是向卡佩瑙莫夫租的吗？”

“是的……”

“他们住在这扇门后?”

“是的……也是这样大小的房间。”

“全家住在一间屋子里?”

“住在一间屋子里。”

“我要是住在您这儿,夜里会害怕的。”他神色忧郁地说。

“房东夫妇为人很好,和蔼可亲。”她回答道,仿佛还没弄明白,没回过神来。“所有的家具,所有的……所有的东西都是房东的。他们心地善良,孩子们也经常到我这儿来……”

“是那些口齿不清的?”

“是的……他说话结巴,又是个跛子。他的妻子也是这样……不光是说话结巴,而且好像有些音发不出来。她为人善良,非常善良。他过去是个家奴。有七个孩子……老大是个结巴,其余的孩子也都有病……可说话不结巴……您怎么知道他们的事的?”她觉得有点儿奇怪,又问了一句。

“一切都是您父亲告诉我的。他对我讲了您的一切……说您六点钟出去,八点多钟才回来;说卡捷琳娜·伊凡诺芙娜跪在您的床前。”

索尼娅一下子非常窘迫。

“今天我好像看见他了。”她犹豫不决地喃喃说道。

“谁?”

“我父亲。我在马路上走,靠近街角,九点多钟时,好像是他走在我前面。非常像他。我本打算到卡捷琳娜·伊凡诺芙娜那儿去……”

“您在散步?”

“是的。”索尼娅又不好意思地低下了头,迅速地嘟哝说。

“卡捷琳娜·伊凡诺芙娜差点儿没打您,是吗,那是父亲在的时候。”

“哎呀,没有,哪能啊,哪会这样,没有!”索尼娅甚至有点惊慌不安地看了他一眼。

“那您爱她吗?”

“她?那——当——然啰!”她悲戚地拖长了声音,突然痛苦地双臂合抱。“哎呀!您对她……您要是了解她多好。要知道,她完全像个孩子……要知道,痛苦使她……好像精神失常了。她从前可是那么聪明能干……那么宽宏大度……那么善良!您根本不了解,根本不了解……唉!”

索尼娅像是绝望中说了这番话。她绞着双手,又激动又悲伤。她那苍白的脸颊又一次泛起红晕,眼里流露着痛苦的神情。显然,她内心受到很大的触动,显然,她非常想表达出来,想说出来,想维护什么。突然间她整个面庞都现出一种深沉无比的怜悯之情,如果能这样形容的话。

“她打我!您说的是什么呀!天哪,她打我!就算是她打了我,那又怎样呢!嗯,那又怎样呢?您根本不了解,根本不了解……她是个多么不幸的女人哪,多么不幸的女人哪!而且还有病……她追求公道。她是个纯洁的人。她坚信一切都该是公道的,她要求公道……哪怕折磨她,她也不会干出不公道的事。她自己没发现,人间不可能处处都有公道,她为此生气恼怒……像个孩子似的,像个孩子!她为人公道,为人公道!”

"您以后怎么办?"

索尼娅探询地瞧了他一眼。

"他们要靠您生活呀。不过从前一切也都靠您,已故的那位不也是向您要钱去喝个酩酊大醉吗。嗯,现在该怎么办呢?"

"我不知道。"索尼娅忧郁地说。

"他们还住在那儿?"

"我说不上,他们欠了房租。听说房东太太今天说不愿意再租给他们住了,卡捷琳娜·伊凡诺芙娜则说,她自己也不多待一分钟。"

"她哪儿来这么大的勇气?指望您吗?"

"哎呀,别这么说,您别这么说!……我们是一家,我们一起过活!"索尼娅突然又激动起来,甚至有点儿生气,宛如一只金丝鸟或别的小鸟在赌气。"她有什么办法呢?有什么办法呢?"她急切而又激动地问道,"她今天流了多少泪呀,流了多少泪呀!她的精神有点儿错乱,您没注意到吗?精神有点儿失常。一会儿像个孩子坐立不安,操心要让明天过得像个样,有冷盘和其他的一切……一会儿绞着双手,咳着,流着眼泪,突然绝望地用头撞墙。过后她又感到一阵宽慰,因为她把一切希望都寄托在您的身上:她说您现在会帮助她的,她要去借些钱,与我一起回到她的家乡去,在那儿办一所贵族女子寄宿中学,聘请我当学监,于是我们将开始一个崭新的美好的生活。她亲吻我,拥抱我,安慰我,并对此深信不疑!她对这些幻想深信不疑!难道能去反驳她吗?今天整整一天她就忙着洗呀、擦呀、缝呀,独自一人凭借自己那点儿力气把洗衣盆拖进了房间,累得气喘吁吁,扑倒在床上。早上我与她一起去给波莲奇卡和莲尼娅[1]买鞋，因为她们的鞋子都破了，只是我们带的钱不够，还差得很多。可她挑选了一双那么可爱的小皮鞋，因为她有审美眼光，您不知道……那时她在铺子里当着店里伙计的面放声大哭起来，因为钱不够……唉，看着真可怜……”

“这么一说我就明白了……您为什么这样生活。”拉斯柯尔尼科夫苦笑地说道。

“难道您不怜悯吗？不觉得可怜吗？”索尼娅又问道，“我知道，您还一无所知就把自己仅有的钱送给了他们。要是您全知道了……天哪！我有多少次，多少次惹得她掉下了眼泪！上个星期还有一次！哎呀，我可真是！就在他去世前一个星期。我做得太冷酷太无情了！我这么做了多少次，多少次呀。现在回想起这些，我整天都痛苦不堪！”

索尼娅一边说，一边绞着手，因往事而痛苦万分。

“您怎么是冷酷无情呢？”

“是的，是我，是我！那天我回去了，”她哭着往下说，“父亲对我说：‘给我念一段吧，索尼娅，我有点儿头痛，给我念一段吧……书在那儿。’他有一本书，是从安德烈·谢苗诺维奇那儿拿来的，就是列别贾特尼科夫，他住在那儿，父亲常常从他那儿拿到这种滑稽可笑的书。而我却说：‘我该走啦。’因为我不愿意念这种书。我到他们那里去，主要是为了给卡捷琳娜·伊凡诺芙娜看一些衣领。丽莎维塔，那个女贩子，给我送来一些便宜的领子和袖口，这些东西漂亮，新式，还绣着花。卡捷琳娜·伊凡诺芙娜非常喜欢，她比在身上，在镜子跟前打量着自己。她非常、非常喜

①莉达的小名。

欢，她说：‘请把这些东西送给我吧，索尼娅。’她都说了请字，是多么想要哇。可是她戴这些又有什么用呢？只不过是回顾一下往日那美好的时光而已！她照着镜子，自我欣赏，可什么衣服也没有，什么饰物也没有，这样已经有几年了！但她任何时候也不会向任何人要任何东西，她高傲自重，宁愿把自己仅有的东西送人。可这一次她竟央求我，可见她是多么喜欢哪！可是我却舍不得给，我说：‘您有什么用呢，卡捷琳娜·伊凡诺芙娜？’我是这么说的：‘有什么用。’真不该对她说这样的话！她就那么瞅了我一眼，她心里因为我拒绝了她而特别难受，我望着这一切也真心酸……她难受的不是没有衣领，而是我拒绝送给她，我看出了这一点。哎呀，现在我恨不能把一切都收回，把一切都改变了，把过去说的一切都……哎呀，我……说这干吗，这对您是无所谓的！”

“您认识那个女贩子丽莎维塔？”

“是的……难道您也认识她？”索尼娅有点儿惊奇地反问道。

“卡捷琳娜·伊凡诺芙娜有肺病，非常严重，她活不了多久。”拉斯柯尔尼科夫说完沉默了片刻，没有回答她的问题。

“哎呀，不，不，不！”索尼娅下意识地紧紧抓住他的双手，仿佛在央求别让她死去。

“要知道，死了会好些。”

“不，不会更好，不会更好些！根本不会更好！”她惊慌失措，下意识地反复说道。

“那孩子们呢？要是不靠您的话，您又能把他们送到哪儿去呢？”

“啊，我也不知道！”索尼娅双手抱着脑袋，几乎绝望地叫道。显而易见,她脑海里已经多次闪过这一念头,他只不过又一次引出它来。

“现在,卡捷琳娜·伊凡诺芙娜还活着,你要是生了病住进医院,那怎么办呢?”他毫不留情地坚持说道。

“哎呀,哪能呢,哪能呢!这是不可能的!”极度恐惧扭曲了索尼娅的脸。

“怎么不可能呢?”拉斯柯尔尼科夫冷笑着继续往下说,“你们没有上保险吧?那时他们将会怎样?成群结队地流落街头;她咳嗽着乞求路人,像现在这样用头去撞墙,孩子们则号啕大哭……她将倒在街上,被送到警察局,再送到医院,然后死去,而孩子们……”

“哎呀,不!……上帝不会让这种事情发生!”索尼娅终于从压抑着的心底里吐出了这么一句话。她倾听着,哀求地望着他,合着手默默地央求着,好像他能主宰一切似的。

拉斯柯尔尼科夫站起身,开始在屋子里走来走去。就这样过了片刻。索尼娅站在那儿垂着两手,低下脑袋,愁眉不展,忧心如焚。

“不能存些钱吗?以防万一?”他突然在她跟前站住了脚,开口问道。

“不能。”索尼娅嗫嚅地说。

“当然不能!您试过吗?”他几乎是嘲讽地添上了一句。

“试过。”

“没成!那当然啰!用不着问!”

于是,他又在屋子里踱来踱去。这样又过了片刻。

“您不是每天都能赚到钱?”

索尼娅更加发窘,两颊再一次涨得通红。

“不是。”她喃喃地说,内心痛苦不堪。

“波莲奇卡大概也会这样的。”他突然说道。

“不!不!不会这样,不会的!”索尼娅是那么悲痛欲绝地大声叫喊着,仿佛被人冷不防地扎了一刀。“上帝,上帝是不会让这种可怕的事情发生的!……”

“上帝已经让这在别人身上发生了。”

“不,不!上帝会保佑她的,上帝!……”她狂乱地重复说。

“或许连上帝都根本不存在。”拉斯柯尔尼科夫甚至有点儿幸灾乐祸似的回答道。他笑了起来,并瞥了她一眼。

索尼娅的面容突然大变:一阵痉挛从脸上掠过。她以无可名状的责备神情看了他一眼,想开口说些什么,但一句话也说不出,只是用手捂着脸突然痛不欲生地号啕大哭起来。

“您说卡捷琳娜·伊凡诺芙娜精神失常,可您自己也是精神失常啊。”他沉默了片刻说道。

大约过了五分钟。他仍然一声不吭,也不看她,来回踱着步子。末了,他走到她面前,两眼炯炯有神。他双手抓住她的肩膀,两眼直愣愣地盯着她那泪脸。他的目光严峻、激奋、咄咄逼人,双唇剧烈地颤抖着……突然他跪了下来,俯身到地吻了吻她的脚。索尼娅吓得赶紧闪到一旁,就像避开一个疯子似的。的确,他看上去十足是个疯子。

“您这是干什么,这怎么成?跪在我面前!”她嘟哝着,脸色变白,心里充满了痛苦。

他立刻站起身来。

“我不是向您跪拜,我跪拜的是人类的全部苦难。”他生硬地说了一句,向窗口走去。“听着,”过了片刻,他又转向她补充说,“刚才我还对一个欺凌别人的家伙说,他比不上你的一个小手指……我还对他说,我今天就让妹妹很荣幸地和你坐到了一起。”

“哎呀,您怎么对他们说这话!还当着她的面?”索尼娅慌张地嚷道,“和我坐在一起还荣幸!要知道我……是个卑贱的女人……我是个罪孽深重的、罪孽深重的女人!哎呀,您怎么能这样说!”

“我这样说你,并不是为了你的卑贱和罪孽,而是为了你那巨大的苦难。至于你罪孽深重,确实如此,”他几乎激昂地补充说,“你最大的罪孽,是白白地毁了和出卖了你自己。这还能说不可怕吗!你过的生活连自己都深恶痛绝,同时心里也明白(只要睁开眼睛看看)这样做帮不了任何人,也救不了任何人;这还不可怕吗!最后请你告诉我,”他几乎狂怒地说,“在你身上,这种耻辱和卑贱怎么能跟与之水火不容的神圣情感共存呢?要知道,干脆投河一死了之也要比你这样好得多,好上一千倍,明智一千倍!”

“可他们怎么办呢?”索尼娅悲戚地望着他,有气无力地问道,同时对他出的这主意却丝毫不惊讶。拉斯柯尔尼科夫奇怪地瞥了她一眼。

从她的眼神中,他明白了一切。看来,她自己已有过这个念头,或许她在绝望中曾多次认真地考虑过自杀了事,所以现在对他的这一说法几乎不感到任何惊讶。甚至他说话的残酷,她也没有察觉出来(当然,她同样也没听出他话中的责备和对她的耻辱抱有的独特见解。但这一点他是看得一清二楚的)。不过他心里完全明白,很久以来她一想到自己那卑贱而耻辱的境地就痛不欲生。他一直在思索,是什么,是什么迄今阻碍她去自杀?只是在此刻,他才恍然大悟,这些可怜的小孤儿和这个不幸的、精神失控、肺病缠身、常常以头撞墙的卡捷琳娜·伊凡诺芙娜对她是多么的重要。

虽然如此,但他仍然意识到,索尼娅以其个性和所能受到的教育,是绝不会一直这样生活下去的。但他内心还有一个疑问:如果说她无法投河自尽,那她为什么长期处于这种境地而没有发疯呢?当然,他心里明白,索尼娅的处境是社会上的一种偶然现象,但不幸的是,远不是独一无二、绝无仅有的现象。然而,正是这种偶然性,一定的文化程度,以及过去的全部生活,很有可能促使她在走上这条耻辱之路时就立刻结束自己的生命。是什么支撑着她呢?不会是由于堕落吧?显而易见,她只是机械地陷入这种可耻的行为,真正的堕落还丝毫没有侵袭到她的心灵:他看清了这一点;她实实在在地站在他的面前,而不是在梦中……

"她有三条路,"他思忖道,"投河自尽,进疯人院,或者……或者最终堕落下去,变得头脑麻木,心肠冷酷。"在他看来,最后这种设想最使他感到厌恶。然而他已是个怀疑主义者,年纪轻轻,不切实际,因而也很冷酷,所以他不能不相信,最后一条堕落之路是最有可能的。

"难道真是这样吗,"他暗自叫起来,"难道这个保持着纯洁心灵的女子,最终会自觉地陷入那个龌龊恶臭的泥潭里去吗?难道她已经开始堕落了?难道忍到今日是因为觉得淫荡不是那么丑恶了？不，不，这是不可能的！”就像刚才索尼娅一样，他也这样叫了出来，“不，一直阻止她投河自杀的，是她认为那样做是罪过；还有他们，那些孩子们……如果说她至今还没有发疯……可谁又能说她没有发疯呢？难道她能理智地思考吗？难道有谁会像她那样说话？难道理智健全的人会像她那样去推理？难道可以这样安坐在把她拽进水的污潭上，等待着毁灭，而当别人提醒危险时，竟然挥手拒绝，捂住自己的耳朵，置之不理？她难道在等待奇迹出现？大概正是这样。难道这一切不恰是精神失常的迹象吗？”

他极力坚持这一想法，与其他出路相比，他更喜欢这一种出路。他开始目不转睛地盯着她。

“你是不是常祈祷上帝，索尼娅？”他向她问道。

索尼娅没有做声。他站在她的身旁，等着她回答。

“除了上帝，我还有什么呢？”她迅速而坚决地小声说，眼睛突然一亮，快速瞥了他一眼，并紧紧地握住他的手。

“嗯，果然如此！”他暗自思忖。

“那么，上帝因此为你做了些什么？”他进一步追问道。

索尼娅久久不吭一声，仿佛回答不上来。她那瘦骨嶙峋的胸脯激动地上下起伏着。

“别说啦！别问啦！您不配！……”她猛地叫道，目光严厉而愤怒地瞧着他。

“果然如此！果然如此！”他固执地暗自想道。

“上帝会做一切事！”她又垂下了头，迅速而轻声地说道。

“这就是出路！这就是对出路的解释！”他暗自断言，同时非常好奇地打量着她。

他怀着一种新的奇特的心情，几乎近于病态的情感，端详着这张苍白消瘦、颧骨凸起的脸庞，这双能闪射出冷峻强烈神情的温柔的蓝眼睛，这个因愤怒而瑟瑟发抖的孱弱身躯；所有这一切在他看来越来越无法捉摸，几乎难以想象。"狂热的信徒！狂热的信徒！"他在心里一遍又一遍地说着。

五斗柜上放着一本书。他每次踱去踱回总会注意到它；这时他拿起书翻了一下。这是一本俄文版的《新约全书》，书已经看旧了，是皮面精装的。[①]

"这书是哪儿来的？"他从屋子另一角向她叫道。她仍然站在原来的地方，离桌子两三步远。

"人家给我拿来的。"她回答，仿佛很不情愿，连看都没看他一眼。

"谁拿来的？"

"丽莎维塔，我向她要的。"

"丽莎维塔！真奇怪！"他心里想道。索尼娅的一切不知怎的使他越来越感到奇怪而不可思议。他捧着书，凑到蜡烛跟前，开始翻阅起来。

"讲拉撒路复活的在哪里？"他突然问道。

索尼娅两眼死死地瞧着地上，没有回答。她的身子微微侧向桌子站着。

---

①这里作家是按照自己那本《新约全书》的样子描写的。1850年流放途中，几位二月党人的妻子送给作家这本唯一一本允许携带的书。他在流放后有时自己读，有时给别人念。参看《作家日记》(1873年，《老一代的人们》)。陀思妥耶夫斯基的这本圣经被保存了下来。

“拉撒路复活是在哪一章[1]？帮我找一找，索尼娅。”

她朝他斜睨了一眼。

“不在那儿……在第4篇福音书[2]里……”她生硬地低声说道，但没有朝他走去。

“把它找出来读给我听。”他说着坐了下来，胳膊肘支在桌上，手托着脑袋，愁眉苦脸地凝视着别处，准备听她朗读。

“过三个星期，我将到七里外去[3]！如果情况不是更糟，我或许会待在那儿。”他喃喃自语。

索尼娅疑惑不解地听着拉斯柯尔尼科夫这一古怪要求，犹豫不决地走到桌旁。不过，她还是拿起了书。

“难道您没有读过？”她问道，皱着眉头，隔着桌子瞅了他一眼。她的语气越来越严厉了。

“那很早了……还在上学时读过。念吧！”

“没在教堂里听过？”

“我……不上教堂。你经常上教堂？”

“不——不。”索尼娅嘟哝着。

拉斯柯尔尼科夫微微一笑。

“我明白了……那你明天也不去参加父亲的葬礼啦？”

“我会去。我上个星期……就参加了一个追荐仪式。”

“追荐谁？”

“丽莎维塔。她是被人用斧头砍死的。”

---

①拉撒路复活的故事见《新约全书·约翰福音》(第11章)。

②《新约全书》共有四篇福音，第4篇福音为《约翰福音》。

③离彼得堡七俄里处有一座精神病院，去“七里外”就是说进疯人院。

他的神经绷得越来越紧。头也开始晕了起来。

“你与丽莎维塔是朋友？”

“是的……她为人很公道……她来过这儿……很少来……因为来不了。我同她一起读圣经……一起聊天。她必得见到上帝[①]。”

这文绉绉的词他听上去颇觉古怪；此外他又有一个新发现：她与丽莎维塔有着秘密的来往，她俩都是——狂热的信徒。

“这样连我自己也会成狂热的信徒了！会传染上的！能传染哪！”他暗自想道。“读吧！”他冷不丁坚决而又愤愤地叫道。

索尼娅仍然犹豫不决，心怦怦直跳。不知怎的她不敢读给他听。他近乎痛苦地望着这个“可怜的疯女”。

“干吗要读给您听呢？您不是不信教吗？……”她嗫嚅着，好像喘不上气来。

“读吧！我想听！”他坚持说，“你不是给丽莎维塔读过吗！”

索尼娅打开书，找到了这一章。她双手颤抖着，嗓子也发不出声音。她开始了两次，但一个音也发不出来。

“有一个患病的人，名叫拉撒路，住在伯大尼……”[②]

她终于念出了声，吃力地读起来，然而从第三个单词起，声音突然变得又尖又细，一下子又没声了，就像一根绷得过紧的琴弦断了。她透不过气，胸口憋得难受。

拉斯柯尔尼科夫多少有些明白，为什么索尼娅不想读给他听。他越是清楚地意识到这一点，就越是粗鲁地、愤愤地坚持要

---

①《新约全书·马太福音》(第5章，第8节)：“清心的人有福了，因为他们必得见上帝。”

②引自《新约全书·约翰福音》(第11章，第1节)。

她朗读。他太清楚了,袒露和揭示自己的一切此刻对她来说是多么痛苦。他明白,这种感情确实构成了她的真正秘密,或许是早就埋藏在心底,还在少女时代,还在家里,在她那可怜的父亲和痛苦发狂的继母身边,在饥寒交迫的孩子们中间,在哭喊和责骂声中。不过此时他心里也明白,明白无误:她尽管此刻开始朗读时感到非常痛苦和害怕,但与此同时又强烈地想要朗读,不管有多么痛苦和害怕;而且是给他朗读,让他听到,就是在现在,不管会引起什么后果!……他从她那眼神中看出了这一点,从她那激动的情绪中明白了这一点……她控制住情绪,克服了刚开头读时的抽噎,继续往下读《新约全书·约翰福音》第11章。就这样,她读到了第19节:

有好些犹太人来看马大和马利亚,要为他们的兄弟安慰他们。马大听见耶稣来了,就出去迎接他,马利亚仍然坐在家里。马大对耶稣说:主啊!你若早在这里,我兄弟必不死。就在现在我也知道,你无论向上帝求什么,上帝也必赐给你。[①]

这时她重又停了下来,羞怯地预感到,她的声音会再次打颤,再次停止……

耶稣说:你兄弟必然复活。马大说:我知道在末日复活的时候,他必复活。耶稣对他说:**复活在我,生命也在我**[②];我的人,虽然死了,也必复活。凡活着信我的人,必永远不

①《新约全书·约翰福音》(第11章,第19~22节)。

②这里及下文《新约全书·约翰福音》的引文中的异体字,均系陀思妥耶夫斯基所标出的。

死。你信这话吗？马大说：

（索尼娅仿佛痛苦地缓了口气，又清晰有力地读起来，好像自己在大声忏悔：）

主啊，是的，我信你是基督，是上帝的儿子，就是那要临到世界的。[①]

她稍稍停顿，迅速抬眼看了看他，随即克制自己，又接着往下读。拉斯柯尔尼科夫坐着一动不动地听，没有转过脸来，胳膊支在桌上，两眼瞧着别处。她读到了第32节。

马利亚到了耶稣那里，看见他，就俯伏在他脚前，说：主啊！你若早在这里，我的兄弟必不死。耶稣看见他哭，并看看与他同来的犹太人也哭，就心里悲叹，又甚忧愁。便说：你们把他安放在那里；他们回答说：请主来看。耶稣哭了。犹太人就说：你看他爱这人是何等亲切。其中有人说：他既然开了瞎子的眼睛，岂不能叫这人不死吗？[②]

拉斯柯尔尼科夫朝她转过脸去，神情激动地望着她：是的，果然如此！她像真发了疟疾，浑身直打哆嗦。这是他预料到了的。她快要读到那些描写前所未闻的伟大奇迹的词句了，心里涌起了狂喜。她的声音像金属般铿锵有力，充溢着兴奋与欢乐而更加动听。她眼前模糊不清，一行行字错乱交叠，但她能背出所读的章

①《新约全书·约翰福音》（第11章，第23～28节）。
②《新约全书·约翰福音》（第11章，第32～37节）。

节。在读到最后一节:“他既然开了瞎子的眼睛,岂不能叫……”的时候,她压低声音,热烈激动地传达出那些不信教的瞎眼犹太人的疑惑、责备和辱骂;可他们刚过一会儿就像遭了雷击似的俯倒在地,号啕大哭,从此信起教来……“他呀,他同样也是瞎子,也是不信教的;他马上也会听到,同样也会信起教来,对,对!马上。”她幻想着,由于兴奋的期待而浑身发抖。

耶稣又心里悲叹,来到坟墓前。那坟墓是个洞,有一块石头挡着。你们把石头挪开。那死人的姐姐马大对他说:主啊!他现在必是臭了,因为他死了已经四天了。[①]

她把“四”[②]字读得特别有力。

耶稣说:我不是对你说过吗,你若信,就必看见上帝的荣耀嘛。他们就把石头挪开。耶稣举目仰望天说:父啊,我感谢你因为你已经听我。我知道,你常听我。但我说这话是为

①《新约全书·约翰福音》(第11章,第38~39节)。

②在陀思妥耶夫斯基自己那本圣经上,“四天”两字被画上了着重线。这里的“四”字,对拉斯柯尔尼科夫当时的处境而言具有某种象征意义,因为当时正是他谋杀了老太婆后的第四天。但是,这里的拉撒路复活的故事,也许还另有深意。在谈到自己服苦役时,他曾在给哥哥的信中写道:“我认为那四年里我是被活埋,被钉入了棺材。”(1854年11月6日)在自传性的作品《死屋手记》的末尾,作者又写道:“自由,新生活,死人的复活……”与拉撒路的死而复生一样的精神复活,也应该发生在拉斯柯尔尼科夫的身上。这段阅读福音书的文字,有可能取代了曾计划写作的“基督显容”一章。“拉撒路复活”的主题在他手稿中不止一次地出现,但大段大段的福音书引文,可能是陀思妥耶夫斯基应《俄国导报》编辑部的要求(《罪与罚》发表在《俄国导报》上,该刊因书中让一妓女读圣经,认为是一种亵渎,要求作者修改)被迫对第9章进行修改时加上去的。——俄编注

周围站着的众人，叫他们信是你差了我来。说了这话，便大声呼叫说：拉撒路出来。那死人就走出来了。

（她高声兴奋地读完，身上一阵寒战，仿佛在亲眼目睹：）

手脚裹着布；脸上包着手巾。耶稣对他们说：解开，叫他走。

那些来看马利亚的犹太人，见了耶稣所做的事，就多有信他的。①

她没再往下读，也无法读下去，就合上书，随即从椅子上站起身来。

"这就是拉撒路复活的故事。"她突然严肃地低声说。她一动不动地呆立着，脸扭向一旁，不敢而又像不好意思地抬眼望他，全身仍如发寒热似的不停地哆嗦。插在那个歪斜烛台上的残烛已快熄灭，暗淡地照着陋室里一个杀人犯和一个卖淫女，他们奇怪地凑在一起读这本永远的书②。这样过了五分钟，或许更久些。

"我是来说一件事的。"拉斯柯尔尼科夫忽然皱起眉头大声说，并站起来走到索尼娅的跟前。她默默地抬起眼看他。他的目光特别严肃，流露出某种疯狂的决心。

"今天我丢开了自己的亲人，"他说，"我的母亲和妹妹。现在我再也不去她们那儿了。我与她们断绝了一切关系。"

"为什么？"呆若木鸡的索尼娅问道。不久前与他的母亲和妹

①《新约全书·约翰福音》(第11章，第40～45节)。

②《新约全书·启示录》(第14章，第6节)："……有永远的福音要传给住在地上的人……""永远的书"当指此。

妹的见面，给她留下了非常深刻的印象，尽管她自己也说不清楚这是怎样的印象。听到断绝关系的话，她几乎惊骇万分。

“现在我只有你一个人了，”他补充了一句，“让我们一起走吧……我是来找你的。我们都是该诅咒的人，我们一起走吧！”

他两眼熠熠发光。“他像个疯子！”——这回轮到索尼娅这么想了。

“去哪儿？”她吃惊地问道，不由得向后退去。

“我怎么知道？我只知道，我们走的是同一条路；我准确知道的，只有这一点。有一个共同的目标！”

她望着他，什么也没听懂。她只是意识到，他非常不幸，极其不幸。

“你要对他们说，他们之中谁也无法理解，”他接着往下说，“可我明白了。我需要你，因此我才来找你。”

“我不明白……”索尼娅喃喃地说。

“你以后会明白的，难道你不是也这样做了？你同样出了格……居然走了这一步。你是在自杀，你害了一个生命……自己的生命(这反正都一样)。你本可以依靠精神和理智过活，而后死在干草市场……但你无法忍受下去。倘若剩下你孤身一人，你会像我一样发疯的。现在你就已经像个疯子了。所以我们应该一起走，走同一条路！让我们走吧！”

“为什么？为什么您要这样！”索尼娅说道。他的这番话使她感到莫名其妙，又令她激动不安。

“为什么？因为不能再这样下去了，这就是为什么！最终应该是认真地、毫不回避地考虑一下，而不是孩子似的大哭大叫，说什么上帝是不会允许的！假如明天你真的被送进医院，那怎么办呢？她已是精神失常，又患肺病，很快就会死去，那孩子们呢？难道波列奇卡不会被毁掉吗？难道你在这里没有看见过被母亲打发去街头行乞的孩子们吗？我知道这些母亲住在什么地方，过着怎样的生活。那儿的孩子不可能还是天真烂漫的孩子。那里七岁的孩子已经堕落，成了小偷。要知道，孩子——是基督的形象：‘因为在天国的正是这样的人’[①]。他吩咐尊重他们，热爱他们，他们是未来的人类……”

“那怎么办，那怎么办呢？”索尼娅歇斯底里地哭着，绞动双手，一遍又一遍地说。

“怎么办？该摧毁的就摧毁，完全彻底，只能这样；由自己承担起痛苦！什么？听不懂？以后你会懂的……要有自由和权利，而主要是权利！支配一切怯懦的生灵，支配全部蚂蚁窝[②]的权利！……这就是目的！记住这一点！这是我给你的临别赠言！或许这是我最后一次和你谈话。如果我明天不来，你自己会听说一切的，那时你想一想我现在说的这些话。而以后，过上几年，现实生活可能会让你明白这番话的意思。如果我明天来了，那我要告诉你，是谁杀了丽莎维塔。再见！”

---

①《新约全书·马太福音》(第19章，第14节)。

②作者不同意空想社会主义者的未来社会理想，故以“蚂蚁窝”象征这种理想的民众生活。同一象征说法又见《冬天记的夏天印象》。莱辛、伏尔泰都曾用“蚂蚁窝”来形容民众的生活，法国作家诺迪耶(1780—1844)在其小说《让·斯波加尔》(1818)也重复过这一说法，在《罪与罚》的写作笔记中，陀思妥耶夫斯基两次提起诺迪耶那部小说的主人公。19世纪60年代，在陀思妥耶夫斯基的文章中，在他与车尔尼雪夫斯基、萨尔蒂科夫-谢德林的论战中，他常常使用“蚂蚁窝”这个形象的说法。——俄编注

索尼娅吓得全身震颤了一下。

“难道您知道谁是凶手?”她问道,一下子觉着浑身冰凉,惊异地望着他。

“我知道,而且会告诉——你,你一个人!我选中了你。我再来不是向你乞求宽恕,我只是来告诉你。我早已选中了你,要把这件事告诉你。还在你的父亲谈起你的时候,还在丽莎维塔活着的时候,我就这样想过。再见。不必握手。明天见!”

他走了出去。索尼娅像望着一个疯子似的望着他,而她自己也像个精神失常的人,对此她也有所感觉。她头昏脑涨。“天哪,他怎么会知道谁杀害了丽莎维塔?这些话是什么意思呀?这太可怕啦!”但这时她脑子里并没那想法。“决不会!决不会!……啊,他一定是太不幸啦!……”他丢开了自己的母亲和妹妹。为什么?出了什么事啦?他打算干什么?他为什么要对她说这些话?他吻了她的脚,并说……说(是的,他清清楚楚地说了这句话),他没有她已经无法生活了……啊,天哪!

索尼娅整夜都处在病态的狂热和谵妄之中。她有时跳起来,痛哭着绞手;有时又陷入狂热的梦境,她梦见了波列奇卡、卡捷琳娜·伊凡诺芙娜、丽莎维塔,梦见了读圣经时的情景,还梦见了他……他,他那张苍白的脸,那双熠熠发光的眼睛……他吻着她的脚哭泣着……啊,天哪!

右面的门后,就是把索尼娅房间与格尔特鲁达·卡尔洛芙娜·列斯丽赫房间隔开的那扇门后,有一个隔间,属于列斯丽赫太太住宅的一部分,这间屋很早就空着,正准备单独出租;大门上已挂了招租牌子,临河的玻璃窗上也贴着招租的纸条。索尼娅早已习惯地以为这个房间是空闲无人居住的。然而，就在整个这段时间里，斯维德里盖洛夫先生却一直站在这空房门旁，窃听他们的谈话。拉斯柯尔尼科夫走了以后，他还站着，思索了一下，然后踮着脚回到了那间空房隔壁的自己的房间，搬来一把椅子，悄悄放在通往索尼娅房间的那扇门旁。他觉得这场谈话很有趣，很重要；他非常、非常感兴趣，甚至搬来一把椅子，以便今后，比如说明天，就不必受累站上一个小时，而能完全舒舒服服地享受偷听的乐趣了。

第五章

第二天上午十一点整，拉斯柯尔尼科夫来到×分局的侦查科，求见波尔菲里·彼得罗维奇。他甚至奇怪为什么让他等了这么久的时间：过了至少十分钟才叫他进去。他还以为会被立刻抓起来呢。可他站在接待室里时，人们就从他身旁来来往往，显然都同他无关。在隔壁一个像办公室的房间里，有几个录事正坐着抄写东西，显然，谁也不知道拉斯柯尔尼科夫是谁，是干什么的。他以不安和怀疑的目光打量着自己的周围，暗中察看是否有某个卫兵和某种神秘的目光在监视他，防备他逃走，却根本没有这种迹象，他看见的只是一些关心办公琐事的面孔，还有几个人，全同他毫无关系，他完全可以自由行动。他越来越相信，倘若昨天那个神秘的家伙，那个从地下冒出来的幽灵，真的什么都知道，什么都看见的话，那么难道他们会让他，拉斯柯尔尼科夫，现在就这样站着，就这样安静地等着？难道他们会在这里等他到十一点，等着他来自投罗网？可见，或者这个人还没告发什么，或者……或者他本就一无所知,什么也没看到(他怎么能看见呢),因此昨天发生在他拉斯柯尔尼科夫身上的一切,又是一种幻觉,被他那愤懑和病态的想象给夸大了。甚至就是在昨天处于惊恐和绝望之中的时候,他已开始产生了这种揣测。现在他把一切缜密地思考之后,准备进行一场新的抗争,这时他感到自己身子突然颤抖起来。一想到是由于害怕可恨的波尔菲里·彼得罗维奇才浑身发抖,他不由得怒火中烧。对他来说,最可怕的就是同这个人再次接触,因为他极度愤恨此人,恨得无以复加,他甚至害怕自己会一怒之下露出马脚。可气恼一来,身子却立即不再发抖了。他准备以一副冷静而粗鲁的样子走进去,决心尽可能少说话,多观察,多听,这一次不管怎样至少要克服自己那种病态易怒的个性。就在这时,有人叫他去见波尔菲里·彼得罗维奇。

原来波尔菲里·彼得罗维奇此刻是独自一人在办公室。这办公室不大也不小,里面放着的东西有:漆布沙发前面一张大写字台,一张办公桌,角落里一个书橱和几把椅子,全是公家的家具,用抛光的黄色木头制成。后墙角或者最好说是在间壁上,有一扇上了锁的门。间壁后面看来一定还有几间房子。拉斯柯尔尼科夫走进屋子后,波尔菲里·彼得罗维奇随即把他身后的门掩上,于是房间里只剩下他们两人。他看起来是非常愉快热情地接待自己的客人,只是在几分钟以后,拉斯柯尔尼科夫才根据一些迹象发现,他似乎有点儿发窘,好像被打了个措手不及,或者突然被人发现了某种隐秘。

"啊,老兄!看您……也到我们这个地方来了……"波尔菲里向他伸出双手,开口说道,"请坐吧,老弟!您大概不喜欢人家称您为老兄和老弟，就是tout court[1]？别以为我是套近乎……坐这儿吧，坐到沙发上。”

拉斯柯尔尼科夫坐了下来，眼睛一直望着他。

说“到我们这个地方来了”，因为亲热而向人道歉，说出法语“tout court”等等，——所有这些迹象都是很说明问题的。“他向我伸出了双手，却一只手也没有同我握，马上缩了回去。”他疑惑地思忖着。他俩彼此观察着，但当目光相遇时，又都闪电般把视线移开。

“我把申请书给您拿来了……关于手表的申请书……给您。这样写行吗，要不要我重新写？”

“什么？申请书？对，对……别担心，就是这样写。”波尔菲里·彼得罗维奇说，仿佛忙着要去干什么；他说完才接过申请书，看了起来。“对，就是这么写的。不用再写了。”他同样急速地又肯定了一次，把申请书放到了写字台上。后来，过了一会儿谈别的话题时，他又从写字台上拿起申请书，放在了自己跟前的办公桌上。

“您昨天好像说过，想问我……按照手续……同那个……死者相识的情况？”拉斯柯尔尼科夫刚又开口，脑里闪过一个想法：“为什么我要说好像？”接着又闪过一个念头：“为什么我用了好像这个词，就这么心神不安呢？”

他突然察觉到，刚与波尔菲里接触，只同他说了两句话，仅仅瞥了他两眼，自己便疑心大增……这非常危险，因为神经会越来越紧张，情绪也越来越激动。“糟糕！糟糕！……又要说多了。”

①法文：亲热。

“对——对——对！别担心！别着急，别着急。”波尔菲里·彼得罗维奇嘟哝着，在写字台旁走来走去，但好像漫无目的，一会儿走到窗口，一会儿走到书桌旁，一会儿又走向写字台，一会儿避开拉斯柯尔尼科夫那怀疑的目光，一会儿又冷不丁地站住，直愣愣地瞅着他。这时，他那矮小肥胖的滚圆身躯显得非常古怪，活像滚动着被墙壁或角落弹回来的皮球。

“来得及，来得及！……您抽烟吗？您有烟吗？请，来支烟……”他递给客人一支纸烟，继续往下说，“您知道吗，我在这儿接待您，而我的住宅也在这儿，在这间壁的后面……是公家的房子。我现在暂时住在别处。这里需要改造一下。现在眼看要完工了……有公家的房子嘛，您知道，是很不错的事。您看呢？”

“是很不错。”拉斯柯尔尼科夫回答道，差不多讥讽地望着他。

“很不错的事，很不错的事……”波尔菲里·彼得罗维奇一遍又一遍地说着，好像突然想到另一件毫不相干的事。“对的！是很不错的事！”最后，他几乎大叫起来，忽然朝拉斯柯尔尼科夫瞥了一眼，在离后者两步远的地方停住了脚步。这样愚笨地反复唠叨有公房是很不错的事，实在过于庸俗，与他此刻投向客人的那严肃、深邃而神秘的目光实在太不协调。

这却更使拉斯柯尔尼科夫怒火中烧。他再也忍不住，不能不以嘲讽的相当危险的挑战来回击。

“您知道吗，”他突然开口问道，几乎无所畏惧地瞧着他，似乎从自己的无畏中感到乐趣，“司法上好像有这样一种方法，有这样一种刑侦手段，对所有的侦探都适用：从远处入手，从微不足道的小事开始，或者甚至是从重大的却毫不相干的事开始，可以说是为了鼓励，或者最好说是为了分散受审者的注意力，麻痹他的警觉性，然后突如其来地提出最致命的、最危险的问题，让他措手不及；是这样的吧？大概迄今为止，所有的手册教程里都还推崇这一手法？”

“是的，是的……那么您认为，我是用公家住房这个话题来对付您……是吗？”说完这话，波尔菲里·彼得罗维奇微眯双眼，朝他挤了挤。他脸上掠过某种愉快而狡黠的神情，额头上的皱纹舒展开来，小眼睛变得细长，整个面庞也拉长了。冷不丁地他发出一阵神经质的、持续不断的大笑，笑得全身晃动，两眼直盯着拉斯柯尔尼科夫。拉斯柯尔尼科夫也强迫自己露出笑容。可是波尔菲里一发现他也要笑，就笑得更厉害，以至满脸通红。这时拉斯柯尔尼科夫的厌恶感突然完全压过了他的谨慎：他收起笑容，皱起眉头，久久地愤然盯着波尔菲里，看后者好像故意不停地长时间大笑。其实，双方显然都很不谨慎：波尔菲里·彼得罗维奇似乎在当面嘲笑自己这位客人，因为他的客人极度憎恨这笑声，而他对此却毫不在乎。这一点对拉斯柯尔尼科夫来说尤为重要：他心里明白了，波尔菲里·彼得罗维奇刚才也根本没有感到局促不安，反而多半是他，拉斯柯尔尼科夫自己落入了圈套。这里显然有着他不知道的情况，有着某种目的；或许此时已经做好了准备，马上就会亮底，就会出击……

他立刻回到正题上，站起来拿了帽子。

“波尔菲里·彼得罗维奇，”他口气坚决地开始说，但带着相当大的怒气，“您昨天希望我来接受讯问（他特别强调讯问这个词)。我来了,如果您要讯问,那就请问吧,否则就让我走。我没有时间,我有事……我得去参加一个被马踩死的官吏的葬礼,这人您……同样也知道……”他添上了一句,随即又因添上这句话而恼火,便更加愤怒。“我讨厌这一切,听见了吗,早就讨厌了……这也是我生病的一个原因……总之,”由于感到谈什么疾病尤其不妥,他气得几乎大喊起来,“总之,请您要么立刻讯问我,要么立刻让我走……如果讯问,那一定要按照规章办!否则我是不答应的。所以我们暂时分手吧,因为现在只我们两个人什么也干不了。”

“天哪!您这是怎么啦!讯问您什么呀,”波尔菲里·彼得罗维奇立刻改变语气和神态,马上停止了笑声,像老母鸡咕咕叫了起来,“请别担心,”他又忙碌起来,来回走动,时而又关切地请拉斯柯尔尼科夫就座,“别着急,别着急,不过是小事一桩!其实我很高兴,您终于到我们这儿来了……我是把您当客人接待的。您,罗季昂·罗曼诺维奇老弟,原谅我那可恶的笑声吧。是罗季昂·罗曼诺维奇吧?您的父称是这样吧?……我是个神经质的人,您那俏皮的说法逗得我大笑。真的,有时我会像橡皮似的浑身颤抖着笑上半个时辰……我爱笑。就我的体质而言,我甚至害怕得了瘫痪病。请坐呀,您怎么啦?……请坐吧,老弟,要不然我以为您在生气呢……”

拉斯柯尔尼科夫一声不吭地听着,观察着,仍然愤愤地皱着眉头。不过他还是坐了下来,只是手里仍然拿着帽子。

“我给您讲一讲,罗季昂·罗曼诺维奇老弟,我自己的一个情况,也可以说是解释一下我的性格。”波尔菲里·彼得罗维奇在屋里走动着接着往下说，他好像仍然避而不看客人的眼睛。“您知道，我是个单身汉，又不善钻营，没有名望，况且还是仕途封顶，没有奔头的人，一生也不过是粒发不了芽的种子，而且……而且……而且，您是否注意到了，罗季昂·罗曼诺维奇，在我们这儿，也就是在我们俄国，尤其是在我们彼得堡的社会中，如果两个有头脑的人彼此还不太熟悉却是相互尊重的，就像我们两人现在这样，要是相遇在一起，就能半个小时都找不到话题，僵坐着面面相觑。话题人人都有，例如太太们……例如上流社会的人士总是有话可谈，cést de rigueur[①]。可像我们这样的中等阶层却都扭扭捏捏，不善言谈……我是说有思想的人。这是怎么回事呢，老弟？是没有共同的兴趣，或者我们都太诚实，不愿意相互欺骗，我说不上。您是怎么看的呢？请把帽子放下吧，您好像打算立刻就走似的，说实在的，我看了很不舒服……我其实很高兴……”

拉斯柯尔尼科夫放下帽子，仍然一声不吭，神情严峻，紧锁双眉，仔细听着波尔菲里这番空洞而语无伦次的废话。“他真的要用这种愚蠢的废话来分散我的注意力吗？”

“我不请您喝咖啡了，这儿不方便；但为什么不能跟朋友一起坐上五六分钟聊聊天呢，”波尔菲里像炒爆豆似的不停地说，“您知道，所有这些公务……老弟，我这样来回走动，您可别见怪呀。对不起，老弟，我很怕惹恼您，但踱步对我简直必不可少。我一直坐着，所以很高兴能走上五六分钟……我有痔疮……总打算通过体操来治疗；据说有五级文官、四级文官、甚至是三级文官也乐意跳绳。您看，我们这个时代……讲究科学……是吧……至于这里

①法文：就这样开始了。

的公务、讯问和一切手续……瞧，老弟，刚才您自己就提到了讯问……的确是这样，您要知道，罗季昂·罗曼诺维奇老弟，有时这种讯问会把讯问者搞得比被讯问者还要糊涂……老弟，您刚才谈到这一点，完全正确而且精辟（拉斯柯尔尼科夫并没有说过类似的话）。真能给搞糊涂了！真的，真能给搞糊涂了！要说，总是那么一套，像击鼓似的，总是那么一套！现在不是实行改革吗[①]？我们至少会改些名称，嘿嘿嘿！至于我们的刑侦手段也还是如此，正像您刚才精辟地说明的，我非常同意您的看法。您想啊，所有的被告，甚至是最土的乡巴佬，有谁不知道开始会用一些毫不相干的问题来分散他的注意力（这是您的巧妙用词），而后冷不丁地给他当头一棒，让他措手不及，嘿嘿嘿！措手不及，就像您巧妙比喻的那样，嘿嘿！您当真以为我想用房子的话题来……嘿嘿！您真会挖苦人！好啦，我不说这个了！啊，还有，这真是一个话头引出另一个话头，刚才您同样也提到照规章办，您要知道……照规章又能怎样呢！您要知道，规章在许多场合都是无稽之谈。有时你只要像朋友似的谈谈，会有更大的收获。规章任何时候也跑不掉，这个您可以放心。可规章的实质又是什么呢，请问？绝不能用规章来处处束缚侦探。[②]要知道，侦探的工作也可以说是一种自由的艺术，一种独特的艺术，或者说像别的什么艺术……嘿嘿

①指1864年俄国进行的司法改革，当时的报刊上登载了许多关于这项改革的报道及相关文章，陀思妥耶夫斯基主办的《时世》杂志对此也做出过反响（1864年，第3期）。根据这项改革，警察机关的权力受到了一定的限制，审判过程的透明度有所增加。

②根据作者的构思来看，波尔菲里·彼得罗维奇大约属于1865—1866年间出现的那些注重心理分析来办案的新派司法人员。

嘿！……”

波尔菲里·彼得罗维奇歇了口气。他不知疲倦地喋喋不休，一会儿说些毫无意义的东西，一会儿突如其来冒出几句令人费解的话，随即又是废话连篇。他简直就是满屋子乱转，两条胖腿迈得越来越快，眼睛一直瞧着地上，右手放在背后，左手则不停地挥动，做出与他的话毫不相称的种种手势。拉斯柯尔尼科夫突然发现，当他满屋子奔来奔去时，有两次似乎正好停在了门口，只一瞬间，好像在听什么动静……“他是不是在等待什么？”

“您说的确实完全正确。”波尔菲里又开口了，同时愉快地非常善意地望着拉斯柯尔尼科夫(后者却因此浑身一颤，立刻做好了防范的准备)。“您这么俏皮地讽刺司法规章，确实很有道理，嘿嘿！如果让规章捆住手脚，我们这些(当然是一部分)富有深意的心理战手段，就显得极其滑稽，大概也就毫无用处了。是的……我又谈到了规章，您想啊，如果我认定，确切说是我怀疑这个人或那个人是我承办的某个案件中的罪犯……您不是在学法律吗，罗季昂·罗曼诺维奇？”

“是的，我学过……”

“那我给您举个例子，将来可作为参考。不过您别认为我胆敢来教导您；您不是在发表论犯罪的文章嘛！不，我举这个案子，只是作为一个实例。比如说，如果我认为，这个人或那个人是罪犯，那么请问，我干吗要过早地惊动他，尽管我已掌握了他的罪证？有的人我必须尽快地把他抓起来，有的人情况则不同，为什么不先让他在城里溜溜达达呢。嘿嘿！不，我看您没有完全明白我的意思，那么我再给您讲得清楚些：比如说，如果我过早地把他关起来，那我或许会因此给了他某种精神上的支柱，嘿嘿！您在笑（拉斯柯尔尼科夫并没想笑：他端坐着紧咬双唇，灼热的目光紧盯着波尔菲里·彼得罗维奇的双眼）？事情就是这样，尤其是对待某种人，因为人是各种各样的，对付他们全凭经验。您现在会说：那罪证呢。要知道，罪证这东西，老弟，罪证大多数是有利也有弊。我是个侦探嘛，因而很软弱；我承认，我总希望提出的侦查结果，可说像数学那样准确，希望获得的罪证像二二得四那样明白无误，最好是直截了当、无可争辩的证据！要是我抓得不是时候，虽然我已确信他就是罪犯，那我自己也许就失去了进一步揭露他的机会。为什么呢？因为我可以说把他的身份定死了，也可以说从心理上给他下了结论，让他平静下来，这样他就会躲避我，封住自己的口，因为他毕竟心里明白，他已被捕了。据说，在塞瓦斯托波尔，当阿利马河战役[①]结束时，一些聪明人非常担心敌军立即挥师攻城，一举夺取塞瓦斯托波尔。等他们发现敌军愿采取规范的围攻战役，并已开始挖掘第一条堑壕时，就喜出望外，感到放心了：因为要实施规范的围攻战役，战事至少要拖延两个月！您又在笑了，又不相信，是吗？当然，您是对的。您是对的，是的！这只是个别的情形，我同意您的看法；这里举的事件，确实是个别的事件！但与此同时，最善良的罗季昂·罗曼诺维奇，应该注意到：写进书中的一切司法规章和形式所依据的、所衡量的那种普遍性事件，都是虚构的，因为每一件案子，哪怕是每一桩犯罪，只要在

①指1853—1856年克里米亚战争期间，俄军于1854年9月20日在该河畔被英、法、土耳其联军击败的战役。联军此后立即进而围攻塞瓦斯托波尔。

现实中发生了，那就会立即变成了纯粹个别的事件，有时还与先前的事件毫不相像。偶尔也会发生十分滑稽可笑的事情。如果我能让某位先生自由活动，不抓他，也不惊动他，但使他每时每刻都知道，至少使他总在怀疑：我对他的一切、他的全部底细都了如指掌，我在日夜跟踪、密切监视着他。他要是整天疑心重重、胆战心惊，定会被弄得晕头转向，真的要自己前来投案，或许还会干出什么事来，这样就有了二二得四的数学般精确的证据，那可就太好了。那些笨头笨脑的乡巴佬会是这样，而我们这些现代的聪明人，受过一定教育的人，就更是这样了！因此，老弟，了解一个人受过怎样的教育是十分重要的。至于神经、神经，您忘了神经啦！要知道，现在人们的神经都是不太正常，都是脆弱的，易怒的……好动肝火！你看人们的肝火有多盛！我告诉您，有时它深藏着如同矿山一般！我让他在城里自由走动，有什么可担心的呢！就让他，让他暂时去闲逛吧，我明知他是我的掌中之物，他逃不出我的手心！他能往哪儿逃呢，嘿嘿！逃到国外去？波兰人会往国外逃[1]，他不会，况且我在监视，还采取了措施。逃到偏远的地方去？要知道，那儿住着地地道道的、土头土脑的俄国乡巴佬；要知道，受过现代教育的人宁愿坐牢，也不愿同无异于外国人的乡巴佬一起生活，嘿嘿！不过，这些都是闲话，都是表面的现象。什么叫逃跑！这只是外表上的，主要的并不在此。他逃不出我的掌心，不是因为无处可逃，而是因为在心理上摆脱不了我的控制，嘿嘿！这说法很妙呢！按照自然规律他摆脱不了我的控制，即便有地方可逃。您见过蜡烛前的飞蛾吧？嗯，他要一直不停地围着

①沙皇军队镇压波兰人民起义（1863—1864）后，波兰人大批流亡国外。

我转，就像飞蛾围着蜡烛转一样，自由也将不再可爱了，他会整天地冥思苦想，满心狐疑，惶惶不可终日！……不仅如此，他会自己给我提供二二得四那样精确的数学证据，只要我多给他一些喘息的时间……他要不停地在我周围打转，越转圈越小，最后啪的一声落下来，他直接掉进我的嘴巴，我就把他一口吞下去，这可太令人高兴了，嘿嘿嘿！您不相信吗？”

拉斯柯尔尼科夫没有回答，他面色苍白，一动不动坐着，一直紧张地瞧着波尔菲里的脸。

“绝妙的演讲，”他心里思忖着，不禁毛骨悚然，“这甚至已经不是昨天那种猫玩老鼠了。他并非平白无故地向我显示他的才能，不只是……暗示：他干这一行是绝顶聪明！他是别有用心的，那是什么用意呢？啊，别来这个，老兄，你在吓唬我，你在搞诡计！你没有证据，昨天那个人也是虚构的！你不过是想让我惊慌失措，想先激怒我，然后趁机压倒我。你这是胡说，不能得逞，不能得逞，不过他为什么，为什么要给我这样明确的暗示？……是指望压垮我的病态的神经？……不，老兄，别来这个，你不会得逞，尽管你设了什么圈套……好吧，让我们瞧瞧你设下了什么圈套。”

于是，他竭力稳定自己的情绪，准备迎接可怕而莫测的灾难。他不时地想扑上去，立即掐死波尔菲里。还在进门的时候，他就担心自己这么动火。他觉得嘴唇发干，心怦怦直跳，唇上的唾沫都凝固了。但他仍然决定一声不吭，不到时候不开口说话。他心里明白，在他这种处境中这是最好的策略，因为不但他不会说露什么，反而能用缄默来激怒自己的敌人，说不定还能让他泄露出点什么来。至少他期望如此。

“不，我发现您不相信，您仍以为我在对您说些无关紧要的笑话。”波尔菲里接着说道，他兴致越来越高，不停地发出得意的嘿嘿笑声，又一次在屋子里来回踱起步来。“当然啰，您是对的；上帝给我造的这副模样，也只能让人感到滑稽可笑；是个буффон[①]嘛。但是我要对您说，我再重复一遍，您，老弟，罗季昂·罗曼诺维奇，要原谅我这个老头儿，您还年轻，可以说青春年少，因此您像所有的年轻人那样，最看重的是人的智慧。您醉心于头脑的机智游戏和引人入胜的理性推论。这正好像从前奥地利的御前军事会议，例如，据我对战事的理解，他们是在纸上击败了拿破仑，抓住了他，在自己的书斋里做出了巧妙的计划和结论，可最终的结果呢，马克将军率领全军投降[②]，嘿嘿！我看得出，老弟，罗季昂·罗曼诺维奇，您在嘲笑我，一个文职人员怎么总是举些军事史上的例子。没有办法，这是我的嗜好，我喜欢军事，我非常喜欢阅读所有这些战况报告……看不起自己这个行当。要是我在军队服役就好了，真的。也许我成不了拿破仑，但我能当上一名少校，嘿嘿嘿！啊，亲爱的，我现在就把一桩个别案例的详情说给您听：现实和人的天性，我的老兄，是非常重要的，有时甚至会打乱那些深谋远虑的策划！您听听老头儿的话吧，我可不是说着玩的，罗

①这是用俄文字母写出的法语：丑角。

②1805年10月法军围攻奥地利要塞乌尔姆城，奥军马克元帅（1752—1828）率部向拿破仑投降。马克此后曾求见俄军库图佐夫元帅。列·托尔斯泰在《战争与和平》第1卷第2部第3章中写到此事，该章载于《俄国导报》1866年第2期，正好《罪与罚》也在该刊发表，波尔菲里和拉斯柯尔尼科夫谈话的这一段，刊在同年该刊第7期上。

季昂·罗曼诺维奇(说到这,才三十五岁的波尔菲里·彼得罗维奇仿佛真的突然变得老态龙钟:嗓音也变了,不知怎的身子也佝偻了),再说我是个坦率的人……我是不是一个坦率的人呢?您怎么看?恐怕是相当坦率了,连这些情况都白白地告诉您,又不要报酬,嘿嘿!好吧,我接着往下说。我看机智是一种绝妙的东西,可以说是一种天然美,是生活的慰藉,但它可以变出眼花缭乱的魔术,可怜的侦探怎能看得破呢。况且侦探也会沉溺于幻想之中,这是常有的事,因为他毕竟也是个人嘛!可是罪犯的本性救了可怜的侦探。该他倒霉。那种'跨越各种障碍'(您这形容机智而又巧妙),迷恋自己聪明的年轻人,哪里会料到这一点呢。就算他会扯谎,我是指某个人,个别案子,incognito[①],谎的本领相当高明,极其巧妙,眼看胜利在望,就该享受凭聪明得来的果实了,可他——突然啪地摔倒在地!昏倒在最引人注目,最令人难堪的地方。就假设说是有病吧,屋子里有时确实也很憋闷,但不管怎样,不管怎样他让人产生了某种想法!他扯起谎来是天衣无缝,却没有料到天性的力量。这个才难对付呢。有的时候,他醉心于玩弄自己的小聪明,想愚弄怀疑他的人,像演戏似的,脸色故意变白,结果却苍白得太自然了,又太逼真了,以至于再次让人产生了某种想法!尽管头一次那人会受骗上当,但过了一夜就会明白过来,只要他不是个傻瓜。要知道,他会一直如此!他总是先发制人,纠缠一些谁也没问过的事情,喋喋不休地谈论那些其实应该缄口不言的话题,讲些意味深长的东西,嘿嘿!他会亲自跑来,开口问道:为什么这么久还不来抓我?嘿嘿嘿!要知道,这种事也

①拉丁文:一个匿名者。

会发生在最聪明机智的人身上，发生在心理学家和文学家身上！人的天性就是一面镜子，一面最明亮的镜子！照着镜子就可以自我欣赏，就是如此！您的脸色怎么这样苍白呀，罗季昂·罗曼诺维奇，您不觉得憋闷吗，要不要打开一扇窗子？”

“哦，别担心，”拉斯柯尔尼科夫大声嚷道，突然放声大笑起来，“请别费神啦！……”

波尔菲里在他对面站住，等了一会儿，突然也跟着他放声大笑起来。拉斯柯尔尼科夫从沙发上站起来，歇斯底里般的笑声戛然而止。

“波尔菲里·彼得罗维奇！”他大声而清楚地说道，尽管他的双腿在发抖，勉强站稳。“我终于看清了，您断定是我杀害了那个老太婆和她的妹妹丽莎维塔。我得告诉您，所有这些我早听厌了。倘若您认为，您有权合法地跟踪我，那就跟踪吧；有权合法地逮捕我，那就逮捕吧。但我决不允许当面嘲笑我，折磨我。”

他的双唇突然打颤，眼里喷射出怒火，一直压低的声音也响了起来。

“我决不允许！”他猛地大叫道，竭尽全力拍打桌面。“您听到了吗，波尔菲里·彼得罗维奇，我决不允许！”

“哎呀，天哪，怎么又这样啦！”波尔菲里·彼得罗维奇叫道，显得惊恐万分。“老弟！罗季昂·罗曼诺维奇！亲爱的！老兄！您怎么啦？”

“我决不允许！”拉斯柯尔尼科夫又一次嚷道。

“老弟，声音轻点！要知道，他们会听见的，会跑来的！到时候我们该对他们说些什么，想一想！”波尔菲里把脸凑近拉斯柯尔尼科夫的脸，一边惶惶不安地低声说着。

“我决不允许，决不允许！”拉斯柯尔尼科夫机械地重复着，但同样也突然变成悄悄的低语声了。

波尔菲里迅速地转过身，跑去打开窗子。

“应该透透气，换点新鲜空气！您该喝口水，亲爱的，要知道您是发病了！”他正要冲到门口吩咐拿水来，碰巧在角落里发现了一个装着水的细颈玻璃瓶。

“老弟，喝吧，”他拿着玻璃瓶跑到拉斯柯尔尼科夫跟前低声说，“也许会有用的……”波尔菲里的惊慌不安和体贴入微是那么自然，拉斯柯尔尼科夫就不再做声，并极其好奇地打量起他来。不过他没有喝水。

“罗季昂·罗曼诺维奇！亲爱的朋友！您这样会发疯的，请相信我的话！啊！喝些水吧！哪怕喝一点儿也好哇！”

他硬要拉斯柯尔尼科夫拿起那瓶水。拉斯柯尔尼科夫下意识地把瓶子端到了嘴边，但猛醒过来，厌恶地放回桌上。

“对，您的病又发作了！亲爱的朋友，您的旧病复发了，”波尔菲里·彼得罗维奇仍然慌乱，但和善同情地唠叨着，“天哪！您怎么能这样不爱惜自己？德米特里·普罗科菲伊奇昨天也到我这儿来过，我承认，我承认，我这人性情坏，好挖苦人，但人们由此怎么得出了那样的结论呢！……天哪！他昨天来了，在您走后来的，我们一起吃了饭，他谈了许多，我真是束手无策。我想……哎呀，天哪！他是您打发来的吧？请坐呀，老兄，看在基督的分上，请坐下！”

“不，不是我让他来的！但我知道他到您这儿来过，并且也知道他是干什么来的。”拉斯柯尔尼科夫断然回答道。

“您知道?”

“是的,那又怎样呢?”

“老弟,罗季昂·罗曼诺维奇,您的事我哪有不知道的呀!我知道傍晚时您去过出租屋;我知道您拉过门铃,打听过那摊血的事,令工人和两个看门人都莫名其妙。要知道我理解您的心情,那时的心情……可这样一来您会发疯的,真的!您会晕头转向!您怒火中烧,这是正义的愤慨,因为您受了侮辱,起初是命运的捉弄,后来是受了警察的气,于是您东奔西走,可以说是为了叫大家尽快地说出实情,好把事情一下子了结,因为您非常厌恶这些胡说八道和一切怀疑。是不是这样?我猜透了您的心思吧?……只不过您不但把自己搞得晕头转向,把我的拉祖米欣也搞得晕头转向。您自己也知道,他太善良了,禁不起这个。您有病,而他则心善,这病对他是有感染性的……老弟,等您心平气和时,我会告诉您……坐吧,老弟,看在基督的分上!您休息一会儿吧,脸色不好,坐一坐。”

拉斯柯尔尼科夫坐了下来;他不再战栗,但全身开始发热。他惊讶不已,神情紧张地听着波尔菲里·彼得罗维奇讲话,而后者一直显得很担心,在友善地照顾他。不过,对他的这番话,拉斯柯尔尼科夫是一句也不相信,尽管有一种奇怪的很想相信这番话的念头。波尔菲里冷不丁地谈起了出租屋来,这着实让他大吃一惊。“怎么会呢,看来他知道有关那幢房子的事?”他突然思忖道,“而且还亲自讲给我听!”

“是的,在我们案例中有过一件几乎类似的案子,涉及心理的、病态的案子，”波尔菲里迅速地接着往下说，“同样有这样一个人，一口咬定自己杀了人，而且说得很死，结果他自己产生了错觉，列举出事实，描述了案情，把所有的人都给弄糊涂了。为什么呢？原来他本人完全是无意之中与谋杀案有些瓜葛，却只是有些瓜葛。可是当他知道自己给凶犯提供了口实以后，便开始忧心忡忡，胡思乱想，甚至坚信自己就是凶手！最后，拥有中央政府权力的参政院[①]把这个案子审理清楚了，这个可怜人被宣判无罪，送进了福利院。应感谢拥有中央政府权力的参政院！哎——呀——呀！这样怎么行，老弟？要是总这样刺激自己的神经，夜夜去拉门铃，去打听那摊血，那您可要发热病了。要知道，我在办案中可把这种心理研究透了。有时候就弄得一个人很想从窗口或者从钟楼上跳下去，这种念头会很诱人的。拉门铃也是如此……这是一种病态，罗季昂·罗曼诺维奇，这是一种病态！您太轻视自己的病了。您得找一位经验丰富的大夫看看，而您的那个胖子又能干些什么！……您这都是说呓语！所有这一切只是因为您神志不清！……”

刹那间，拉斯柯尔尼科夫觉得周围的一切都旋转起来。

“难道，难道，”他的脑海里飞快地闪过一个念头，“现在他还在说谎吗？不可能，不可能！”他摒弃了这个念头，因为他预感这念头会使他怒火中烧，暴跳如雷，会因此气得发狂。

“这不是神志不清，我非常清醒！”他叫嚷着，同时又竭力想

①俄国1711—1917年间隶属沙皇的最高国家机关，由彼得大帝设立，原为最高立法机关和国家事务的管理机关。从19世纪上半叶起，改为最高司法机关，监督国家机关和有关的活动。后据1864年司法条例规定，是最高审级法院。

识破波尔菲里玩的把戏。“非常清醒，非常清醒！听见了没有？”

“是的，我明白，我听见了！您昨天也说不是神志不清，甚至特别强调没有什么神志不清！您所说的一切，我都能理解！哎呀！……听着，罗季昂·罗曼诺维奇，我的大好人，就拿这样一个情况来说吧。如果您真的犯了罪，或者与这件可恶的案子有牵连，您自己还会坚持说您干这一切时头脑完全清醒，并没有神志不清吗？您还特别强调，一口咬定是这样，这可能吗，这可能吗，请问？据我看，完全相反。要是您觉得自己干了什么，您应该一口咬定当时一定是神志不清啦！不是这样吗？应该是这样吧？”

这句问话听来有一些诡诈的东西。拉斯柯尔尼科夫往沙发背上一靠，避开了向他俯下身子的波尔菲里，一声不吭，用迷惑不解的目光死死地盯着波尔菲里。

“再比如拉祖米欣先生，也就是说他昨天来这儿，是他自己要来的，还是您怂恿他来的？您本该说是他自己要来的，隐瞒起您怂恿他来的事实！可是，您并没有隐瞒事实！您恰恰一口咬定，是您怂恿他来的。”

拉斯柯尔尼科夫可从来没有这样咬定。他的脊背上掠过一阵寒意。

“您一直在说假话。”他慢吞吞地轻声说，撇撇嘴，露出病态的冷笑。“您又想向我显示，您知道我的一切计谋，您预想到了我的一切回答，”他说着，几乎觉得已不再斟酌词句了，“您想吓唬我……或者只是在嘲弄我……”

他说着仍目不转睛地盯着波尔菲里。忽然他的眼中再次冒出怒火。

“您一直在扯谎!”他嚷道,“您自己也清楚地知道,对于一个罪犯来说,最好的掩饰就是尽可能地不要隐瞒那些无须隐瞒的事。我不相信您!”

“您真精明!”波尔菲里嘿嘿地笑了起来,“老弟,您真难对付;您有某种偏执狂。您就是不相信我?但是我告诉您,您已经相信了,至少有点儿相信了,而我要使您百分之百地相信我,因为我真心喜欢您,真心为了您好。”

拉斯柯尔尼科夫的双唇颤抖起来。

“是的,希望您好,我最后还要告诉您,”他接着说道,并轻轻地、友好地抓住拉斯柯尔尼科夫的手臂,“我最后要告诉您,您要注意自己的病。何况,现在Фамилия[①]也来看望您了;您应该替她们想想。您应该让她们安心愉快,可您却让她们担惊受怕……”

“关您什么事?您怎么知道的?您为什么这么感兴趣?可见您在跟踪我,还想让我知道这一点?”

“老弟!我可是从您那儿,从您本人那儿知道这一切的!您没注意到,当您激动时,您会首先向我,向别人吐露出一切。昨天,我从德米特里·普罗科菲伊奇·拉祖米欣先生那儿也同样了解到许多有趣的细节。不,您别打断我的话,我要对您说,您虽然聪明机智,但疑心太重,从而您甚至失去了正确判断事物的能力。比如再拿这个话题来说,关于拉门铃的事。我向您透露了这么重要的情况(要知道,这可是个完完整整的事实),我可是个侦探哪!而您却从中什么也没察觉?倘若我对您哪怕只有一丝怀疑,

①这里是用俄文字母写出的法语:一家人。

我能这么做吗？恰恰相反，我首先应该打消您的疑心，不让您知道我已掌握了这一情况，把您的注意力引开，然后再冷不防地给您当头一棒（就像您描述的那样），让您措手不及。我会说：'啊，先生，晚上十点，几乎将近十一点的时候，您在被害人的屋子里干什么啦？您为什么要去拉门铃，为什么打听那摊血的事？您为什么弄得看门人莫名其妙，叫他们去警察局，找警察局中尉？'我要是对您有一点儿怀疑，那我就应该这么做。我就应该按照章程录下您的口供，进行搜查，大概还会逮捕您……可见，我并不怀疑您，因为我的做法截然不同！而您却不能正确地看待问题，甚至什么也不懂，我再说一遍！"

拉斯柯尔尼科夫不由得浑身一颤，而波尔菲里·彼得罗维奇对此看得清清楚楚。

"您完全在扯谎！"他叫嚷着，"我不知道您的用意，但是您完全在扯谎……您刚才说的不是这个意思，我是不会弄错的.....您扯谎！"

"我扯谎？"波尔菲里接过话头，看来很激动，但仍保持着很快活和嘲笑人的模样，好像并不在乎拉斯柯尔尼科夫先生对他的看法。"我扯谎？……哼，那刚才我是怎样对待您的（我可是个侦探哪），亲自向您暗示，告诉您自我辩护的种种理由，亲自给您归纳了种种心理状态。我说到'有病，神志不清，受了很大的委屈，忧郁症，警察局'等等，不是吗？啊？嘿嘿嘿！尽管如此，其实呀——顺便说一句——所有这些为自己辩护的心理原因、借口和诡辩都是完全站不住脚的，而且也是既有利又有害的。您说'有病，神志不清，幻想，错觉，我忘了'——就算是这样，老弟，可为什么您在病中，在神志不清时会产生这样的幻觉，而不是其他的幻觉呢？不是也可产生其他幻觉吗？不是这样吗？嘿嘿嘿嘿！”

拉斯柯尔尼科夫傲慢而又鄙视地瞅着他。

“总之，”他固执地高声说，一边站起来，稍稍推开波尔菲里，“总之，我想知道：您是认定我毫无嫌疑，还是不这么认为？说吧，波尔菲里·彼得罗维奇，肯定的最终的看法，快点说，马上就说！”

“这真是不胜其烦！哎呀，您可真麻烦哪，”波尔菲里完全是一副十分开心、狡黠却毫不慌张的模样大叫道，“您干吗要知道，您干吗要知道那么多，不是还丝毫没有去麻烦您吗！您可真像个孩子，要把火拿到手里玩！您为什么这样坐立不安？为什么要这样死气白赖地纠缠我们，出于什么原因？嘿嘿！”

“我再对您说一遍，”拉斯柯尔尼科夫愤怒地大叫道，“我不能再忍受了……”

“不能忍受什么？不能忍受情况不明？”波尔菲里打断了他的话。

“别挖苦我！我不愿意……告诉您，我不愿意！……我不能，也不愿意！……听着！听着！”他又挥拳猛击了一下桌子，大叫道。

“声音轻点，轻点！人家会听见的！我认真地告诫您：您得保重自己。我可不是开玩笑！”波尔菲里轻轻地说，但这一次他脸上已经没有先前娘儿们那种又惊慌又宽厚的神色了。相反，他现在是直截了当地下达命令，严厉地紧锁眉头，仿佛一下子戳穿所有的秘密和含糊其辞。不过这种情形只持续了片刻。不知所措的拉斯柯尔尼科夫突然真正感到怒不可遏,但奇怪的是他又一次听从了压低声音的命令,尽管已是火冒三丈。

“我不会让自己受人折磨!”他忽地像刚才那样轻声说道,与此同时他痛苦而愤怒地一下子意识到不能不服从命令,因而更加怒不可遏。“逮捕我吧,搜查我吧,但要按照法律规章办事,不能戏弄我!您不能……”

“别为法律规章担心,”波尔菲里打断了他的话,并带着先前那种狡黠的微笑,甚至仿佛愉快地欣赏着拉斯柯尔尼科夫,“老弟,我现在招待您就像在家里似的,完全是友好的!”

“我不要您的友谊,我唾弃您的友谊!听见了吗?好,我现在拿上帽子就走。如果您打算逮捕我,现在该说了吧?”

他抓起帽子,朝门口走去。

“难道您不想见一个意想不到的人吗?”波尔菲里嘿嘿地笑了起来,又一次抓住他的上臂,把他拦在门口。显而易见,他越来越高兴,越来越诙谐,这使拉斯柯尔尼科夫完全失去了自制力。

“什么意想不到的人?怎么回事?”他问道,猛地收住了脚步,惊慌失措地望着波尔菲里。

“意想不到的人就在这儿,在我的门后面坐着,嘿嘿(他用手指指间壁上通往他那套公房的门)!我上了锁,免得他跑掉。”

“怎么回事?在哪儿?什么事?……”拉斯柯尔尼科夫走到那扇门跟前,想把门打开,可是门锁着。

“门上了锁,这是钥匙!”

他真的从口袋里掏出钥匙,给他看。

“你一直在扯谎!”拉斯柯尔尼科夫再也忍不住了,叫喊起来,“你在扯谎,该死的полишинель!”[①]并且向悄悄朝门口退去却毫无惧色的波尔菲里扑去。

“我心里一切,一切都明白!”他一个箭步地跳到他的跟前,“你在扯谎,你在挑逗我,想让我露出马脚……”

“老弟,您已经全暴露了嘛,罗季昂·罗曼诺维奇。要知道您在狂怒。别嚷啦,要不然我就喊人了!”

“你在扯谎,什么也不会有的! 喊人吧! 你知道我有病,想刺激我,逼我发怒,让我暴露自己,这就是你的目的! 不,你得拿出证据来,我全都明白了! 你没有证据! ……你只有一些糟糕透顶、毫无价值的猜测,扎米托夫那种猜测……你了解我的个性,你想逼我气得发狂,接着突然再叫来什么神父以至见证人[②]来吓唬我,[③]让我不知所措……你在等他们? 是吗? 你在等什么? 他在哪儿? 叫他出来吧!”

“这里哪来什么见证人,老弟! 人也真能胡思乱想! 真要这样也就不能像您所说按什么法律规章办了,而您,亲爱的,并不了解这些……您自己会看到,法律规章也是少不了的! ……”波尔菲里一边嘟哝着,一边倾听着门口的动静。

真的,就在这时,在另一个房间的门口好像响起了喧闹声。

“啊,他们来啦!”拉斯柯尔尼科夫叫了起来,“是你派人叫来的! ……你在等他们! 你策划好了的……好吧,让他们到这儿来

①这是用俄文字母写出的法语:小丑。

②原文为депутат(代表),此处意为“见证人”。

③此处神父、见证人,是指搜查时在场的见证人。

吧：见证人、证人、随便什么人……让他们来吧！我做好准备！做好了准备！……”

然而这时发生了一件奇怪的事，在通常情况下实在是出人意料的事，以至于不管是拉斯柯尔尼科夫还是波尔菲里·彼得罗维奇，都没料到这样的结局。

第六章

后来，在回想这一时刻时，拉斯柯尔尼科夫眼前是这样一种景象。

门后传来的喧闹声忽然加剧，门也开了个缝。

“怎么回事？”波尔菲里·彼得罗维奇懊恼地叫道，“我不是嘱咐过……”

一下子没有人应声，但门外显然有几个人，似乎正在把某人推走。

“那里怎么啦？”波尔菲里·彼得罗维奇不安地又问了一遍。

“把犯人尼古拉带来了。”传来了一个人的声音。

“这不需要！把他带走！等一会儿！……他为什么溜到这儿来啦！真是乱来！”波尔菲里一边叫喊着，一边向门口奔去。

“是他……”又响起那个声音，但戛然而止。

真正的搏斗持续了不到两分钟，接着好像有人突然使劲把另一个人推了一下，随即一个脸色苍白的人大步进了波尔菲里·彼得罗维奇的办公室。

这人的样子初看十分古怪。他两眼直瞪前方，却好像什么都视而不见。他的目光中有着毅然的神情，可脸色却死一般地苍白，像赴刑场似的。他那毫无血色的嘴唇在微微地颤抖。

他还非常年轻，穿着像个平民，中等身材，体格消瘦，留着一个盖儿头，五官端正，但面容显得憔悴。被他猛力推开的人紧跟着他，抢先跑进了房间，并一把抓住了他的肩膀，这是一个押送兵，可尼古拉猛地一抽胳膊，又一次挣脱了。

门口聚集了一些好奇的人，其中有的还竭力想挤进来。上述的一切几乎都是在一瞬间发生的。

“把他带走，还早呢！等着吧，到时候会喊你们的！……为什么提早把他带来？”波尔菲里·彼得罗维奇仿佛被搞得措手不及，极其懊丧地嘟哝着。然而，尼古拉突然跪了下来。

“你这是干什么？”波尔菲里吃惊地叫道。

“我有罪！是我干的！我是个杀人犯！”尼古拉突然开口说道，好像有些喘不过气，但声音还是很响的。

大约有十秒钟，谁也没吭声，仿佛所有的人都被惊呆了，连押送兵也向后退去，不再扑向尼古拉，机械地退到门口，呆呆地站在哪儿。

“怎么回事？”波尔菲里·彼得罗维奇愣了一下，清醒后叫道。

“我……是个杀人犯……”沉默片刻后，尼古拉又说道。

“怎么……你……怎么……你杀了谁？”

显然，波尔菲里·彼得罗维奇感到手足无措。

尼古拉又沉默了一会儿。

“阿廖娜·伊凡诺芙娜和她的妹妹丽莎维塔·伊凡诺芙娜，我……用斧子……砍的。我一时犯浑……”他突然添上了一句，又一次缄口不语了。他仍然跪着。

波尔菲里·彼得罗维奇站了一会儿，像在思索什么，但突然身子一震，挥手让那些围观的人走开。那些人立即就消失不见了，门也被掩上。接着，他瞧了一眼正站在屋角惊愕地望着尼古拉的拉斯柯尔尼科夫，想朝他走去又收住了脚步，再瞧瞧他，便立刻把目光移到了尼古拉的身上，接着又移到拉斯柯尔尼科夫的身上，随后又移到了尼古拉的身上。突然他如同着魔一般冲着尼古拉嚷了起来。

“你这么早给我讲什么疯话？”他几乎恶狠狠地冲着尼古拉吼道，“我还没问你是不是犯浑了呢……你说说，是你杀了人吗？”

“是我杀了人……我招供……”尼古拉说道。

“好哇！你用什么杀的人？”

“斧头。我预先准备好的。”

“好哇，挺痛快！一个人吗？”

尼古拉没有听懂这个问题。

“一个人干的？”

“是的。米杰卡[1]是无罪的，他同这事没关系。”

“别忙着扯上米杰卡！好吗！……”

“你怎么……嗯，当时你怎么跑下楼的？看门人不是遇见你们两个人吗？”

“我是为了不惹人注意……当时……和米杰卡一起下的楼。”

---

①德米特里的小名。

尼古拉好像按照腹稿慌慌张张地回答道。

“啊，没错！”波尔菲里恶狠狠地叫道，“他说的不是实话！”他仿佛自言自语地嘟哝着，突然又看见了拉斯柯尔尼科夫。

他显然全神贯注在尼古拉身上，一时把拉斯柯尔尼科夫给忘了。此时，他忽地清醒过来，甚至感到有些尴尬。

“罗季昂·罗曼诺维奇，老弟！对不起，”他急忙向拉斯柯尔尼科夫奔去，“不能这样，走吧……这儿没您的事……我自己都……您瞧，真是意想不到的事呀！……走吧！……”

于是，他抓住他的胳膊，朝门口指了指。

“您大概没有料到吧？”拉斯柯尔尼科夫说道。他当然还不清楚何以如此，但已经精神大振。

“老弟，您也感到意外嘛。瞧，手都在颤抖呢！嘿嘿！”

“您的手也在颤抖，波尔菲里·彼得罗维奇。”

“我是在颤抖，我真没想到！……”

他们已经站在门口了。波尔菲里迫不及待等着拉斯柯尔尼科夫离去。

“不让我见见那个意想不到的人啦？”拉斯柯尔尼科夫冷不丁地问道。

“还嘴硬呢，可自己牙齿却格格地打架，嘿嘿！您真会讽刺！好吧，再见。”

“我看该是告别了！”

“听天由命，听天由命！”波尔菲里撇着嘴，带着一丝微笑嘟哝着。

拉斯柯尔尼科夫穿过办公室时，发现许多人都目不转睛地望着他。在前室，他在人群中间认出了那幢房子里的两个看门人，那天夜里他曾叫他们来警察局。两人站着，像等着什么。他刚走到楼梯上，突然听到身后又一次传来波尔菲里·彼得罗维奇的声音。他回过头去，看见后者气喘吁吁地追了来。

“就一句话，罗季昂·罗曼诺维奇，别的什么都听天由命吧。只是按照法律规章我还得问您几个问题……就这样，我们还得再见个面，就这样吧。”

波尔菲里微笑着站到他面前。

“就这样吧。”他又补充了一句。

或许他还打算说些什么，但不知为何没有说出口。

“而您，波尔菲里·彼得罗维奇，请原谅我刚才……我有点发火。”拉斯柯尔尼科夫已经完全振作起来，忍不住想做个姿态。

“没什么，没什么……”波尔菲里几乎是愉快地接过话头，“我自己也是……坏脾气，抱歉，抱歉！我们还要见面的。听天由命，说不定还会经常见面，经常见面！……”

“会彼此彻底了解吗？”拉斯柯尔尼科夫接着他的话问道。

“我们会彼此彻底了解的.”波尔菲里附和着说，并眯缝起眼睛郑重地望了他一眼。

“您现在去参加命名日？”

“去参加葬礼。”

“哦，忘了，是去参加葬礼！您要爱惜自己的身体，自己的身体……”

“我却想不出该祝福您什么！”已经开始下楼的拉斯柯尔尼科夫又忽然转身对波尔菲里说，“还是祝您成就更大吧，您瞧，您的职务是颇为滑稽的!"

"为什么是滑稽的?"同样转身要离开的波尔菲里·彼得罗维奇顿时警觉起来。

"那还用说,当这位可怜的尼古拉没有招供时,您一定是用自己那套手法从心理上折磨他、虐待他;您一定是昼夜不停地向他证实:'你是个杀人犯,你是个杀人犯……'如今他供认了,您又开始折磨他:'胡说,你不是杀人犯!你不可能是杀人犯!你说的不是实话!'这样一看,您的职务难道不滑稽可笑吗?"

"嘿嘿嘿!您还是注意到了我刚才对尼古拉说,他讲的'不是实话'?"

"怎么会没注意到呢?"

"嘿嘿!您真是机敏,真是机敏。一切都瞒不过您!真是个地地道道的幽默家!抓到了最可笑之处……嘿嘿!据说作家中只有果戈理达到了这一最高境界,是吗?"

"是的,只有果戈理达到了这一最高境界。"

"是的,只有果戈理……再见,希望下次见面愉快。"

"希望下次见面愉快……"

拉斯柯尔尼科夫径直回家去了。他是那么心慌意乱,一到家便倒在沙发上,呆坐了一刻钟,只是为了休息一下,并清理一下思绪。他不打算再想尼古拉的事,因为他感觉到这事让他大为震惊;他还觉得尼古拉的供词中有某种东西是无法解释的,令人惊讶,此刻他无论如何也弄不明白。不过,尼古拉的招供却是实实在在的事实。他立刻明白了这一事件所产生的后果,因为谎言是不可能不被揭穿的,到那时他们又会来找他。不过在这之前他至少是自由的，一定得为自己做点什么，因为危险是不可避免的。

然而危险有多大呢？情况逐渐地明朗起来。他只是略微回想一下刚才与波尔菲里见面的大致情景，就不禁又一次吓得浑身发抖。当然，他还不知道波尔菲里的全部目的，也不了解他刚才的全部打算。但一部分诡计已经暴露了，他当然比任何人都更明白波尔菲里这一“招”对他说来是多么可怕。只差一点儿，他便可能彻底暴露自己，在事实上暴露。由于了解他性格上的弱点，并一下子就抓住并掌握这一点，波尔菲里的行动尽管过于大胆，但几乎是准确无误的。毫无疑问，刚才拉斯柯尔尼科夫已经过于暴露，但还算没有暴露事实；这仍然只是相对的暴露。然而，果真是这样的吗，他现在对一切的看法果真正确吗？他不会失误吗？今天波尔菲里想要达到怎样的结果呢？今天他是不是确实做了某种准备？做了什么准备？他是不是确实在等待着什么？要不是尼古拉出乎意外地出现，他俩今天会有怎样的结局呢？

波尔菲里几乎施展了自己的全部招数，当然啰，他冒着风险，但还是施展出来了；倘若波尔菲里真的掌握更多的东西，那他一定也会施展出来的（拉斯柯尔尼科夫总觉得是这样）。这个“意想不到的人”是怎么回事呢？难道是一种嘲笑？这是否意味着什么呢？这里是否隐藏着某种证据和确凿的指控？昨天的那个人呢？他跑哪儿去了？今天他在哪儿？如果说波尔菲里掌握着什么有用的东西，那一定与昨天的那个人有关……

他坐在沙发上，垂着脑袋，胳膊肘支在膝盖上，手蒙住脸。他的身体仍然神经质地颤栗着。末了，他站起来拿上帽子，沉思了片刻便朝门口走去。

不知怎的他有一种预感，至少今天他几乎肯定是安全的。突然间，他觉得心头涌出一股喜悦：他想尽快去卡捷琳娜·伊凡诺芙娜那儿。当然，去参加葬礼已经迟了，但还赶得上葬后宴，而且在那里他马上就能见到索尼娅。

他停步想了一下，一丝病态的笑容浮上他的嘴角。

“今天！今天！”他自言自语地重复着，“对，就在今天，应该这样……”

他刚想开门，突然门自己开了。他浑身一颤，赶紧往后闪。门被人慢慢地轻轻推开，门口突然出现一个人影，正是昨天那个从地下钻出的人。

那人站在门槛上，默默地瞧了瞧拉斯柯尔尼科夫，一步跨进屋内。他跟昨天一模一样，同样的身材，同样的衣着，但脸色和眼神却有很大变化：此刻他看上去有点儿愁眉苦脸。他站立了片刻，大口喘着气。这时他只要把手掌往腮帮子上一按，脑袋往旁边一歪，就活像个乡下的婆娘。

“您有什么事？”吓得面无人色的拉斯柯尔尼科夫问道。

那人一声不吭，突然向他几乎深深地一躬到地。至少他右手的一个手指已经触到了地面。

“您怎么啦？”拉斯柯尔尼科夫叫了起来。

“我有罪。”那个人轻声说。

“什么罪？”

“我起过坏念头。”

他俩彼此对视了一下。

“我当时感到很恼火。您来到的时候，可能是喝醉了；您叫看门人去警察局，并打听那摊血。我感到很恼火，因为他们都不理睬您，还把您当做酒鬼。我一恼火，就睡不着觉了。后来记起了您的地址，昨天就来这儿打听……”

“谁来过这儿？”拉斯柯尔尼科夫插嘴问道，随即开始回忆起来。

“就是我，我得罪了您。”

“那么您是那幢房子来的人？”

“是的，我在那儿，当时我同他们一起站在大门口，您忘记了吗？我们一直在那儿干着自己的活计。我们是皮革匠人，小市民，我们把活计带回家做……当时特别地恼火……”

拉斯柯尔尼科夫顿时清晰地回想起前天在大门口的那幕情景。他想起当时那里除看门人还站着几个人，也有女人。他还回想起一个人的声音，主张把他直接送到警察局去。那人的脸他没能记住，甚至现在当面也认不出来，但他记得当时自己甚至搭腔回了他几句，并向他转过脸去……

原来，昨天那场恐惧竟这样就结束了。一想到他真的差点儿被毁了，差点儿为了这点微不足道的小事毁了自己，他不由得不寒而栗，看来，除了租房子和打听那摊血的事，这个人是不可能说出什么的。想必波尔菲里除了知道他神志不清之外（但那是可以做正反两种解释的），同样也没有掌握什么，除了知道他的心态难以捉摸之外，也无法确定什么。可见，倘若不出现更多的证据（不会再出现了。绝不，绝不），那么……那么他们能把他怎样呢？即使逮捕了他，最终又能指控他什么呢？可见，波尔菲里只是现在，只是刚刚才知道有关出租屋的事，而在这之前，他还一无所知。

“是您今天告诉波尔菲里……说我到过那儿吗?”他大声问道,一个突如其来的想法使他惊呆了。

“哪个波尔菲里?”

“探长。”

“是的。那时看门人没去,我就去了。”

“是今天?”

“比您早一点儿。我全都听到了,听到了他是如何折磨您的。”

“在哪儿?听到了什么?什么时候?”

“就在那儿,在他的间壁后面,我一直坐在那儿。”

“怎么?您就是那个意想不到的人?怎么会有这种事?说说吧!”

“我呢,”那个小市民开始说了起来,“看那两个看门人听了我的话后不愿意去,因为他们说太晚了,他说不定还会大发脾气,说当时为什么不来,我感到很恼火,睡不着觉,就开始去打听。我昨天打听到了,今天就去了。第一次去他不在,隔了一个小时,我又去了,他们不让我进去。我第三次再去才让我进去。我向他报告了所有的情况,他就开始在屋子里跑来跑去,用拳头打自己的胸膛,他说:‘你们这些强盗,给我干了些什么?我要知道这个情况,早派警察去抓他了!’接着他跑了出去,叫来一个人,跟他在角落里谈了一会儿;然后他又走到我跟前,开始一边盘问、一边骂人。他狠狠地训斥我;我向他报告了一切情况,并告诉他,您不敢回答我昨天的任何问话,而且您也没有认出我。他就开始在屋子里跑了起来,又不停地捶胸顿足,大发脾气跑来跑去,直到有人通报说您来了。他说:‘好吧,你到间壁后面去坐一会儿,不管你听到什么,都不要动。’然后亲自给我拿来一把椅子,又把我锁了起来。他说:‘我可能有事要问你。’当他们把尼古拉带来以后,您一走,他立即把我放了出来。他说:‘以后我要找你,还有事要问。’……”

“他当着你的面审问了尼古拉?”

“您一走,他就立刻让我走了,然后才开始审问尼古拉。”

那个小市民收住了话头,突然又鞠了一躬,手指都触到了地面。

“请饶恕我对您的诬蔑和对您的恶意吧。”

“上帝会饶恕您的。”拉斯柯尔尼科夫回答道。话音刚落,那个小市民又向他鞠了个躬,但这一回不是一躬到地,只是弯了弯腰,然后慢腾腾转过身,走出了房间。“一切都有利有弊呀,现在一切都有利有弊。”拉斯柯尔尼科夫反复说着,走出了房间。他的精神从没这么振作。

“现在我们还得较量一番呢。”他一边下楼,一边愤愤地冷笑着说。这愤恨是对自己来的,他轻蔑而且羞愧地回想起自己的“胆怯”。

第五部

第一章

在昨晚彼得·彼得罗维奇与杜尼娅和普莉赫里娅·亚历山德罗芙娜进行了一场决定命运的谈话之后,第二天的清晨对彼得·彼得罗维奇起到了令他清醒的作用。尽管他极不情愿,但不得不逐渐承认这件事已成定局,难以挽回;可昨天他还觉得这是海外奇谈,虽已发生却总以为绝不可能。他的自尊心受到打击,如同一条毒蛇整夜在啃噬他的心。彼得·彼得罗维奇一起床便立刻去照镜子,担心一夜间发了黄疸病,不过这方面暂时一切正常。彼得·彼得罗维奇看了看自己那端庄白净、近来微微发福的面庞,一时甚至感到宽慰,完全相信自己能在其他地方找到一位未婚妻,或许是更纯洁的呢。但他随即清醒过来,用力向一旁啐了一口;这一举动却引起他那位年轻朋友,同屋的安德烈·谢苗诺维奇·列别贾特尼科夫的无声嘲笑。彼得·彼得罗维奇发现了这种讥笑,立刻暗自给自己的这位年轻朋友记上了一笔账。最近,他已经记上他的许多老账了。他突然想到,真不该把昨天的结局告诉安德烈·谢苗诺维奇,因此更加怒不可遏。这是他昨天一时冲动,无法自制,盛怒之下犯的第二个错误……而后,这个上午仿佛故意与他作对,令人不快的事情接踵而来。甚至连他去参政院奔走承办的那个案子,也可能败诉。他因为很快要结婚,租了一套房子,并用自己的钱装修了一下,这套房子的房东特别使他恼火:这是个发了大财的德国手艺人,他无论如何也不同意取消刚刚签订的租约,一定要收取租约规定的全部违约金,尽管彼得·彼得罗维奇退还给他的几乎是装修一新的房子。同样,家具店也无论如何不肯退回一点儿定金,尽管他们还没有把家具送来。“难道为了家具,我非结婚不可吗!”彼得·彼得罗维奇咬牙切齿地暗自说道。与此同时那已经破灭了的希望又在他脑际浮现:“难道这一切真的就这样难以挽回,就此了结吗? 难道不能再试试看吗?”一想到杜尼娅,有种诱惑刺痛了他的心。这时他感到非常痛苦。毫无疑问,倘若此刻仅仅用一个愿望就能置拉斯柯尔尼科夫于死地的话,那么彼得·彼得罗维奇会立即说出这个愿望来的。

“此外,我还错在一点儿钱也没有给她们。”他思忖着,忧心忡忡地回到列别贾特尼科夫的斗室。“真见鬼,我为什么这么吝啬呢? 这样做甚至没有一点儿计算! 我本打算先让她们受点儿罪,好使她们把我看做上帝,可她们竟然会这样! ……呸! ……不,如果当时我给上她们一千五百卢布做嫁妆,买礼品、化妆品、梳妆盒、光玉髓、布料,到克诺普公司和英国店[①]里弄些这类东西,那事情就会好办些……会牢靠些! 那现在就不这么容易回绝了! 她

①克诺普是彼得堡涅瓦大街上一家服饰用品商店的老板;英国店指的是小百万街上的一家百货店,主要出售从英国进口的服饰用品。

们是那类人，认为退婚定要归还聘礼和钱财，可退聘礼和钱财是很不容易的，而且会舍不得！再说良心上也过不去，怎么能这样把如此慷慨和体贴的人一下子赶走呢？……唉！这下我栽了！”彼得·彼得罗维奇又一次咬牙切齿地骂自己是个傻瓜，当然是在心里骂的。

由于得出了这个结论，他回到家时要比出门时加倍地气恼。卡捷琳娜·伊凡诺芙娜家里正在准备葬后宴，多少引起了他的一点儿兴趣。他昨天就听说了办葬后宴的事，甚至还记起好像自己也得到了邀请，但由于忙着自己的事，也就没留意这些。他连忙去向莉佩韦泽太太打听。因为卡捷琳娜·伊凡诺芙娜不在家（她去了墓地），莉佩韦泽太太正在摆开的餐桌跟前忙碌着。他从她那儿得知，葬后宴要办得很隆重，几乎邀请了所有的房客，其中有人还不认得死者，甚至请了安德烈·谢苗诺维奇·列别贾特尼科夫，尽管他曾与卡捷琳娜·伊凡诺芙娜吵过架。最后他还了解到，他们不仅邀请了他彼得·彼得罗维奇，而且迫不及待地等候他的光临，因为他几乎是所有房客中最重要的一位客人。阿玛丽娅·伊凡诺芙娜虽说与她有过不愉快，但这次也同样受到盛情邀请，因此她忙碌着操办一切，几乎感到兴高采烈。而且她虽说身着丧服，却穿上了簇新的绸衣，打扮得漂漂亮亮，为此而得意扬扬。所有这些事实和消息使彼得·彼得罗维奇萌生了某种念头。于是他若有所思地回到了自己的房间，也就是回到了安德烈·谢苗诺维奇·列别贾特尼科夫的房间。原来他得知，邀请的宾客中有拉斯柯尔尼科夫。

不知怎的，安德烈·谢苗诺维奇整个上午都坐在家里。对这位先生，彼得·彼得罗维奇的态度有点儿奇怪，其实也是很自然的：彼得·彼得罗维奇几乎从住到他这儿的那天起就瞧不起他，甚至极其憎恶他，但同时又仿佛有点儿惧怕他。他来到彼得堡住在他那儿不全是为了省钱，尽管这几乎是主要的考虑，但也还另有原因。他在外省就听说过去他监护过的安德烈·谢苗诺维奇是个最激进的进步青年，甚至在某些有趣的神秘的小团体里担任着重要角色。这使彼得·彼得罗维奇大为惊讶。这些势力强大、无所不知，蔑视一切并揭露一切的团体，早令彼得·彼得罗维奇感到某种特别的却又茫然的恐惧。当然，他本人身在外省，不可能对这类事有确切的了解，哪怕是大体上清楚。他和其他人一样，听说现在社会上有一些进步分子，虚无主义者，揭露者，等等[①]，其是在彼得堡，但也像许多人那样，把这些名称的含义夸大和歪曲到了荒谬的地步。这几年来他最害怕的就是揭露，也是他一直惊慌不安的主要症结，尤其是梦想转到彼得堡开展业务的时候。在这方面，他可以说是个惊弓之鸟，就像受惊吓的孩子一样。几年前在外省开始创业时，他就遇到了两起事件，无情地揭发了省里几位相当有权势的人物，这些人正是他一直依附的靠山，是他的保护人。一起事件以被揭发者身败名裂而告终；另一起事件又差一点儿引起许多麻烦。这就是为什么彼得·彼得罗维奇决定一到彼得堡便立刻要全面了解情况，如果需要就应该抢先去巴结“我们年轻的一代”，以防万一。在这种情况下，他寄希望于安德烈·谢苗诺维奇，例如拜访拉斯柯尔尼科夫时，他就已从别人那里好歹学

①这里显然是指19世纪60年代俄国的民主主义者、虚无主义者、无政府主义者等。

会了几句流行的词句……

当然，他很快就看透安德烈·谢苗诺维奇是个极其庸俗、头脑简单的人。然而这丝毫没有使彼得·彼得罗维奇感到失望，也丝毫没有使他感到兴奋。即使他确信所有的进步人士都是这样的傻瓜，那么他的担心也不会消除。其实他毫不关心那些学说、思想和体系（这正是安德烈·谢苗诺维奇给他大讲特讲的）。他有自己的目的。他只需要尽快打探清楚：这儿发生过什么事，是怎样发生的？这些人是否有权势？他本人是否有什么可担心的？假如他要做某件事，会不会被人揭发？如果会被揭发，那是为了什么事，而且现在具体说人们要揭发的是什么事情？此外，假如他们当真有势力，能不能设法巴结他们，向他们吹一吹？该不该这样做？比如说，能不能利用他们给自己的前程打点一下呢？总之，他面临着许许多多的问题。①

这个安德烈·谢苗诺维奇瘦弱多病，身材矮小，当过公务员，一头黄发淡得出奇，他为之扬扬得意的络腮胡子，活像烤肉饼。此外他几乎经常害眼病。他的心肠很软，可说起话来却十分自信，有时甚至极其傲慢，这与他的体形一对照，常常显得非常滑稽。不过他在阿玛丽娅·伊凡诺芙娜眼里是个相当可敬的房客，也就是说他不酗酒，也不欠房租。尽管有这些优点，安德烈·谢苗诺维奇的确有点儿傻气。他投靠进步和“我们的年轻一代”是凭一股热情。他属于那些不可胜数的形形色色的酒囊饭袋，浅薄低

①在1866年4月25日致米·尼·卡特科夫的信中，陀思妥耶夫斯基在谈到那些19世纪60年代虚无主义者们时说：“他们中间骗子、恶棍多得不可胜数……可是我多次见到的这些中学生和大学生，都是为了荣誉、为了真理和真正的利益，多么纯真、多么无私地转向虚无主义！”

能，不学无术，又自以为是。他们能很快地趋附最时髦的流行思想，结果却马上把它弄得庸俗不堪，立刻就丑化了他们有时是极其真诚地要效力的事业。

尽管列别贾特尼科夫心地善良，同样也开始忍受不了自己的同屋，过去的监护人彼得·彼得罗维奇。发生这种情况从双方来说既并非有意，又都有责任。尽管安德烈·谢苗诺维奇头脑简单，但渐渐地察觉到彼得·彼得罗维奇当面奉承他，暗地里则鄙视他，感到他“根本不是那样子”。他曾试图给他讲解傅立叶的体系和达尔文的理论，可彼得·彼得罗维奇听起来，特别是近期，开始明显表现出嘲讽的神情，到了最近他甚至开始出言不逊。原因是他本能地看透了，列别贾特尼科夫不仅庸俗傻气，或许还夸夸其谈地胡诌，就连在自己的圈子里可能都没什么重要的关系，只会人云亦云，拾人牙慧。此外，他或许对自己干的事，即宣传事业，也一知半解，因此说话常常前言不搭后语，哪里能成为一个揭露者呢！顺便提一下，在这一个半星期中，彼得·彼得罗维奇很乐意（尤其是在开始时）听安德烈·谢苗诺维奇的夸赞，甚至是些十分奇怪的赞扬。比如说安德烈·谢苗诺维奇夸他准备赞助将来在平民街某处尽快建立一个新“公社”[①]，是称赞他不干涉杜尼娅，哪怕她婚后一个月就找个情人，还称赞他将来不给自己的孩子做洗

①在傅立叶的空想社会主义理论和车尔尼雪夫斯基小说《怎么办?》的影响下，当时彼得堡出现一些由进步青年组成的公社，他们计划先从普通的城市公共宿舍开始，以后逐渐发展为傅立叶的法伦斯泰尔。位于平民中街（今公民街）的这个“公社”，参加者多为受卡拉科佐夫案件牵连坐过牢的人，在卡拉科佐夫案件中有许多虚无主义者被捕。在写作《罪与罚》期间，陀思妥耶夫斯基可能对这个“公社”有所风闻。——俄编注

礼，如此等等，他听着都不加反驳，表示默认。彼得·彼得罗维奇向来不反对给他加上这类美德，甚至让人如此地夸赞自己，可见任何的称赞都会使他心花怒放。

彼得·彼得罗维奇这天上午出于某种原因，兑换了一些五厘债券，此刻正坐在桌旁，清点着一叠叠纸币和公债。而几乎一直缺钱的安德烈·谢苗诺维奇则在屋里走来走去，装出对钱无动于衷、甚至鄙视的样子。彼得·彼得罗维奇无论如何也不相信安德烈·谢苗诺维奇对这些钱真的无动于衷。安德烈·谢苗诺维奇却苦恼地想：彼得·彼得罗维奇真可能对他有这种看法，而且大概巴不得有这个机会用摆在桌上的一叠叠钞票来撩拨和嘲弄自己的年轻朋友，提醒他记住自己是个微不足道的人，在他俩之间存在着很大差别。

这一回，安德烈·谢苗诺维奇在他面前虽然又谈起创建一个新的特别“公社”这个自己津津乐道的话题，却发现彼得·彼得罗维奇极度烦躁，待理不理。彼得·彼得罗维奇一边劈劈啪啪打着算盘，一边简短地表示自己不同的意见，口气中流露出露骨的嘲讽和有意无礼的揶揄。可是，“博爱仁慈”的安德烈·谢苗诺维奇却把彼得·彼得罗维奇的情绪归结于昨天与杜尼娅关系破裂的影响，急切地希望尽快转入这个话题，因为就此他有些进步的思想和宣传的内容可以说说，以便能安慰自己这位可敬的朋友，并且“毫无疑问”会给他未来的发展带来好处。

“这个……寡妇要办什么葬后宴是吗？”当安德烈·谢苗诺维奇谈得正起劲时，彼得·彼得罗维奇冷不丁插嘴问道。

“您怎么不知道，我昨天不是对您谈起过这件事嘛，而且说了我对所有这类仪式的看法……要知道，她也同样邀请了您，我听说了。您昨天亲自同她谈过的……”

“我怎么也没料到，这个一贫如洗的傻女人会把从另一个傻瓜……拉斯柯尔尼科夫那里得到的钱全部花在葬后宴上。刚才我经过那里时，甚至感到不可思议，准备得那么充分，还有酒！……请了不少人，天晓得是些什么人！”彼得·彼得罗维奇接着往下说，仔细地打听起来，好像怀有某种意图故意把话题转到这上面。“什么？您说我也受到了邀请？”他抬起头，突然补充了一句，“什么时候？我可不记得了。其实我不会去。我到那儿干什么呢？我昨天只不过顺便跟她说起，作为官吏的穷困遗孀，她可认领到一年的薪俸，作为一次性补助。她不会是因此邀请我吧？嘿嘿！”

“我也不打算去。”列别贾特尼科夫说。

“那还用说！动手揍过人家。可以理解，不好意思呀，嘿嘿嘿！”

“谁揍过人？揍过谁？”列别贾特尼科夫突然惊慌起来，甚至脸涨得通红。

“是您哪，您揍过卡捷琳娜·伊凡诺芙娜，大约一个月前，不是吗？我可是听说啦，昨天听说的……所谓信念也不过如此！……连妇女问题也搞砸了。嘿嘿嘿！”

说着说着，彼得·彼得罗维奇仿佛得到了安慰，又劈劈啪啪打起了算盘。

“这完全是胡说八道，造谣诽谤！”列别贾特尼科夫大为光火，一提起此事他总感到心里发憷，“根本不是这样的！那是另一码事……您听说的不对，这是诽谤！当时我只是自卫。她自己先张牙舞爪地向我扑来……把我的络腮胡子都要扯掉了……我认为，每个人都有权保护自己。况且我不允许任何人对我施行暴力……这是原则。所以她的举动几乎是横行霸道。那我该怎么办呢？就这么在她面前傻站着？我只不过把她推开了。”

“嘿嘿嘿！”卢仁继续恶意地冷笑着。

“您存心挑起这件事，因为您自己有气，就想发作……这是胡说八道，完完全全与妇女问题无关：您不该这样理解，我甚至想过，如果公认妇女在各方面，甚至在体力上都是与男子平等的（已经有人提出了这一观点），那么在这事上也得平等。当然啰，后来我也认为，实际上不应该这样提出问题，因为打架是不该发生的，而且在未来的社会里打架这种事情是不可思议的……在打架当中寻求什么平等当然是怪事。我没那么蠢……尽管现在还有打架这种事……但以后不会有了，现在还是有的……呸！真见鬼！同您在一起，总要被搞糊涂的！我不去参加葬后宴，并不是因为这件不愉快的事。我只不过按照原则不去参加葬后宴，这是种丑陋的习俗。就是这样！其实，也可以去，但只是去嘲弄一番……不过遗憾的是不会有神父来。否则我一定要去。”

“也就是说，您一边享受人家的款待，一边鄙夷这种吃喝，也鄙视款待您的人。是这样吗？”

“根本不是鄙视，而是抗议。我可用心良苦啊。我能够间接地促进人们进步，促进宣传。每个人都有义务进步，有义务宣传，或许方法越激烈越好。我可以散布观点，播撒种子……种子将生长出实事。我怎么是侮辱他们呢？起初他们会觉得是受到了侮辱，但后来他们自己会发现，我给他们带来了利益。我们的捷列比耶娃曾经遭人指责（如今她在公社里），因为她当时离家出走……投入他人的怀抱，她给父母写了一封信，说不愿在陈规陋习中生活，并且将不按宗教仪式结婚。人们还指责说她这样做对父母是太粗暴了，应该体谅他们，把信写得婉转些。据我看来，这都无所谓，完全不必写得婉转，恰恰相反，这里正该提出抗议。又如瓦莲荻与丈夫共同生活了七年后，抛下两个孩子，斩钉截铁地写信对丈夫说：'我意识到，与您生活在一起我是不会有幸福的。我永远也不会原谅您，因为您欺骗了我，对我隐瞒了原来还存在着像公社这样的一种社会组织。不久前，我从一个心地善良的人那儿得知了一切，并委身于他，与他一起创办公社。我之所以直截了当地把这件事告诉您，是因为我认为欺骗您是不诚实的行为。您随便怎样吧。但别指望我回心转意，您太晚了。祝您幸福。'这类信都是这样写的！"[①]

"这个捷列比耶娃不就是您说起过的那个女人，她已经第三次没按宗教仪式结婚了！"

"认真算起来，总共只有两次！但哪怕是四次，哪怕十五次，那又算得了什么？倘若说我什么时候对父母去世感到过惋惜，那就是现在。我甚至不止一次地想象过，假如他们还活着，我会用抗议弄得他们痛苦不堪！我会存心这样做的……这是因为我成了'嫁出去的女儿'[②]吗？呸！我要让他们瞧瞧！我要让他们大吃一惊！只可惜都去世了！"

①这里是在讽刺性模拟车尔尼雪夫斯基《怎么办?》中的妇女解放思想。

②转义为不再需要照看的人。

“要让他们大吃一惊？嘿嘿！好吧，这随您的便，”彼得·彼得罗维奇插嘴说，“不过请告诉我，您不是认识死者的那个女儿吗，那个瘦弱的女子，人们对她的议论是不是完全属实，啊？”

“这怎么啦？据我看来，也就是说我个人的观点，这正是女人最正常的状况。为什么不是呢？也就是说 distinguons[1]。在现今的社会中，这当然是不很正常的现象，因为这是被迫的，可到未来的社会里，这将是十分正常的状况，因为这是自由的。再说现在她也有这个权利，因为她受了苦，这是她的本钱，也可以说是她可以随意支配的资本。当然，在未来的社会中是不需要什么本钱的，她的作用会表现为另一种含义，受到严格而理智的约束。至于索菲娅·谢苗诺芙娜本人，现在我把她的行为看做是对社会体制坚决而具体的抗议，我为此非常敬重她，甚至很高兴看见她！”[2]

“可我听说，是您把她从这儿，从这幢房子里撵走的！”

列别贾特尼科夫简直暴跳如雷了。

“这又是一个诽谤！”他大叫起来，“事情完完全全不是这样！不是这么回事！这完全是卡捷琳娜·伊凡诺芙娜的诽谤，因为她根本不了解！我从没有追求过索菲娅·谢苗诺芙娜！我只不过想培养她，完全是无私的，努力激发她内心的反抗精神……我需要的只是反抗精神，是索菲娅·谢苗诺芙娜自己在这里住不下去了！”

“是让她去公社吗？”

---

①法文：我们要加以区别。

②这里是讽刺俄国19世纪60年代无政府主义者涅恰耶夫以及巴格宁要废除婚姻制度的论点。

“您总是开玩笑，又很不得体，我不能不告诉您这一点。您根本不理解！公社里是没有这种角色的。建立公社就是为了这种角色不再存在。在公社里，这种角色将改变自己今天的全部本质，如果在这里是愚蠢的，到那里就会变得聪明，如果在当前的环境中是不自然的，到那里就会变得非常自然。一切都取决于一个人处在怎样的环境和怎样的氛围之中。一切都由环境而定，人本身则是无足轻重的。[①]我到现在与索菲娅·谢苗诺芙娜都是和睦相处，这可以向您证明，她从未把我当做敌人和欺负她的人。是的！现在我正在吸引她加入公社，但这完完全全是建立在别的基础上！您笑什么？我们想创办自己的公社，特别的公社，只是基础要比先前更加宽广。我们在信念上更向前进了。我们否定得更多！[②]倘若杜勃罗留波夫从坟墓里爬出来，那我得跟他好好辩论辩论；把别林斯基更要甩得远远的！[③]眼下我在继续启发培养索菲娅·谢苗诺芙娜。这是一个非常好非常好的人！

“嗯，那您也就正好利用这个非常好的人，啊？嘿嘿！”

“不，不！哦，不！恰恰相反！”

“哼！恰恰相反！嘿嘿嘿！那才怪呢！”

“您要相信我！您说，我何必要对您隐瞒呢？恰恰相反，甚至连我自己都觉得奇怪：她和我在一起时，不知怎的那么紧张，那么

①这里与上文一样都是反对当时俄国革命民主主义者机械地解释“环境决定一切”的论点。

②这里是断言：当时的虚无主义者否定一切，把杜勃罗留波夫等人的见解推向极限。

③杜勃罗留波夫（1836—1861）是俄国文艺批评家、政论家、革命民主主义者；别林斯基（1811—1848）是俄国文学批评家、政论家、革命民主主义者、唯物主义哲学家。

胆怯，显得纯洁而且腼腆。”

“您当然要启发培养她啦……嘿嘿！您是不是在向她证明，所有的羞耻都是无稽之谈？……”

“根本不是这样！根本不是这样！啊，您对启发培养的理解是多么粗俗，甚至是多么愚昧呀，请您原谅我的用词！您什么也不懂！啊，天哪，您还……还没达到这个程度！我们在寻求妇女的自由，而您脑子里只有那一个念头……我完全不谈妇女贞操和羞耻心的问题，因为这问题本身毫无价值，甚至含有偏见，但我完全认可她与我保持纯洁的关系，因为这是她的愿望和权利。当然，假如她亲口对我说：‘我想拥有你。’那么我会把这看做是自己的极大成功，因为我非常喜欢这个姑娘，但是现在，至少是现在，当然我对她比任何人任何时候都更有礼貌，更尊重她的人格……我等待着，期望着，仅此而已！”

“您最好送她点什么。我敢打赌，您都没想到吧。”

“我说过了，您根本什——么都不了解！她的处境当然是明摆着的，但这里有另一个问题！一个完全不同的问题！您只是鄙视她。当您看到一件事，误以为是应该鄙视的，就拒绝用人道的眼光去发现这事的本质。您还不知道她是怎样的一个人！我只是非常遗憾，最近她不知为何不再读书了，也不再向我借书。以前她常常向我借书。同样可惜的是，她虽然有反抗的毅力和决心，这一点她已经证实了，但似乎还缺乏独立精神，缺乏否定精神，以便能彻底摆脱一些偏见和……愚昧。尽管如此，她能十分清楚地理解某些问题。比如说，她深刻地理解了吻手的问题，也就是说，如果男人吻女人的手，那么男人就是用不平等侮辱了女人。[①]这个问题我们那里辩论过，我立即向她做了转述。她同样认真地听了有关法国工人协会的事。现在，我正向她解释在未来的社会里人们可以随意走进别人房间的问题。”

“这又是怎么回事？”

“最近我们讨论了这样一个问题：公社社员是否有权利进入其他社员的房间，不管男的或女的房间，也不管在什么时候……结果做出了决定，有权利……”[②]

“那好，他或者她这时正在忙着解手的事，那该怎么办，嘿嘿！”

安德烈·谢苗诺维奇甚至要发火了。

“您总是惦着这种事，这种可恶的‘解手’！”他愤愤地喊道，“呸！我真够恼火，真够懊丧，讲解一种制度时过早地向您提到了可恶的解手！真见鬼！对你们这种人来说，这成了一种障碍，尤其是还未弄清楚是怎么回事，就把它当做笑料来谈了！仿佛他们是正确的！仿佛他们有什么东西可以自豪！呸！我不止一次地说过，只有到最后，等新加入者坚信这一制度，变得成熟，而目标明确时，才有可能向他讲清整个问题。请告诉我，就说污水坑吧，您在里面能找到什么可耻可鄙的东西呢？而我，我准备第一个去

①这里实际是讽刺地引述车尔尼雪夫斯基的《怎么办?》中薇拉·巴夫洛芙娜的一句话。她说：男人不必吻妇女的手，这对妇女是一种侮辱（第2章，第18节）。

②这里列别贾特尼科夫是夸大甚至是歪曲了《怎么办?》中的一个思想。小说中说：“我们将有两个房间，你的和我的，还有第三个房间，我们将在其中饮茶、吃饭、接待客人……”彼此不进入别人的房间，以免对方讨厌（第2章，第18节）。

清除任何污水坑！这里甚至不需要什么自我牺牲！[①]这只不过是一项工作，一项高尚的、有益于社会的活动，它能与其他一切活动相媲美，并且要比任何一个拉斐尔或者普希金的活动更为重要，因为它更加有益！”[②]

“更加高尚，更加高尚，嘿嘿！”

“什么叫‘更加高尚’？用这种词汇来界定人类的活动，我不明白是什么含义。‘更加高尚’‘更加慷慨’——这些都是胡扯，都是无稽之谈，都是旧时的成见，我一概否定！一切对人类有益的，就是高尚的；我只懂得一个词：有益！[③]随您怎么嘿嘿笑，事实就是如此！”

彼得·彼得罗维奇的笑声不止。他已经数完钱，收了起来。但是，不知为什么桌上还留有一些钱。这个“污水坑问题”虽说俗

①这里隐射和讥讽谢德林在《我们的社会生活》(1864)一文中的见解。

②这话反映了当时知识界中一种反对所谓纯科学、纯艺术，一味主张功利实用的观点。作者让人物以简单可笑的方式表述出来，显然意在讽刺。俄国民主主义批评家扎伊采夫、皮萨列夫等人曾在《俄国言论》杂志上发表文章，反对“纯艺术”，要求艺术必须对社会具有实际的益处；批评家H.索洛维约夫曾撰文《丑陋之理论》《没有繁殖能力的繁殖力》和《不协之音》等，嘲笑那种理论是在说明“一双靴子要胜过普希金”。索洛维约夫的第一篇文章就发表在陀思妥耶夫斯基主办的《时世》杂志上(1864年，第7期)，而且，编者还加了一句按语，称文章作者的“基本思想与我完全一致”。——俄编注

①与上文一样，同样是对皮萨列夫的“有益论”的嘲讽，可能也同时嘲讽了车尔尼雪夫斯基，后者在他的《哲学中的人本主义原理》(1860)中写道：“只有对人有益的东西，才能被视为真正的善。”关于“有益论”，革命民主主义批评家们也有其理解，皮萨列夫在《现实主义者》(1864)一文中写道：“我们绝对不会对一位诗人说：‘去缝靴子吧。’也不会去对一位历史学家说：‘去烤馅饼吧。’但是，我们无疑要求，一个诗人就要像一个诗人那样，一位历史学家就要像一位历史学家那样，各自都要在自己的专业领域中给社会带来真正的益处。”——俄编注

不可耐，却不止一次引起彼得·彼得罗维奇和他年轻朋友的不和，闹翻了脸。可笑的是，安德烈·谢苗诺维奇当真生起气来。卢仁却拿这事来开心，此刻他特别想激怒列别贾特尼科夫。

“您是昨晚碰了钉子才这么有气，故意找碴儿。”列别贾特尼科夫终于按捺不住，脱口而出。一般来说，他尽管讲“独立自主”和“反抗精神”，却不敢反对彼得·彼得罗维奇，在他面前仍然保持多年沿袭下来的某种习惯性的恭敬态度。

“您最好还是告诉我，”彼得·彼得罗维奇傲慢而又不悦地打断他的话，“您是否能够……或者最好说：您是否真的与刚才提到的那位年轻女子关系十分密切，能请她马上到这间屋子里来一下？他们好像已经都从墓地回来了……我听见了上楼的脚步声……我需要见一见，见见这个女子。”

“您为什么要见她呢！”列别贾特尼科夫惊奇地问道。

“哦，我有事，这两天我就离开这里，因此我想告诉她……其实，我们谈话时您可以留在这里。这样甚至更好些。要不然，天晓得您会怎么想？”

“我什么也不会想……我只不过问问而已。要是您有事，把她叫来那还不简单。我这就去。请您相信，我不会妨碍你们的。”

的确，大约过了五分钟，列别贾特尼科夫带着索涅奇卡回来了。她十分惊奇，像往常一样怯生生地走进了房间。碰到这种情况，她向来感到羞怯，害怕见到新的面孔和结识新的人，她从小就非常胆小，现在则更加害怕了……彼得·彼得罗维奇接待她是“温和而彬彬有礼的”，不过还带点快活、亲昵的味道。彼得·彼得罗维奇觉得，像他这样受人尊重又有身份的男子，用这种态度对待这种在某种意义上说有味的妙龄女郎，是很得体的。他赶快帮她"壮胆"，请她在自己对面的桌旁坐下。索尼娅坐了下来，朝四周打量，看看列别贾特尼科夫，看看放在桌上的钱，然后突然又转向彼得·彼得罗维奇，目光再也没有移开，仿佛被钉住了似的。列别贾特尼科夫朝门口走去。彼得·彼得罗维奇站起来，做了个手势请索尼娅坐着别动，自己则在门口拦住了列别贾特尼科夫。

"那个拉斯柯尔尼科夫在那边吗？他来了吗？"他轻声向他问道。

"拉斯柯尔尼科夫？在那边。怎么啦？是的，在那儿……刚刚进来，我瞧见的……怎么啦？"

"好吧，我特别求您留下，和我们在一起，别让我和这个……姑娘单独在这儿。事情倒不重要，但天晓得人家会怎么说。我不愿意让拉斯柯尔尼科夫到那去搬弄是非……您明白我的意思吗？"

"啊，我明白了，我明白了！"列别贾特尼科夫一下子恍然大悟，"是的，您有理由……当然，照我个人的观点，您过于多虑了，但是……您毕竟是有理由的，对不起，我留下。我就在这窗前，不会妨碍你们的……我想您有理由……"

彼得·彼得罗维奇回到沙发旁，坐在索尼娅对面，仔细地打量了她一下，突然摆出一副十分庄重，甚至有些严厉的模样，好像在说："女士，你自己可别胡思乱想啊。"索尼娅感到极度的窘困。

"首先请您，索菲娅·谢苗诺芙娜，向您那位可敬的继母表示我的歉意……是这样的吧？卡捷琳娜·伊凡诺芙娜是您的继母吧？"彼得·彼得罗维奇十分郑重却相当和蔼地说了起来。看来他完全是一片好意。

“正是这样，正是这样，她是我继母。”索尼娅急切而胆怯地回答道。

“那好，就请您向她表示我的歉意，由于身不由己的一些情况，我不能参加你们的宴席……也就是葬后宴，尽管您继母好意地邀请了我。”

“好吧，我会告诉她的，马上就去告诉她。”索尼娅急急忙忙地站起身来。

“还有呢，”彼得·彼得罗维奇拦住了她，对她的单纯和不谙礼节不禁一笑，“亲爱的索菲娅·谢苗诺芙娜，如果您以为我只是因为关系我个人的这件区区小事就冒昧地打扰您，把您这样的女子叫到这里来，那您可太不了解我了。我还有其他的事。”

索尼娅赶紧坐了下来。桌上没收起的五颜六色的钞票，又在她眼前晃动。但她飞快地扭过脸去，抬头望着彼得·彼得罗维奇，因为她突然觉得，看别人的钱，尤其对她来说，是很不适宜的。她目不转睛地盯着彼得·彼得罗维奇左手拿着的金色长柄眼镜和他右手中指上那只又大又重、镶着黄宝石的光彩夺目的戒指。突然她又把目光从他身上移开，可不知该看什么地方，末了竟直愣愣地望着彼得·彼得罗维奇的眼睛。他则更加郑重地沉默了片刻，接着说道：

“昨天我偶然有机会，也是顺便跟不幸的卡捷琳娜·伊凡诺芙娜谈了几句话。从这几句话中就足以发现，她有点反常，如果可以这样形容的话……”

“是的……有些反常。”索尼娅急忙附和道。

“或者更简单明了地说，她有病。”

“是的，更简单明了……是的，她有病。”

“既是这样，出于人道主义和……可以说是恻隐之心，我想自己这方面可尽一份绵薄之力，因为我预料她的命运必然是不幸的。这个穷家大概现在只有靠您一个人了。”

“请问，”索尼娅蓦地站起身来，“您昨天不是对她说可以领抚恤金吗？所以她昨天就告诉我，说您着手为她张罗抚恤金的事。这是真的吗？”

“完全不是这么回事，甚至在某一方面来说这有点荒唐。我只是提到在职官吏的遗孀可以领到临时补助金，如果他有靠山，但是已故的令尊不但任职没达到期限，而且最近根本就没有任职。总之，即使有希望，也机会很少，因为这种情况实际上是没有任何权利享受补助的，甚至恰恰相反……可是她却已经在考虑抚恤金的事了，嘿嘿嘿！是这个女人脑筋转得快！”

“是的，她在考虑抚恤金……因为她没有心眼，为人善良，心善什么都相信，而且……而且……而且……她精神又是那样……是的……请原谅。”索尼娅说着又一次起身要走。

“请原谅，您还没有听我把话说完。”

“是的，没有听您把话说完。”索尼娅喃喃地说着。

“那么请坐吧。”

索尼娅慌乱已极，再一次，也就是第三次坐了下来。

“看到她这种处境，带着几个可怜的孩子，我希望——我刚才已经说过了——尽可能帮一点儿忙，也就是所谓量力而行。比如可以为她募捐，或是抽彩……做诸如此类的善事；类似的情况下亲友或有意助人的局外人就是这么做的。这就是我打算告诉您的事。这是能办成的。”

“是的,不错……上帝因此会保佑您……”索尼娅目不转睛地瞧着彼得·彼得罗维奇,喃喃地说。

“这是能办成的,不过……这事我们以后……其实今天就可着手办。晚上我们再见面商量一下,可以说拟定一个计划。就请七点钟左右到我这儿来吧。安德烈·谢苗诺维奇,希望您也与我们一起干……然而……这里有一个条件必须事先仔细地加以说明。索菲娅·谢苗诺芙娜,我正是为了这个麻烦您上这儿来的。我的意见就是:钱不应该交给卡捷琳娜·伊凡诺芙娜本人,交给她是危险的;今天的葬后宴就是一个证明。可以说明天填肚子的面包渣都没有……嗯,连穿的鞋子也没有……一无所有,今天却买了牙买加朗姆酒[1],像还买了马德拉酒[2]和……咖啡。我路过时看到的。而明天又得由您来负担一切,直到最后一片面包,这就太荒唐了。因此我个人认为,募捐应该这样进行,不让这位可怜的寡妇知道这笔钱的事,只有您知道。我说得对吗?”

“我不知道。她只不过今天才这样……一生中就这么一次……她是非常想纪念他一下,有些光彩……她是很有头脑的。不过,您看着办吧,我将非常,非常,非常……他们也将非常感激您……上帝会保佑您的……孤儿们也……”

索尼娅没把话说完,哭了起来。

“就这样,好吧,请您记住;现在请您替您的亲人接受我个人

①一种用甘蔗制造的烈性酒。

②一种葡萄酒。

的一笔捐款，数目有限，应付一下急用。我非常非常希望在这件事上不要提我的名字。您看……因为我自己有急需，不能拿出更多了……”

于是，彼得·彼得罗维奇小心地展开一张十卢布纸币，递给了索尼娅。索尼娅接过钱，满脸涨得通红，站起身来，嘴里嘟囔着什么，赶快告辞。彼得·彼得罗维奇很庄重地把她送到门口。她终于跑出了这间屋子，又激动又疲惫，十分窘迫地回到了卡捷琳娜·伊凡诺芙娜那里。

这场谈话的整个过程里，安德烈·谢苗诺维奇一会儿站在窗前，一会儿在屋中踱步，不想打断他们的交谈。索尼娅刚走出房间，他突然走到彼得·彼得罗维奇跟前，郑重地伸出手去：“我一切都听到了，看到了，”他说时特别强调最后三个字，“这举动是高尚的，我想说是人道的！您希望避免别人的感激，我看到了！我向您承认，尽管按照原则我不可能赞同个人的慈善行为，因为它不仅不能根除罪恶，甚至助长罪恶，但是我不能不承认，我很高兴看到您的这一举动；是的，是的，我欣赏这一举动。”

“哎，这完全算不了什么！”彼得·彼得罗维奇嘟哝着，情绪有点儿激动，不知为什么仔细盯着列别贾特尼科夫。

“不，不能说算不了什么！像您这样正为昨天的事感到羞辱懊丧，同时却还想到他人的不幸，这样的人……虽说他的行为造成社会性的错误，但是……仍然值得尊敬！我甚至没有想到，彼得·彼得罗维奇，您会这样做，再说您还有着自己的那种观念。啊！您的观念对您妨碍太大了！比如说，昨天的失败就弄得您心神不宁。”心地善良的安德烈·谢苗诺维奇感慨地说道，他对彼得·彼得罗维奇有了更多的好感。“您为什么，为什么一定要这个婚姻，这个合法的婚姻呢，最高尚和最亲爱的彼得·彼得罗维奇？您为什么非得需要婚姻的这种合法性呢？好吧，如果您愿意，您就打我好啦，可我非常高兴这门婚事破裂了，非常高兴您是自由的人了，非常高兴您还能为人类做出些贡献，非常高兴……您瞧，我都说了出来！”

“就因为我不愿在您的那种自由婚姻中戴犄角[①]，生出别人的孩子来，所以我需要合法的婚姻。”卢仁为了应付这样回答着。他在全神贯注地想着什么事。

“孩子？您说到孩子？”安德烈·谢苗诺维奇活像战马听到了军号声，立刻精神一振，“孩子——这是个最重要的社会问题，我同意这个观点；但是孩子的问题得用另一种方法来解决。有些人甚至否定孩子是家庭的一个要素，我们以后再谈孩子问题，现在谈一谈戴犄角的问题！我得承认，这是我的弱项。在未来的词典里，不可能有这个令人厌恶的、骠骑兵式的、普希金的语汇[②]。什么是戴犄角呢？啊，这完全是一种误解！有什么戴犄角的？干吗叫戴犄角的？全是胡说八道！恰恰相反，在自由婚姻中不会有戴犄角！戴犄角的——这只不过是任何合法婚姻的一个必然产物，也可以说是对它的调整，对它的抗议，因此在这个意义上来说，戴犄角甚至丝毫无损尊严……倘若我有朝一日——做一个荒诞的假设——有了合法的婚姻，那么我甚至很乐意戴您所诅咒的犄角

①相当于中国民间所说的“戴绿帽子”，指那些妻子与人通奸的丈夫。

②普希金在其诗体小说《叶甫盖尼·奥涅金》中写道：“……还有个很神气的戴犄角的人，对自己总是十分满意，满意自己的饭餐和自己的妻子。”(第1章，第12节)

了；那时我会对我的妻子说：‘我的朋友，过去我只是爱你，现在我更要尊重你，因为你敢于反抗了！’[①]您在嘲笑？这是因为您无力摆脱世俗偏见！真见鬼，要知道我能理解在合法的婚姻中如果受人欺骗，那是很令人不快的；然而，这正是卑鄙行为所导致的卑鄙后果，这时双方自尊心都要受到伤害。一旦戴犄角的在自由婚姻中公开化了，那么这种现象也就不复存在；这种事会变得不可思议，甚至要失去戴犄角的这个说法。相反地，您的妻子只会向您证明她是多么敬重您，因为您不反对她追求幸福，认为您有极高的修养，不会因她有新丈夫而向她报复。真见鬼，我有时也会幻想把我嫁出去，呸！是幻想我真的娶了妻子（不管是自由婚姻还是合法婚姻），那么我大概会亲自给妻子找个情人来，要是她很久找不到的话。‘我的朋友，’我会对她说，‘我爱你，但我更希望你敬重我，就是这样！’我说得对吗，说得对吗？……”

彼得·彼得罗维奇一边听，一边嘿嘿地笑着，但并没有什么特别的兴致。他其实没怎么听。他的确在考虑另一件事情，连列别贾特尼科夫后来也觉察到了。彼得·彼得罗维奇甚至挺激动，搓着双手，陷入了沉思。这些是安德烈·谢苗诺维奇后来才回想起来的，才弄明白的……

①这句话是对车尔尼雪夫斯基《怎么办?》一书中对爱情与妒忌的观点的讽刺性的模拟。

第二章

很难确切地说出是什么原因导致卡捷琳娜·伊凡诺芙娜那不正常的头脑想起办这种毫无用处的葬后宴。的确，拉斯柯尔尼科夫为安葬马尔梅拉多夫拿出的二十多个卢布，几乎有十个卢布花在了这上面。或许，卡捷琳娜·伊凡诺芙娜认为自己有责任"像样地"悼念死者，好让所有房客尤其是阿玛丽娅·伊凡诺芙娜知道，她"不仅一点儿也不比他们差，也许比他们还好些"，他们中任何人都没权利在她面前"趾高气扬"。或许，穷人特有的自尊在这里起着最主要的作用；正由于这种自尊心，许多穷人会在我们日常生活中人人都必须遵守的某些社会仪式上，打肿脸充胖子，花掉节省下来的最后几个戈比，只是为了显得"不比别人差"，为了不被别人"戳脊梁骨"。也可能卡捷琳娜·伊凡诺芙娜正打算利用这个机会，在她好像被人抛弃在世上的这一刻里，向所有那些"卑鄙可恶的房客们"显示一下，她不仅"善于度日和待客"，而且所受的教养绝不是为了过这种苦日子，她出身于"高贵的，甚至可以说贵族式的上校家庭”,根本不需要自己擦地板,夜里洗孩子们的破衣服。这种自尊心和虚荣心时而也会出现在极度贫困、备受摧残的人们身上,有时竟会变成愤怒而不可抑制的需求。何况卡捷琳娜·伊凡诺芙娜还不是一个任凭摧残的人,环境可以完全置她于死地,但无法压垮她的精神,也就是说吓不倒她,摧毁不了她的意志。[①]此外,索涅奇卡说她精神错乱,是有根据的。当然还不能完全地肯定地这么说,但的确在最近,在过去的整整一年中,她那可怜的脑子受到太多的折磨,很难不受到一些损伤。肺病的恶化,正如医生所说,同样也会导致脑神经失常。

酒准备得不多,品种也很少,马德拉酒也是如此,所以是言过其实。不过酒还是有的,有伏特加酒、罗姆酒和里沙波酒,都是最劣质的,不过数量足够喝了。葬后宴的吃食除了蜜粥[②]以外,还有三四道菜(其中有煎饼),所有这些都是阿玛丽娅·伊凡诺芙娜在厨房做的。此外一下子就摆上了两个茶炊,准备饭后喝茶和潘趣酒。所有的东西都是卡捷琳娜·伊凡诺芙娜在一个邻居,一个可怜巴巴的波兰人帮助下,亲自采购的。这个波兰人天晓得为何住在莉佩韦泽太太这里。他很快地跑到卡捷琳娜·伊凡诺芙娜这儿听候差遣,昨天忙碌了一整天,今天又忙了整整一个上午,累得上气不接下气,又总吐着舌头,仿佛想让人们注意他如此卖劲。为

①在这里可以感觉出杜勃罗留波夫的一个观点,他在谈到陀思妥耶夫斯基的主人公们时曾写道:“这些被压垮的人,这些可以被认为是精神上堕落、死亡的人,他们中的大多数却仍然在牢固、深刻地保持着活生生的灵魂,保持着那种不会被任何苦难所磨灭的永恒意识,即他们是拥有生活和幸福的人的权利的,尽管甚至连他们自己都未必知道他们心中的这种保持。”——俄编注

②葬礼后飨客的一种食物(多用大米、蜜、葡萄干做成)。

每一件无足轻重的小事，他一刻不停地跑去找卡捷琳娜·伊凡诺芙娜，甚至追到市场找她，不停地呼她为“官太太”，最后惹得她十分讨厌，尽管起初她说过，要是没有这么个“热心助人、心地善良”的好人，她非累垮不可。卡捷琳娜·伊凡诺芙娜生性如此，随便遇见一个生人，就夸赞得无以复加，让人听了脸红，还杜撰根本不存在的种种事由来赞扬他，而她自己又打心底里相信这一切都是真实的。然后突然一下子失望了，就同她几小时前还佩服得五体投地的人决裂，翻脸对他横加指责，推搡着把人赶走。她性格天生地可笑、开朗、平和，然而由于接连遇到不幸和挫折，她变得狂热地渴求大家都过上和平愉快的生活，而绝不该是别样的生活；所以生活中稍不如意，小有挫折，她便立即气得发狂，刚刚还有着美好的愿望和幻想，现在则开始诅咒命运，撕碎和扔掉随手抓到的任何东西，用头去撞墙。阿玛丽娅·伊凡诺芙娜也不知怎的突然为卡捷琳娜·伊凡诺芙娜所特别看重，受到她的特别尊敬。或许唯一的原因就是要办葬后宴，因为阿玛丽娅·伊凡诺芙娜一心扑到这事上：她动手摆桌子，拿来桌布、容器和其他用具，在自己的厨房里准备饭菜。卡捷琳娜·伊凡诺芙娜把一切都托付给她，自己腾出空到墓地去了。的确，一切都准备得很周到：餐桌上摆得相当井井有条，盘子、刀叉、酒杯、玻璃杯、茶杯——所有这些当然都是从各个房客那儿借来的，样式不同，大小也不同，但此时却摆得恰到好处。阿玛丽娅·伊凡诺芙娜感到自己干得非常好，就颇有点儿扬扬得意地迎接从墓地回来的人们。她全身打扮得漂漂亮亮，戴的是一顶扎着崭新黑纱布的包发帽，穿的是一条黑裙。她的扬扬得意虽说也是理所当然的，但不知为何卡捷琳娜·伊凡诺芙娜却对此感到不快:“好像没有阿玛丽娅·伊凡诺芙娜,就办不成葬后宴啦!”那顶带黑纱的包发帽也同样使她感到不快:“这个愚蠢的德国女人扬扬得意,别是因为自己是房东吧,是出于仁慈之心才同意帮助可怜的房客?仁慈之心!太谢谢啦!卡捷琳娜·伊凡诺芙娜的爸爸是上校,差点儿当省长,有时会举办四十人的宴会,像阿玛丽娅·伊凡诺芙娜或最好叫她柳德维戈芙娜,这样的人甚至连厨房都不让进的……”不过,卡捷琳娜·伊凡诺芙娜拿定主意,先不流露自己的情绪,尽管她已暗下决心,今天一定要刺激一下阿玛丽娅·伊凡诺芙娜,叫她有自知之明,否则天晓得她会把自己想象成什么人;此刻对她还只是冷淡而已。还有件不快的事,也让卡捷琳娜·伊凡诺芙娜感到恼火:除了一个波兰人及时赶到墓地外,其余被邀请参加葬礼的,一个也没有去;而出席葬后宴的,也就是说来吃饭的,尽是些卑微贫穷的房客,其中不少人甚至已是醉醺醺的,全是下流坯!房客中年事稍高,较有身份的人,似乎串通一气,一个也没有来。比如彼得·彼得罗维奇·卢仁,可算房客中最有身份的,就没有到。但昨天晚上卡捷琳娜·伊凡诺芙娜已嚷得无人不知,也就是说她告诉了阿玛丽娅·伊凡诺芙娜、波列奇卡、索尼娅和波兰人,说什么他是个最高尚最慷慨的人,他交际甚广,非常富有,他是她前夫的朋友和她父亲的常客,他答应千方百计为她弄一笔数目可观的抚恤金。这里必须说明,假如卡捷琳娜·伊凡诺芙娜夸奖什么人交际甚广,非常富有,那她绝不是为了什么好处,不是要达到什么个人意图,她完全是无私的,可说出于至诚,仅仅是为了快感才去称赞和抬高一个人。“那个讨厌的恶棍列别贾特尼科夫”大概是“学卢仁的样子”

也没有来。"这个家伙是自以为了不起呢！我们只是赏脸才邀请他，再说他同彼得·彼得罗维奇住一个屋，是他的熟人，不好意思不请他呀。"那位有着上流社会风度的太太和她那个女儿，"待嫁的老姑娘"，同样没有来。她们在阿玛丽娅·伊凡诺芙娜的公寓里尽管总共只住了两个来星期，却已经不止一次地抱怨马尔梅拉多夫家喧闹和叫喊之声不绝于耳，尤其在死者生前喝得醉醺醺回家时。当然啰，卡捷琳娜·伊凡诺芙娜已经从阿玛丽娅·伊凡诺芙娜的嘴里听到了这些抱怨，因为后者在同卡捷琳娜·伊凡诺芙娜吵嘴时，威胁说要把他们全家赶出去，并扯着嗓子大喊大叫，说他们搅得那些他们都"不配为其拎鞋的高贵房客"不得安宁。卡捷琳娜·伊凡诺芙娜这次特意邀请了这对她"不配为其拎鞋"的母女。况且过去同她们偶然相遇时，这位太太总是傲慢地扭过脸去，她这样做也是为了让太太知道，在这里"人们的思想感情更为高尚，能不计前嫌地邀请她们"；也让她们看看，卡捷琳娜·伊凡诺芙娜不光是会过苦日子。这一点在吃饭时一定要讲给她们听，同样也要说说先父已经官近省长，暗示相遇时用不着扭过脸去，这种举止是非常愚蠢的。胖胖的中校也没有到(其实他只是退了役的上尉)，原来从昨天早上就"烂醉如泥"了。总之，来的只有波兰人，接着是个丑陋体弱的公务员，他沉默寡言，穿了件油渍斑斑的礼服，一脸的粉刺，身上有股怪味；后来是个既聋又瞎的老头儿，曾在某邮局供职，很久以来一直有人不知为何供养他住在阿玛丽娅·伊凡诺芙娜的公寓里。同样还来了一位喝得醉醺醺的退役中尉，其实是个军需官，他进来时毫无礼貌地哈哈大笑，"您想得到吗"，连坎肩也没穿！有个家伙也没问候卡捷琳娜·伊凡诺芙娜，就一屁股坐到桌旁。最后有一位因没有外衣，只穿着睡袍来了，这实在不成样子，阿玛丽娅·伊凡诺芙娜和波兰人费了九牛二虎之力总算把他拉了出去。不过，这个波兰人还带来另外两个波兰人。他们从未在阿玛丽娅·伊凡诺芙娜公寓里住过，谁也没在这里见过他们。所有这一切都使卡捷琳娜·伊凡诺芙娜极为恼怒。“要这样，操办一切是为了谁呀?”为了腾出座位，甚至都没让孩子们上桌；即使这样餐桌也占满了整个房间。在里面的墙角，用木箱为孩子们摆了些食物，两个小的坐在长凳上，波列奇卡作为大孩子照看他们，喂他们吃，给他们这些“体面的孩子”擦鼻涕。总之，卡捷琳娜·伊凡诺芙娜不由自主地大摆架势，甚至有点傲慢地接待每一个客人。对某些人她神色特别严峻地上下打量着，傲慢地请他们入座。不知为什么她认为阿玛丽娅·伊凡诺芙娜应该对那些人没来负责，所以对她的态度突然变得极不客气，以致后者立即有所觉察，因此感到大受委屈。这样的开场是不会有圆满结局的。大家总算都入座了。

几乎在他们从墓地回来的同时，拉斯柯尔尼科夫走了进来，他的到来使卡捷琳娜·伊凡诺芙娜非常高兴。首先，因为他是所有来客中唯一“有学问的客人”，“大家都知道，他打算两年后在本地的大学里当一名教授”；其次，因为他立刻彬彬有礼地请求原谅他没能参加葬礼，尽管他非常想来。她奔过去把他拉到桌旁，在她左边坐下(右边坐的是阿玛丽娅·伊凡诺芙娜)。尽管她一刻不停地忙碌着，让每道菜都给客人们分享，尽管那折磨人的咳嗽这两天似乎特别厉害，不时妨碍她说话，让她喘不上气来，但她还是不停地向拉斯柯尔尼科夫诉说着，急着轻声倾吐郁结在她心头的一切情感，还有对这次不顺心的葬后宴的全部愤恨。与此同时，这愤恨不时变成针对在座客人，而主要是房东太太的一阵阵最快活、最放肆的嘲笑。

"全怪这只布谷鸟。您明白我指的是谁：是她，是她！"卡捷琳娜·伊凡诺芙娜用头朝女房东摆摆，向他示意，"您瞧，她瞪起了眼睛，感到我们在说她，又弄不清说什么，只得瞪着眼睛。呸，猫头鹰！哈哈！咳——咳！她戴这顶包发帽要表示什么呢？咳——咳！您可注意到，她希望大家以为她在护着我，以为她能光临，是我的荣幸。我当她是个正派人，让她去邀请些比较体面的人，认识亡夫的人，可是您瞧瞧，她把谁请来了。一些小丑！一些邋遢鬼！您瞧瞧这个脏脸，简直是长着两条腿的饭桶！还有这几个波兰人……哈哈！咳——咳！谁也没有，谁也没有在这里见过他们，我也没有见过他们。他们来干什么呢，我请问您？那么规规矩矩地坐了一排。喂，先生！"她冷不丁对其中一个波兰人大叫起来，"您拿了煎饼了吗？再吃点吧！喝点啤酒，啤酒！不想要伏特加吗？您瞧，他站起来一劲儿点头致谢。您瞧，您瞧，大概是饿坏了，穷鬼！没关系，让他们吃吧，至少他们不吵闹了，不过……不过，说真的，我担心房东太太的那些银勺！……阿玛丽娅·伊凡诺芙娜！"她突然转向女房东，几乎大声地说道，"万一您的勺子被人偷走，我可不负责赔偿。我事先向您声明了！哈哈！"她大声笑着，转向拉斯柯尔尼科夫，再次用头指指女房东，为自己这乖张举动而得意扬扬。"她又没弄懂，又没懂！惊得目瞪口呆地坐着。您瞧，猫头鹰，活脱脱一只猫头鹰，系着新纱带的猫头鹰！哈哈！"

这时，笑声又一次变成了难以忍受的咳嗽，持续达五分钟之久。手帕染上了一些血丝，额头渗出了汗珠。她默默地把血迹举给拉斯柯尔尼科夫看了看。等一喘过气来，她又立刻对他低语起来，情绪异常激动，两颊绯红。

“您瞧，我托她办一件可以说是极细致的事，就是去请那位太太和她的女儿，您知道我指的是谁吧？这得十分地客气，十分地巧妙，可她弄得糟透了。这个外地来的呆子，这个傲慢的女人，这个卑微的乡下人，就因为是什么少校的遗孀，是来跑衙门要求抚恤金的，已经五十五了还染发，还涂脂抹粉（这是显而易见的）……就这么个女人不仅不来登门，而且也不派人来道个歉，既然自己不能来，但在这种情况下最起码的礼节还是需要的！我不明白，为什么连彼得·彼得罗维奇也不来？哎呀，索尼娅呢？到哪儿去了？瞧，她总算来了！索尼娅，你到哪去了？怎么连办父亲的丧事也迟到，真奇怪。罗季昂·罗曼诺维奇，让她坐在您旁边吧，那是你的座位，索涅奇卡……你想吃什么自己拿。要些肉冻吧，这最好吃。煎饼马上就端来，给孩子们吃了吗？波列奇卡，你们那儿菜都有吗？咳——咳——咳！嗯，很好。真是个乖孩子，莲尼娅。科利亚，你别老晃腿，像个体面孩子那样坐着。你说什么，索涅奇卡？”

索尼娅赶紧向她转达了彼得·彼得罗维奇的歉意。她尽量高声说，好让所有的人都能听到，并且选用一些最客气，最恭敬，甚至是以彼得·彼得罗维奇名义编出来的话。她补充说，彼得·彼得罗维奇特别吩咐她转告，只要他一有工夫立即赶来，以便同她单独谈些事情，商量一下现在可以做什么，以后打算做什么，如此等等。

索尼娅知道，这样能使卡捷琳娜·伊凡诺芙娜安静下来，让她感到高兴，而主要是满足了她的自尊心。索尼娅慌忙地向拉斯柯尔尼科夫一躬身，就在他身边坐了下来，飞快地朝他好奇地瞥了一眼。不过，随后不知怎的她就一直避免看他，也不跟他说话。尽管她目不转睛地望着卡捷琳娜·伊凡诺芙娜的脸，想讨好她，可总好像有点儿心不在焉。无论是她还是卡捷琳娜·伊凡诺芙娜都没有着丧装，因为没有裙服。索尼娅穿着一件深褐色的衣服，而卡捷琳娜·伊凡诺芙娜则穿着自己唯一的一条连衣裙，是深色条纹印花布的。关于彼得·彼得罗维奇的消息，很顺当地就讲完了。卡捷琳娜·伊凡诺芙娜郑重其事地听索尼娅说完，又同样郑重其事地问道：彼得·彼得罗维奇身体好吗？接着她几乎大声地对拉斯柯尔尼科夫嘀咕说，彼得·彼得罗维奇这样受尊敬、有身份的人，同这一帮“不同寻常的人”在一起，确实会感到别扭，尽管他对她的家庭非常热忱，跟她的父亲还有老交情。

“这就是我为什么特别感谢您罗季昂·罗曼诺维奇的缘故，因为甚至在这种情况下您都没有鄙弃我的邀请！”她几乎大声地补充道，“我确信，您只是因为同我那可怜的亡夫有着特别的友情才来参加葬后宴的。”

接着，她又一次骄傲而郑重地扫视一下自己的客人，突然隔着桌子以特别关切的语气大声问那个聋老头儿：“是不是再来点儿烤肉，喝了里沙波酒吗？”老头儿没有回答，好一会儿也弄不清楚问了他什么事，虽然旁边的人为了寻开心一劲儿推他。他只是大张着嘴，东张西望地环视，这使大伙儿更加开心。

“简直是个傻子！您瞧，您瞧！带他来干吗？至于彼得·彼得罗维奇，我始终是信任他的，”卡捷琳娜·伊凡诺芙娜继续对拉斯柯尔尼科夫说道，“当然啰，他不像……”她口气生硬，嗓门很大，神态严厉地冲着阿玛丽娅·伊凡诺芙娜说，不禁让后者感到一阵害怕。“不像您那两个花里胡哨、裙摆拖地的女人，这种人在我父亲家里连厨娘都当不上。亡夫倒是会给她们面子，会邀请她们，那也只不过是出于他那无限的仁慈心。”

“是呀，他是喜欢喝一口；大家喜欢喝酒，都一起喝过！”那个退役的军需官刚干完第十二杯伏特加，猛地大声叫道。

“亡夫的确有这个嗜好，这是大家都知道的，”卡捷琳娜·伊凡诺芙娜一下子抓住他的话头说开来，“但他为人善良高尚，他热爱和尊重自己妻儿。他只有一个缺点，由于心地太善良，轻信各式各样堕落的人，天晓得跟什么人没喝过酒，甚至配不上他脚跟的人！请想一想，罗季昂·罗曼诺维奇，在他口袋里发现了蜜糖饼干：醉得像个死人，却还惦记着孩子们。”

“饼——干？您是说饼——干？”军需官先生嚷道。

卡捷琳娜·伊凡诺芙娜不爱搭理他。她想起了什么事，叹了口气。

“或许您和大家一样，认为我对他太严厉了吧，”她对拉斯柯尔尼科夫往下说，“要知道，事实并非如此！他尊重我，他非常，非常尊重我！他是个善良的人！有时我真可怜他呀！他时常坐着，从屋角望我，我不觉可怜起他来，想对他温存些，接着又暗自琢磨：‘你如果对他温存，那他却又会去喝得酩酊大醉。’只有对他严厉，多多少少还能有点儿约束。”

“是呀，揪过他的头发嘛，不止一次呢。”军需官再次大叫，又往嘴里倒了一杯伏特加。

“对付呆子不光是揪头发，甚至可以用布掸子打。我这可不是指亡夫说的。”卡捷琳娜·伊凡诺芙娜毫不客气地对军需官说。

她脸颊上的红晕越来越深，胸脯不停地上下起伏。再过片刻，她准会叫闹起来。许多人嘿嘿地笑，他们显然都很快活。有人轻轻推了推军需官，对他轻声说了点儿什么。显然有人想挑唆他们吵架。

“我请——问，您指的是什么，”军需官开口说道，“也就是说……您刚才说的……到底是谁……其实，用不着问！这没关系！是寡妇嘛！我能原谅……算啦！”说着他又喝了一杯伏特加。

拉斯柯尔尼科夫坐着一声不吭，极其厌恶地听着。他仅仅出于礼貌，才吃了点卡捷琳娜·伊凡诺芙娜不断盛到他盘中的食物，免得让她难堪。他不断地朝索尼娅仔细打量。然而，索尼娅却越来越不安和担心，她同样预感这葬后宴不会平安地结束，因此胆战心惊地注视着火气越来越大的卡捷琳娜·伊凡诺芙娜。其实她也知道，那两位外省女士之所以对卡捷琳娜·伊凡诺芙娜的邀请置之不理，主要原因是她索尼娅。她听阿玛丽娅·伊凡诺芙娜本人说，这位母亲甚至感到这一邀请是一种侮辱，并且问道：“怎么能让自己的女儿与这种女子坐到一起呢？”索尼娅猜想卡捷琳娜·伊凡诺芙娜已经得知此事，而对卡捷琳娜·伊凡诺芙娜来说，侮辱索尼娅，要比侮辱她自己、她的孩子们、她的父亲都更加严重，这是最致命的侮辱。索尼娅也明白，卡捷琳娜·伊凡诺芙娜此刻是无法平静下来了，“除非她让这两个长裙拖地的女人知道，她俩是什么货色”。说也凑巧，有人从桌子的另一端传给索尼娅一个盘子，里面放着用黑面包切成的两颗心，用一支箭穿在一起。卡捷琳娜·伊凡诺芙娜勃然大怒，顿时便隔着桌子骂那人一定是头“醉驴”。阿玛丽娅·伊凡诺芙娜同样也感到事情有些不妙，内心又因卡捷琳娜·伊凡诺芙娜的傲慢受到极大的侮辱，此时，为了转移人们不良的气氛，顺便也抬高自己在众人心目中的地位，她突然不着边际地讲起了故事。说她有个熟人，“药房里的卡尔”，一天夜里乘坐马车，“车夫向(想)杀他。卡尔库库(苦苦)地艾(哀)求车夫别杀他。他大哭不至(止)，双手合十，瞎(吓)得要死，像刀扎进心窝一样。”卡捷琳娜·伊凡诺芙娜虽然微露笑意，却立即指出，阿玛丽娅·伊凡诺芙娜不应该用俄语来说笑话。后者觉着受到了更大的侮辱，就反唇相讥，说她的“父庆(亲)来似(自)柏林，似(是)匪(非)常匪(非)常重要的营(人)物，走路时手总似(是)摸口袋”。生性爱笑的卡捷琳娜·伊凡诺芙娜再也忍耐不住，哈哈大笑起来，气得阿玛丽娅·伊凡诺芙娜忍无可忍，强作镇定。

“您看看这只猫头鹰！”卡捷琳娜·伊凡诺芙娜几乎快活起来，立即又开始对拉斯柯尔尼科夫嘀嘀咕咕地说了起来，“她是想说：总把手插在口袋里，却说成了手总摸口袋。咳——咳！您是否注意到了，罗季昂·罗曼诺维奇，所有这些住在彼得堡的外国人，主要是些不知来自何处的德国人，都要比我们愚蠢！您也会同意，怎么可以讲什么‘药房里的卡尔吓得像刀扎心窝一样’，怎么他(没用的家伙！)没有把车夫捆起来，却是‘双手合十，大哭不至(止)，库库(苦苦)地艾(哀)求’。哼！这个傻女人！要知道她还以为这故事非常动人呢，可没想想自己有多蠢！据我看来，这个喝得醉醺醺的军需官比她要聪明得多；至少看得清楚，这是个酒鬼，喝得稀里糊涂，可那些人虽然彬彬有礼，一本正经……您瞧她，坐那儿眼睛瞪得滚圆。她生气啦！她生气啦！哈哈哈！咳——咳——！”

卡捷琳娜·伊凡诺芙娜兴致来了，马上津津乐道地东拉西扯起来，忽然间她说自己一定要用正在设法搞到手的这笔抚恤金，在自己故乡T城……开办一所贵族女子寄宿中学。关于这件事卡捷琳娜·伊凡诺芙娜还没有亲口告诉拉斯柯尔尼科夫，此时她立即津津有味地设想出十分引人入胜的种种细节；她的手中不知怎么突然出现一张“奖状”，正是已故的马尔梅拉多夫曾对拉斯柯尔尼科夫提到过的那张。那时在酒馆里他告诉拉斯柯尔尼科夫说，卡捷琳娜·伊凡诺芙娜，他的妻子，在贵族女子中学毕业时曾经“在省长和其他官员面前”跳过披巾舞。显而易见，这张奖状如今应能成为卡捷琳娜·伊凡诺芙娜本人有资格办寄宿中学的证明。但找出这张奖状的主要目的，是想镇住那“两个花里胡哨、长裙拖地的女人”；倘若她们来参加葬后宴，那一定要让她们明白：卡捷琳娜·伊凡诺芙娜出身高贵，“甚至可以说是出身贵族家庭，是上校的女儿，比起近年来大量出现的那些招摇撞骗的女士可要好得多”。这张奖状顿时在喝醉的客人手中传来传去，对此卡捷琳娜·伊凡诺芙娜并不阻拦，因为那上面的确写明了，en toutes lettres[1]，是一个获勋的七等文官的女儿，因而实际上几乎就是上校的女儿。卡捷琳娜·伊凡诺芙娜兴奋起来，立即滔滔不绝，描绘起未来在T城那平静而美好的生活……她说起将聘请到她的寄

①法文：白纸黑字。

宿学校讲课的中学教师；说起一个德高望重的老人，法国人曼戈，他曾在贵族女子中学教过卡捷琳娜·伊凡诺芙娜的法语，现在T城闲度晚年……有合适的薪水就会到寄宿中学来任教。末了她谈到索尼娅，说她将与卡捷琳娜·伊凡诺芙娜“……一起去T城，协助处理各项事务”。但这时桌子另一端有人突然扑哧地笑了一声。卡捷琳娜·伊凡诺芙娜尽管立即对嘲笑竭力装出不屑一顾的模样，却又马上故意提高嗓门，兴奋地谈起索菲娅·谢苗诺芙娜无疑会成为她的帮手，说“她性情温柔，有耐心，富于自我牺牲精神，气质高贵，有教养”。她边说边又抚爱地拍拍索尼娅的面颊，并且欠身亲吻了她两下。索尼娅满脸通红，而卡捷琳娜·伊凡诺芙娜突然放声大哭起来，说自己“是个神经脆弱的傻女人，真是心烦意乱，该散席了；既然菜已吃完，那就该上茶了”。就在这时，阿玛丽娅·伊凡诺芙娜因一直没机会说话，甚至根本没人听她说话，感到十分委屈，毅然做最后的尝试，怀着深藏的忧虑斗胆向卡捷琳娜·伊凡诺芙娜进言，讲出一番极有见地的高深看法：在将要开办的寄宿中学里首先应该特别注意扭（女）孩子纳（内）衣的洁净，“必是（须）又（有）一个很能干的抬抬（太太）来管理纳（内）衣”；其次“应该禁止年斤（轻）姑娘夜里偷偷刊（看）任何小说”。卡捷琳娜·伊凡诺芙娜此刻确实情绪低落，又疲惫不堪，对葬后宴已极为厌烦，就立刻“毫不客气地打断”了阿玛丽娅·伊凡诺芙娜的话，说她尽是“胡扯”，一窍不通；关心内衣是女管理员的事，而不是贵族女子寄宿学校校长的事；至于读小说嘛，那简直是不成体统，所以请她免开尊口。阿玛丽娅·伊凡诺芙娜脸涨得通红，怒火中烧。她指出，她只是“出于好依（意）”，她“（完全是）出于许多匪（非）常的好依（意）”，而且她“好久没收到房祖（租）了”。卡捷琳娜·伊凡诺芙娜立即向她发起了“进攻”，说什么阿玛丽娅·伊凡诺芙娜说自己“出于好依（意）”是骗人的鬼话，因为就在昨天，她丈夫去世还停在床上的时候，她为房子的事折磨过她。对此阿玛丽娅·伊凡诺芙娜回答得头头是道，她说她“邀青（请）了那两位女士，但没有赖（来），因为她们是高尚的女人，不可能赖（来）看不高尚的女人”。卡捷琳娜·伊凡诺芙娜当即向她“强调指出”，正由于她自己是个下贱之人，所以无法判断什么是真正的高尚。阿玛丽娅·伊凡诺芙娜忍耐不住，马上声称，她的“父庆（亲）来似（自）柏林，似（是）匪（非）常匪（非）常重要的营（人）物，而且走路时，双手总似（是）往所有口袋里伸；而且总‘呸！呸！’个没完”；为了真能惟妙惟肖地模仿父亲，阿玛丽娅·伊凡诺芙娜从椅子上站了起来，双手插在口袋里，鼓起腮帮，开始发出类似“呸——呸”的声音。房客们哈哈大笑，预感将会爆发一场争斗，故意赞赏阿玛丽娅·伊凡诺芙娜。但是卡捷琳娜·伊凡诺芙娜再也按捺不住了，她马上“一字一顿”地高声说，阿玛丽娅·伊凡诺芙娜可能根本没有父亲，她只不过是彼得堡酗酒的芬兰女人，说不定在什么地方当过厨娘，或许比这个还要糟。阿玛丽娅·伊凡诺芙娜气得脸像煮熟的大虾，尖声叫道，大概卡捷琳娜·伊凡诺芙娜才“根本没有父庆（亲）；而她的父庆（亲）来似（自）柏林，穿着文（晚）礼服，总是说：呸！呸！呸！”卡捷琳娜·伊凡诺芙娜一脸鄙夷，她说自己的出身是人所共知的，在这张奖状上白纸黑字印着，她父亲是个上校；而阿玛丽娅·伊凡诺芙娜的父亲（假如她有父亲的话）大概是彼得堡卖牛奶的某个芬兰人；非常可能她根本没有父亲,因为迄今为止谁也不知道阿玛丽娅·伊凡诺芙娜的父称是什么,是伊凡诺芙娜,还是柳德维戈芙娜?这时阿玛丽娅·伊凡诺芙娜气急败坏,拳击桌面,尖声叫嚷说她是伊凡诺芙娜,而不是柳德维戈芙娜,她父庆(亲)较(叫)约翰还曾是个寸(村)长[①],卡捷琳娜·伊凡诺芙娜的父庆(亲)从来没有当过寸(村)长。卡捷琳娜·伊凡诺芙娜从椅子上站起来,正颜厉色但很镇静地(虽然她脸色煞白,胸脯急剧起伏)对她说,假如她胆敢再一次"把自己的缺德父亲与我的父亲相提并论",那她卡捷琳娜·伊凡诺芙娜就扯下对方的包发帽,把它踩个稀巴烂。听到这话,阿玛丽娅·伊凡诺芙娜在屋里暴跳起来,拼命地叫喊,说她是房东,卡捷琳娜·伊凡诺芙娜得"立刻从这幢房子里板(滚)出去",接着不知怎的,她冲过去把桌上的银勺都收了起来。屋里响起了一片喧闹声和撞击声;孩子们大哭起来。索尼娅扑过去拦住了卡捷琳娜·伊凡诺芙娜。但是,当阿玛丽娅·伊凡诺芙娜突然嚷起了什么黄执照,卡捷琳娜·伊凡诺芙娜一把推开索尼娅,向阿玛丽娅·伊凡诺芙娜扑了过去,要兑现自己的威胁:扯下包发帽,踩个稀巴烂。就在这时门开了,门口突然出现了彼得·彼得罗维奇·卢仁。他站着,严厉而又认真地扫了一眼所有的人。卡捷琳娜·伊凡诺芙娜朝他奔去。

①指农奴制时代地主所委派的管理庄园的人。

第三章

“彼得·彼得罗维奇！”她叫起来，“您可得保护我们！得让这个蠢货明白，她可不能这样对待一个遭遇不幸的高尚女人，这事是有人管的……我要见省长本人……她得承担责任……请您保护孤儿寡母吧，看在同我父亲的友情上。”

“对不起，太太……对不起，对不起，太太，”彼得·彼得罗维奇挥手赶她，“您也知道，我根本没有荣幸认识令尊……对不起，太太！（有人大声地笑了起来）我可不想卷到您与阿玛丽娅·伊凡诺芙娜没完没了的纠纷里去……我需要……想马上同您的继女索菲娅……谢苗诺芙娜谈一谈，大概是这样称呼吧？请让我进去……”

于是，彼得·彼得罗维奇侧身绕过卡捷琳娜·伊凡诺芙娜，朝索尼娅所在的对面墙角走去。

卡捷琳娜·伊凡诺芙娜犹如巨雷轰顶，呆站在原地一动不动。她无法理解，彼得·彼得罗维奇怎么能矢口否认同她父亲的交情。自从她杜撰出这种友谊，就已虔诚地深信不疑。彼得·彼得罗维奇说话时那种公事公办的冷冰冰的态度，充满鄙视和威胁的口气，也使她大为震惊。他一进来，人们不知为啥全都安静了下来。既是因为这个“干练严肃”的人与屋里一伙人太不协调，也是因为他显然是为了某件重要的事情而来，大概是某种不同寻常的缘由促使他落入了这帮人里，看来马上会出什么事儿，马上。站在索尼娅身旁的拉斯柯尔尼科夫闪到一旁，让他过去；彼得·彼得罗维奇似乎根本没有注意到他。不一会儿，门口又出现了列别贾特尼科夫；他没有进屋，但同样怀着某种特别的好奇心，几乎是惊讶地站在那里。他仔细听着，却好一会儿都无法明白是怎么回事。

“对不起，我大概打扰了你们的谈话，但事情相当重要，”彼得·彼得罗维奇似乎不是特别对着某个人，而是对着大家说道，“我甚至很高兴当着大家的面谈这件事。阿玛丽娅·伊凡诺芙娜，我恳请您作为房东仔细地听听我下面同索菲娅·谢苗诺芙娜的谈话。索菲娅·谢苗诺芙娜，”他直截了当地对惊奇万分并已惶恐不安的索尼娅说，“在您来访之后，在我的桌上，在我的朋友安德烈·谢苗诺维奇·列别贾特尼科夫的房间里，我的一张面值一百卢布的钞票随即不见了。假如您不论怎样知道并告诉我这张钞票现在在哪里，那么我向您保证，并请大家作证，事情就到此为止。否则，我不得不采取最严厉的手段，到那时……您只好咎由自取了！”

屋子里一片寂静，甚至孩子们也停住不哭了。索尼娅脸色惨白地呆立着，眼睛望着卢仁，什么也回答不上来，她好像还没明白这是怎么回事。几秒钟过去了。

“噢，怎么啦?”卢仁问道，目不转睛地盯着她。

“我不知道……我什么也不知道……”索尼娅终于声音微弱地说道。

“不知道？您不知道?”卢仁追问一句，接着沉默了几秒钟，“想一想吧，小姐，”他语气严厉起来，但似乎仍在劝说，“好好想一想吧，我可以再给您一些时间仔细想想。您该看到，如果我不是确有把握，凭自己的经验，我绝不会贸然地指责您。因为这样直接公开地指责，如是诬告或者弄错，那我本人在某种程度上是要承担责任的。对此我一清二楚。今天早上，我因需要钱用，把一些五厘债券兑换成现金，总共三千卢布。这笔账我记在本子里。回家后我开始点钱，安德烈·谢苗诺维奇可以作证，我点出二千三百卢布放进了皮夹，皮夹子揣到外套的口袋里。桌上还剩下大约五百卢布的纸币，其中有三张钞票，每张面值都是一百卢布。就在这时，您进来了(因为我找您)，您在我那儿一直显得非常局促不安，谈话时您甚至有三次不知为何站起身来，急着要走，尽管我们的谈话还没有结束。安德烈·谢苗诺维奇可以证实这一切。或许，您自己，小姐，也不会否认，我把您叫去，通过安德烈·谢苗诺维奇把您叫去，只是为了与您谈谈您的亲人卡捷琳娜·伊凡诺芙娜孤苦无靠的境况(我不能来这儿参加葬后宴)，谈谈如何为她做些善事，比如募捐、抽奖或诸如此类的事。您感谢我，甚至流下了泪水(我把一切都原原本本地说出来，首先是为了提醒您，其次是为了向您表明，我是不会忘却任何细枝末节的)。后来，我从桌上拿起一张十卢布的钞票递给了您，这是以我名义赠给您的亲人的第一笔捐款。所有这一切安德烈·谢苗诺维奇都看在眼里。接着我把您送到门口，您还是十分局促不安。您走后只剩下我和安德烈·谢苗诺维奇两人，我们交谈了十来分钟，安德烈·谢苗诺维奇便出去了。我重又回到放着钱的桌旁，以便把钱清点一遍后单独收着，我事先就打算这样做。使我吃惊的是，其中一张一百卢布的钞票不翼而飞了。请您想一想：我无论如何不能怀疑安德烈·谢苗诺维奇；就连产生这种疑心都令我感到羞耻。我同样又不会数错，因为在您进来之前，我刚刚清点完毕，我发现总数是正确的。您自己也得承认，我回想起您那局促不安的神态，急于要走的模样，还有您把手放在桌上待了片刻，最后我也考虑到您的社会地位和与此相关的一些习惯，我可以说是吃惊，甚至不情愿，不得不产生这种怀疑，当然这怀疑是可怕的，但又是不带偏见的！我还要补充和重复一遍的是，尽管我确信无疑，但我明白现在这样指控是担着风险的。但您看，我没有罢休；我告诉您我为什么要干到底，就是因为小姐您太忘恩负义！不是吗？我为了您那可怜的亲人请您来，我还尽自己所能给您十个卢布作为我的捐助，可您随后就干出这种事来回报我。不行，这太糟糕了！一定得教训您一下。您考虑一下吧，而且我作为您真正的朋友恳请您（因为此刻您不可能有更好的朋友了），快回头吧！否则我绝不手下留情！嗯，怎么样？”

“我没拿您的任何东西，”索尼娅吓得喃喃地说道，“您给了我十个卢布，您拿回去吧。”索尼娅从口袋里拿出一块手绢，找到结头打开，取出十卢布纸币递给了卢仁。

“那余下的一百卢布您是不承认喽？”他没有接钱，用责备的口吻追问道。

索尼娅朝四周张望。大家都看着她，一张张脸都那么可怕、严厉，全是嘲讽和愤恨的神态。她瞥了一眼拉斯柯尔尼科夫……后者正站在墙根，胳膊交叉抱在一起，眼露怒火望着她。

“啊，上帝呀！”索尼娅冲口而出。

“阿玛丽娅·伊凡诺芙娜，这事得报警，因此我求您把门房找来。”卢仁轻轻地甚至是温和地说道。

“Гот дер бармгериге！[1]我就积(知)道，她是各(个)贼！”阿玛丽娅·伊凡诺芙娜两手一摊说。

“您早就知道？”卢仁接茬说，“可见您早就有了些证据，这么说。尊敬的阿玛丽娅·伊凡诺芙娜，请您记住您说的这个话，况且还有证人在。”

四周突然响起了叫嚷声，人们一片骚动。

“什——么？”醒悟过来的卡捷琳娜·伊凡诺芙娜突然大叫，猛地朝卢仁扑了过去，“什么？您说她偷钱？索尼娅能干这个？好哇！卑鄙的小人，卑鄙的小人！”接着她奔向索尼娅，两条干瘦的胳膊把她紧紧抱住，像夹在老虎钳里似的。“索尼娅！你怎么能拿他十个卢布！唉，傻瓜！拿过来！马上把那十个卢布拿过来，对！”

卡捷琳娜·伊凡诺芙娜从索尼娅手里夺过钞票，揉成一团，挥手用力照着卢仁的脸上扔去。纸团打在他的眼上，弹到了地面，阿玛丽娅·伊凡诺芙娜跑过去捡了起来。彼得·彼得罗维奇气急败坏。

---

①这是用俄文字母写出的波兰语：仁慈的上帝。

“拉住这个疯女人!”他叫道。

这时门口在列别贾特尼科夫身边又出现了几个人,外省来的那两位女士也在其中张望。

“什么!我是疯子?我能是疯子?浑蛋!”卡捷琳娜·伊凡诺芙娜尖声叫道,“你自己是浑蛋,可恶的讼棍,卑鄙小人!索尼娅能拿他的钱吗!索尼娅能是个贼!她还会给你好瞧的呢,浑蛋!”卡捷琳娜·伊凡诺芙娜神经质地哈哈大笑起来,“你们见过浑蛋吗?”她从这边跑到那边,指着卢仁对大家说,“怎么!你也来劲儿了?”她看见了女房东,“你这臭婆娘也跟着说她是‘贼’,你这个普鲁士小人,穿裙子的母鸡腿!①你们这些家伙!她没有离开过屋子,从打你这卑鄙小人屋里回来一直坐在罗季昂·罗曼诺维奇旁边!……你们搜她的身吧!既然她哪儿也没有去过,那钱应该在她身上!搜吧,搜吧,搜吧!不过如果你搜不到,那对不起了,先生,你可得负责!我要去见皇上,要见皇上,要见仁慈的皇帝本人,伏在他脚下喊冤。马上就去,今天就去!我一个孤单女人,会放我进去的!你以为不会让我进去?胡说八道,我进得去!我会进去的!你以为她老实可欺?是不是指望这一点?但我可不是好惹的!你不会得逞!搜吧!搜吧!哎,搜哇!”

气得发狂的卡捷琳娜·伊凡诺芙娜揪住卢仁拽到索尼娅跟前。

“我愿意负责……但您不要闹,太太,不要闹!我太清楚了,

①据作家的侄女M.A.伊万诺娃回忆,1866年夏天,陀思妥耶夫斯基曾住在莫斯科附近柳勃里诺她的家中,当时作家正在写《罪与罚》的第5部,他曾将隔壁一位来自德国的家庭女教师称作“穿裙子的母鸡腿”。——俄编注

您可不是好惹的！……这……这该怎么办呢？”卢仁喃喃地说道，“应该有警察在场……其实现在就有足够的证人了……我愿意……但无论如何男人总是不便……由于性别的原因……如果阿玛丽娅·伊凡诺芙娜肯协助一下……不过这事不该这么办……那怎么办呢？”

“随便找谁！谁愿意就来搜身！”卡捷琳娜·伊凡诺芙娜嚷道，“索尼娅，把口袋给他们翻出来。瞧，瞧哇！你看，恶棍，这是空的，这里放着手帕，口袋是空的，你看！这是另一只口袋，瞧，瞧哇！你看，你看哪！”

卡捷琳娜·伊凡诺芙娜不仅翻了两个口袋，还把它们一个接一个地拽了出来。突然那第二个右边口袋里，蹦出一张钞票，在空中划了个弧形，落到卢仁的脚边。这情景大家都看到了，不少人惊叫起来。彼得·彼得罗维奇弯下腰，用两个手指夹起地上的钞票，举起来让大家看，并且把它展了开来。这是折成八折的一张一百卢布纸币。彼得·彼得罗维奇举着手转了一圈，让大家都看看这张钞票。

“小偷！从房子里滚出去！叫警擦（察），叫警擦（察）！”阿玛丽娅·伊凡诺芙娜喊叫起来，“应该把他们干（赶）到西伯利亚去！滚出去！”

四周传来了惊叫声。拉斯柯尔尼科夫一声不吭，目不转睛地注视着索尼娅，时而又飞快地扫卢仁一眼。索尼娅站在原地，好像失去了知觉，甚至几乎不为所动。突然她满脸涨红，惊叫一声，就用手蒙住了脸。

“不，这不是我拿的！我没有拿！我不知道！”她撕心裂肺地叫喊着，朝卡捷琳娜·伊凡诺芙娜扑去；后者抱住她，紧紧地搂在怀里，好像用胸膛来保护她不受伤害。

“索尼娅！索尼娅！我不相信！你知道，我不相信！”卡捷琳娜·伊凡诺芙娜叫喊着（不顾明摆着的事实），像抱着小孩似的摇晃着，一遍又一遍吻她，还抓起她的双手使劲地亲着。“说是你拿了钱！这些人该多蠢哪！哦，上帝呀！你们太蠢了，太蠢了，”她朝着大家叫道，“你们不明白，不明白她的心多好，她是个多好的姑娘！她会拿钱？她？她会把最后一件衣裙脱下来卖掉，光着脚走路，把钱送给你们，只要你们需要，她就是这样一个人！她领了黄执照，是因为我的孩子要饿死了，她为了我们出卖了自己！……唉，死鬼呀，死鬼呀！唉，死鬼呀，死鬼呀！你看见了吗？你看见了吗？这就是为你办的葬后宴！天哪！你们倒是帮她一下呀，为什么都站着不动！罗季昂·罗曼诺维奇！您为什么不站出来为她辩解？难道您也信以为真？你们所有这些人都抵不上她一个小手指头，所有的人，所有的人，所有的人，所有的人！天哪！救救她呀！”

孤苦穷困又身染肺病的卡捷琳娜·伊凡诺芙娜这么痛哭流涕，看来对大家产生了极大的影响。在这张被痛苦扭曲了的十分憔悴的肺痨患者的脸上，在这干枯而布满血痂的嘴唇上，在这嘶哑了的喊声里，在这孩子般的号啕大哭中，在这轻信的、天真而又绝望的为姑娘求救声中，凝聚着太多的痛苦，令人可怜。至少，彼得·彼得罗维奇顿时也起了怜悯之心。

“太太！太太！”他用动情的语气说道，“这事跟您无关！谁也不会指控您有歹意或是共谋，再说还是您把口袋翻了过来才发现的,可见您事先一无所知。如果索菲娅·谢苗诺芙娜是贫困所迫,我非常非常可怜她,但是为什么小姐您不愿承认呢?害怕蒙受耻辱?第一次干这种事?也许是惊慌不知所措?事情可以理解了,完全可以理解……然而,为什么要干这种事呢!诸位!”他对在场所有的人说道,“诸位!我可怜她,也可以说是同情她,所以准备原谅她,甚至是在现在,尽管我个人也受了委屈。但愿今天的耻辱,小姐,能成为您日后的教训,”他对索尼娅说,“我不再往下追究了,就这样了结了,得了!”

彼得·彼得罗维奇斜扫了拉斯柯尔尼科夫一眼。他们的目光相遇了。拉斯柯尔尼科夫那愤怒的眼神似乎要把他烧成灰烬。然而,卡捷琳娜·伊凡诺芙娜好像什么也没听见,只是发疯地抱住索尼娅亲吻着。孩子们也同样用自己的小手从四面八方抱着索尼娅,而波列奇卡(其实她不很懂得是怎么回事)也是泪痕满面,哽咽着把自己哭肿的漂亮小脸蛋靠在索尼娅的肩上。

“这太卑鄙了!”突然门口传来一个响亮的声音。

彼得·彼得罗维奇立刻回头去看。

“这是多么卑鄙呀!”列别贾特尼科夫盯着他的眼睛,又说了一遍。

彼得·彼得罗维奇甚至仿佛全身一颤。这一点大家都注意到了(后来回想起了这个情况)。列别贾特尼科夫一步迈进了屋子。

“您居然还叫我作证?”他走到彼得·彼得罗维奇跟前说道。

“这是什么意思,安德烈·谢苗诺维奇?您在说什么呀?”卢仁嘟哝着。

“这意思就是,您……在诬陷。这就是我说的意思!”列别贾特尼科夫激动地说着。他那双深度的近视眼则严厉地盯着他。列别贾特尼科夫这时义愤填膺。拉斯柯尔尼科夫眼睛死盯着他，仿佛在捕捉和琢磨他的每一个字眼。又是一片寂静。彼得·彼得罗维奇眼看着惊慌失措了，尤其是最初那一瞬间。

“如果您这是说我……”他结结巴巴地开始说道，“您怎么啦？您神志清醒吗？”

“我很清醒，您才是个……骗子！哎呀，这太卑鄙了！我一直都在听，我故意一直等着，好把这一切都弄个明白，因为我承认直到现在这事还不太合乎逻辑……您为什么要这样做，我不明白。”

“我做了什么？您还不停止胡说八道吗？或许您是喝醉了吧？”

“您这个卑鄙小人才喝酒呢，我是清醒的！我从来不喝伏特加，因为这违背我的信念！你们想不到，是他，是他自己亲手把这张一百卢布的钞票塞给索菲娅·谢苗诺芙娜的，我亲眼目睹，我可以作证，我可以发誓！是他！是他！”列别贾特尼科夫对着大家，对着每一个人反复地说道。

“您是不是疯啦，乳臭未干的小子？”卢仁尖声叫道，“她就在这儿，在你们面前。就在刚才她当着大家的面证实了：除了十卢布以外，她没有从我手里拿过任何东西。因此怎么是我给她的呢？”

“我亲眼看见，亲眼看见！”列别贾特尼科夫叫喊着，并强调指出，“尽管这违背我的信仰，但我愿意此刻就到法庭发誓作证，因为我眼见您悄悄把钱塞给了她！只是我这个傻瓜当时还以为您塞钱是出于行善！在门口，当她转过身去时，您一只手握住她的手与她告别,另一只左手却悄悄地把钞票塞进了她的口袋里。我亲眼看见！亲眼看见!”

卢仁的脸刷地变得惨白。

“您胡说八道!”他粗暴地叫道,“您站在窗口,怎么能看清楚钞票？您是深度近视……产生了错觉,您在说梦话!”

“不,不是错觉！尽管我站得比较远,但我一切,一切都看在了眼里。尽管从窗旁的确很难看清楚钞票,这一点您说得完全正确,但这次情况特殊,我可以肯定这正是一张一百卢布的钞票。因为当您给索菲娅·谢苗诺芙娜十个卢布的钞票时,我亲眼看见您那时从桌上拿起了一张一百卢布的钞票(我看到这一切,是因为我当时就站在旁边,也是因为我脑海里立刻产生了一个念头,正因为如此,我不会忘记您手里有一张钞票)。您把钞票折起一直捏在手里。后来我就忘了,可当您站起身来,把纸币从右手换到左手,差一点儿掉下来,我这才又回想起来,因为那个念头又出现:您想瞒着我悄悄救济她。您可以想象出,我是多么认真观察的,因此我是亲眼所见,您是怎样顺顺当当把钱塞进了她的口袋。我亲眼所见,亲眼所见,我可以起誓!”

列别贾特尼科夫上气不接下气,四周一片喧哗,多半是惊奇的叹息,但也能听到恫吓声。大家都朝彼得·彼得罗维奇挤去。卡捷琳娜·伊凡诺芙娜扑向列别贾特尼科夫。

“安德烈·谢苗诺维奇！我错怪了您！您保护了她！只有您一个人为她辩护。她是个孤儿,您是上帝派来的！安德烈·谢苗诺维奇,亲爱的,我的老爷!”

卡捷琳娜·伊凡诺芙娜几乎无意识地朝他跪了下来。

"胡扯!"恼羞成怒的卢仁大声吼叫,"您一直在胡说八道,先生。'忘记了,想起了,忘记了',这算什么话!那是我故意偷偷塞给她的?为了什么呢?有什么目的呢?我同这么个女的有什么相干呢……"

"为了什么呢?正是这一点我自己也弄不明白,但我讲的是千真万确的事实,是确凿无疑的!我是不会弄错的,您这个卑劣罪恶的人,因为我清楚地记得,就在我向您表示谢意并与您握手时,我的脑海里立即浮现出一个问题,到底为什么您要悄悄塞进她的口袋呢?也就是说到底为什么要悄悄地干?难道仅仅是为了想瞒着我,因为您知道我的信念不同,我反对根本无法解决问题的个人善行?于是我想,您一定是不好意思当着我的面给这么一大笔钱。此外,我还想到,或许他想给她一个意外的惊喜,当她在自己口袋里发现整整一百个卢布时,大为诧异(因为我知道,慈善家有的就爱这样掩盖自己的善行)。后来,我同样又想到您是想考验她,看她发现钞票后会不会前来致谢?后来又以为您要避免别人致谢,正如圣经上所说的,不要让右手(大概是右手吧)知道[①]……总之,当时就是这样……我脑海里出现了许多想法,因此我打算以后再好好思考这一切,不过我仍觉得当面把我所知道的秘密揭露出来是不礼貌的。很快我脑海里又产生了一个疑问:索菲娅·谢苗诺芙娜在发觉这钱之前也很可能丢失。因此我决定来这里,叫她出来,告诉她有人在她口袋里放了一百卢布。我顺便先去了一趟科贝利亚特尼科娃太太的房间,给她们拿去一本《实

①语出《新约全书·马太福音》(第6章,第3节):"你施舍的时候,不要叫左手知道右手所做的,要叫你施舍的事行在暗中……"

证法概论》[1],她们特别推荐了皮德里特的论文(其实我也推荐了瓦格纳的论文),然后就来到这里,正赶上这件令人吃惊的事！我要不是亲眼目睹您把钱塞进了她的口袋里,我怎么可能,怎么会有这一切想法和这一番推论呢?”

当安德烈·谢苗诺维奇结束长篇大论,并最终得出这一合乎逻辑的结论时,他已精疲力竭,甚至脸上都滚下了汗珠。真可以！连用俄语正确表达自己的意思他都不会了(其实,他并不懂其他任何语言),结果这一下子就搞得他疲惫不堪,他完成这一番辩护伟业后,好像人也瘦了一圈。虽然如此,他的一席话却产生了极大的反响。他说得慷慨激昂,令人信服,大家显然都相信了他。彼得·彼得罗维奇感到事情不妙了。

“您脑袋瓜里出现什么愚蠢的疑问,与我有什么相干,”他嚷道,“这不是证据！您说的可能全是梦里的呓语,不过如此！而我告诉您,您在胡说八道,先生！您在胡说八道,您出于某种险恶用心对我进行诽谤,您所以耿耿于怀,是因为我不赞同您那带有自由思想和无神论的社会观,就是这么回事!”

然而,这一番诡辩并没有给彼得·彼得罗维奇带来好处,相反地,四周响起了一片不满的抱怨声。

“啊,你扯到哪儿去啦!”列别贾特尼科夫叫道,“这是胡说八道！去叫警察吧,我可以起誓！只有一点儿我弄不明白:他为了什么要冒险干这种卑鄙的勾当！啊,真是个卑鄙无耻的家伙!”

---

①这是一本译自德文的自然科学论文集,收入的大多是关于大脑和心理活动问题的文章,其中作者有德国作家兼医生皮德里特和德国经济学家瓦格纳。

“我可以解释，他为什么要干这种卑鄙的勾当，如果需要的话，我也可以起誓！”拉斯柯尔尼科夫终于语气果断地开口说道，并向前迈了一步。

他的神态显得坚决而又沉着。所有的人只要看他一眼，就知道他确实了解事情的真相，事情就会水落石出了。

“现在我已经完全清楚了事情的来龙去脉，”拉斯柯尔尼科夫直冲着列别贾特尼科夫说下去，“从一开始，我就怀疑这里面有着某种卑鄙的诡计；我之所以会起疑心，是因为有些特殊的情况只有我本人知道，现在我就把这些情况告诉大家：关键就在这里！安德烈·谢苗诺维奇，您这番至关重要的证言，更让我彻底弄清了一切。请大家，请大家都听我说：这位先生（他指着卢仁）不久前向一位姑娘，也就是舍妹阿芙多季娅·罗曼诺芙娜求了婚。但是他来彼得堡以后，前天在我们第一次见面时，我们两人发生了冲突，我把他从我那儿赶了出去，此事有两个见证人。这个人非常恶毒……前天我还不知道他就住在这里，同您安德烈·谢苗诺维奇在一起，我也不知道，大概就在我们发生冲突的那一天，也就是前天，他看见我作为已故马尔梅拉多夫先生的朋友，送给他的遗孀卡捷琳娜·伊凡诺芙娜一些钱作为安葬费。他便马上给家母写信，说我把所有的钱送给了索菲娅·谢苗诺芙娜，而不是送给卡捷琳娜·伊凡诺芙娜，同时他污蔑……索菲娅·谢苗诺芙娜的品行，也就是暗示我同索菲娅·谢苗诺芙娜有不正常的关系。所有这一切，你们都看得明白，是要挑拨我同母亲、妹妹之间的关系，并向她们暗示，我出于可耻的目的挥霍她们对我倾囊相助的几个钱。昨天晚上，当着家母和舍妹的面，也当着他的面，我说明了事情的真相，并证明，我是送钱给卡捷琳娜·伊凡诺芙娜作为安葬费的，而不是送给索菲娅·谢苗诺芙娜，而且前天我还不认识索菲娅·谢苗诺芙娜，甚至都没见过她。同时，我又补充说，他，彼得·彼得罗维奇，连同他所有的优点都抵不上那个被他恶毒攻击的索菲娅·谢苗诺芙娜的一个小拇指。对他提的一个问题：我是否会让索菲娅·谢苗诺芙娜与舍妹坐在一起？我答复说：我已经这么做了，就在当天。由于家母和舍妹没有听信他的诽谤，也没有跟我闹别扭，于是他恼羞成怒，开始出言不逊，对她们说了些不可饶恕的粗鲁话。婚约被解除了，他也被赶出了房间。这就是昨天晚上发生的一切。现在我请大家特别注意：请试想一下，假如他的诡计得逞，他现在能够证实索菲娅·谢苗诺芙娜是个贼，那么他首先就能向家母和舍妹证明，他的怀疑几乎是正确的；其次证明，他完全有理由恼怒，因为我让舍妹与索菲娅·谢苗诺芙娜坐在一条板凳上；并且证明，他抨击我是为了保护、保全舍妹，也就是他未婚妻的名誉。总之，通过这一切，他甚至可以重新挑拨我与家人之间的关系，当然他也企盼再一次获得她们的青睐。我姑且不论他还想对我个人进行报复，因为他有理由认为，索菲娅·谢苗诺芙娜的名誉和幸福对我来说是非常重要的。这就是他的全部用意！这就是我所理解的事实真相！这就是全部的动机，不可能有其他的了！”

拉斯柯尔尼科夫就这样，或者几乎就这样结束了自己这番长篇大论；他说话时，常常被聚精会神的听众们的感叹声打断。然而，尽管如此，他的口气严厉，神态沉着，用词准确，口齿清晰，并且语气坚定。他那激烈的声音，确信不疑的口气，以及正颜厉色的面容给所有人都留下了极其深刻的印象。

“对，对，正是这样！”列别贾特尼科夫激动地证实说，“应该是这样的，因为索菲娅·谢苗诺芙娜一走进我们的房间，他就向我打听您是不是在这里？打听我有没有在卡捷琳娜·伊凡诺芙娜的来客中看见您？为此他把我叫到窗前，在那儿悄悄地问我。可见，他一定需要您在这里！正是这样，完全是这样的！”

卢仁一声不吭，脸上露出不屑一顾的冷笑。其实，他脸色惨白。看来，他正在考虑如何脱身。或许他非常想一走了之，但是此刻这么做几乎是不可能的，因为这就意味着公开承认别人对他的指控是正确的，公开承认他确实是在诬陷索菲娅·谢苗诺芙娜。况且，即使没有此事，喝得微醉的众人也已太激动了。那个军需官尽管并没有明白所有的一切，但却叫嚷得比谁都凶，并提出一些对卢仁极其不利的办法。还有没喝醉的人，他们都是从各个房间里跑出来，聚集在这儿的。三个波兰人的情绪异常激昂，他们不停地冲着卢仁喊道：“лайдак！”[1]又用波兰语嘟哝着威胁他的话。索菲娅·谢苗诺芙娜紧张地听着，却似乎也没有完全明白，像刚从昏迷中清醒过来。她只是目不转睛地望着拉斯柯尔尼科夫，心里觉得只有他才能保护她。卡捷琳娜·伊凡诺芙娜呼哧呼哧地喘着粗气，仿佛已经疲惫不堪。最傻眼的要数阿玛丽娅·伊凡诺芙娜，她目瞪口呆地呆立着，脑子里一片空白。她只看见彼得·彼得罗维奇不知怎的被当场揭穿了。拉斯柯尔尼科夫要求再说几句话，可人们没有让他把话说完，因为群情激愤，大伙儿围住了卢仁，咒骂他，恫吓他。但是，彼得·彼得罗维奇并没有胆怯，

①这是用俄文字母写的波兰语：恶棍。

眼看诬陷索尼娅的诡计已经败露，他干脆要蛮干了。

“让开，诸位，请让开；别挤啦，让我过去！”他一边说，一边从人群中挤了过去，“劳驾，别吓唬人；请你们相信，我会没事的，你们什么也捞不到，我可不是胆小鬼，恰恰相反，诸位，你们倒该承担责任，因为用暴力掩饰了一桩刑事案。这个小偷需要进一步地揭露，我将追究此事。法院里的人可不会这么愚昧无知……这么醉醺醺的，也不会轻信这两个极端可恶的无神论者、煽动分子和自由主义者，他们指控我是为了报私仇，对此这两个傻瓜自己都承认了……就是这样，请让开！”

“请您立刻离开我的房间，立刻搬走，我们之间一刀两断！我悔不该那么竭尽全力、苦口婆心地给他讲了……整整两个星期！”

“刚才我不是告诉过您吗，安德烈·谢苗诺维奇，说我要搬走，您还挽留我呢。现在我只补充一句，您是个傻瓜。但愿您能治好您的脑筋和您那高度的近视眼。让开，诸位！”

他勉强挤过人群，但那个军需官却不想让他只挨几句骂就这么轻而易举地走掉：他从桌上抓起一个玻璃杯，用力朝彼得·彼得罗维奇甩去；但杯子却径直打到了阿玛丽娅·伊凡诺芙娜的身上。她尖叫了一声，而那个军需官用力过猛，身体失去平衡，扑通一声重重地摔倒在桌下。彼得·彼得罗维奇回到了自己的房间，半小时以后他就离开了此地。生性胆怯的索尼娅本来就心里明白，她比谁都更容易受到伤害，而且谁都可以凌辱她，并几乎不受到任何惩罚。但在这事之前，她仍还觉得，只要她对任何人，对每一个人，都小心谨慎，温顺听话，就可以消灾免祸。这一次她感到极度的绝望。当然，她可以隐忍，几乎毫无怨言地承受这一切，甚至是今天的事。但在最初那一刻实在令人太难受了。尽管她获得了胜利，并证实了自己的清白，但当最初的恐惧、最初的呆痴过去，当她了解了一切以后，一种孤苦伶仃、受人欺凌的痛苦袭上心头。她号啕大哭起来，终于再也忍受不住，冲出屋子，跑回家去。这几乎就发生在卢仁走后不久。阿玛丽娅·伊凡诺芙娜被玻璃杯击中时，引起了哄堂大笑，她不肯平白无故地代人受过，像疯子似的尖叫着，朝卡捷琳娜·伊凡诺芙娜扑去，因为觉得她是这一切的罪魁祸首。

“从房子里滚出去！马上！快滚！”她一边叫喊着，一边随手抓起卡捷琳娜·伊凡诺芙娜的东西，就往地上扔。卡捷琳娜·伊凡诺芙娜本来就已有气无力，几乎昏厥，一直气喘吁吁的，脸变得惨白，这时蓦地从床上跳起（她已经精疲力竭地倒在床上），朝阿玛丽娅·伊凡诺芙娜扑过去。然而，双方力量太过悬殊了，她就像一片羽毛似的被阿玛丽娅·伊凡诺芙娜一把推开。

“怎么！昧着良心诬陷还不够，这个畜生也来打我！怎么！在我丈夫下葬的日子里，吃了我的酒菜以后，却要把我和孤儿一起从房子里赶出去，叫我们流落街头！我上哪儿去呀！”这个可怜的女人一边痛哭，大喘着气，一边诉说，“上帝啊！”她突然叫了起来，两眼喷射出怒火，“难道就没有公道吗？倘若你不保护我们孤儿寡母，你还保护谁呀？我们等着瞧吧！世上还存在法律和公道，我就去找！马上就去，你等着吧，无法无天的畜生！波列奇卡，你跟孩子们一起留下，我会回来的。你们等着我，哪怕在街上等也行！让我们瞧瞧，世上是不是有公道！”

于是，卡捷琳娜·伊凡诺芙娜把那条已故的马尔梅拉多夫曾提到过的绿呢头巾披上，穿过屋子里乱成一团的醉醺醺的房客们，放声痛哭着，泪流满面地跑到了街上，尽管不知道公道在哪儿，反正无论如何要马上找到它。波列奇卡吓得和另两个孩子一起躲进屋角，坐在箱子上，她搂着弟弟妹妹，胆战心惊，浑身直打哆嗦，等待母亲回来。阿玛丽娅·伊凡诺芙娜在屋子里窜来窜去，叫嚷着，数落着，随手抓到东西就扔在地上，简直像发了疯。房客们则叫嚷着，各说各的事，有的人就自己所知议论着刚才的事，有的人在互相争吵咒骂，有的竟唱起了歌……

"现在我该走啦！"拉斯柯尔尼科夫寻思道，"好吧，索菲娅·谢苗诺芙娜，让我们听听，现在您可说什么？"

于是，他动身去索尼娅的住处了。

第四章

拉斯柯尔尼科夫扮演了索尼娅抗诉卢仁的一个积极而勇敢的辩护者，尽管他内心在忍受自己的恐惧和痛苦。不过经历了早上的一番磨难后，他的确很高兴有机会来改变一下自己那已不堪忍受的心境，更不用说他所以要为索尼娅辩护，还包含许多个人的真挚的情感。此外，他即将与索尼娅见面，而这不时让他极其惊恐不安，因为他必须告诉她，是谁杀了丽莎维塔；他预感到这将是可怕的折磨，不由得挥手驱赶这种折磨：因此，当他从卡捷琳娜·伊凡诺芙娜那儿出来时想道："好吧，索菲娅·谢苗诺芙娜，现在您可说什么？"显然他那时还沉浸在某种表面的激昂之中：他精神振奋，挺身而出，因刚刚击败卢仁而扬扬自得。但说也奇怪，当他走到卡佩瑙莫夫家门口时，突如其来地感到浑身发软，不胜恐惧。他若有所思地停在门口，心里冒出一个奇怪的问题："有必要告诉她谁杀了丽莎维塔吗？"这个问题着实很怪，因为同时他又突然意识到，他不仅不能不说，而且甚至还不能拖延时间，哪怕是拖延一会儿。他还不知道为什么是不可能的;他只不过是感觉到了这一点。面对这件必须去做的事自己显得怯懦无力,他痛苦地意识到了自己这种无力,因此几乎喘不过气来。为了不再胡思乱想,为了不再忍受痛苦的煎熬,他迅速地推开房门,在门口望了望索尼娅。她正坐着,胳膊肘支撑在小桌上,两手掩着脸,不过,她一看见拉斯柯尔尼科夫,便迅速站起身来,向他迎了上来,似乎在等候着他。

“假如没有您,我会怎么样呢!”当她与他一起走到屋子中央时,她急切地说道。显而易见,她想尽快对他说的正是这句话。为此她才等着他来。

拉斯柯尔尼科夫走到桌前,在她刚才坐的那把椅子上坐下来。就像昨天那样,她站在他的眼前,有两步远的距离。

“会怎么样呢,索尼娅?”他说道,突然觉得自己的声音在发颤,“要知道,所有这一切能够发生,完全是因为‘社会地位及其相关的习惯’。您刚才明白了这一点吗?”

她的脸上露出痛苦的神情。

“只是您别像昨天那样同我说话!”她打断了他的话,“请别再说这个啦。我已经够受折磨的了……”

她赶紧微微一笑,唯恐这么责怪会引起他的不快。

“我一时糊涂,离开了那儿。那里现在怎么样啦?我本想回去,但总感觉您……您会来的。”

他告诉她,阿玛丽娅·伊凡诺芙娜要把他们赶出公寓,卡捷琳娜·伊凡诺芙娜不知跑到什么地方去“寻找公道”了。

“哎呀,我的天哪!”索尼娅叫道,“那我们快走……”

她一把抓起自己的大披肩。

“又是这样!”拉斯柯尔尼科夫生气地叫道,“您只想着他们! 跟我一起待一会儿嘛。”

“那……卡捷琳娜·伊凡诺芙娜呢?”

“卡捷琳娜·伊凡诺芙娜当然离不开您,她既然从家里跑出来了,她自己会上门找您的,”他不满地补充道,“就是她找不到您,您也还是罪魁祸首哇……”

索尼娅痛苦地犹豫着,只好在椅子上坐了下来。拉斯柯尔尼科夫一声不吭,两眼望着地板,心里在琢磨着什么。

“我们假定卢仁现在已经不想指控您了,”他看也没看索尼娅一眼,便开始说道,“但如果他想指控您,或者这是他计谋的一部分,要没有我和列别贾特尼科夫碰巧在场,他就会把您送进监狱的! 是吧?”

“对的,”她声音微弱地说,“对的!”她惶惶不安地重复了一遍。

“要知道,我当时的确可能不在那儿,列别贾特尼科夫更是偶然碰上的。”

索尼娅一声不吭。

“要是进了监狱,那时该怎么办哪! 您记得我昨天说的吗?”

她还是一声不吭。他等了片刻。

“我还以为您又会叫起来:‘唉,别说啦,请打住吧。’”拉斯柯尔尼科夫笑了起来,不过像是强打精神,“怎么,又不吭声了?”稍后他又问道,“我们总得谈点什么呀? 我就很想知道,您现在会怎么解决列别贾特尼科夫说的那种‘问题’(他好像有点儿语无伦次了)。说真的,我不是在开玩笑。索尼娅,假如您事先知道卢仁的一切阴谋诡计,也知道(准是那样)由于这些阴谋诡计卡捷琳娜·伊凡诺芙娜要被毁掉,孩子们也要被毁掉,还会搭上您(因为您不把自己当回事,那就只能搭上)。波列奇卡也无法逃脱,因为她只有这条路可走。这样一来,要是现在突然得由您来决定一切:让谁活在世上,是让卢仁活着胡作非为,还是让卡捷琳娜·伊凡诺芙娜去死?那您会做出怎样的决定:他们两人之中叫谁去死?我在问您。"

索尼娅不安地望着他,因为在这含糊其辞又若有所指的语言中,她听出了某些特别的含意。

"我料到您会问这样的问题。"她边说边用打探的目光盯着他。

"好吧,就算这样;不过您会怎么决定呢?"

"您为什么要问这不会有的事?"索尼娅厌恶地问道。

"那么说,最好让卢仁活着胡作非为?您连这个都下不了决心?"

"我怎么能知道天意呢……可您为什么要问这不能问的事?干吗提这种无聊的问题?一切由我来决定,这怎么可能呢?谁派我来裁决谁该活,谁该死呢?"

"那么说——有了天意,你就束手无策啦。"拉斯柯尔尼科夫郁郁不欢地抱怨道。

"您最好直截了当地说出想说的话!"索尼娅痛苦地叫嚷起来,"您又是话里有话……难道您来这儿只是为了折磨我!"

她再也忍受不住了,突然悲楚地放声痛哭起来,他神色忧郁地望着她，这样过了五分钟。

“要知道你是对的，索尼娅。”他终于轻轻地说道，突然间，他像变了个人，那佯装蛮横的和强作挑衅性的语调消失不见了，甚至连声音也突如其来变得微弱了。“昨天我亲口告诉过你，我来这里不会是求你谅解的，可我几乎第一句话就是为求你宽恕……我谈卢仁和天意是为了自己……我是请你谅解，索尼娅……”

他想开颜一笑，然而他那惨然的笑意却流露出无可奈何和欲说又止。他低下头，用手蒙住了脸。

突然，他感到心里对索尼娅闪过一种意外而奇怪的强烈愤恨。这似乎令他十分吃惊和恐惧，他猛地抬起头，目不转睛地盯着她看。然而他遇上的是投向他的不安而痛楚关切的目光，里面充满了爱意，他的愤恨如幻影般消失了。原来那并不是愤恨，他把一种情感错觉为另一种了。这些意味着，那一时刻已经到来。

他的手又一次蒙住脸，深深低下头去。忽然间他脸色变白，从椅子上噌地站起，瞧了索尼娅一眼什么也没说，便机械地坐到了床边。

他觉得此时非常像过去那一时刻：他已把斧头从套中取出，正站在老太婆身后，感到“再也不能错失良机了”。

“您怎么啦？”索尼娅胆战心惊地问道。

他什么话也说不出来。他预想中完全、完全不是这样子来宣布此事，他自己也弄不清楚现在他是怎么啦。她悄悄走到他身旁，挨着他坐下等待着，同时又目不转睛地望着他。她的心怦怦跳着，又像要停顿下来。他再也忍受不住，那张死人般惨白的脸转向她，双唇无可奈何地撇着，竭力想说出点什么。索尼娅的内心充满了恐惧。

“您怎么啦?”她重复道,稍稍地离开他一点儿。

“没什么,索尼娅。别怕……没什么不得了的!真的,仔细想一想,也没有什么。”他嘟哝着,像个连自己是谁都记不得的人在发谵语。“我干吗要来这儿折磨你呢?”他望着她,突然补充说,“真的,为什么?我总在问自己这个问题,索尼娅……”

或许,一刻钟之前他是在不断地问自己,可现在他心力交瘁地说了出来;此刻他已不甚清醒,浑身不停地哆嗦。

“哎呀,看您难受的样子!”她仔细地打量着他,痛苦地说道。

“没什么了不得!……你听着,索尼娅(他不知怎的突然微微一笑,笑得惨然无力,持续了大约两秒钟),你可记得我昨天想对你说什么吗?”

索尼娅神色不安地等待着。

“我走时说也许我与你是永别了,但如果我今天来,我要告诉你……谁杀死了丽莎维塔。”

她浑身忽地一阵颤抖。

“我就是来告诉你的。”

“昨天您确实这么说过……”她吃力地低语道,“您怎么会知道?”她好像一下子恍然大悟,急匆匆问道。

索尼娅变得喘息艰难,脸色更加苍白。

“我知道。”

她沉默了片刻。

“是不是查出了他?”她胆怯地问道。

“没有,没有查到。”

“那您怎么会知道这件事呢?”她又沉默了片刻,用勉强听得见的声音问道。

他朝她转过脸,目不转睛地盯着她看。

“你猜猜看。”他说道,脸上重又出现先前那种勉强的扭曲的笑容。

她全身好像一阵痉挛。

“您……吓唬我……您干吗要……吓唬我?”她像个孩子似的笑着说。

“既然我知道,可见我同他是好朋友……”拉斯柯尔尼科夫接着往下说,两眼仍逼视她的脸,似乎无力把目光移开。“他并不想杀……这个丽莎维塔……他是无意中杀了……她……他想在那个老太婆……独自一人时杀了她……他就去了……可这时丽莎维塔走进来……他……就连她也杀了。”

又过了可怕的一分钟。两人依然面面相觑。

“你就猜不到吗?”他突然问道,觉得自己好像从钟楼上跳了下来。

“猜不到。”索尼娅的声音隐约可辨。

“那就好好瞧瞧吧。”

他话音刚落,一种曾经有过的熟悉感觉袭来,他的心脏几乎停止了跳动:他望着她的脸,突然仿佛看见了丽莎维塔的面孔。他清晰地记得丽莎维塔脸上的表情,他拿着斧头朝她逼去,而她则向墙壁退去,一只手朝前伸着,脸上露出孩子般的恐惧。孩子突然对什么感到恐惧时,就会惊慌地呆望着令他们感到恐惧的东西,一面向后退,一面向前伸出小手,立刻就会大哭起来。现在索尼娅几乎也正是这样，她无力而又惊慌地盯着他看了一会儿，突然伸出左手，用手指轻轻按住她的胸口，自己缓缓地从床上站起身来，一步一步向后退，可目光却越发呆望着不动。她的恐惧一下子也传给了他，因为他脸上也出现了那样惊恐的神色，他也用同样的目光望着她，甚至也露出同样孩子般的微笑。

“猜到了吧？”末了他喃喃地说。

“天哪！”她的胸腔迸发出可怕的一声尖叫。她软弱无力地倒在了床上，把脸埋在枕头里，但随即又翻身坐起，身子很快挪到他的身边，抓住他的双手，握在自己那纤细的小手中，如同用老虎钳夹住似的。她又开始呆呆地望他的脸，好像目光被粘住了。她想最后再绝望地看他一眼，希望发现并抓住哪怕是最后一线希望。但没有看出任何的希望，完全无可怀疑了；事情就是这样！甚至到后来，当她回想起这一时刻时，她都奇怪莫解：为什么她当时一下子就认为无可怀疑了呢？要知道，她当时还不能说已有类似的预感。可现在他刚把这件事告诉她，她顿时觉得似乎确实有着这种预感。

“够了，索尼娅，得了！别折磨我啦！”他痛苦地哀求道。

他完全没想，完全没想这样子向她坦白，但结果却成了这样。

她好像无力自持，噌地跳起来，绞着双手，走到屋子中央；但很快又转回去，几乎肩并肩地坐到他旁边。突然间，她似乎被扎了一下，浑身一颤，尖叫起来，自己也不知为什么扑通一下跪倒在他面前。

“您，您对自己干了些什么呀！”她绝望地说着，猛地站起向他扑去，搂住他的脖子，紧紧地拥抱着。

拉斯柯尔尼科夫挣脱出来，带着忧郁的笑意望着她说：

“你多么怪呀，索尼娅。我把这件事告诉了你之后，你倒拥抱我，吻我。你不知道自己在干什么。”

“不，现在世上没人比你更不幸啦！”她发狂似的叫喊着，并没有听到他的话。突然又像癫狂病发作，她放声大哭起来。

一股久违了的感情犹如热浪涌上来，一下子融解了他的心。他没有去抑制这种感情，两颗泪珠夺眶而出，悬挂在睫毛上。

“那你会抛弃我吗，索尼娅？”他问道，几乎是带着希望看着她。

“不，不会，无论什么时候，什么地方！”索尼娅嚷道，“我跟你走，到天涯海角！啊，天哪！……我多么不幸！……为什么，为什么我早不认识你！为什么你不早来呀？啊，天哪！”

“现在我不是来了吗。”

“现在来了！啊，现在该怎么办哪！……我们在一起，我们在一起！”她似乎丧失了知觉，反复嘟哝着，又一次拥抱了他。“我和你一起去服苦役！”他仿佛抽搐了一下，嘴角又出现了先前那种愤恨的颇似傲慢的笑意。

“可我，索尼娅，也许还不想去服苦役呢。”他说道。索尼娅飞快地瞥了他一眼。

最初她对不幸者满怀着强烈而痛苦的同情，可随着那可怕的杀人念头重又令她震惊。从他变换的语调里，她似乎突然听出了他就是杀人犯。她吃惊地打量着他。对此她还一无所知，不知这么干为了什么，怎样的情形，要达到什么目的。此刻，所有这些问题都一下子涌进她的脑海。于是，她又变得疑心重重：“他，他是个杀人凶手！这怎么可能？”

“这是怎么回事？我在哪儿？”她大惑不解地问道，仿佛还没有清醒过来似的。“像您，像您这样的人……怎么能下决心干这个？……这是怎么回事呀！”

“还不是为了抢劫。别说啦，索尼娅！”他疲惫地，又像是懊丧地回答道。

她一时呆若木鸡，随即突然大叫起来：

“你是被饥饿逼的！你……你想接济你母亲？是吗？”

“不是，索尼娅，不是，”他转过身，垂下了脑袋，嘴里嘟哝着，“我还没有饿到那种地步……我的确也想帮助母亲，但……也不完全是这样……别折磨我啦，索尼娅！”

索尼娅两手一摊。

“难道，难道这都是真的！天哪，这怎么会是真的呢！谁能相信这一切？……您怎么，怎么能把自己仅有的几个钱送人，同时又为了抢劫而去杀人呢！啊！……”她冷不丁地又叫了起来，“您给卡捷琳娜·伊凡诺芙娜的钱……那些钱……天哪，难道那也是……”

“不，索尼娅，”他急忙打断她说，“这可不是那样来的钱，你放心吧！这是我母亲通过一个商人寄给我的，我收到钱时正在生病，当天我就把它送给了……拉祖米欣看见的……他替我收下的……这笔钱是我的，我自己的，确实是我的。”

索尼娅疑惑不解地听着，努力要想清楚。

“至于那里的钱……其实我都不知道那里有没有钱。”他轻轻地补充道，像在沉思。“当时从她脖子上取下一只钱袋，麂皮的……塞得满满的，鼓鼓囊囊的钱袋……可我没打开看，大概是来不及了……那些东西呢，什么扣子呀，链子呀，第二天早上我连同钱袋都藏到B—й大街一个陌生的院子里，埋在一块石头下面……所有的东西现在还在那儿……”

索尼娅聚精会神地听着。

“那怎么是……您怎么说是为了抢劫，可自己却什么也没拿上？”她仿佛抓住一根救命稻草，赶紧追问道。

“我不知道……我还拿不定主意，是不是拿这些钱。”他又像陷入沉思，低声地说，但他猛地清醒过来，脸上飞快地闪过一丝冷笑。“哎呀，我刚才怎么说了这么些浑话，啊？”

索尼娅脑子里闪过一个念头：“莫非他疯了！”但她立刻就放弃了这种想法：不，这是另一码事。这事她是无论如何，无论如何也无法弄明白的。

“你可知道，索尼娅，”他突然激动起来说，“你可知道，我要对你说：假如我只是出于饥饿动手杀人，”他一字一顿地强调说，同时用一种神秘却很真诚的目光望着她，“那我现在……该是幸福的！你得明白这一点！”

“对你来说，对你来说有什么意思呢，”停了片刻，他甚至是绝望地叫了起来，“就算我现在承认自己干了件蠢事，这对你有什么意思呢？这样毫无意义地击败我，就是胜利了对你又有什么用处呢？唉，索尼娅，难道是为了这个我现在到你这儿来吗！”

索尼娅欲言又止。

“昨天我叫你同我一起走，是因为我只有你一个人了。”

“你叫我去哪儿？”索尼娅怯生生地问道。

“不是去偷，也不是去杀人，别担心，不是去干这种事，”他讽刺地冷笑了一声，“我们不是同类人……你要知道，索尼娅，我只是现在，只是刚刚才弄明白，我昨天叫你去哪儿。可昨天我对你说这话的时候，连我自己也不知道要去哪儿。我叫你的目的只有一件事，我来这儿也只是为了一件事：你别抛弃我。你不会抛弃我吧，索尼娅？”

她紧紧地握了握他的手。

“我干吗，干吗告诉她呢？干吗向她坦白实情呢！”片刻之后，他一边绝望地叫道，一边痛苦不堪地望着她。“你在等着我倾诉，索尼娅，你坐着，等待着，我看得出。可我对你说什么呢？要知道，你是无法理解这件事的，只会为我……无限伤心！你瞧，你在流泪了，又在拥抱我，但你为什么拥抱我呢？是因为我自己承受不住，来把痛苦给别人分担，‘你也感到痛苦，我就好受些！’但你能爱这样一个卑鄙的人吗？”

“你不也同样痛苦不堪吗？”索尼娅叫道。

那种感情又一次热浪似的涌上他心头，他的心一时又软了下来。

“索尼娅，我这人心狠，你得知道这一点，这能解释许多事情。我来这儿，正因为我是个狠心人。有的人就不会来。但我是胆小鬼……又是个卑鄙的家伙！不过……算了吧！这都不是我要说的……现在应该说说了，可我却又不知从何谈起。”

他收住话头，默想着。

“唉，我们是不同的人！”他又一次叫道，“我们不是一类人。我干吗，干吗要来这儿！在这一点上我永远不会原谅自己！”

“不，不，你能来，这很好！”索尼娅大声嚷道，“能让我知道，这就好多了！这太好了！”

他痛苦地望着她。

“真不妨就告诉你！”他仿佛拿定了主意说道，“要知道，事情真的是这样！你瞧，我是想成为拿破仑，因此我杀了人……喏，现在明白了吗？”

“不，不会，”索尼娅天真而又胆怯地嘟哝着，“不过……你说，你说吧！我会明白的，我心里全都明白！”她央求他说。

“你会明白？那么好，我们看看吧！”

他沉默起来，久久地思索着。

“事情是这样的。有一次我给自己提了个问题：比如说，倘若拿破仑处于我的境遇，他既没有占领土伦，也没有夺取埃及，越过勃朗峰[①]这些伟大的壮举来建立功业，而只有一个可笑的老太婆，十四等文官的遗孀，他还必须把她杀掉，以便从她的箱子里取到钱（为了建立功业，明白吗），没有别的出路，那么他肯这样干吗？他会不会因为这种事太不豪迈，并且……还有罪过，而退缩呢？告诉你，这个‘问题’很久以来一直在折磨我。最终我领悟到（不知怎的突然开窍了），他不但不会退缩不干，而且甚至根本想都不想这事是否豪迈……他甚至都不理解什么叫做退缩不干。这时，我觉得羞愧难言。只要他没有其他的路可走，他就会毫不犹豫，不让她叫喊一声就把她掐死了！……于是，我也……效仿这位权威……毫不犹豫地……杀了她……事情就是

①西阿尔卑斯顶峰，欧洲西部的最高峰，拿破仑曾率军越过此峰进入意大利境内。

这样！你是不是觉得可笑？是的，索尼娅，可笑就在与实际情形一模一样……”

索尼娅丝毫不觉得有什么可笑。

“您最好直截了当地告诉我……不要打比方。”她越发胆怯，用微弱的声音请求说。

他向她转过身去，忧郁地望着她，握住了她的手。

“你又说对了，索尼娅。这其实都是胡扯，几乎全是废话！你瞧！你也知道，我母亲几乎一贫如洗。我妹妹受过教育，这也是偶然的机会，她注定只能当家庭教师。她们的所有希望都寄托在我一个人身上。我进了大学，但无力供养自己上大学，不得不暂时辍学。即便能这样维持下去，过上十年、十二年（如果情况有所好转）我也只有望当上年俸一千卢布的一名教师或者一个小官吏（他好像背书似的说着）……可那个时候，我母亲早因操劳和忧虑而心力交瘁，我仍然无法让她安心；妹妹呢……唉，我妹妹的情况可能会更糟！……再说，谁愿意一辈子一无所有，甘守清贫呢？谁愿意忘掉母亲，眼看着自己妹妹遭人凌辱。为了什么呢？为了在埋葬她们以后再去养活妻小，然后同样一文不名地把他们抛在世上？于是……于是我决定攫取老太婆的钱财，作为自己头几年的生活费，不用母亲操心，保障自己在大学里的学习费用，以及毕业后开创自己事业的经费并且是大展宏图，以便开创一番崭新的事业，走上全新的独立之路……嗯……嗯，就是这么回事……自然，我就杀了那个老太婆。这是我干了坏事……行了，够了！”

他有气无力地把话说完，垂下了头。

“哎呀，不会是这样，不会是这样，”索尼娅痛苦地叫道，“难道能这么干吗……不,不能这样,决不能这样!”

“你自己看出了事情不会是这样!……我讲的可是心里话,是实话!”

“这算什么实话呀!啊,天哪!”

“要知道,我不过杀死了一只虱子,索尼娅,一只无用的、讨厌的、有害的虱子。”

“人能是虱子!”

“我也知道,人不是虱子,”他用古怪的眼神望着她,回答道,“其实,我在瞎说,索尼娅,”他补充道,“我很久以来就在瞎说……事情根本不是这样的;你说的完全正确。这里完全是,完全是,完全是别的原因!……我很久没同任何人谈话了,索尼娅……我现在头痛得厉害。”

他那两眼闪着光,像在发昏热。他几乎说起胡话来了;嘴角流露出令人不安的微笑。透过他激动的情绪,已经可以觉察到极度的虚弱。索尼娅心里明白,他在受着痛苦的折磨。她也开始头昏目眩起来。可他的话那么奇怪:有的好像是可以理解的,然而……“然而,怎么会是这样!怎么会是这样!啊,天哪!”她绝望地绞着手。

“不,索尼娅,事情不是那样!”他猛地抬起头来说,思路突然一变,使他大为震惊,也让他精神重又一振。“事情不是那样!最好……这样设想一下(是的,这的确更好些),就当我好面子,爱妒忌,心狠,卑鄙,报复心重,喏……或许还有点儿精神错乱的倾向(让我一下子全说出来吧!以前就有人说我精神错乱,我注意到了)。我刚才对你说过,我无力供养自己上大学。你可知道,我或许也能够上得了？母亲会寄钱来让我交学费，我自己能挣点钱来买靴子、衣服和食品，这是完全可能的！我去教过书，每小时赚半个卢布。拉祖米欣也在工作嘛！可我一发火就不愿干了。我真是发了脾气（这个词很贴切）。那时，我像只蜘蛛似的躲在墙角里。你不是去过我的小屋，看到过……你可知道，索尼娅，矮矮的天花板和窄小的房间会封闭一个人的心灵和智慧的！[①]啊，我是多么憎恨这间小屋！但我仍然不愿离开那儿。我故意待在那里。我整天闭门不出，也不愿工作，甚至也不愿吃饭，只是躺着。纳斯塔霞把饭菜端来，我就吃，不端来就一天不吃；我一赌气故意不开口要！夜里也不点灯，黑灯瞎火地躺着，不愿为买蜡烛去挣钱。应该看书学习，可我把书本给卖了；我的桌子上，笔记本和练习本现在已盖上了一指厚的灰尘。我最喜欢躺着想事。没完没了地乱想……做的梦也莫名其妙，形形色色的，用不着说是什么梦了！只是到了那个时候我才开始感到……我，不是这样！我又说错了！你瞧，我一直在扪心自问：为什么我会这样愚蠢；如果别人都很愚蠢，而且我也确切地知道别人都很愚蠢，那我为什么不愿变得聪明些呢？后来我才明白，索尼娅，要是等到大家都变得聪明起来，那要等的时间就太长了……后来我又明白了，这种事是永远也不会发生的，人是无法改变的，谁也无法改变他们，也不值得去耗费精力！对，就是这样！这就是他们的法则……法则，索尼娅！就是这样！我现在明白，索尼娅，谁强大，谁智谋和精神超人，谁就是人们的主宰！谁胆大敢干，谁就真理在握！谁能藐

①在小说《被侮辱与被损害的》中，作家同样写道："在拥挤的住房里，甚至连思考都觉得拥挤。"

视一切，谁就是人们的立法者！谁最敢干，谁就最正确！自古以来一直如此，将来也总是这样！只有瞎子才看不清这一点！”①

拉斯柯尔尼科夫说这番话时，虽说眼睛望着索尼娅，却并不关心她是否能听懂了。他完全陷入狂热，处在某种可怕的兴奋之中。（的确，他很久没有同人交谈了！）索尼娅明白了，这个可怕的念头已经成了他的信仰和法则。

“那时我领悟到，索尼娅，”他继续兴奋地说道，“权力只赋予那些敢于弯身去取的人。这里只要一个条件，唯一的一个：得有胆量！当时我有生以来第一次产生了一个念头，是在我之前谁也没有过的念头！谁也没有！我突然感到豁亮，如同出了太阳：怎么迄今谁也不敢眼见这种种荒谬，一把抓住它的尾巴，把它扔掉，让它见鬼去！我……我就想显示这份胆量，于是杀了人……我只想显示胆量，索尼娅，这就是全部的原因。”

“啊，别说啦，别说啦！”索尼娅两手一摊叫嚷道，“您背离了上帝，因此上帝惩治您，把您交给了魔鬼！……”

“真的，索尼娅，我在黑暗中躺着的时候，总觉得有个魔鬼搅得我六神无主，是这样吗？”

“别说啦！不许嘲笑，这个不信神的人。您一点儿，一点儿也不懂！啊，天哪！他真的什么也不懂。”

“别嚷啦，索尼娅，我根本没有嘲笑，要知道我自己心里也清楚，这是魔鬼怂恿我去干的。别嚷啦，索尼娅，别嚷啦！”他脸色

①在《罪与罚》的写作笔记中，陀思妥耶夫斯基还写过这样的话：“难道您没有注意到，从古至今，任何拥有权力的人都没有服从过这些法则。拿破仑之流就践踏和改变过他们……”“只有一个法则，即道德法则。”

阴沉,语气坚决地重复道,"我全都明白。那时我躺在黑暗中,把这一切都翻来覆去地想过,都对自己说过了……所有的一切我在内心都争辩过,直到最小的细节。所有的一切我都明白,所有的一切!那时我对这絮絮叨叨的苦思冥想讨厌极了!我恨不得忘掉一切,重新开始,索尼娅,我不能再这么冥思苦想了!难道你以为我像个傻瓜似的,不假思索就去干了吗?我去时自认为是个聪明人,可正是这一点毁了我!难道你真以为我连这一点也不明白:如果我追问自己是否有权决定人的生死,那我就会说没有这种权利。或者如果我提出这样的问题:人是不是虱子,那我也会说,对我来说人不是虱子;对根本不思考这个问题,说杀人就去干的人来说,人才是虱子……既然这么多天来我一直在痛苦地思索:拿破仑会不会去干?那么这表明我已清楚地意识到,我不是拿破仑……我忍受了这些痛苦思索的折磨,索尼娅,我希望能彻底地摆脱这种痛苦,因此我就想无须什么理由便杀人,索尼娅,为我自己去杀人,为了我一个人!这一点我甚至不想欺骗自己!我杀了人不是为的接济母亲,那是胡说!我杀人不是为了攫取钱财和权力,不是为了当人类的救星,那全是胡说!我说杀就杀了;我杀人是为了自己,为了我个人;不论事后我是成为什么人的救星,还是一生都得像蜘蛛一样张网捕捉生物,并吸干它们的养料,反正当时我要去干!……我杀人之后,索尼娅,最需要的不是金钱;主要的不是金钱,而是别的东西……这一点现在我很清楚……你要明白:因为我是出于这种想法,我是不会再去杀人了。当时我需要弄清楚另外一点,促使我干出此事的别的原因:当时我要知道,尽快地知道,我同大家一样是只虱子呢,还是个人?我敢不敢越轨?我敢不敢俯身去拾取？我只是怯懦的生灵，还是有权去……”

“有权去杀人？您有权去杀人？”索尼娅吃惊地双手举了起来。

“哎呀，索尼娅！”他气恼地叫道，原想反驳却不屑地沉默了。“别打断我，索尼娅！我只想给你证明一点：当时是魔鬼怂恿我干的，事后他才向我说明我没有权利去那儿，因为我同其他人一样也是只虱子！他把我嘲笑了一通，于是我现在就到你这儿来了！招待客人吧！假如我不是只虱子，我会到你这儿来吗？听着：当我去老太婆那儿的时候，我只不过是去试试……你要清楚这一点！”

“可您杀了人！可您杀了人！”

“知道我是怎样杀的吗？难道会这样去杀人吗？难道有人会像我当时那样去杀人吗！有时间我会给您讲一讲我是怎么去的……难道我是杀死了小老太婆吗？我是杀了自己，而不是小老太婆！①我就这样一下子杀死了我自己，永远杀死了我自

①陀思妥耶夫斯基在致卡特科夫的信中曾写道：“对犯罪的惩罚很少能叫犯罪者感到恐惧……因为他本人（在精神上）就需求惩罚。”在19世纪60年代，对罪犯进行法律惩罚的问题在俄国曾有过广泛的讨论，1865年在彼得堡出版的《论死刑。A.贝尔纳文集》一书曾引起人们的关注，书中引述了著名的德国犯罪学家A.费尔巴哈（1775—1833）的这样一个论点：“一个人一旦被一个同类的鲜血染红了自己的双手，并与自己的良心妥协，那么，对于社会来说，他就将永远成为一个可怕、危险的现象。此人习惯了鲜血，在第一次克制住了的厌恶感之后，第二次就不再需要克制了。一个犯下了血腥罪行的人，要么会发疯，要么就会继续在死亡中寻找心灵上的安宁；如果这两种情况都没有出现，那么，由他带给他人的那种血腥的死亡，就会在道德上杀死他自己。这样的犯罪与墨杜萨的形象有些相像：在这里，变成石头的不是肉体，而是灵魂中的道德部分。”——俄编注。按：墨杜萨是希腊神话中的蛇发女怪，凡看她一眼的人都会变成石头。

己！……而那个小老太婆是魔鬼杀的，不是我杀的……行啦，行啦，索尼娅，行啦！别管我！”他在极度痛苦中猛然喊道，“别管我！”

他把胳膊肘支在膝盖上，两手钳子似的夹着脑袋。

“看把人折磨的！”索尼娅发出一声难受的吼叫。

“现在可怎么办，你说呀！”他猛地抬起头，望着她问道，脸色因绝望而显得特别难看。

“怎么办！”她倏地从座位上站起叫道，噙满泪水的眼睛突然灼灼放光。“站起来（她抓住他的肩头，他站起身来，不胜惊讶地望着她）！现在就走，马上就走，去站到十字路口，先跪下吻一吻被你玷污了的大地，然后向四周整个的世界大声说：‘我杀了人！’到那时上帝会再次给你生命。你去吗？去吗？”她向他问道，浑身像打摆子似的哆嗦不停，同时抓着他的双手，紧紧捏在自己手里，用炽热的目光直盯着他。

他大感惊奇，对她突如其来的兴奋甚至吃惊不小。

“你这是指去服苦役，不是吗，索尼娅？是得去投案自首，是吗？”他神情抑郁地问。

“去受苦受难，用这个赎罪，应该这样做。”

“不，我不去自首，索尼娅。”

“那以后你怎么活下去，怎么活下去呀？你的生活靠什么支撑呢？”索尼娅嚷道，“难道现在这样子能行吗？你怎么跟你母亲说呢？（啊，她们可怎么办哪？）不用说是我了！你连母亲和妹妹都抛弃了。要知道你已经抛弃了，抛弃了。啊，天哪！”她嚷道，“要知道这些他自己心里也明白呀！孤单一人怎么活下去呢！你现在可难办了呀!”

“别像小孩子似的,索尼娅,”他轻声地说,“我对他们有什么罪?我干吗要去投案?我对他们说什么呀?所有这一切只不过是幻觉……他们自己害了千千万万的人,还以为自己做了善事。他们都是骗子和坏蛋,索尼娅!……我不去。我去说什么呢?说我杀了人却没敢拿钱,把钱藏到石头底下了?”他面带讥讽的冷笑补充道,“要知道,他们会嘲笑我:傻瓜才不拿呢,真是胆小鬼,傻瓜!他们丝毫也不会理解,索尼娅,他们也不配理解。我为什么要去呢?我不去。别天真了,索尼娅……”

“你会痛不欲生的,你会痛不欲生的。”她一遍又一遍地说着,并向他伸出手去,绝望地哀求着。

“或许我骂自己说过了头,”他仿佛陷入沉思,忧郁地说,“说不定我还是个人,而不是虱子,过早地自责了……我还要抗争。”

他的嘴角露出傲慢的冷笑。

“就忍受这么大的痛苦!而且是一辈子,一生一世!……”

“我会习惯的……”他愁苦地说,若有所思。“听着,”停了片刻他又开口说道,“哭得够多了,该谈谈正事:我来这儿是为了告诉你,他们现在正在找我,要抓我……”

“哎呀!”索尼娅吓得惊叫起来。

“你叫什么呀!你不是希望我去服苦役吗,现在怎么又害怕啦?只不过我是不会向他们投降的。我还要与他们进行抗争,他们不会怎么样。没有确凿的证据。昨天我的处境非常危险,我还以为自己完蛋了呢;今天的情况有了好转。他们掌握的所有证据都是模棱两可的,也就是说我可以把他们的指控变成有利于我的证据，你明白吗？我能改变的，因为我现在已经学会了……但他们多半会把我关进牢房。要不是一个偶然的事件，今天他们大概已经把我关起来了，或许他们今天还会这样做……但这算不了什么，索尼娅：我坐上几天牢，然后他们就会把我释放的……因为他们不会有任何一个确凿的证据，我发誓。光凭他们掌握的那些东西是无法给人定罪的。好吧，行啦……我只不过想让你知道……我将想方设法不让我母亲和妹妹知道真相，不让她们担惊受怕……其实，我妹妹现在大概有了依靠……因而我母亲也就有了依靠……喏，没有别的了。不过，你得小心。我要坐了牢，你会来监狱看我吗？"

"噢，我会来的！我会来的！"

他俩并排坐着，愁苦绝望，如同暴风雨过后被孤零零抛在无人的荒岸上。他望着索尼娅，感到她眼里充满了怜爱，但奇怪的是他突然因有人这样爱他而感到沉重和痛苦。是的，这是一种奇特而可怕的感觉！当他来找索尼娅时，他觉得自己的希望和出路全在她身上；他以为能消除部分的痛苦。可现在，当她向他敞开了心扉时，他突然觉得并意识到，他比先前更加不幸了。

"索尼娅，"他说，"你最好不要来看我，如果我被关进牢房。"

索尼娅没有回答，她在哭泣。几分钟过去了。

"你有没有戴着十字架？"她出乎意料地问道，好像突然想到什么似的。

起初他没有明白过来。

"没有，真的没有？把这个，柏木的拿去吧。我还有一个，铜的,是丽莎维塔的。我同丽莎维塔交换了十字架,她把自己的十字架送给了我,而我把自己带圣像的送给了她。我以后就戴丽莎维塔的,这个给你。拿去吧……这是我的！这是我的!”

她哀求道:“我们要一起受苦,也就一起背十字架！……”

“给我吧!”拉斯柯尔尼科夫说道。他不想伤她的心,然而,他又立刻缩回了已伸出去拿十字架的手。

“不是现在,索尼娅。最好以后给我。”为了安慰她,他添上了一句。

“行,行,最好以后,最好以后,”她激动地接着说,“等你一去受苦,马上就戴上。你到我这儿来,我给你戴上,然后我们一起祷告,一起走。”

就在这时,有人在门上敲了三下。

“索菲娅·谢苗诺芙娜,可以进来吗?”传来了一个非常熟悉的、彬彬有礼的声音。

索尼娅慌张地跑去开门。列别贾特尼科夫先生把淡黄色的头探进了屋子。

第五章

列别贾特尼科夫一脸惊恐不安的样子。

“我找您，索菲娅·谢苗诺芙娜。请原谅……我料到会遇上您的，”他忽然转过身来对拉斯柯尔尼科夫说，“我倒没有……想是这样……但我确实料想……卡捷琳娜·伊凡诺芙娜在我们那儿发疯啦。”他撇下拉斯柯尔尼科夫，突然急切地对索尼娅说道。

索尼娅惊叫了一声。

“至少让人觉得是如此。可是……我们在那儿都束手无策，情况就是这样！她回来啦，像是被人从哪儿赶了出来，大概挨过打了……似乎是如此……她跑去找谢苗·扎哈罗维奇的上司，到他家扑了空；他去一个将军家吃饭了……您想得到吗，她居然跑到他们吃饭的地方……另一位将军的家里；她坚持求见，把谢苗·扎哈罗维奇的上司叫了出来，说不定那人还没吃完就离席呢。您可想而知，结果会是怎样。她当然被赶了出来，可她说自己当面骂了他，并把什么东西扔到了他的身上，这种举动也是可以想象得到的……可她怎么没被抓起来，我实在无法理解！她现在见了人便说，甚至也告诉了阿玛丽娅·伊凡诺芙娜，只不过很难听懂她的话；她是又叫又闹……啊，对啦，她叫喊说：既然她现在被人们抛弃了，就带着孩子们去流落街头，拿上手风琴，让孩子们唱歌跳舞，向人乞讨，她也同样如此，而且每天她都到那个将军的窗下去……她说：'让人们瞧瞧，父亲做过官的高贵子弟是怎么沿街乞讨的！'孩子们都挨了她的打，哭叫着。她教莉多奇卡唱《小农庄》，教男孩子跳舞，同样也让波丽娜·米哈伊洛芙娜学舞蹈。她把衣裙撕碎，给孩子们缝成演员戴的帽子。她自己要带个脸盆去敲打，充当音乐……她什么话也听不进去……您想，怎么能这样呢？这绝对不行啊！"

列别贾特尼科夫还想往下说，但几乎屏息听他说话的索尼娅突然抓起大披肩和帽子跑出了房间，一边跑一边披戴。拉斯柯尔尼科夫跟着走了出来，列别贾特尼科夫则紧随着他。

"她肯定是疯了！"当他俩走到大街上时，他对拉斯柯尔尼科夫说道，"我只是怕吓着索菲娅·谢苗诺芙娜，才说'觉得是'，其实这是肯定无疑的。据说，肺结核里那种小结节会钻到脑子里去。[①]可惜，我不懂得医学。不过，我试着劝她，但她什么也听不进去。"

①据医生С.Д.亚诺夫斯基说，陀思妥耶夫斯基年轻时对大脑和神经系统的疾病曾产生过兴趣，看过一些相关的医学书籍。作者在这里所言的"小结节"，可能指的是法国生理学家克洛德·贝尔纳（1813—1878）的学说，他把心理现象解释为活的机体中神经粒子的运动。在小说《卡拉马佐夫兄弟》中，德米特里曾提到贝尔纳的名字，并不无嘲讽地谈到大脑里的那些"小尾巴"。——俄编注

“您对她讲了小结节的事?”

“也不完全是讲小结节。其实她什么也不懂。我是说:如果能通情达理地劝说一个人,告诉他实际上没什么理由哭泣,那他就会停止不哭了。这是显而易见的。您以为呢,他不会停下来吗?”

“那样生活也就太容易了。”拉斯柯尔尼科夫回答说。

“听我说,听我说,当然啰,要让卡捷琳娜·伊凡诺芙娜理解这个是很困难的;不过,您是否知道,在巴黎人们已经进行过认真的试验,研究是否有可能单纯用逻辑劝说法治愈神经病患者?那儿有一位教授,是位治学严谨的科学家,不久前刚刚去世。他认为可以用这种方法来治疗。他的基本观点是:神经病患者的机体没有什么特别的失常,而所谓的发疯,也就是一种逻辑上的失误,判断上的失误,以及观察事物的失误。他对患者的失误逐一进行驳斥,据说获得了成功!但因为他同时又采用了浴疗,所以这一疗法的效果当然就显得可疑……至少让人觉得是这样……”

拉斯柯尔尼科夫早已不听他在说什么了。他走到家门口,朝列别贾特尼科夫点了点头,便拐进了大门。列别贾特尼科夫醒悟过来,朝四周看了看,便继续向前跑去。

拉斯柯尔尼科夫走进自己的小屋,在屋子中央站住了。“他干吗要回到这里来呢?”他环顾着这微微发黄的撕破了的墙纸,堆积起来的尘土,还有自己的沙发床……院子里传来一阵连续不断的刺耳的敲击声;似乎那儿有人在钉什么东西,在敲钉子……他走到窗前踮起脚,久久地专注地望着院子。但院子里空无一人,也看不到有人钉东西。在左边的厢房，看得见几扇开着的窗子；窗台上放着几盆枯萎了的天竺葵。窗外晾着内衣……所有这一切他早已是屡见不鲜了。他转过身坐到了沙发上。

他还从未感到过，从未感到过如此可怕的孤独。

不错，他又一次觉得也许自己真的会恨索尼娅，尤其是现在，因为他使她变得更加不幸了。“他干吗要去乞求她的眼泪呢？他干吗非得破坏她的生活呢？啊，真是卑鄙！”

“我一定要独身！”他突然下定决心，“她不该去探监！”

过了五分钟，他抬起头异样地笑了一下。这是产生了一个古怪的念头：“或许服苦役确实要好些。”他突然不由自主地想。

他脑海里尽是些模糊不清的想法，就这样不知在屋里坐了多久。突然间门被推开，阿芙多季娅·罗曼诺芙娜走了进来。起初她站在门口望着他，就像他刚才望着索尼娅那样；接着她走了过来，坐到了他对面的椅子上，就是昨天她坐过的那个位子。他一声不吭，似乎脑子里一片空白，这样望了她一眼。

“别生气，哥哥，我只待一会儿。”杜尼娅说。她脸上的表情像在沉思，却不是正颜厉色。她的目光清澈而温和。他看得出，她也是怀着爱心来的。

“哥哥，现在我全知道了，一切都知道了。德米特里·普罗科菲伊奇把一切都告诉我了。出于愚蠢可恨的怀疑，人们对你施加了迫害和折磨……德米特里·普罗科菲伊奇对我说，你没有什么危险，用不着这么担惊受怕。我倒不那么想，我完全明白你心里是如何地愤慨，而这种愤慨可能留下永远无法抹去的阴影。这正是我担心的。至于你丢下了我们,我不责备你,也不敢责备你。我只是请你原谅,我先前埋怨过你。我扪心自问,假如我遭遇这么大的不幸,我同样也会远离大家。关于这件事我不会告诉妈妈一个字,但我会经常谈起你,以你的名义告诉她,你很快就会回来的。你别为她难过,我会安慰她的,但你也别让她伤心,哪怕回来一次也好。要记住,她是你的母亲哪!这次我来只是为了告诉你(杜尼娅从座位上站起身来),万一你在什么地方用得着我,或者需要……我的整个生命,或者别的什么……那你就告诉我一声,我会来的。再见!"

她迅速转身向门口走去。

"杜尼娅!"拉斯柯尔尼科夫叫住了她,起身走到她跟前。"这个拉祖米欣,德米特里·普罗科菲伊奇,是个非常好的人。"

杜尼娅脸上微露红晕。

"真的吗?"停了片刻,她问道。

"他是一个能干、勤劳、正直的人,能够真心实意地爱人……别了,杜尼娅。"

杜尼娅的脸刷地红起来,接着又突然大为不安:

"这是什么意思,哥哥,难道我们真的永别了,所以你给我留下……这么几句遗言?"

"反正都一样……别了……"

他转身离开她走到窗前。她站了一会儿,不安地望了他一眼,在惊慌中走掉了。

不,他对她并非是冷漠。有那么一瞬间(最后的一瞬间),他很想紧紧地拥抱她告别,甚至想告诉她,他甚至连朝她伸手握别的勇气都没有。

“以后她要回想起我现在拥抱过她,说不定会浑身打战,会说我骗了她的一吻!”

“像她这样的人承受得了还是承受不了呢?”过了片刻,他又暗自补充道,“不,她承受不了;这样的人是承受不住的!她这样的人无论如何也受不了这个……”

于是他想到了索尼娅。

窗外吹来一股清新的空气。院里天色已经发暗。他突然拿起帽子,走了出去。

当然,他没有可能也不愿意去关注自己的病状。然而,整日里提心吊胆,心绪恶劣,不可能不对他产生影响。如果说他发着热病而没有躺倒,那或许正是由于内心持续不断的惶恐支撑着他,维持着头脑的清醒,但这只是勉强为之,不能持久。

他毫无目的地游荡着。太阳落山了。于是他开始感到一种特别的忧郁。[①]这忧郁并不含有什么特别的刺痛和折磨,但却给他一种永恒不变的印象,他预感到这种令人不寒而栗、几近窒息的忧郁岁月将是无止境的,预感到自己将在“一俄尺大的空间”度过终生。黄昏的时刻这种预感就使他越加痛苦。

“由于什么日落就糊里糊涂地感到体力不支,这样子怎么能不干出蠢事来!不仅会去找索尼娅,你还要去找杜尼娅呢!”他愤愤地嘟哝着。

①落日的斜晖这一景象,在陀思妥耶夫斯基作品中是常见的,他的早期作品就已出现。在他的小说中,日落时分会使其作品主人公的内心紧张起来。在《罪与罚》中,落日的金色战胜了彼得堡夏日的尘土和暑热,而由夕阳所引发的忧郁,则有助于拉斯柯尔尼科夫的精神净化。

有人在叫他。回头一看，是列别贾特尼科夫朝他奔来。

“您瞧，我上您那儿去过，我在找您。您想得到吗，她说到做到，带着孩子们走啦！我和索菲娅·谢苗诺芙娜好不容易才找到他们。她自己敲打煎锅，逼着孩子们唱歌跳舞。孩子们都在哭。他们停在十字路口一家小铺旁边，身后跟了一群愚民。我们去吧。”

“那索尼娅呢？……”拉斯柯尔尼科夫紧跟着列别贾特尼科夫，不安地问道。

“简直是发狂了。我说的不是索菲娅·谢苗诺芙娜，而是卡捷琳娜·伊凡诺芙娜。不过索菲娅·谢苗诺芙娜也气得要发狂了。卡捷琳娜·伊凡诺芙娜可完全疯了。我告诉您，她彻底疯了。他们会被送到警察局的。您可以想象，这是多大的打击……他们此刻正在桥边的河岸上，离索菲娅·谢苗诺芙娜住处不远。紧挨着。”

在离桥不远的河岸上，离索尼娅住处只隔两幢房子，聚着一群人，特别是有很多孩子。可以听到卡捷琳娜·伊凡诺芙娜嘶哑的声音从桥头传来。的确，这是颇引行人注目的奇特场面。卡捷琳娜·伊凡诺芙娜穿着自己那件旧裙衣，披着一块呢子披巾，歪戴着揉皱的破草帽，的确处于狂癫之中。她累得气喘吁吁。肺痨折磨的脸看上去比以往任何时候都更加痛苦（再说结核病人在街上，在太阳地里总是显得比在家时病情更重，脸色更加骇人）；但她的精神仍在亢奋之中，她的怒气越来越大。她跑到孩子们跟前，对他们又叫又哄，当众教他们怎么跳舞，唱什么歌，并且给他们解释为什么要这样做；孩子们听不懂，她感到非常绝望，揍了他们……教着教着，她还不时跑到围观的人群面前；如果发现围观人群中有穿着稍微体面一些的人，她便立即过去告诉他，说请看这些“可以说出身贵族家庭”的孩子落到了什么地步。人群中要有嘲笑声或者某种挑衅的话，她听到便立刻扑向那胆大妄为的人，同他对骂起来。的确，有人在发笑，有人在摇头，大家都怀着好奇瞧着这疯女人和几个战战兢兢的孩子。列别贾特尼科夫讲到的那只煎锅不见了，至少拉斯柯尔尼科夫没有看见。当她硬要波列奇卡唱歌，要莉多奇卡和科利亚跳舞时，她不是敲击煎锅，而是用瘦骨嶙峋的双手打拍子，同时自己在伴唱；但每唱一句就被痛苦的咳嗽打断，令她感到极其绝望，便诅咒自己的咳嗽，甚至哭了起来。科利亚和莉多奇卡的哭泣和恐惧尤其使她恼火。确实，她曾想把孩子们打扮好，像街头卖唱的那样。男孩子扎着一条红白相间的缠头巾，像个土耳其人。没有什么衣服可给莉多奇卡穿，只得让她戴上已故的谢苗·扎哈罗维奇的红色绒线帽(也许不如说是个尖顶帽)，上面插着一根白色的鸵鸟羽毛；这羽毛还是卡捷琳娜·伊凡诺芙娜祖母的遗物，一直当传家宝藏在衣箱里。波列奇卡穿着平日的衣服，胆怯而惊慌地望着母亲，寸步不离地跟着她，偷偷掉眼泪；她心里明白母亲精神失常了，因而焦急不安地四下张望着。街道和人群都使她非常害怕。索尼娅紧跟着卡捷琳娜·伊凡诺芙娜，哭泣着不断央求她回家。但卡捷琳娜·伊凡诺芙娜却不为所动。

“别说啦，索尼娅，别说啦！”她一边气喘咳嗽，一边急切地嚷道，“你像个小孩子，自己也不知道要怎样！我对你说了，我不会回到那个醉醺醺的德国婆子那里去。让大家瞧瞧，让整个彼得堡瞧瞧,高贵父亲的孩子是怎么沿街乞讨的,他们的父亲一辈子忠心耿耿,可以说是以身殉职(卡捷琳娜·伊凡诺芙娜已经及时杜撰了这个故事,自己也盲目地信以为真)。就让这个没用的将军瞧瞧好了。你也真傻,索尼娅:现在可吃什么呀,你说说看?我们已经把你折磨坏了,我不想再这样下去!啊,罗季昂·罗曼诺维奇,是您!”她一看到拉斯柯尔尼科夫,便向他扑去,一边叫喊说,“您给这个傻丫头讲一讲,再也没有更好的办法啦!哪怕当街头歌手也能混口饭,再说,大家一眼就会看出我们不同一般,知道我们是贵族家贫穷的孤儿寡母沦为乞丐的,那个将军一定会被革职的,您瞧着吧!我们每天都到他的窗口去,等当沙皇经过时,我朝他下跪,让孩子们在我前面跪下,指着他们说:‘你要保护我们哪,父亲!’他是孤儿寡母的父亲,他是慈悲心肠,他会保护我们的,您瞧着吧,而那个将军……莉多奇卡!你得 tenez-vous droite[①]!利亚,你马上再跳一个。你哭个什么?看他又哭了!你怕什么,怕什么呢,小傻瓜!天哪,我该拿他们怎么办哪,罗季昂·罗曼诺维奇!您不知道,他们太不懂事啦!拿这些孩子有什么办法呀!……”

她自己也几乎哭出声来(这并没有妨碍她喋喋不休,没完没了地倾诉),朝他指了指哭泣的孩子们。拉斯柯尔尼科夫试图劝她回去,甚至想唤醒她的自尊心,于是对她说,像街头歌手那样在大街上流浪对她来说是很不体面的,因为她自己还准备当贵族女子寄宿学校的校长呢……

“寄宿学校,哈哈!一场美梦!”卡捷琳娜·伊凡诺芙娜大笑,

---

①法文:站直。

可笑声一停便猛咳起来。“不，罗季昂·罗曼诺维奇，美梦破碎了！我们被抛弃了！……而那个将军……您知道吗，罗季昂·罗曼诺维奇，我朝他扔了墨水瓶，它就放在门房的桌上，在签名簿旁边；我签了名，扔了墨水瓶，便跑掉了。啊，全是卑鄙小人，卑鄙小人。这算不了什么，现在我自己来养活这些孩子，我谁也不求！我们让她（她指着索尼娅）吃尽了苦头！波列奇卡，收了多少钱啦，让我看看？怎么？总共只有二个戈比？啊，真可恶！分文不给，就知道吐着舌头跟在后面跑！这个蠢货笑什么（她指着人群中的一个说）？这完全是因为科利亚不够伶俐，他净添乱！你要干什么，波列奇卡？用法语跟我说话，parlez-moi français[①]。我不是教过你吗，你会说几句呀！……要不怎么看得出你们是贵族家庭出身，是受过教育的孩子，根本不是街头歌手；我们可不是在街上演什么‘彼得鲁什卡’[②]，我们要唱优雅的抒情曲……哎呀！我们可唱点什么呢？你们老是打断我，我们就……您瞧，罗季昂·罗曼诺维奇，我们停下来是为了选支歌唱，选科利亚会伴舞的歌……您可想而知，我们对此是毫无准备。我们应该商量好，排练一下，然后上涅瓦大街，那儿上流社会的人要多得多，立刻就会注意到我们。莉多奇卡会唱《小小农庄》……只不过老唱《小小农庄》不行，这个大家都会唱！我们应当唱一支更加优雅的歌曲……哎，你想出了什么，波列奇卡，最好帮帮妈妈！我的记性，我的记性不行啦，我本该想得起来的！总不能唱《拄着军刀的

①法文：用法语跟我说。

②俄罗斯民间傀儡戏中主要丑角的名字。

骠骑兵》[1]吧！有了，我们用法语唱'Cinq sous'[2]吧！我不是教过你们吗，教过你们。主要是用法语唱，人们一下子就明白了你们是贵族子弟，这会更加感动人们……甚至可以唱'Malborough s`en va-t-en guerre'[3]，为这完全是一首儿童歌曲，所有贵族家庭在哄孩子入睡时都唱这首歌。"

Malborough s`en va-t-en guerre,
Ne sait quand reviendra...[4]

她开始唱起来……"不，还是唱'Cinq sous'好！哎，科利亚，两手叉腰，快点。莉多奇卡，你也朝相反的方向转，我和波列奇卡来伴唱，打拍子！"

Cinq sous, cinq sous,
pour monter notre ménage...[5]

咳——咳——咳(她大咳起来)!"把衣服拉好，波列奇卡，带子滑下来了，"她气喘吁吁，咳嗽着提醒说，"现在你们特别应该做到举止得体，让人们能看出你们是贵族子弟。当初我说过，胸衣要

---

①这是当时流传很广的一首歌曲，是由作曲家M.Ю.维耶利戈尔斯基根据诗人巴丘什科夫的《别离》一诗谱写的；在陀思妥耶夫斯基的短篇小说《波尔宗科夫》(1848)中也提到过这首歌曲。

②法文：《五个苏》。按：这是一出法国歌剧中乞丐的唱段，当时在彼得堡很流行。

③法文：《马尔勃鲁格准备远征》。按：这是一首当时流传很广的法国幽默歌曲，的确曾被人当做摇篮曲来吟唱。

④法文：马尔勃鲁格准备远征，天晓得他何时返回。

⑤法文：五个苏，五个苏，我们置办日用品。

裁得长点，而且用两片料子。可你，索尼娅，却自作主张：‘短些，再短些。’结果呢，孩子们穿得多难看……唉，你们又哭啦！这是怎么啦，傻瓜！唉，科利亚，快点开始，快点，快点。啊哟，这孩子真叫人受不了！……”

Cinq sous，cinq sous...

“大兵又来了！喂，你来干什么？”

真的，从人群中挤过来一名巡警。然而就在这时，有位先生穿着文官制服，披着大衣，脖子上挂着勋章（最后这样东西特别使卡捷琳娜·伊凡诺芙娜高兴，并且也对巡警起了作用），五十来岁，神态庄重地走到卡捷琳娜·伊凡诺芙娜跟前，默默地递给她一张三卢布的绿色纸币。他的脸上流露出发自内心的同情。卡捷琳娜·伊凡诺芙娜接过钱，彬彬有礼地，甚至是毕恭毕敬地朝他鞠了个躬。

“谢谢您，先生，”她傲气地说道，“我们走了这一步的原因……把钱拿好，波列奇卡。你看见了吧，还是有好心大方的人愿意解囊帮助不幸的贫穷贵族。先生，您看到的都是贵族的遗孤，可以说是有真正贵族血统的孩子……可那个将军却坐在餐桌旁啃松鸡……跺着脚说我打扰了他……我说：‘大人，请保护我们孤儿寡母吧，因为您非常熟悉已故的谢苗·扎哈罗维奇，他的亲生女儿就在他去世那天遭到一个最卑鄙的家伙诽谤和侮辱……’这个大兵又来了！请保护我们吧！”她对那个官吏叫道，“这个大兵凑到我跟前干什么？为了避开一个大兵，我们才从麦夏大街跑到这儿……你要干什么，浑蛋？”

“因为街上禁止行乞。你不要胡闹。”

“你自己才胡闹呢！我不是同卖唱的风琴手一样吗，你要干什么？”

“街上拉手风琴需要领取执照，而你们擅自招惹人们围观，你们住在哪儿？”

“怎么，要领执照！”卡捷琳娜·伊凡诺芙娜大叫起来，“今天我安葬了丈夫，这还要什么执照吗！”

“太太，太太，请安静些，”那个官吏开口说道，“我们走吧，我送你们回家……当着这么多人不成体统……您身体好……”

“先生，先生，您什么也不知道！”卡捷琳娜·伊凡诺芙娜叫道，“我们要去涅瓦大街。索尼娅，索尼娅！她在哪儿？她也在哭！你们都怎么啦！……科利亚，莉多奇卡，你们上哪儿去呀？”她突然惊慌失措地大叫起来，“唉，傻孩子！科利亚，莉多奇卡，他们上哪儿去啦！……”

事情是这样的，科利亚和莉多奇卡被街上的人群和母亲疯疯癫癫的样子吓坏了，接着又见那个大兵要抓他们，并把他们带走，便突然不约而同地手牵手跑了起来。可怜的卡捷琳娜·伊凡诺芙娜又哭又叫地扑上去追赶他们。她那狂跑、哭叫、气喘的样子真令人惨不忍睹。索尼娅和波列奇卡也赶紧跟在她后面跑去。

“把他们追回来，追回来，索尼娅！哦，这两个不知好歹的傻孩子！……波列奇卡！抓住他们……我是为了你们哪……”

她在狂奔中绊了一下，跌倒在地。

“她摔得出血啦！啊，天哪！”索尼娅弯下腰去看她，大声叫起来。

人们都跑拢来，挤成一圈。拉斯柯尔尼科夫和列别贾特尼科夫最先跑到她跟前，那个官吏也急忙赶过来，巡警则跟在他后面，嘴里还说着牢骚话："哎呀！"他挥着手，预感到事情可能很难应付。

"走开！走开！"他驱赶挤成一团的人们。

"她要死了！"有人叫道。

"她疯了！"另一个人说。

"上帝保佑！"一个女人画着十字说道，"那个女孩和男孩拦回来了没有？哦，带过来了，是那个大女儿截住的……你看，多么不懂事呀！"

然而，当人们仔细察看卡捷琳娜·伊凡诺芙娜以后，他们发现，她根本不是索尼娅说的在石头上磕破了皮，那染红了路面的鲜血是从她的胸腔通过喉咙涌出来的……

"这个我知道，我见过，"那个官吏悄悄地对拉斯柯尔尼科夫和列别贾特尼科夫说道，"这是肺结核，这样大出血，人会死的。我有一个亲戚，不久前我亲眼所见，就是这样咯了一杯半鲜血……突然之间……可现在怎么办呢，她马上就会死的。"

"到这儿来，到这儿来，到我家去！"索尼娅央求道，"我就住在这儿！……就是那幢房子，从这边数第二幢……上我那儿去，快点，快点！……"她在人群中跑来跑去，"请派人去请医生……啊，天哪！"

由于那个官吏出面，一切进行得很顺利，甚至连巡警也来帮着抬卡捷琳娜·伊凡诺芙娜。等抬到索尼娅房间，放到床上，人已是奄奄一息了。她还在咯血，但似乎开始清醒了。除了索尼娅，一下子涌进屋子的还有拉斯柯尔尼科夫和列别贾特尼科夫，那个官吏和那个先把人群驱散了的巡警。不过还有少数几个人仍然留在院子里。波列奇卡拉着瑟瑟发抖又在哭泣的科利亚和莉多奇卡的手，把他们带进了房间。卡佩瑙莫夫一家人也跑来了：他本人是个跛子，独眼，相貌古怪，粗硬的头发向上直竖着，满脸络腮胡子；他的老婆总是那副战战兢兢的模样；而他的几个孩子则大张着嘴巴，脸上表情由于不断的惊愕而显得呆板僵硬。这些围观的人们中间，突然冒出了斯维德里盖洛夫。拉斯柯尔尼科夫惊异地望着他，弄不清楚他是从哪儿冒出来的，因为不记得在人群中见过他。

大家议论着请医生和神父。那个官吏虽然低声对拉斯柯尔尼科夫说请医生现在似乎已经是多余的了，但还是吩咐人去找医生来。卡佩瑙莫夫自告奋勇跑去了。

此时卡捷琳娜·伊凡诺芙娜缓过气来，暂时也不咯血了。她那因病而痛苦的但依然敏锐的目光凝视着脸色苍白、浑身哆嗦的索尼娅，后者正用手帕替她擦去额头的汗珠。稍停，索尼娅让人帮她微微坐起。她被搀坐在床上，两边有人扶着她。

“孩子们在哪儿？”她用微弱的声音问道，“你把他们带回来了吗，波列娅？唉，这些傻孩子！……你们干吗要跑哇……哎哟！”

她那干裂的嘴唇上血迹斑斑。她转动着眼珠四下打量：“原来你就住这样的房间，索尼娅！我一次也没来过……这才有机会……”

她痛苦地望着索尼娅。

“我们可把你给榨干了，索尼娅……波列娅、莉多奇卡、科利亚，到这边来……好，他们全在这儿啦，索尼娅，你把他们带去吧……我亲手交给你……我活够了！……一切都了结了！咳！……放我躺下，让我安安静静地死吧……”

她又被放到了枕头上。

“什么？神父？……不必啦……你们哪有多余的钱？……我没有罪过！……不请神父上帝也会宽恕我……他自己知道我吃了多少苦！……他不宽恕，那就算了！……”

她神志昏迷，越来越重，不时地浑身哆嗦，转着眼珠四下张望，一会儿能认出所有的人，一会儿又迷糊起来，开始胡言乱语。她呼哧呼哧地喘着气，好像喉咙里响着什么东西。

“我对他说：‘大人！……’”她叫喊说，每讲一句就停住喘息一下。“这个阿玛丽娅·柳德维戈芙娜……哎呀！莉多奇卡、科利亚！把手叉在腰上，快点，快点，滑步，滑步，巴斯克舞！用脚踏拍子……举止优雅一点儿。”

“Du hast Diamanten und Perlen...[①]后面怎啦？唱啊……"

Du hast die schönsten Hugen

Madchen, was willst du mehr？[②]

“嗯，怎么不是这样！was will st du mehr，——是他想出来的，傻瓜！……啊哈，还有：

---

①德文：你有钻石和珍珠。

②德文：“你有一双最漂亮的眼睛，姑娘，你还要什么？”这是舒伯特根据海涅的一首诗谱写的浪漫曲，作家于1866年在柳勃里诺写作《罪与罚》期间曾听到过这首歌曲，后来也经常唱它。——俄编注

在正午的炎热时分，在达吉斯坦的山谷里……[1]

啊，我多么喜欢……我非常喜欢这首抒情歌。波列奇卡！……你知道吗，你父亲……结婚前经常唱……啊，那些时光！……是的，是的，咱们应该唱一唱！可怎么唱，怎么唱呢……你瞧，我竟然给忘了……你们提醒一下呀，该怎么唱？”她精神异常亢奋，用力欠起身来。末了，她用可怕的嘶哑声音竭力唱了起来，一边嘶喊，一边喘气，一副越来越惊恐的样子。

在正午的炎热时分！……在达吉斯坦的……山谷里！……胸膛里有一颗子弹！……

“大人！”突然间，她泪如泉涌，发出令人心碎的号叫，“您要保护孤儿呀！您认得已故的谢苗·扎哈罗维奇……那可说是贵族哇！……咳！”她突然全身一颤，清醒了过来，有点儿惊恐地打量着所有的人，但立刻就认出了索尼娅。“索尼娅，索尼娅！”她温和而亲切地说道，仿佛因她在自己面前感到惊奇。“索尼娅，亲爱的，你在这儿？”

人们又帮她微微坐起。

“够了……时辰到了！……别了，不幸的人！……这匹马骑到头了！……它完了！”她绝望而又愤恨地叫道，咕咚一声头倒在了枕头上。

她又一次失去了知觉，但这最后一次的昏迷没有持续很久。她那憔悴的黄脸往后一仰，嘴巴大张，两腿抽搐一下便僵直了。

①这是根据莱蒙托夫的《梦》(1841)一诗谱成的抒情歌曲。

她长出了一口气,就死了。

索尼娅扑到她身上,双手抱住,头贴在她那枯瘦的胸脯上,就这样呆呆地不动了。波列奇卡扑到母亲脚上,吻着她的脚,哽噎着痛哭起来。科利亚和莉多奇卡还弄不明白发生了什么事,但感到事情非常可怕,彼此抱着肩膀呆望,突然张开嘴巴,大叫起来。他俩还穿着戏装呢,一个扎着头巾,另一个戴着插鸵鸟毛的小圆帽。

那张“奖状”怎么突然出现在床上,在卡捷琳娜·伊凡诺芙娜的身旁?它就在这儿,在枕头旁边。拉斯柯尔尼科夫看见了它。

他朝窗子走去。列别贾特尼科夫急忙跑到他的跟前。

“她死了!”列别贾特尼科夫说。

“罗季昂·罗曼诺维奇,我有两句重要的话要跟您说。”斯维德里盖洛夫走到跟前说,列别贾特尼科夫立刻闪到一旁,很有礼貌地悄悄走开。斯维德里盖洛夫把不胜惊异的拉斯柯尔尼科夫拉到远些的墙角。

“所有这些麻烦事,也就是说安葬,都由我来办吧。您知道这需要钱,我不是告诉过您,我有些富余钱吗。我把这两个小孩子和波列奇卡送到条件好一些的孤儿院去,给他们每人存一千五百卢布的托管基金,一直用到成年,这样可让索尼娅完全放心。我也要把她救出火坑,因为她是个好姑娘,不是吗?好吧,您就这样转告阿芙多季娅·罗曼诺芙娜,说我就这样用了她的一万卢布。”

“您这样大做善事,目的是什么?”拉斯柯尔尼科夫问道。

“哎呀!您真是个多疑的人!”斯维德里盖洛夫笑了起来,“我不是说过嘛,我的这些钱是富余的。只不过是出于人道,您认为这不可能,是吗?要知道,她不是‘虱子’(他用手指了指躺着死人的角落)，不像那个放高利贷的老太婆。嗯，您不得不承认，难道‘真的该让卢仁活着胡作非为，还是该让她去死?’要是我不伸手相助，那么‘波列奇卡，比如说，也会走上同一条路……’”

他说这番话时，好像挤眉弄眼地调侃，两眼盯着拉斯柯尔尼科夫。拉斯柯尔尼科夫听到这正是自己对索尼娅说的话，不禁脸色煞白，不寒而栗。他猛地后退一步，神情古怪地望着斯维德里盖洛夫。

“怎么……您会知道?”他喃喃地说，几乎喘不过气来。

“要知道，我就住在这儿，在这堵墙后面，在列斯丽赫太太的房子里。这里是卡佩瑙莫夫的房间，那边则是我最忠实的老朋友列斯丽赫太太的房间。我是邻居。”

“您?”

“我，”斯维德里盖洛夫笑得前仰后合，接着往下说道，“我可以坦白地告诉您，罗季昂·罗曼诺维奇，我对您很感兴趣。我不是说过嘛，我们会成为朋友的，我对您预言过此事，您瞧，我们真成了朋友。您会发现，我是个挺不错的人。您会发现，同我是可以相处好的……”

第六部

第一章

拉斯柯尔尼科夫进入了一个奇特的时期，如同一场大雾突如其来地笼罩了他，令他陷于极度的孤独之中而毫无出路。后来，过了很久，当他回想起这段时光时，他才明白，自己的脑子不时处于迷迷糊糊的状态，这种情况断断续续没有停过，直至大悲剧的发生。他完全可以肯定，当时有许多事他都弄错了，比如一些事的日期和时间记得就不对。后来他回想旧事，并竭力要弄清楚原委的时候，他是靠了从旁人那里得到的信息，才知道了许多有关自己的情况。比如说，他把一件事情同另一件事情混淆了起来；他以为后一件事是前一件事的结果，而前一件事只不过是他的想象而已。他时而被一种病态的痛苦不安所控制，这不安甚至又变成了失魂落魄的恐惧。然而，他同样也记得，有些瞬间，有些时刻，甚至可能是有些日子，他的心情与先前的恐惧截然相反，而是一片漠然，宛如垂死之人对一切都冷漠无情。总之，在最后的那些日子里，他自己好像在竭力避免清晰彻底地理解自己的处境；

一些刻不容缓需要澄清的至关紧要的事实，尤其使他苦恼不堪；他该多么高兴能摆脱某些忧虑呀，可是在他的处境上，忘记这些忧虑就有不可避免地遭到灭顶之灾的危险。

尤其是斯维德里盖洛夫让他提心吊胆，甚至可以说斯维德里盖洛夫在他意识里生了根。自从斯维德里盖洛夫在索尼娅家里，在卡捷琳娜·伊凡诺芙娜断气后对他说了那番极有威胁而且露骨的话以后，他的思维就不能正常运作了。不过，尽管这一新的情况使他极度不安，但他不知怎的并不急于弄清情况。有时他突然发现自己是在城里一个偏僻的角落，独自一人坐在破旧的小酒馆里，靠着桌子冥思苦想。他回忆不起自己是怎样来到这里的，但突然间会想到斯维德里盖洛夫。这时他忽然不由自主地清晰而又不安地意识到，他必须尽快地同这个人谈妥，也可能彻底地加以解决。有一次他走到了城外，甚至想象自己是在这儿等候斯维德里盖洛夫，两人事先约好在这里碰面。还有一次，他在黎明前醒来，发现自己躺在地上，在灌木丛中，几乎不记得是怎么来到这里的。其实，在卡捷琳娜·伊凡诺芙娜死后的两三天里，他碰见斯维德里盖洛夫已经有两次，几乎都是在索尼娅住的房子里，他是随便去看看，每次差不多只待上一会儿。他俩总是简短地交谈几句，从未提及那个重要的话题，仿佛彼此有约暂时不谈这个问题。卡捷琳娜·伊凡诺芙娜的遗体还未下葬。斯维德里盖洛夫忙于操办丧事。索尼娅也同样很忙。最近一次见面时，斯维德里盖洛夫告诉拉斯柯尔尼科夫，说卡捷琳娜·伊凡诺芙娜的孩子们，他已经安置好了，事情进行得很顺利；他通过关系找到一些人，可以帮助立刻把三个孤儿送到适合他们的孤儿院里；为他们存的信托基金也起了不小作用，因为有钱的孤儿要比穷孩子更容易送进孤儿院。关于索尼娅他也说了几句，还答应最近几天亲自去看望拉斯柯尔尼科夫，并且提到“很想请教一下；应该谈一谈，有些事……”这话是在楼梯旁的过道里讲的。斯维德里盖洛夫专注地望着拉斯柯尔尼科夫的眼睛，沉默片刻突然压低声音问道：

“您怎么啦，罗季昂·罗曼诺维奇，无精打采的？真的！您也能听也能看，可好像什么都不明白。您应该振作起来。让我们来谈谈吧。不过可惜我事情太多，有别人的，也有我自己的……哎哟，罗季昂·罗曼诺维奇，”他紧接着又补充了一句，“所有的人都需要空气，空气，还是空气……这是首要的！”

他忽然往旁边一闪，让上楼来的神父和教士走过去。他们是来举行祭祷仪式的。根据斯维德里盖洛夫的安排，每天按时祭祷两次。斯维德里盖洛夫办自己的事去了。拉斯柯尔尼科夫站立片刻，稍稍沉思便随着神父走进了索尼娅的房间。

他站到了门口。祷告开始了，那么庄严肃穆，那么令人哀伤。从孩提时起，每想到死亡，每感到死亡的存在，他总觉得沉重不安，有种神秘的恐怖；他已经很久没听过祭祷声了。而且这里面还有另一种东西，令人毛骨悚然。他望着孩子们：他们都跪在灵柩跟前，波列奇卡在哭泣。索尼娅在他们身后，一边祷告一边胆怯地轻声哭着。“这几天来她可没看过我一眼，也没跟我说过一句话。”拉斯柯尔尼科夫突然想道。太阳把屋子照得豁亮，香炉里的烟在冉冉上升；神父祷告说：“让她安息吧，主啊。”在整个祭祷仪式中，拉斯柯尔尼科夫一直站立着。神父在祝福和告辞时，有点儿好奇地四下打量着。祭祷仪式结束后，拉斯柯尔尼科夫走到索尼娅跟前。她立刻抓住他的双手,把头靠在他的肩上。这种亲热的举动甚至让拉斯柯尔尼科夫感到莫名其妙,他很是惊讶:这是怎么回事?她对他一点儿也不感到厌恶,丝毫也不觉得讨厌,她的手一点儿也没有发抖!这多半是极端自卑的一种表现,起码他是这样认为的。索尼娅什么话也没说。拉斯柯尔尼科夫握了握她的手,便走了出去。他的内心非常沉重。倘若此刻他能远走高飞,离群索居,哪怕一辈子如此,他都会觉得自己是幸福的。然而问题在于,近来他尽管几乎总是独来独往,但丝毫没有一人独处的感觉。他有时到城外去,走在宽阔的大路上,甚至有一次还钻进了一个小树林;可地方越是偏僻,他越是感到有人在周围,让他十分不安;这虽说并不可怕,却叫人十分不舒服,结果他总是尽快地返回城里,到人群中去,进家小饭馆、小酒馆,上旧货市场、干草市场。在这儿他似乎轻松些,甚至更僻静些。一天傍晚,一家小酒馆里有人唱歌,他坐了整整一个小时听歌。他记得,当时他甚至非常高兴。但是,临近结束时,他心里突然又感到不安,仿佛突如其来受到良心的谴责:"瞧,坐在这儿听歌,难道这是我该干的吗!"他心里似乎这样想。其实他顿时便明白了,使他惶惑不安的何止是这一点;还有一件事迫切需要去办,可这事他既无法思索,也无法用语言表达。事情全乱成了一团。"不,最好再较量一下!最好再去找波尔菲里……或者找斯维德里盖洛夫……快点儿再来一次挑战吧,再来一次攻心吧……来吧!来吧!"他思忖着。他走出小酒馆,几乎跑了起来。对杜尼娅和母亲的思念不知怎的突然使他惊恐万状。次日天亮前,他在克列斯托夫岛上的灌木丛中醒过来时,浑身直打哆嗦,发着高烧;他立刻往家走,到家已经清晨了。睡了几个小时后，他的高烧退去，但他醒来已经很迟，是下午两点钟。

他记起来，这天是卡捷琳娜·伊凡诺芙娜下葬的日子，他很高兴没去参加葬礼。纳斯塔霞给他端来了饭菜；他胃口大开，几乎狼吞虎咽地吃喝起来。他的头脑清醒多了，心里也比最近三天平静多了。片刻间，他甚至对自己先前那一阵惊恐感到不可思议。这时门开了，拉祖米欣走了进来。

“啊！他在吃饭，可见没有生病！”拉祖米欣说着拉过一把椅子，在桌旁面对拉斯柯尔尼科夫坐了下来。他显得很不安，而且也不想掩饰自己的不安。他说话时明显带着烦恼，可是话说得不慌不忙，也没有特别提高嗓门，让人觉得他是抱定了一个特别的，甚至是独一无二的目的。“听着，”他口气坚定地说了起来，“你的事与我无关，但凭我现在亲眼目睹的情况来看，我十分清楚，我是根本无法理解的。你别以为我是来盘问你。我才不管呢！我不想知道！即使你现在要公开你的全部秘密，说不定我还不想听，一走了之呢。我来这儿只是为了能够亲自弄个水落石出：第一你是不是真的精神失常了？你要知道，有种看法（在那边，某个地方），说你可能精神失常了，或者接近失常。我坦白地告诉你，我本人也非常倾向于这个观点，一是根据你那愚蠢的、有些是可恶的行为（简直叫人无法解释），二是根据你不久前对待自己母亲和妹妹的态度。除了疯子，只有恶魔和坏蛋才会像你那样对待她们。可见你是疯了……”

“你很久没见到她们了？”

“刚才还见了呢。你从那以后再没见过她们吧？你到哪儿闲逛去了，给我说说。我已来这里找过你三次。从昨天起，你母亲就病得很厉害。她打算来找你；阿芙多季娅·罗曼诺芙娜拦住了她；但她什么话也听不进，她说：'如果他病了，如果他神经错乱了，那除了母亲谁还会去照顾他呢？'我们三人一起来到这里，因为不能让她独自一个人来呀。一路上我们一直劝她放宽心。我们来了，可你不在，她就坐在这儿，有十来分钟，我们一声不吭地站在她身旁。她站起来说：'要是他能外出，可见他身体健康，但忘记了母亲。那母亲也不好毫无身份地，不要脸面地站在门口，像求施舍一样乞求他的孝心。'她回到家就躺倒了，现在发着高烧。她说：'我知道，找心上人他是有时间的。'她说的心上人就是指索菲娅·谢苗诺芙娜，你的未婚妻还是情人，我也不知道。我刚才去过索菲娅·谢苗诺芙娜那儿，因为，老兄，我想把一切都弄个水落石出。我去了，看见停放着一口棺材，孩子们在号啕大哭。索菲娅·谢苗诺芙娜正给他们试穿丧服。你不在那儿。我看了看，道声歉就走了。我把一切都告诉了阿芙多季娅·罗曼诺芙娜。这样看来，一切都是胡说八道，你没有什么心上人，或许最准确的说法，是你精神失常了。可你却坐着狼吞虎咽地吃牛肉，好像三天没吃东西似的。可以说疯子也会吃东西的，但假如你对我一句话不说呢，可你……你不是疯子！对此我可以发誓。首先，你没有精神失常。总而言之，见你的鬼去吧，因为这里有你的什么秘密。我可不打算费神琢磨你的秘密。我只是来骂你一顿，"他说完便站起身来，"来发泄一通，但我心里明白现在我该干什么了！"

"你现在想干什么？"

“我现在想干什么跟你有什么关系？”

“看来，你想去喝酒！”

“怎么……你怎么知道的？”

“这还用说嘛！”

拉祖米欣沉默了片刻。

“你的头脑向来非常理智，你从来没有，从来也没有精神失常，”他突然激动地说，“的确如此，我想去喝酒！再见！”说着他就要走。

“大概是前天，我跟我的妹妹说起过你，拉祖米欣。”

“谈起过我！可是……前天你在哪里见到她的呀？”拉祖米欣猛地收住脚步，甚至脸色都有点儿发白。可想而知，他的心慢慢地紧张跳动起来。

“她上这儿来了，独自一人，坐在这儿，跟我谈了谈。”

“她！”

“是的，是她。”

“你说了些什么……我的意思是，关于我你说了些什么？”

“我告诉她，你是个非常善良的、正直的、勤奋的人。我没有对她说，你爱她，因为她自己心里明白这一点。”

“她自己心里明白？”

“那当然啰！不管我去哪儿，不管我出了什么事，你要留在她们身边。也可以说，我把她们托付与你，拉祖米欣。我这么说是因为我完全知道，你是多么爱她，而且我相信你心地纯洁。我同样知道，她会爱你的，甚至可能已经爱上你了。现在你自己看着办吧，要不要去喝酒。”

“罗季昂……你瞧……啊，真见鬼！你想去哪儿呢？是这样，如果这是秘密的话，那就算啦！不过我……我会弄清这个秘密的……我确信，这一切都是胡说八道，都是小题大作，都是你自己杜撰出来的。不过你是一个最好的人！一个最好的人！……”

“我正想对你补充一句，可被你打断了，我想说你刚才的考虑非常正确，就是你不想打听这个隐私和秘密，暂且别去管它，不用担心。到时你会明白一切的，也就是说到该知道的时候。昨天有个人对我说，一个人需要空气、空气、空气！我想现在就去找他，问他这话是什么意思。”

拉祖米欣若有所思，又激动不安地站立着，他揣度出了什么。

“这是一个老谋深算的阴谋家！一定是这样的！他即将采取某种重大的行动，一定是这样！不可能有别的……而且杜尼娅也知道……”他突然暗自寻思。

“这么说阿芙多季娅·罗曼诺芙娜常到你这儿来，”他一字一顿地强调说，“而你本人则要去见那位说什么最需要空气的人……可见，这封信……这封信同样跟此事有关。”他仿佛自言自语地做出结论。

“什么信？”

“今天她收到一封信，这使她坐立不安，很不安，甚至是极度不安。我谈起了你，她却求我别说。然后……然后她说，我们可能很快就会分手，然后她又因一件什么事而对我表示了极大的谢意，然后她走进了自己的房间，并锁上了门。”

“她收到了一封信？”拉斯柯尔尼科夫若有所思地追问了一句。

“是的，一封信；你不知道吗？哼。”

两人都沉默不语。

“再见，罗季昂。我，老兄……有一段时间……不过再见吧。你瞧，有一段时间……啊，再见吧！我也该走啦。我不会去喝酒。现在用不着喝了……你说得不对！”

他匆匆地走了。他已经出了门，几乎快把门随手带上了，又忽地把门打开，眼睛望着旁边说道：

“顺便说一句！你还记得那件谋杀案吗，嗯，也就是波尔菲里经办的案子：一个老太婆被杀了？你知道吗，凶手已经抓到，他本人也已经招认，供出了所有证据。他就是那些工人，油漆匠中的一个，你想得到吗。你可记得，我还在这里为他们辩解过呢？你可相信，当看门人和两个见证人上楼时，他故意同一个伙计在楼梯上嘻哈打闹，为了转移人们的注意。这个狗崽子多狡猾，多沉得住气呀！简直让人难以置信。但他本人把一切都揭穿了，一切都供认不讳！我上了个大当！据我看，这只不过是个会作假、能应变的家伙，一个很会逃避法律制裁的家伙，可见并没有什么特别令人惊奇的！难道不会有这种人吗？但他没能顶住，供认了一切，因此我更相信这是他干的。更合情理……可我怎么，我那时怎么会上了当呢！我还为他们而愤愤不平呢！”

“请告诉我，你从哪儿知道这件事的，你为什么对此这么感兴趣？”拉斯柯尔尼科夫问道，明显有些激动不安。

“那还用说！为什么我会感兴趣！真有你的！……我是从波尔菲里那里，还有别的人那里知道的。不过，几乎全是从他那儿知道的。”

“从波尔菲里那儿?”

“从波尔菲里那儿。”

“那他说了什么……他说了什么?”拉斯柯尔尼科夫惊恐地问道。

“他对我详细地解释了这个案子。是从心理学角度解释的,按照他自己的理解。”

“他解释了?他亲自对你做了解释?”

“是的,亲自做了解释,再见!有些话以后我再给你讲,现在我有事。那时……有一段时间我曾认为……不说了,以后再谈!……现在我还喝什么酒哇。没有酒你已把我灌醉了。要知道,我醉了,罗季昂!现在我没喝酒就醉了,那好,再见,我会来的,很快就会来的。”

他走了。

“这人,这人真是个政治阴谋家,[①]一定是这样的,一定!”拉祖米欣一边慢慢地下楼,一边暗自判定地想,“他把妹妹也扯了进去;这非常、非常可能,因为阿芙多季娅·罗曼诺芙娜的个性如此。他们还见过面……她不是也对我做过暗示吗。从她的一些话里……从她的只言片语……和暗示中,都可以得出这个结论!要不然这一团乱麻做何解释呢?哼!我还以为……啊,天哪,我怎么会产生这种念头。不错,这是一时糊涂,我有愧于他!那时他在电灯旁,在走廊上,就把我给弄糊涂了。呸!我怎么会有这么可恶、这么无礼、这么卑鄙的想法呢!米柯尔卡[②]是好样的,自

①这一推测可能是受卡拉科佐夫案件的影响而做出的。

②尼古拉的爱称。

己招供了……先前的事现在也都可以解释了呀！那时他的病，他那一切古怪的举动；甚至更早以前，还在大学里时，他也总是郁郁寡欢，愁眉苦脸的……可是现在这封信又意味着什么呢？这同样也是有其用意的。这信是谁写的？我怀疑……哼，不行，我要把这弄个水落石出。”

他想到杜涅奇卡和有关的事，感到一阵揪心，拔腿跑了起来。

拉祖米欣刚走，拉斯柯尔尼科夫便站起身来，转身朝窗子走去。他从这个角落踱到了另一个角落，仿佛忘记了自己斗室的窄小，接着……他又坐到了沙发上。他仿佛全身注入了活力；又要来一次较量，这也就是说有了出路！

“是呀，这么说又有了出路！要不然太憋闷了，压得喘不过气来，感到昏昏沉沉。自从在波尔菲里那里遇上了米柯尔卡认罪的场面之后，就开始有了走投无路的窒息感。在那之后，当天在索尼娅房间又演出了一幕，而这一幕的进程和结局，完全不是，完全不是他预先设想的那样……他变得软弱无力，一下子彻底地软瘫了！刹那之间！他当时可是同意了索尼娅的看法呀，自己同意的，打内心里同意的，那就是：内心里藏着这块病，独自一人是无法生活下去的！那么，斯维德里盖洛夫呢？斯维德里盖洛夫是个谜……斯维德里盖洛夫令他不安，这是事实，不过这好像是另一种不安。或许与斯维德里盖洛夫也同样要进行一场较量。或许，斯维德里盖洛夫同样也是一条出路。可波尔菲里却是另一码事了。

“这么说，波尔菲里还亲自对拉祖米欣解释了案情，又是什么心理学的解释！他又来贩卖他那可恶的心理学啦！这能像波尔菲里吗？波尔菲里哪能相信这一套呢？在米柯尔卡之前，他与波尔菲里面对面的交锋，对此只能有一种解释是正确的；经过这个场面以后，波尔菲里恐怕一分钟也不会相信米柯尔卡是有罪的！（这些天来，拉斯柯尔尼科夫脑海里不止一次闪现和回忆起与波尔菲里面谈的零碎片断，要回想整个过程他是承受不了的。）那时他俩互相说了那样的话，做出了那样的手势和举动，彼此投以了那样的目光，说话使用了那样的语调，以致在这之后，绝非米柯尔卡（波尔菲里从他一开口就能一眼把他看透），绝非米柯尔卡能够改变他的基本看法。

“情况不妙哇！甚至连拉祖米欣也开始怀疑啦？当时在走廊上电灯旁的那一细节，还是引起了注意。他就忙着去找波尔菲里……可是波尔菲里这人何苦要这样蒙骗拉祖米欣呢？他把拉祖米欣的注意力转移到米柯尔卡身上是何用心？要知道，他一定在打什么主意；这是别有用心的，然而这是什么用意呢？不错，自从那天早晨以来，已经过去了很长的时间，太长、太长的时间。但波尔菲里那边毫无动静。噢，这当然很糟糕……”拉斯柯尔尼科夫拿起制帽，沉思着走出屋子。这些天来，他是第一次感到自己至少头脑是清晰的。“应该与斯维德里盖洛夫有个了结，”他寻思着，“无论如何要尽快地了结：或许这人也在等我去找他。”就在这一瞬间，他疲惫的内心突然出现一种强烈的憎恨，他恨不得去杀掉两人中的一个：斯维德里盖洛夫或是波尔菲里。至少他感觉到，如果不是现在，那么以后他也会干得出来。“走着瞧吧，走着瞧吧。”他暗自反复地说着。

可是他刚刚打开通向过道的房门，便冷不防撞见了波尔菲里。这人来找他了。拉斯柯尔尼科夫有一瞬间呆若木鸡。奇怪的是他对波尔菲里来访并不感到很惊讶,几乎也没有恐惧。他愣了一下,立刻做好了应付的准备。"也许要收场了!但他怎么会像只猫似的悄悄溜进来,我却什么也没听见呢?难道他在偷听?"

"没料到会来客人吧,罗季昂·罗曼诺维奇,"波尔菲里·彼得罗维奇笑着嚷道,"我早就想来看看,这会儿路过这里,心想为什么不进去坐上五分钟呢。您打算出去吧?我不会耽搁您的。如果可以的话,我只占用一支烟的工夫。"

"请坐,波尔菲里·彼得罗维奇,请坐。"拉斯柯尔尼科夫让客人坐下,他的表情显得那么高兴,那么友好,说实在的,要是他自己能瞧见的话,他都会感到惊讶。最要命的人登门了!有时一个人遭遇强盗,能有半个时辰吓得魂飞魄散,可一旦刀子横在喉咙上,恐惧反而不翼而飞了。他在波尔菲里对面坐了下来,眼睛一眨不眨地看着他。波尔菲里眯缝起眼睛,开始点香烟。

"好哇,说吧,说吧,"这话几乎要从拉斯柯尔尼科夫心底蹦出来,"怎么啦,怎么啦,你怎么不说话呀?"

第二章

“说起这香烟来呀，”波尔菲里点上烟，抽了两口以后终于开口说话了，“完全有害的，没什么好处，可我却丢不掉！我常常咳嗽，喉咙也开始发痒，并且有气喘。您要知道，我是个胆小鬼，我去看过波医生[①]，每位病人他 minimum[②]检查半个小时；他对我进行检查，又是敲打，又是听诊，甚至看着我大笑起来；他说，抽烟对您不好，肺有了气肿。唉，可我怎么戒掉呢？用什么代替烟呢？我不喝酒，这就是我倒霉的地方，嘿嘿，我倒霉就倒在不喝酒上了！要知道，一切都是相对的，罗季昂·罗曼诺维奇，一切都是相对的！”

“他是干什么，又是故技重演吧！”拉斯柯尔尼科夫厌恶地思忖着。不久前他俩最后一次见面的情景，突然复现在他眼前，当时的那种感觉也波涛般涌上心头。

---

①显然是指 C.П. 波特金医生，他给陀思妥耶夫斯基看过病。——俄编注

②拉丁文：至少。

“前天晚上我来找过您一次;您不知道吧?”波尔菲里一边打量着房间,一边继续往下说,“我进了房间,就是这一间。像今天一样,我路过这里,心想去看看他吧。我走了进来,房门开着;我四下看了看,等了一会儿,也没告诉您的女仆就走了。您不锁门吗?”

拉斯柯尔尼科夫的脸色越来越阴沉了。波尔菲里像是看透了他的心思。

“我是来作解释的,亲爱的罗季昂·罗曼诺维奇,是来作解释的!我应该当面向您作出解释。”他微笑着继续往下说,甚至还轻轻地拍拍拉斯柯尔尼科夫的膝盖,但几乎与此同时,他脸上显出严肃而关切的神情,甚至好像笼罩了一层忧郁,这使拉斯柯尔尼科夫大为吃惊。他从未见过,也没想到他会有这种神情。“最近一次我们之间出现了奇怪的场面,罗季昂·罗曼诺维奇。恐怕我们初次见面时,也有过同样奇怪的场面,不过那时……现在呢,是愈演愈烈!是这样,可能我是非常有愧于您;我感到了这一点。我们分手时的情形,您可记得吗:您的神经快爆裂了,膝盖直哆嗦,我的神经也快爆裂了,膝盖也在哆嗦。您看,当时我们彼此的态度甚至有失体面,没有绅士风度。而我们总还都是绅士呀;也就是说,无论如何我们首先是个绅士;这一点应该明白吧。您可记得当时僵到了什么地步……已经完全没有体面了。”

“他这是把我当成什么人啦?”拉斯柯尔尼科夫稍稍抬起头,两眼盯着波尔菲里,惊奇地自问。

“我想好了,我们现在最好是开诚布公。”波尔菲里接着说道，他的头向后微仰，眼睛朝下看，似乎不愿用目光逼迫自己先前的猎物，也鄙视自己先前使用的手段和计谋。“是呀，以前那种怀疑，那种场面不可能维持许久。当时是米柯尔卡给我们解了围，要不然真不知道我们之间会闹到怎样的地步。那个该死的小市民，当时正坐在我的间壁后面，您怎么能料得到呢？您当然知道，我本人也清楚，后来他去找过您。不过，您当时设想的那件事倒没有过：我既没有打发人去找谁，也没有做过任何的安排。您会问，为什么不做安排呢？怎么对您说呢？因为当时发生的一切，弄得我自己也手足无措。我勉强来得及吩咐人去找看门人（您经过时也许见到了看门人）。当时我脑海里闪过一个念头，如同闪电一般。您瞧，罗季昂·罗曼诺维奇，那时我可是坚信不疑的。我心想，虽然我暂时忽略一个线索，但我要抓住另一个线索不放，至少我不会放弃我自己的那个想法。您非常容易冲动，罗季昂·罗曼诺维奇，生来如此，从您的性格和心地的主要特点来看，您甚至是过分地冲动了。我希望自己有幸能说多少已经了解了您的这些特点。当然啰，我也能想到，甚至在当时也能想到，很少会有这样的事：一个人站到您面前就把他的全部底细全吐露出来了。尽管这种事能发生，特别当一个人失去耐性的时候，但毕竟是罕见的。这一点我是能想到的。不过我想，哪怕得到一点点东西也好哇！哪怕是最小的东西，哪怕只有一个，但要可以摸得着的东西，实实在在的东西，而不光是个心理。因为我想，如果一个人有过失，那无论如何总会从他那儿得到些重要的东西；甚至可以期望获得最意想不到的结果。那时我就把希望寄托在您的性格上，罗季昂·罗曼诺维奇，主要是您的性格！当时我对您的指望特别大。”

“您……现在您为什么讲这些呢？”拉斯柯尔尼科夫终于嘟哝起来，甚至都没有仔细思考自己的问题了。“他这话是什么意思，”他暗自惶惑地想，“难道他真的认为我是无辜的？”

“我为什么说这些？我是来做解释的呀，可以说，我认为这是我的神圣职责。我想把一切都如实告诉您，也就是当时那场可以说是误会的整个经过。我使您感到痛苦不堪，罗季昂·罗曼诺维奇。可我并不是魔鬼。我心里也很明白，对一个郁郁寡欢却生性高傲、威严而又急躁的人来说，特别是对没有耐性的人来说，忍受这一切意味着什么！不管怎样，我认为您是个相当高尚的人，甚至还有些豪爽的气质，尽管我不能同意所有您那些观点；这一点我认为有责任一开始就坦率诚实地告诉您，因为我首先是不愿欺骗人。了解您之后，我对您产生了好感。您听了我这个话，可能会发笑。您有权这么做。我知道，您从第一眼见到我就不喜欢我，因为实际上我也没什么可讨您喜欢的。但不管您怎么想，我现在希望从自己这方面设法消除我留下的坏印象，并且证明我也是一个有感情有良心的人。我说的是真心话。”

波尔菲里·彼得罗维奇矜持地停顿了一下。拉斯柯尔尼科夫觉得心头又涌上了一种新的恐惧感。波尔菲里以为他是无辜的这一念头，突然叫他感到害怕。

“恐怕没有必要原原本本地叙述这一切当时是如何突然发生

的，”波尔菲里·彼得罗维奇接着往下说，“我觉得这甚至是多余的。再说我也未必能够说清楚。那么怎么把情况解释清楚呢？起初是有些传闻。至于是什么传闻，来自什么人，什么时候传来的……又怎么牵涉到您，这些我认为也不值一提。说到我自己关注此事，是出自一个偶然情况，完全是一个偶然的偶然，这种偶然极可能发生，但也可能不发生。是什么偶然的情况呢？嗯，我想这同样不值得一说。当时，所有的一切，传闻和偶然情况，在我脑子里汇集成了一个想法。我坦率地承认，我既然不想隐瞒，那就全告诉您吧，那个时候我首先就怀疑上您了。说到老太婆在抵押品上所做的记录等等，这全都算不了什么。这样的物品可以数出成百件。当时我同样碰到一个机会，详细了解到发生在警察分局里的那个场面，也是偶然地，却不是顺耳听见三言两语，而是一个特殊的有分量的人物讲的，他无意中讲得非常生动。要知道，这一切是一个接一个，串到了一起，罗季昂·罗曼诺维奇，亲爱的！这样注意力怎么可能不指向特定的方面呢？一百只兔子凑不成一匹马，一百个怀疑凑不成一个证据，英国不是有句谚语这么说吗，可要知道这只是理智的说法，要加上情绪呢？对付强烈的情绪你试试，因为侦探也是人嘛。这时我也想起了您的那篇文章，发表在期刊上的那篇文章；您可记得，第一次来访时我们就仔细谈过它。当时我嘲弄了一番，但目的是为了让您再往下发挥。我再说一遍，您非常暴躁又病弱，罗季昂·罗曼诺维奇。至于您不畏惧、高傲、认真，还有……感受很多，我都早已知道了。您这些感受，我都熟悉；读您的文章，我也感到熟悉。这篇文章构思在不眠之夜，在思情狂乱之中，心怦怦地跳，压抑的热情迸发出来。可是，青年人身上这种压抑的、倨傲的激情是很危险的！当时我嘲弄了一番，而现在我要告诉您，我向来非常喜欢，也就是说作为一个爱好者，我向来喜欢充满青春活力、激情洋溢的处女作。这是烟，是雾，雾中响起琴声。[①]您的文章有点荒诞，想入非非，但闪烁着真挚的情感，闪烁着青年人真诚的骄傲，闪烁着临危不惧的勇气。这是篇沉郁的文章，但这很好。我读了您的文章，便把它搁在了一旁，然而……刚搁到一旁，心里就想道：'嗯，这个人不会无声无息的！'请您说说看，既然有了前因，怎么会不引出后果呢！啊，天哪！难道我讲出点什么来了吗？难道我现在证实了什么吗？到那个时候我才发现：这里什么都没有哇，我想。这里什么也没有，也就是说任何内容都没有，或许绝对地什么也没有。我一个侦探这么热衷于这个，甚至很不像话，因为我手里已经有了米柯尔卡，而且掌握了事实，不管您怎么说，反正有事实！他也有自己的心理过程，须要在他身上下些功夫；因为这是涉及生死的问题。现在我为什么要向您解释这一切呢？这是为了让您了解，并在理智上和感情上不要因我当初凶狠的行为而责备我。我说

①此语引自果戈理的《狂人日记》，但略有改动。果戈理的原文是："……灰蒙蒙的雾在脚边缭绕；雾中响起琴声。"陀思妥耶夫斯基致屠格涅夫的信中（1863年12月23日）也引用过这句话。他谈到后者的小说《幽灵》时说，这个作品的现实内容太丰富了，"它就是：一个生活在我们的时代、修养有素和自觉的人的忧伤，一种感受到了的忧伤。《幽灵》处处都充溢着这样的忧伤。这是'心弦在迷雾中奏出的声音'"。

句心里话，那并非是凶狠的行为，嘿嘿！您以为，我那时没有搜查过您的住处？搜查过的，搜查过的，嘿嘿，您生病卧床的时候，我来搜查过。不是正式的，也没有用自己的身份，但我来搜过。甚至不失时机地仔细地察看了您房间里的每一样东西，但是umsonst①。我心里琢磨，现在这个人要来了，他自己会来的，很快就会来；既然他错了，那一定会来的。别人不来，但这个人会来的。您是否记得，拉祖米欣向您透露过消息？这是我们安排的，为了惊动您一下，我们故意放出风声，好让他向您透露消息，拉祖米欣先生正是那种心里藏不住愤怒的人。您的愤怒，您那毫不掩饰的大胆行为，首先引起了扎米托夫先生的注意：哎呀，怎么能在酒馆里张口就说'要是我杀了人！'太大胆了，太放肆了，于是我思忖，假如是他犯了罪，那可是个厉害的对手。当时我是这样想的。我就等着您来！认准一条……等着您来，而扎米托夫那时简直被您镇住了……问题就在于，所有这种可恶的心理分析都是模棱两可的！我就这么等着，一瞧，啊，上帝成全我，您来了！我的心怦怦直跳。唉！那时您干吗要来呢？您进门时哈哈大笑，还记得吗。要知道当时我如同透过玻璃看，一切都识破了；假如我不是特意在等您，那我是不可能在您的笑声中发现什么的。瞧，这就是精神的作用。拉祖米欣先生那时……啊哈！石头，石头，您可记得，底下藏着东西的石头？嗯，我仿佛就看见它在那里，在菜园里；这可是您对扎米托夫说的，在菜园里，后来在我那儿又说了一遍？

①德文：白忙一场。

当我们开始分析您的文章时，您做了一番论述，而您的每个字我听起来都具有双重的含义，如同话里有话。就这样，罗季昂·罗曼诺维奇，我就这样走进了死胡同，等撞了个头破血流，这才清醒过来。不，我说，我这是怎么啦！要知道如果愿意，那我也可以把所有这一切，直到最后一个细节，都做另一种解释，甚至显得更自然些。真是活受罪！‘不，’我心里想，‘我最好还是找证据！……’当我听说门铃的事，我一下子愣住了，甚至浑身打颤。‘好哇，’我想，‘这就是一个证据吗！就是它！’当时我没有仔细思索，干脆不想去思索。那时我宁愿出一千卢布，从自己口袋里掏，也要亲眼看着您，在那个小市民当面叫您‘凶手’之后，您当时是怎样与他并排走了一百来步，而且在一百步里您什么也不敢问他！……还有，为什么脊背上发冷呢？这些门铃，您生着病，神志都不清，怎么还拉门铃呢？总之，罗季昂·罗曼诺维奇，在这一切之后我同您开了那种玩笑，您其实是不该感到惊奇的，您为什么偏在那个时候自己来呢？说实在的，好像有人把您推来似的，要不是米柯尔卡给我们解了围，那么……您可记得那时的米柯尔卡？记得很清楚吧？要知道，这真是晴天霹雳！要知道，这真是乌云中传来的一个响雷，一道电光！嗯，我是怎样对待他的呢？我一点儿都不信他的话，这一点您自己也看到了！我哪里会相信他呀？后来在您走后，他又回答了一些问题，已经说得头头是道，连我也感到十分惊奇；但往后我也毫不相信他！他真可谓金刚石一样坚硬，咬定不改。不，我想，морген фри[①]！柯尔卡与这有什么相干！”

“拉祖米欣刚才对我说，您现在也还认为尼古拉是凶手，您亲自说服拉祖米欣也相信这一点……”

他一时喘不上气来，没有把话说完。他处于难以名状的紧张中，听着这个对他了如指掌的人讲如何放弃了自己的看法。他害怕相信这人的话，也就不肯相信。他在这人暂时还模棱两可的话里贪婪地寻找、捕捉某种更真实、更确切的意思。

“拉祖米欣先生吗？”波尔菲里·彼得罗维奇叫了起来，好像很高兴听到一直沉默不语的拉斯柯尔尼科夫提出这个问题。“嘿嘿！正应该叫拉祖米欣先生当局外人，因为两个人欢喜，第三个别掺和。拉祖米欣先生不应当卷入，何况他是局外人；可他跑来找我，脸色煞白……上帝保佑，不要把他扯进来！至于米柯尔卡，您想知道是怎么回事吗，也就是说据我的理解这是怎么回事？首先，他还是个未成年的孩子，他倒不是胆小鬼，却像个艺术家似的。真的，您别笑我这样分析他。他天真幼稚，对什么事情都十分敏感。他富有同情心，又爱幻想。他会唱歌、跳舞、讲故事，据说他讲起故事来绘声绘色，吸引别处的人都来听。他上过学，他也非常喜欢捧腹大笑，他能喝得烂醉，倒不是堕落，是被人像孩子似的灌醉的。他那时也偷过东西，但自己并不明白这是偷窃，因为‘从地上捡起来怎么算偷呢？’您可知道，他是个分裂派教徒[②]呢，其实说他是分裂派教徒，不如说他是个一般信教的；他的家族

---

①这是用俄文字母写出的德语：一派胡言。

②俄国旧礼仪派信徒的正式名称。他们是官方正教会的反对派或敌对派。1906年前他们一直受到沙皇政府的迫害。

中有过逃亡教派[①]的信徒，而他本人则在不久以前，有整整两年在乡村接受一个长老的精神启蒙。所有的这一切我都是从米柯尔卡和他的同乡那儿听来的。真的！他简直想跑到荒无人烟的地方去！他很虔诚，每天夜里做祷告，读古老的'真经'，读得入迷。彼得堡对他影响很大，尤其是女人和酒。他容易受感染，早把长老，把所有的一切都抛到了脑后。我听说，这里有一个画家很喜欢他，他就常去找画家，接着便发生了这件事。嗯，他吓坏了，闹着上吊，逃跑！老百姓心中对我国法律有种根深蒂固的看法，又有什么办法呢！要知道，对一些人来说，'审判'这个词儿

①18世纪末俄国分裂教派的一支，号召逃避国家义务和赋税，迁往荒凉之地，或者匿藏起来。参加这一教派的大多为农民、小市民和逃兵，在民间又被称作"云游派"和"索别洛克派"，后一称谓源自雅罗斯拉夫尔附近索别洛克村的村名，该派的创始人被认为是逃兵叶夫菲米伊。在陀思妥耶夫斯基写作《罪与罚》期间，俄国的报刊上刊载了许多关于分裂教派的文章和材料。陀思妥耶夫斯基本人也在1866年向《俄国导报》推荐过迈科夫那部以逃亡教派为描写对象的长诗《浪游者》。有材料表明，19世纪40年代，在陀思妥耶夫斯基还是彼得拉舍夫斯基小组的成员时，他就曾试图接近分裂教派，这种兴趣他后来又保持了很久，在他的藏书中，有许多关于分裂教派的书籍。关于俄国分裂教派产生的原因，陀思妥耶夫斯基也做过思考，在1862年的《两个理论家阵营》一文中，他写道："无论是斯拉夫派还是西欧派，都无法对我们历史生活中这样一个重大现象做出恰如其分的评价……他们不理解这种奇特的否定之中所包含的那种对真理的热情追求，对现实的深刻不满。"在陀思妥耶夫斯基主办的《时代》杂志上，也刊登过相关的文章，如A.П.夏波夫的《地方自治局和分裂教派。逃亡教派》(1862年，第10期)。陀思妥耶夫斯基对其他的旧教派也很感兴趣，他在《死屋手记》中曾写到他与旧教徒的相遇，《时世》杂志上也曾刊有关于阉割派教徒的文章。逃亡教派的主要信念之一，就是必须心甘情愿地承受苦难。陀思妥耶夫斯基认为，这正是俄罗斯人自古就有的一种性格特征："我认为，俄罗斯人最主要、最根本的精神需求，就是对无时不在、无处不在的苦难的需求。似乎，他自古以来就具有这种对苦难的渴求。"(《作家日记》，1873年，第5章)——俄编注

就极其可怕。这是谁的过错呢！看新的法庭会怎样说吧。啊，但愿上帝保佑！嗯，现在在牢房里他看来又想起了那位正直的长老；同时又出现了圣经。您可知道，罗季昂·罗曼诺维奇，他们当中有些人是怎么看'受苦'的吗？这不是说要为了'某人'去受苦，而是说'理当去受苦'；也就是说，人应当经受磨难，当政者给的磨难尤其应当承受。我当班的那个时候，有一个最老实的犯人，一年到头每晚坐在牢房的炉灶上读圣经，读得入了迷。[①]您知道迷到什么地步吗，他无缘无故地抓起一块砖头就朝典狱长扔去，从他本意来说丝毫也不想伤害人。他故意扔得偏离一俄尺，免得砸着！好哇，众所周知，用武器袭击典狱长的犯人会受到什么样的惩罚，于是他也就'承受了磨难'。因此，我现在怀疑米柯尔卡也想'受苦'，或是诸如此类的东西。对此我确实是知道的，甚至掌握有事实。只不过他本人并不知道我了解这些。您是否认为这种人里不会有什么幻想家？不，多得很呢！现在长老又开始有作用了，尤其是在米柯尔卡想上吊以后。其实这些都是他来时自己告诉我的。您认为他会承受到底吗？等着瞧吧，他要翻供的！我随时等着他前来翻供。我喜欢上了这个米柯尔卡，正在仔细研究他。您猜怎么着？嘿嘿！他对我的有些问题，回答得很有条理，显然是获得了必要的消息，做了精心的准备；可对另一些问题，他简直一无所知，而且自己没意识到是一无所知。不，罗季昂·罗曼诺维奇老弟，这事跟米柯尔卡无关！这是一件离奇的、令人感到沉重的案子，一件现代的案子，一个当今时代的事例，因为

①在《死屋手记》中，陀思妥耶夫斯基也写到过这个犯人。他整天读圣经，是个很温顺的人。

如今人心迷惘，常爱引用‘流血能够令人精神清爽’[①]这句话，鼓吹整个生活在求舒适。这里有书本里的幻想，有被理论搅动起来的心灵；这里看得到迈出第一步的决心，但这是一种很独特的决心，这个决心一下，就像从山上滚下去或者从钟楼上跳下去，又仿佛身不由己地走向了犯罪。他忘了随手把门关上，根据一种理论他杀了人，杀了两个人。他杀了人，却没能拿走钱，并且把来得及拿走的东西全都藏在一块石头底下。当他躲在门后，有人敲门并拉门铃时，他忍受了巨大的折磨；但痛苦还不仅如此，后来他回到空屋子，又神志不清地回想着这门铃声，脊背上再次感到一阵冰冷。……如果说他是有病，那么还有呢：他杀了人，却自以为是正直的人，还鄙视别的人，并且进进出出保持一副天使的模样。不，这绝不是米柯尔卡，亲爱的罗季昂·罗曼诺维奇，这不是米柯尔卡干的！”

在听了他前面那番很像改变看法的话之后，这最后几句实在太出乎意料了。拉斯柯尔尼科夫仿佛被刺了一下，浑身哆嗦起来。

“那么……是谁……杀了人？……”他忍不住地问，声音是上气不接下气。波尔菲里·彼得罗维奇甚至急忙一闪，仰靠到椅背上，仿佛也因突如其来的问题感到惊愕不止。

“怎么是谁杀了人？……”他重复了一遍，好像不相信自己的耳朵。“是您杀了人，罗季昂·罗曼诺维奇！您杀了人……”他几乎用耳语补充说道，但语气十分肯定。

拉斯柯尔尼科夫从沙发上一跃而起，呆呆地站了几秒钟，接

---

①可能引自有人谈论拿破仑的话。据说拿破仑的血液循环很慢，只有在战争中心脏才正常跳动。

着又坐了下来，一声不吭。轻微的痉挛从他的脸上一掠而过。

“看，像上次一样，嘴唇又在颤抖啦。”波尔菲里·彼得罗维奇甚至同情地嘟哝着。“罗季昂·罗曼诺维奇，您大概误解了我的意思。”沉默了片刻以后，他又补充道，“所以您才会吃惊。我来正是为了说出一切，开诚布公。”

“不是我杀的。”拉斯柯尔尼科夫嗫嚅地说，像个孩子做了坏事被当场抓住而不胜惊慌。

“不，是您干的，罗季昂·罗曼诺维奇，是您，不会有别人了。”波尔菲里口气严厉而又坚定地低声说道。

两人都不做声，沉默的时间甚至出奇地长，大约有十来分钟。拉斯柯尔尼科夫肘腕撑着桌子，一声不吭地用手抓弄头发。波尔菲里·彼得罗维奇心平气和地坐着等待。突然，拉斯柯尔尼科夫轻蔑地瞧了波尔菲里一眼。

“您又老调重弹，波尔菲里·彼得罗维奇！又是您那老一套的把戏，这真的不叫您厌烦吗？”

“哎，得了吧，我现在要什么把戏！假如这里有证人在，那是另一回事；我们是一对一地私下谈话。您自己也看到了，我到您这儿来不是捉兔子似的追捕您。您承认还是不承认，此刻对我来说都没关系，即使您不承认，我内心对此也是确信不疑的。”

“既然这样，您干吗来呢？”拉斯柯尔尼科夫愤然问道，“我向您提一个老问题：如果您认为我有罪，为什么不把我抓进牢房？”

“嗯，这才像个问题！我分几点回答您。首先，直截了当地逮捕您对我不利。”

“怎么不利！假如确信无疑，那就应该……”

“哎哟，我确信不疑管什么用？要知道，所有这些暂时还只是我的想象。再说我干吗让您安安静静地坐在牢房里？既然您自己要求抓起来，可见您自己心里也明白。比如说，我要是把那个小市民带来指控您，您就会对他说：‘你是不是喝醉了？谁和你一起见到了我？我当你是个酒鬼，那时你果然喝醉了。’这么一来，我能对您说什么呢？尤其是您的话要比他的话显得更真实，因为他的证词说的全是心理活动；说这种话甚至不适合他的模样；而您却说到了点子上，正中要害，因为这个坏家伙老喝酒，甚至是个尽人皆知的酒鬼。不过我本人也向您坦率地承认，已经不止一次地说过，心理分析是模棱两可的东西，有两种解释，而第二种解释往往更为有力，更为真实；此外，再说我暂时又没有什么可指控您的证据；尽管我以后要抓您，现在甚至前来（完全不合常情）把一切预先告诉您，但我仍要直截了当告诉您（同样也不合常情），这样做对我不利。嗯，其次，我之所以来找您……”

“那其次呢？”（拉斯柯尔尼科夫依然喘息困难。）

“是因为我自认为有责任向您做一番解释，这我已经讲过了。我不愿意您把我当做恶棍，况且我打心眼里对您有好感，信不信由您。因此，第三，我给您提出一个坦率而直言不讳的建议——去投案自首。这对您有极大的好处，对我也同样有利，因为我可以交差了。您看，我坦率不坦率？”

拉斯柯尔尼科夫沉吟了片刻。

“听着，波尔菲里·彼得罗维奇，您不是亲口说：只是靠心理学吗，怎么又岔到数学上去了。要是您自己现在弄错了，那怎么办呢？”

“不，罗季昂·罗曼诺维奇，我不会弄错的。我已经掌握了那么个证据。当时我就找到了那么个证据，是上帝赐给的！”

“怎样的证据？”

“我不能告诉您是什么证据，罗季昂·罗曼诺维奇。再说，不管怎样现在我已经没有权利再拖延下去了，我得逮捕您。您想想看：现在对我来说反正都一样，所以我全是为了您。老天在上，这样要好些，罗季昂·罗曼诺维奇！”

拉斯柯尔尼科夫发狠地笑了一下。

“要知道，这不仅可笑，甚至是无耻。即使我有罪（我可没这么说），可您亲口说过，我能*安安静静地*蹲你们的牢房，干吗我要去您那儿自首呢？”

“唉，罗季昂·罗曼诺维奇，您别完全相信我讲的话嘛，或许不全是*安安静静*！要知道，这只不过是一种理论，而且只是我的理论，而对您来说我算什么权威呢？或许，甚至现在我本人还瞒着您一些事。我不能不管青红皂白什么都告诉您呀。嘿嘿！第二，有什么好处吗？您是否知道，这样您会得到减刑？想想看，您是什么时候自首的呢？在什么节骨眼上？您想啊！别人已经代过认罪，把案子搞得一团糟。我向上帝发誓，我会为您在‘那边’[1]做出安排，让您的投案自首成为完全出人意料的举动。我们把这些心理分析一笔勾销，我要消除对您的一切怀疑，这样您的犯罪就像是一时神志错乱，说良心话，实际上也正是神志错乱。我是个诚实的人，罗季昂·罗曼诺维奇，我会信守诺言的。”

拉斯柯尔尼科夫痛苦地沉默着，低下了头。他思索良久，最

---

①意指法庭。

后又笑了一下，但这笑声是短促而悲伤的。

“唉，没有必要！”他说道，仿佛对波尔菲里已毫不隐讳。“用不着！我根本不需要你们减刑！”

“您瞧，我担心的就是这一点！”波尔菲里很激动，好像不由自主地叫起来，“我担心的就是您不要我们的减刑。”

拉斯柯尔尼科夫忧郁而深沉地瞧了他一眼。

“哎呀，您可别厌弃生命啊！”波尔菲里接着往下说，“生活还长着呢。怎么能不需要减刑，怎么能不需要呢！您这人太缺耐性！”

“什么还长着呢？”

“生活嘛！您能预见什么呀，您又懂得多少呢？只要寻求，就会有收获。或许，上帝正期望您这样做。镣铐是不会戴一辈子的……”

“会有减刑……”拉斯柯尔尼科夫笑了起来。

“怎么啦，您是害怕出现资产阶级的羞耻感？可能就是这样，不过您自己并没意识到，因为您还年轻！但不管怎样，您可不该害怕自首，或者羞于自首。”

“啊！这无所谓！”拉斯柯尔尼科夫鄙夷又厌恶地嘟哝了一句，似乎不屑一顾。他再次欠起身来，好像要去什么地方，但明显露出绝望的神色，又坐了下来。

“好个无所谓！您丧失了信心，还以为我很粗俗地奉承您。您有多少生活阅历呢？您懂多少生活呢？您杜撰了一种理论，但它失败了，结果很不漂亮，因而又感到难堪！结果很卑劣，这是明摆着的事实，但您却不是一个无可救药的败类，绝不是这种败类！至少您没有长时间自我蒙蔽，因为您一下子就走到极端，碰了壁。知道我把您看成怎样的人吗？我认为您是这样的一个人：哪怕把肠子掏出来，他还是站着不倒，笑对刽子手，只要他能够找到信仰或者找到上帝。好吧，您去找到它，继续活下去。首先，您早已需要换换空气了。没什么，受苦受难同样是件好事。您得去受苦。米柯尔卡想去吃苦，恐怕也是对的。我知道，您很难信仰这个，但您别自作聪明，把自己直接交给生活，不必冥思苦想。您不用担心，生活会把您直接送上岸去，让您站稳脚跟。被送到什么岸上？那我不得而知。我只是相信，您的日子还长着呢。我知道，您现在会把我的这番话当做老生常谈的训诫；或许以后您会想起来的，有朝一日会对您有用的，所以我才说这些。还好，您只杀了一个老太婆。要是您杜撰出另一种理论，那您大概还会干出坏上一万倍的事来！或许还应该感谢上帝呢。您怎么知道，也许上帝正为了什么在保护着您呢。您该有宽广的胸怀，不要太多的畏惧。您是不是面对即将做出的伟大举动有些退缩呢？不，这时退缩是可耻的。您既然走出了这一步，就应该坚强起来。这里有着公正。您要实践公正要求您做的事。我知道您不相信上帝，不过生活会帮助您，往后您会喜欢上的。而现在您需要的只是空气，空气，空气！”

拉斯柯尔尼科夫甚至浑身一颤。

“您是什么人哪？”他叫嚷着，“您算什么预言家呢？您凭什么这样庄严肃穆、居高临下地赠我高深的预言？”

“我是什么人？我是个前途无望的人，仅此而已。或许我是个有感情、有恻隐之心的人，或许还是个有些阅历的人，但却是个完全没有希望的人。而您则是另一回事,因为上帝已为您安排好了生活(谁知道呢,或许您的生活也不过是过眼烟云)。说不定您会变成另一种人呢?因为以您的心胸,您是不会追求舒适的。说不定在很长时间里您不为人所知。问题不在于时间,而在于您本人。倘若您成为太阳,人们就都能看到您。太阳首先应该是太阳。您干吗又发笑了,因为我像个席勒吗?我敢打赌,您一定以为我在讨好您!是呀,也许我真的在讨好您。嘿嘿!您,罗季昂·罗曼诺维奇,不必太信我的话,甚至永远也别完全相信。我就是这个脾气。不过我得补充一句,我这个人多么卑下,又多么诚实,您大概可以自己判断!"

"您打算什么时候逮捕我?"

"我还能让您有一天半或两天的自由。好好想一想,亲爱的,向上帝祈祷吧。而且这会有利,真的,这会有利。"

"要是我逃跑呢?"拉斯柯尔尼科夫一边问,一边不知怎的古怪地笑着。

"不,您不会逃跑的。乡下佬会逃跑,时髦的教派分子会逃跑[①],是别人思想的应声虫,因为只要对他打个小手势,就像海军准尉窦尔卡[②]那样,那么不管您说了些什么,他们都会坚信一辈子。可您已经不信自己的那套理论了,还跑个什么劲儿呢?对

①此处所指的可能是B.И.克利西耶夫(1835—1872),他自1859年起侨居国外,在伦敦的自由俄国印刷所工作,印刷一些面向分裂教派的宣传材料。陀思妥耶夫斯基对他很感兴趣,在19世纪70年代的笔记中多次提到他。——俄编注

②果戈理喜剧《结婚》中的人物。这里把他误作同剧中的另一个人物,即可笑的海军准尉彼杜霍夫。

您来说,潜逃有什么好呢? 潜逃令人厌恶,又困难重重,而您需要的首先是生活和稳定的地位,相应的环境;逃窜是您要的环境吗? 您就是逃跑,也会自己回来的。绕过我们您是不行的。如果我把您关进牢房,那么您待上一个月、两个月、三个月,请记住我这话,您就会在那儿突然地,甚至连自己也感到意外,主动跑来供认。这之前一个小时您都不会想到要来。我甚至可以确信,您会'决意去受苦';现在您不相信我的这句话,但您自己会得出同样的结论。因为受苦,罗季昂·罗曼诺维奇,是件伟大的事。您不要看我臃肿发胖,这没什么关系,但我知道,您可不该嘲笑这个话,受苦受难是包含着深意的。米柯尔卡是对的。不,您不会逃跑,罗季昂·罗曼诺维奇。"

拉斯柯尔尼科夫起身拿了帽子。波尔菲里·彼得罗维奇也站了起来。

"打算去散步? 傍晚的天气不错,只是别有雷雨。其实,有雷雨能凉快些,那更好……"

他也拿起了帽子。

"波尔菲里·彼得罗维奇,您别脑子发热,"拉斯柯尔尼科夫倔强认真地说,"别以为我今天向您招认了什么。您是个奇特的人。我是出于好奇才听您说话。我可什么也没向您招认……请记住这一点。"

"嗯,这我知道,我会记住的。瞧您,身子都发抖啦,别担心,亲爱的;就照您的意思,去稍微走走吧,只是别太多。不管怎样,我对您还有个小小的请求,"他低声补充道,"这个有点儿难以启齿,但很重要:如果,这是以防万一(其实我并不信会这样,我认为您根本不可能这么干),如果万一在这四十或五十个小时里,您产生愿望用另一种方式,某种荒唐的方式把自己了结(这个假设是荒谬的,只好请您原谅我),那么请留下一张简短但明确的纸条,就写两行,只要短短的两行,再提一下石头的事,那就更可敬了。好吧,再见……愿您好自为之!”

波尔菲里仿佛哈着腰,像要避开不看拉斯柯尔尼科夫,径自走了。拉斯柯尔尼科夫走到窗前,焦躁地等着,等那人照他估摸着已上了大街走远了,他这才急忙走出了房间。

第三章

他急忙去找斯维德里盖洛夫。他能期望从这个人那里得到什么呢,他自己也不清楚。然而,这人身上潜藏着某种左右他的力量。自从意识到了这一点,他便无法平静了,况且现在已经到时候了。

一路上有一个问题特别折磨着他:斯维德里盖洛夫有没有找过波尔菲里?

据他的判断,而且他敢发誓说:没有,没有找过!他想了又想,回忆波尔菲里来访的整个过程,得到的结果是:没有,没有找过,当然没有去找过!

倘若他还没有找过,那么以后会不会去找波尔菲里呢?

现在他觉得斯维德里盖洛夫暂时不会去找。为什么呢?他还无法解释,但即使他能够解释,现在也不会为此大伤脑筋了。所有这一切都在折磨他,而与此同时他似乎又已顾不上这些。说来也真奇怪,或许谁也不会相信,他对自己眼下面临的命运并不太关心,甚至心不在焉。令他痛苦的,是别的远为重要的事,异常重要的事。这也是关系到他自己而非他人的事,却是另一件,更为主要的事。此外,他感觉自己精神上已极度疲惫,尽管今天上午他的脑子比最近这几天要清爽得多。

事已至此,现在还值得想方设法去克服已然微不足道的新难题吗?比如说,还值得想方设法去施展手段,不让斯维德里盖洛夫去找波尔菲里吗;还值得去研究、打探斯维德里盖洛夫,在这个人身上浪费时间吗!

啊,这一切让他厌烦透了!

不过他仍然匆匆去找斯维德里盖洛夫。他或许指望从那里获取某种新消息,得到指点和出路吧?病急乱投医呀!也许是命运或某种本能把他们两人连接到了一起吧?也有可能这不过是疲惫和绝望的表现;或许他需要的不是斯维德里盖洛夫,而是别的什么人,只是让斯维德里盖洛夫碰巧赶上了。那索尼娅呢?他现在去找索尼娅干什么呢?再去乞求她的眼泪吗?而且对他来说,索尼娅很可怕。索尼娅意味着无情的判决,破釜沉舟的决定。这里要么走她的路,要么走他的路。尤其在此刻,他无法去见她。那么,去试试斯维德里盖洛夫不是更好吗?看一看这是什么人。他内心不能不承认,他的确在某个方面早已需要这个人了。

然而,他们两人之间能有什么共同之处呢?甚至连他们的恶行都不可能一样。况且这个人很令人厌恶,显然非常淫荡,一定很狡猾,善欺骗,或许还特别狠毒。关于他的传闻就是这样说的。不错,他安置了卡捷琳娜·伊凡诺芙娜的孩子们;但又有谁知道，他这样做是为了什么，有什么用意呢？这个人总是不断想出一些意图和计划来。

这些天来，拉斯柯尔尼科夫脑海里一直有个念头，使他坐立不安，虽然他竭力想驱赶这个念头，因为太令他痛苦了！他不时觉得：斯维德里盖洛夫总在他周围转悠，而且现在还在转悠；斯维德里盖洛夫知道他的秘密；斯维德里盖洛夫打过杜尼娅的主意。要是他现在还贼心不死呢？几乎可以肯定地说，他还没死心。他既然掌握了他的秘密，因此而能够左右他，倘若利用这一点来对付杜尼娅呢？

有时这个念头甚至在梦中还折磨着他，但此刻当他去找斯维德里盖洛夫时，这念头在意识里第一次如此清晰。单是这一点已经使他火冒三丈。首先，那样一来一切都将发生变化，甚至连他的处境也会变化。那他就应该立即把这个秘密告诉杜尼娅。恐怕应该自己去投案，免得杜尼娅做出某种轻率的举动。还有信呢？今天早上杜尼娅收到一封什么信！在彼得堡有谁会给她写信？（难道是卢仁？）不错，有拉祖米欣在那里保护她；然而拉祖米欣什么也不知道。或许应该向拉祖米欣公开一切？想到这，拉斯柯尔尼科夫的心情就糟糕透了。

“不管怎样，应该尽快见到斯维德里盖洛夫，”他最终暗自下了决心，“谢天谢地，现在需要知道的倒不是细节，而是事情的实质；但只要他力所能及，如果斯维德里盖洛夫对杜尼娅要什么阴谋，那他就……”

在这段时间里，整整一个月当中，拉斯柯尔尼科夫已经弄得如此精疲力竭，以至解决类似的问题，他只剩了一种办法，就是：

"那我就杀了他。"他极度绝望地这样想。一种阴郁的情绪压上心头，他在马路旁停住脚步，四下张望起来：他走的是什么路，是往哪儿去呢？原来他站在×大街[①]上，离路过的干草市场有三四十步远。左面一幢房里整个二层是家小饭馆，所有窗子都敞开着；根据窗前移动的人影来看，饭馆已是宾客满座。大厅里一片歌声，有人吹黑管，有人拉提琴，还有响亮的土耳其鼓声。又听到女人们的尖叫。他心里纳闷，为什么走到×大街来了；可刚想折回去，他蓦地在饭馆一扇敞开的窗前看见了斯维德里盖洛夫，他正坐在窗下一张茶桌旁，嘴里叼着烟斗。这让他大吃一惊。斯维德里盖洛夫默默地观察他，打量他。同样又令他惊奇的是，斯维德里盖洛夫好像打算站起来，趁着没被发现赶快溜走。拉斯柯尔尼科夫立刻装作没有看见他，若有所思地瞧着旁边，同时继续用眼角观察那人的动静。他的心此时怦怦直跳。果然，斯维德里盖洛夫显然是不想被人发现。他从嘴里取出烟斗，已经打算躲开了；但当他起身拉开椅子时，大概突然发现拉斯柯尔尼科夫看见了他，并在观察他。他们之间又出现了在拉斯柯尔尼科夫住处头一回见面时的情景，当时拉斯柯尔尼科夫正睡着。一丝狡黠的微笑浮现在斯维德里盖洛夫的脸上，笑容逐渐展开。他俩都知道已经彼此发现，并且相互观望着。终于斯维德里盖洛夫大笑起来。

"好吧，好吧！如果愿意，请进来吧；我在这里！"他从窗口叫道。

拉斯柯尔尼科夫走进了饭馆。

拉斯柯尔尼科夫在紧挨大厅后面只有一扇窗子的小房间里

①应该是外巴尔干大街。

找到了他。大厅里摆有二十张小桌，歌手们声嘶力竭地合唱着，商人、官吏和形形色色的人正在喝茶。不知从哪儿传来了打台球的声音。斯维德里盖洛夫面前的茶桌上，放着一瓶打开的香槟和盛着半杯酒的玻璃杯。房间里一个少年流浪琴师拉着小手风琴，还有一个红脸蛋、壮实实的卖唱姑娘，穿着花条布裙子，下摆挽在腰间，头戴饰有飘带的尖顶帽，年龄大约十八岁。尽管别的房间里正在合唱，她仍在手风琴的伴奏下，用那极有力的女低音，唱着一首奉承人的歌曲……

"行，够了！"当拉斯柯尔尼科夫进屋时，斯维德里盖洛夫打断了她的歌声。

姑娘立刻不唱了，毕恭毕敬地站在一旁。她唱那首押韵的奉承曲时，脸上同样是一副毕恭毕敬的严肃表情。

"喂，菲里普，拿个玻璃杯来！"斯维德里盖洛夫叫道。

"我不喝酒。"拉斯柯尔尼科夫说。

"随您的便，我不是给您的。喝吧，卡佳！今天不用再唱了，你走吧！"他给她斟了满满一杯，又拿出一张黄色钞票[①]。卡佳像一般女人喝酒那样，也就是杯不离嘴连喝二十口，一下子干了杯，然后接过钞票，吻了一下斯维德里盖洛夫郑重伸出的手，便走出了房间；背手风琴的男孩也跟着慢腾腾地走了出去。斯维德里盖洛夫在彼得堡住了不到一个星期，而他周围已是一派族长气氛了。饭馆伙计菲里普同样已成了"老熟人"，极力奉承他。通大厅的门上了锁，斯维德里盖洛夫在这间房里如同到了自家，或许整天就待在这里。这家饭馆又脏又破，连中等馆子都算不上。

---

①票面是一卢布。

“我本来是去您那儿找您，”拉斯柯尔尼科夫开口说，“可不知怎么却突然从干草市场拐到了×大街！我从来没朝这边走过，也没来过这儿。我总是从干草市场向右拐。到您那儿去也不该走这里。但我刚拐弯过来，就瞧见了您！这真是怪事！”

“您干吗不直截了当地说：这是奇迹！”

“因为这可能只是巧合。”

“要知道，你们这些人就是这毛病！”斯维德里盖洛夫哈哈大笑说，“哪怕是内心相信真的有奇迹，但嘴上也绝不承认！您自己不是也说‘可能’只是巧合吗。这里的人们多么害怕有自己的见解，您是无法想象的，罗季昂·罗曼诺维奇！我指的不是您。您有自己的见解，而且也不害怕，正是这一点引起了我的好奇。”

“再没有其他原因？”

“这就足够了。”

斯维德里盖洛夫看得出处于兴奋状态，其实不过稍有一点儿，因为他只喝了半杯酒。

“我觉得，您来找我时，还不知道我会有您所谓的自己的见解。”拉斯柯尔尼科夫指出道。

“那是另外一回事。各人有各人的路。至于说到奇迹，我来告诉您，您这两三天来好像是睡糊涂了。我邀过您来这家饭馆，所以您径直来了，并没有什么奇迹可言。我详细说了怎么走法，告诉了它的位置，以及什么时间可以找到我。您记得吗？”

“不记得了。”拉斯柯尔尼科夫惊异地回答道。

“我相信。我对您说过两次。这个地址机械地印在了您脑海里。您也就机械地朝这边拐来，并且丝毫不差地按地址找到了，虽然您自己并没有意识到。当时告诉您时，我并没指望您能听明白。您太过于暴露自己了，罗季昂·罗曼诺维奇。还有，我相信彼得堡有许多人一边走路一边喃喃自言自语。这个城市是半疯的城市。假设我们的科学发达的话，那么医生、法学家和哲学家都能根据各自的专业对彼得堡进行极有价值的研究。很少有地方像彼得堡那样，对人的心灵会有这么多阴郁的、强烈的和奇怪的影响。单单气候就有很大的影响！①而这里是全俄罗斯的行政中心，它的特点势必会影响到整个俄国。但现在问题并不在这里，而在于我已经不止一次从侧面对您观察。您走出家门时还昂着头，走了二十步，您已经低下了头，倒背着手。显然，不管是对面前的还是旁边的，您都视而不见了。末了，您开始嚅动嘴唇，自言自语说起来，又不时挥起一只手像在朗诵。最后您站到街心很久不走。这非常不好。可能除我以外还有别的人发现您，这对您是不利的。其实这跟我毫不相干，我也治不好您，但您当然明白我的意思。”

“您知道有人在监视我？”拉斯柯尔尼科夫用探询的目光望着他问道。

“不，我一点儿都不知道，”斯维德里盖洛夫似乎诧异地回答说。

“那您就别管我的事啦。”拉斯柯尔尼科夫皱着眉头嘟哝说。

“好吧，我们不谈了。”

---

①俄国19世纪60年代的一些出版物中，常常谈到气候条件对罪犯的心理状态的影响，如《罪与罚》中曾提及的瓦格纳的那本书里，就写有这样的话：“犯罪同样也会受到自然的影响，比如气候。”

"您最好说说，既然您常上这儿来喝酒，并且两次约我来这儿找您，那刚才我在街上朝窗口看时，您为什么想躲起来走掉？这一点我看得一清二楚。"

"嘿嘿！那次我站在您的家门口，您为什么躺在自己的沙发床上闭着眼睛装睡，而实际上您根本没睡着？这一点我也看得一清二楚。"

"我可能有……原因……您自己也知道。"

"我也可能有自己的原因，只是您无法知道。"

拉斯柯尔尼科夫右胳膊肘支在桌上，手掌托着下巴，目不转睛地望着斯维德里盖洛夫。有好一会儿他端详着斯维德里盖洛夫的面孔，这张脸一直让他感到惊异。这是一张类似假面具的古怪面孔：白净的脸膛，绯红的面颊，鲜艳的嘴唇，淡黄的大胡子，还有相当密的淡黄头发。蓝眼睛过于浅淡，眼神又太阴沉呆滞。在这张漂亮的，从年龄上看又异常年轻的脸上，有着某种令人十分厌恶的东西。斯维德里盖洛夫的衣着极其讲究，穿了一套轻薄的夏服，衬衣更为漂亮。手上戴着一枚大戒指，上面镶着一颗贵重的宝石。

"难道我又得来应付您一通吗，"拉斯柯尔尼科夫突然急不可耐地摊牌说，"尽管您要害人的话可能是个最危险的人物，我可不愿再委曲求全。我马上就让您看到，我并不是您想的那样怕死。您得知道，我来找您就是为了直截了当地告诉您，假如您对舍妹仍然痴心妄想，假如您为此而想利用最近发现的情况，那我在您把我送进监狱之前就杀了您。我可说话算数，因为您也知道，我能说到做到。其次，假如您打算对我说些什么，因为这段时间里我一直觉得您好像有什么话要对我说,那您就赶快说吧,因为时间宝贵,或许不久以后就为时已晚了。”

“您这是忙着干什么呀?”斯维德里盖洛夫问道,一边好奇地打量着他。

“各人有各人的路嘛。”拉斯柯尔尼科夫阴沉着脸,不耐烦地说道。

“您自己刚才还提出要相互坦诚,现在头一个问题就不愿回答,”斯维德里盖洛夫笑着指出,“您一直觉得我不怀好意,因此对我疑心重重。的确,处在您的境地,这是完全可以理解的。然而,虽说我想与您交个朋友,但我不会耗费精力去改变您的看法。真的,这是得不偿失的事,再说我也没打算同您谈这类特别的话题。”

“为什么当时您那么需要我?您可是总在我周围转悠哇!”

“我只不过认为您是个有趣的观察对象。我喜欢的是您的微妙处境,原因就在这里!此外,您是我曾经十分关注的一位女士的兄长,还有,从她那里我经常听到许许多多您的情况,由此认定您对她具有极大的影响。难道这还不够吗?嘿嘿!不过我承认,对我来说您提的问题太复杂了,我很难做出回答。比如说,现在您来找我不仅是有事,而且还想打探消息?是这样吧?是这样吧?”斯维德里盖洛夫狡黠地微笑着追问道,“您再想一想,我自己在来这里的途中,在火车上,也曾指望您,想您能告诉我一些消息,也希望能从您这儿借鉴一些东西!看,咱俩都还蛮有用的呀!”

“借鉴什么?”

“该怎么对您说呢？难道我清楚吗？您瞧，我整天待着的小饭馆是啥样子，可我待得蛮舒心；倒也不好说舒心，反正总有个地方坐坐吧。还有，找来了这么个可怜的卡佳，您看见了吧？……再比如说，我也算不上个好吃的人，不是那种俱乐部的美食家，您看我下咽的是些什么东西！（他用手指着墙角，那里搁着一张小桌，桌上的金属盘子里放着令人倒胃口的土豆牛排。）顺便问一句，您吃过饭了吗？我稍微用了点儿，不想吃了。说到酒，我根本不喝。除了香槟别的都不喝，香槟我整晚上也只喝一杯，那也会感到头痛。现在我要的这杯酒，是为了提提神，因为我打算去一个地方。您正赶上我的情绪有些特别。刚才我像小学生似的躲了一下，是因为我怕您耽误我的事。不过，我或许（他掏出了手表）能够和您坐上一个小时。现在是四点半。您相信吗，我哪怕有一点儿长处也好哇，比如能当个地主，当个神父，当个枪骑兵、摄影师、新闻记者……可我什么也不是，什么长处也没有！有时简直百无聊赖。我就想，您也许会告诉我一些新东西呢。”

“那您是干什么的，为什么到这儿来呢？”

“我是干什么的？您要知道，我是个贵族，当过两年骑兵，然后就这样在彼得堡这里闲荡，后来娶了玛尔法·彼得罗芙娜，住在庄园里。这就是我的经历！”

“您大概是个赌客？”

“不，我算什么赌客。我是个赌棍，而不是赌客。”

“您曾经是赌棍？”

“是的，我曾经是赌棍。”

“那您挨过揍吗？”

“被人揍过。那又怎么样？”

“这么说您也能要求举行决斗了……总之，决斗会使人振奋。”

“我不反对您的观点，但我却不擅长发表议论。坦白地告诉您，我赶到这里来，多半是因为女人的事。”

“刚刚安葬玛尔法·彼得罗芙娜之后？”

“是的，”斯维德里盖洛夫无比坦率地笑了笑，“那又怎么啦？大概您认为我这样谈论女人是件不道德的事？”

“也就是说，我是否认为淫荡是不道德的事？”

“淫荡！瞧您说的！不过让我按顺序首先回答您有关女人的问题。您知道吗，我这人喜欢聊聊。您说说看，我为什么要克制自己呢？既然我喜欢女人，那我干吗要抛弃她们呢？至少还有事可干呢。”

“可您在这里追求的只是淫荡啊？”

“那又怎样？淫荡又怎样？说来说去就是个淫荡！至少我喜欢直率地提出问题。淫荡这东西，起码是稳定的，甚至以天性为基础，不是幻想的结果；人的血液里一直有这种燃烧着的东西，甚至随着年龄的增长也不能很快将它扑灭。您不能不同意，这总也算一件事情吧？”

“这有什么可高兴的呢？这是一种病，一种危险的病。”

“您是指这个！我同意，这是一种病，什么事情过分了都是这样，而这种事免不了会过分的。但是要知道，这种事上首先人和人的情况不一样。其次，当然啰，一切事都须有个分寸，有个考虑，哪怕这种考虑是可鄙的，那又有什么办法呢？要是没了这个，那我恐怕就不得不自杀了。我承认,一个规矩人应该耐得住寂寞,可是……"

"您会自杀吗?"

"哎呀!"斯维德里盖洛夫以厌恶的口气反驳道,"求您了,不要谈这个。"他急急忙忙添上一句,甚至没带一点儿他先前讲话的那种夸张,连脸色好像都变了。"我承认有个不可饶恕的弱点,可没有办法,我怕死,也不喜欢别人谈论死。您知道吗,我多少是个神秘主义者?"

"啊! 是玛尔法·彼得罗芙娜的鬼魂! 怎么,它还经常出现?"

"算了,别提它啦。在彼得堡还没有显形过;让它见鬼去吧!"他叫道,好像一脸恼怒的样子。"不,我们最好还是谈谈这个吧……不过……哎呀,时间不多了,我不能同您多待,真遗憾!本来有些事要告诉您。"

"您是什么事,女人吗?"

"是的,女人,一件意外的事情……不,我想谈的不是这个。"

"这么说,您对这个糟糕的环境已是习以为常了? 已经没有力量罢手了?"

"您自以为还有力量吗? 嘿嘿? 您刚才真的让我吃惊,罗季昂·罗曼诺维奇,尽管我早知道事情会是这样的。您是在给我讲什么是淫荡,什么是审美! 您是个席勒,您是个理想主义者! [①]当

①在小说《卡拉马佐夫兄弟》的写作手稿中,德米特里曾说过这样的话:"我是席勒的爱好者,我是一个理想主义者。谁认为我是个坏蛋,那他就是还不了解我。"陀思妥耶夫斯基自少年起就喜欢席勒,在他心目中,席勒一直是精神纯洁和高尚的象征。

然,这一切本该如此,不如此那才是怪事呢。然而,实际中却是很奇怪的……可惜时间不多了,因为您自己就是个叫人非常感兴趣的人物！随便问一句,您喜欢席勒吗？我非常喜欢他。”

“您可真是个吹牛大王！”拉斯柯尔尼科夫有点儿厌恶地说道。

“说实在的,我可不是那种人！”斯维德里盖洛夫笑着回答道,“不过我不想争辩,就算是个吹牛大王吧。但既然于人无害,为什么不吹吹牛呢。我在庄园里与玛尔法·彼得罗芙娜共同生活了七年,所以现在碰上像您那样的聪明人,一个既聪明又有趣的人,我很乐意聊一聊。此外,我又喝了半杯酒,酒劲有点儿发作。主要的是,有一件事让我大伤脑筋,但这事……我不想谈。您去哪儿呀?”斯维德里盖洛夫突然惊异地问道。

拉斯柯尔尼科夫已经站起身来。他觉得心里既沉重又憋闷,又觉得来到这里挺别扭。他确信斯维德里盖洛夫是世界上最浅薄无聊的恶棍。

“哎！再坐一会儿,别走哇,”斯维德里盖洛夫竭力劝说着,“至少来杯茶喝嘛。再坐一会儿,我不再胡说八道,不谈自己了。我有话要告诉您。如果您想听,我讲一讲女人是怎样……照您的说法……‘拯救’了我。这甚至可以算是回答您的第一个问题,因为这个女人就是令妹。可以讲讲吗？我们也就消磨时间了。”

“说吧,但我希望您……”

“唉,别担心！因为阿芙多季娅·罗曼诺芙娜甚至能让我这样顽劣空虚的人产生极大的敬意。”

第四章

“或许您知道(其实我自己就告诉过您),”斯维德里盖洛夫开始说了起来,“我曾经在这儿坐过牢,因为我欠了一大笔债,而又无力偿还。玛尔法·彼得罗芙娜是如何把我赎出来的,我就不必详细叙述了;您可知道,有时女人痴情会达到怎样的程度?这是一个正直的、相当聪明的女人(尽管没有受过什么教育)。请想象一下,就是这个忌妒但正直的女人,在多次吵闹和数落之后竟然决心迁就,跟我签了个协议,婚后她一直履行着。问题是她年龄比我大得多,还经常在嘴里含着什么丁香。我也够忘恩负义的了,却还有点诚实,就直言不讳地告诉她,我对她做不到完全忠诚。这一下子气得她发狂,不过我这种粗鲁的坦率反倒使她似乎有些宽慰。她想:‘这么看来他不想欺骗我,因为预先就这样说了。’对于一个忌妒心强的女人来说,这一点是最重要的。她哭了很久,然后我们之间达成了这样的口头协议:第一条,我永远不抛弃玛尔法·彼得罗芙娜,与她白头偕老;第二条,没有她的许可,我哪儿也不去;第三条,我永远不养固定的情妇;第四条,作为回报,玛尔法·彼得罗芙娜允许我偶尔看上某个女仆,但一定得悄悄告诉她;第五条,我决不可爱上与自己社会地位相同的女人;第六条,万一发生不该发生的事,即我产生某种强烈认真的感情,我得对玛尔法·彼得罗芙娜坦白一切。其实对最后一条协议,玛尔法·彼得罗芙娜一直是很放心的,因为她是一个聪明的女人,她不可能看不出我是一个淫荡好色之徒,不可能产生真挚的情感。不过,聪明的女人和爱忌妒的女人,是两种不同的人,这也正是不幸的所在。其实,为了公正地评价某些人,必须先摒除一些成见,必须改变对我们周围普通人和事的习惯看法。我有理由相信您的判断要比别人更为可靠。或许您听到了许多有关玛尔法·彼得罗芙娜的荒诞可笑的传言。不错,她有一些极其可笑的习惯;但我坦率地告诉您,我真心实意地感到懊悔,因为是我一次又一次给她带来了悲伤和痛苦。或许,在一篇像样的oraison funèbre[①]里,写上最温柔的妻子有个最体贴的丈夫也就足够了。过去每逢我俩吵架时,我多半一声不吭,也不发火,这种绅士风度几乎总是行之有效的。这对她能产生影响,她甚至喜欢这样,还常常为有我这样的丈夫而感到自豪。但她还是容不下令妹。怎么会发生这样的事,她竟冒险把个漂亮女人领进自己家来当家庭教师!我是这样认为的,玛尔法·彼得罗芙娜是个热情易感的女人,她自己简直是爱上了,的确就是爱上了令妹。阿芙多季娅·罗曼诺芙娜也同样喜欢她!我从一开始就非常清楚地意识到这事不妙。于是,您猜怎么着,我就决定不抬眼去瞧阿芙多季娅·罗曼诺芙娜。倒

①法文:葬礼悼词。

是玛尔法·彼得罗芙娜自己开了个头,您相信吗?您是否相信,起初玛尔法·彼得罗芙娜甚至对我大为恼火,因为我从不谈论令妹,还因为我在她对阿芙多季娅·罗曼诺芙娜没完没了赞不绝口时态度冷淡,无动于衷。我自己也不明白,她想干什么!当然啰,玛尔法·彼得罗芙娜也向阿芙多季娅·罗曼诺芙娜详细叙说了我的一切情况。她有一个坏毛病,喜欢把我们家里的一切秘密毫无保留地向任何人倾诉,并且逢人就抱怨我;她怎么会放过这么一个新交的好友呢?我认为,她们两人除了谈论我之外,是不会有什么别的话题的。毫无疑问,阿芙多季娅·罗曼诺芙娜一定知道了给我编造的那些不快的神秘故事……我敢打赌,您同样也听说过一些吧?"

"听说了。卢仁指责说,一个女孩是因为您死了。真是这样吗?"

"求您了,别再提这种庸俗的流言啦,"斯维德里盖洛夫一脸厌恶地抱怨道,"要是您一定要了解这无聊之极的故事,我另找时间给您讲,现在……"

"我还听说庄园里您家一个仆人的事,好像起因同样也在您身上。"

"好啦,够啦!"斯维德里盖洛夫又一次明显不耐烦地打断了他的话。

"这不就是那个死后还来给您装烟斗的仆人吗……还是您亲口告诉我的吧?"拉斯柯尔尼科夫越来越愤怒了。

斯维德里盖洛夫仔细地打量了一下拉斯柯尔尼科夫,后者觉得这一目光中闪电般掠过一丝讥笑。但斯维德里盖洛夫克制住了自己，颇有礼貌地回答说：

“就是这个人。我发现您对这一切也都非常感兴趣，因此我觉得有义务在适当的时候原原本本讲出来，好满足您的好奇心。真见鬼！我发现在别人眼里我可能确实显得有些罗曼蒂克。您可想而知，为此我该多么感谢已故的玛尔法·彼得罗芙娜，因为是她给令妹讲了有关我的许多神秘有趣的故事。我不敢断言这产生了什么印象，但不管怎样对我是有利的。尽管阿芙多季娅·罗曼诺芙娜自然地要讨厌我，尽管我整天那么一副阴沉沉的不爱理人的模样，可她终于对我产生了恻隐之心，对我这个不可救药的人产生了恻隐之心。然而，当一个姑娘产生怜悯的时候，那她自然就处于最危险的境地。这时她一定想方设法去‘拯救他’，去开导他，使他振作起来，叫他去追求崇高的目标，开始新的生活，从事新的活动，总之是可以想象得到的这类事。当时我就知道鸟儿要自投罗网啦，我自己也做好了准备。您好像在皱眉头，罗季昂·罗曼诺维奇？没什么事，您也知道，结果不过如此。(真见鬼，我喝了这么多的酒！)您要知道，从一开始我就一直感到惋惜，命运没有让令妹生在公元2世纪或者3世纪，让她成为王公家或者领主或者小亚细亚总督的千金。毫无疑问，她会是一个受苦殉难的人，即使通红的火钳灼胸，她当然也会从容微笑。她会心甘情愿地去受苦。倘若她生在4世纪或5世纪，那她就会去埃及的沙漠[①]，那儿住上三十年，靠草根，靠激情，靠幻想生活。她自己唯一

①此处指基督圣徒埃及的马丽娅。据说她曾是荡妇，后来在约旦沙漠中生活四十七年受尽苦难，并祈求上帝赦免她的罪孽。陀思妥耶夫斯基直到晚年，始终对她很感兴趣，《少年》(第3部，第2章，第2节)中讲述了她渴望“为任何人承担苦难”。

渴望的并要求的，便是为他人尽快去承受苦难，如果不让她去，她恐怕会跳楼的。我听说了拉祖米欣先生。据说他是个明白事理的青年（他的姓就含有这个意思，大概是神学院的学生吧），让他保护令妹吧。总之，我觉得我理解了她，因此很感到荣幸。但是在那个时候，也就是刚认识她时，您也知道，不知怎的人往往显得轻率愚蠢，眼光是错误的，该看到的却看不见。真见鬼，她干吗这么漂亮啊？这可不是我的过错！总之，我产生了不可抑制的情欲冲动，事情就从这开始了。阿芙多季娅·罗曼诺芙娜贞洁自爱，真是前所未闻，前所未见。（请注意，我告诉您的有关令妹的情况都是事实。或许她的贞洁达到了病态，尽管她博学聪慧，这对她却是有害的。）这时我们庄园里来了个姑娘巴拉莎，黑眼睛的巴拉莎[①]，从别的村庄来，是个女仆，我以前从来没见过，人长得很漂亮；但笨得出奇：她哭起来，干号声满院都能听到，于是闹出了丑闻。有一次吃罢午饭，阿芙多季娅·罗曼诺芙娜特意在花园小径上单独找到了我，她两眼闪着泪光，要求我别再纠缠可怜的巴拉莎。这几乎是我们两人头一次单独谈话。当然啰，我认为满足她的愿望是极大的荣幸，于是我竭力装出吃惊、窘迫的模样，总之我表演得不赖。这样就开始有了交往、密谈、劝说、开导、说服、央求，甚至还有泪水。您是否相信，甚至还有泪水！有些姑娘的传道热情真是不得了！当然，我把一切都归咎于自己的命运，我装作渴望光明，最后使出了那种最伟大的、战无不胜的征服女人的手段，那种行之有效、屡试不爽、百发百中的手段。这就是众所周知的奉承。世上最难的是直率，最容易的是奉承。直率的话里只

①这是讽刺性戏拟杰尔查文的《巴拉莎》一诗的诗句。

要有百分之一的虚伪，就显得不谐调，随之会闹出不愉快。可是奉承的话，哪怕从头至尾都是虚伪的，还是受听而且让人高兴，即便令人肉麻但毕竟听起来高兴。不管奉承是多么露骨，至少有一半还是真话。这适用于社会上各种水平，各个阶层的人。甚至可以用奉承去引诱纯洁的少女。至于普通的人，那就更不用提了。想起一次如何勾引一位忠于丈夫、热爱孩子、恪守妇道的女人时，我就禁不住要笑。那真是开心而且不费气力。那女人的确算是贤惠的，至少恪守自己的规矩。我的策略说起来就是几乎每时每刻都退让屈服于她的贞洁，并对此钦佩得无体投地。我昧着良心地奉承她，常常只要互握一下手，甚至她瞧我一眼，我就责备自己，说是我强加于她的，而她是抗拒的，坚决抗拒的，要不是我卑劣，大概我永远一无所获；又说什么她太纯朴天真而不知提防阴谋诡计，才在无意中失了身，自己不知道也没有察觉，如此等等。总之，我得到了一切，而她还坚信自己是清白贞洁的，是完全恪守责任的，失身则完全是偶然的。因此，当我最终告诉她，说我真心相信她与我一样在寻求欢乐时，她便对我大发雷霆。可怜的玛尔法·彼得罗芙娜同样也非常爱听奉承话，要是我愿意，那么毫无疑问在她生前我就能把她的全部财产归到我自己的名下（我这会儿酒喝得太多了，尽说些废话）。我希望您别生气，我现在要说，奉承对阿芙多季娅·罗曼诺芙娜也同样开始产生效果了；只怪我自己太蠢，缺少耐性，就把一切都搞糟了。这以前我的眼神就不止一次（特别有一次）引起了阿芙多季娅·罗曼诺芙娜的极大不快，这您相信吗？总之，我的目光里有一团火越来越炽烈，越来越不安分。这使她感到害怕，并终于让她怒火中烧。不必细说了，我们断绝了来往。这时我又干了件蠢事。我立刻非常粗暴地嘲弄起所有那些说教和规劝；巴拉莎再度登场，而且还不止她一人。总之是一团糟。啊呀，您要是见过一次，罗季昂·罗曼诺维奇，哪怕一生中只见到一次令妹那一双闪亮放光的眼睛（它们有时会放光的），那就明白了！我现在醉了，喝了整整一杯，但这不碍事，我说的是实话；我坦白地告诉您，我梦见过这样的眼神，而且再也受不了她衣裙的窸窣声。说实在的，我觉着自己会犯癫痫了；我从来也没料到自己能癫狂到这种地步。总之，必须和解才行，但这已是没有可能。您试想一下，当时我干了些什么？疯狂会把人变得如此糊涂！疯狂时您千万别做任何的决定，罗季昂·罗曼诺维奇。我想到阿芙多季娅·罗曼诺芙娜实际上是一贫如洗（哎呀，对不起，我没想说……不过既然表达的是同一个意思，怎么说反正都一样吗）。一句话，她是自食其力，而且还得赡养母亲和补贴您的生活（哎呀，糟糕，您又在皱眉头了），于是我下决心向她提出一个建议：把我的全部财产都给她（当时我就可以拿出将近三万卢布），为的是她能跟我一起私奔，哪怕是到彼得堡这儿来也行。当然，我会发誓永远相爱，获得幸福，等等。您可相信，那时我是鬼迷心窍，如果她对我说：先杀死或毒死玛尔法·彼得罗芙娜，然后再结婚，那我也会立刻照办！但一切都以悲剧告终。这您已经知道了。您自己也可以想象，当我得知玛尔法·彼得罗芙娜为她找到了这个最卑鄙的律师卢仁，差点儿让他俩结了婚，我是何等气愤哪。其实这实际上不是跟我的提议如出一辙嘛。是不是这样呢？是不是这样呢？就是这样的吧？我发现，您非常专心地听我说了……真是个有趣的年轻人……”

斯维德里盖洛夫心情急躁地用拳头敲击桌面。他满脸通红。拉斯柯尔尼科夫看得很清楚，他一口接一口，不知不觉间喝下去的一杯半香槟，引起了病态的反应。拉斯柯尔尼科夫决定利用这个机会。他觉得斯维德里盖洛夫很是可疑。

“听了您这一番话以后，我是完全相信，您来这儿是冲着舍妹。”他直言不讳地对斯维德里盖洛夫说，以便进一步刺激他。

“哎呀，得了吧，”斯维德里盖洛夫好像突然惊醒过来，“我不是告诉过您吗……再说令妹现在对我是无法容忍的。”

“我也相信她是不会容忍您的，但问题如今不在这里。”

“您相信她是不会容忍我的？(斯维德里盖洛夫眯缝起眼睛，嘲弄地笑了一笑。)您的看法不错，她不爱我。但是，您任何时候都无法担保夫妻之间或情人之间会发生什么事情。那里总有一个角落，是外人永远猜不透的，只有他们两人才知道。您能担保阿芙多季娅·罗曼诺芙娜一直对我厌恶得很吗？”

“从您这番话的一些说法里，我发现您直到现在对杜尼娅还没死心，您还怀着急迫的企图，当然是卑鄙的念头。”

“怎么！我竟会冒出这样的说法？”斯维德里盖洛夫突然非常天真地吃惊了，却丝毫没有在意加在他企图上面的那个形容词。

“现在又冒出来了。比如您为什么如此害怕？您现在怕的是什么？”

“说我害怕？我怕您？倒该是您怕我，cher ami[①]。哎呀，这真是胡说八道啦……是我喝醉了，这我心里明白；差点儿又说走了嘴，让酒见鬼去吧！喂，拿水来！”

---

①法文：亲爱的朋友。

他抓起酒瓶，毫不客气地把它扔出窗外。菲里普端来了水。

“这些全是胡扯，”斯维德里盖洛夫说着，把毛巾浸湿放在额上，“我只消一句话就让您无话可说，消除您的一切猜疑。您是否知道我要结婚了？”

“这事您以前也曾对我说过。”

“说过了？我不记得了。但是，那时我不可能这么肯定地说，因为我甚至还没见过未婚妻；我只是有这个打算。现在我已经有了未婚妻，也订了婚。要不是现在有事急着要办，我一定马上带您去他们那儿，因为我想听听您的意见。哎呀，真见鬼！总共还剩下十分钟了。真的，您看看表吧。不过我会讲给您听的，因为我这婚姻是件有趣的事，有它特别的地方。您上哪儿去？又要走？”

“不，我现在不走。”

“真的不走？等着瞧吧！我会带您去那儿，这是真的；我一定给您介绍我的未婚妻，不过不是现在，因为现在您很快也要走的。您向右走，我朝左走。您知道那个列斯丽赫吗？我现在就住在她那儿啊，听说过吗？不，您在想什么呀，就是那个女人，据说她那里有个女孩子冬天投河啦，您听说过吗？听说过吗？嗯，就是她一手给我撮合的。她对我说，你太寂寞了，找个乐趣消磨时间吧。要知道，我是个忧郁无聊的人。您以为我整天嘻嘻哈哈？不，我是个忧郁寡欢的人：我不做坏事，但独自闷坐在角落里；有时三天都不同人们说话。列斯丽赫是个狡诈的女人，我告诉您，她打着这样的如意算盘：我一感到厌倦，会抛下妻子出走，那我的妻子将落入她的手中，她就可以利用她做交易，在我们这个阶层里或是在更上层。她说,有个年迈多病的父亲,是退休官吏,整天坐在圈椅里,已瘫痪了两年多。她又说,还有个母亲,是个头脑清醒的太太。他们有个儿子在省里任职,但不赡养他们;一个女儿出嫁了,也不来看望他们;身边还带着两个年幼的侄子(自己的孩子不多嘛)。他们又从学校领养了一个没毕业的小女孩,算是小女儿。她再过一个月满十六岁,就是说再过一个月她就可以出嫁了。就是嫁给我呀。我们去过他们家,那回实在是可笑。我做了自我介绍:我是个地主,鳏夫,出身名门,交际广,有钱财;至于说我五十岁,她还不到十六岁,那又有什么关系呢?谁会关心这个?难道这不很诱人吗?啊?要知道,这确实非常诱人,哈哈!您可能没看到我是怎么同她父母耍嘴皮的。恐怕应该收费才能让人看一眼我当时的模样。她走进屋来,行了个礼,您想想她还穿着短裙呢,像一株含苞待放的花蕾,脸蛋绯红,如同抹上了朝霞(当然她知道了这件事)。不知您对女人容貌有什么见解,但我的感觉,十六的芳龄,孩子气纯洁的目光,羞怯的神态,腼腆的泪珠,这一切甚至胜过美色;况且她自己又是一幅美丽的画。一头浅发做成一卷一卷的小花,两片丰满的嘴唇红彤彤的,一双纤弱的小脚十分可爱!……我们就这样相识了。我对他们说,因家里有事我不能耽搁太久,于是第二天,也就是前天,我们订了婚。从那时起,只要我去就立刻把她抱在膝上,不让她离开……啊,她脸红得像抹上朝霞,我不停地吻她。她妈妈一劲儿说:这是你丈夫,就应该这样。总之,真是妙不可言!说实在的,现在婚前的感觉恐怕要比婚后更美妙。这就是所谓的la nature et la vérité[1]!哈!

---

①法文:又自然又真实。

我跟她聊过两次，这小姑娘一点儿也不笨；有时她悄悄地瞧我一眼，真叫人神魂颠倒。您要知道，她那张小脸就像拉斐尔笔下的圣母。要知道，《西斯廷圣母》[①]画上的那张脸是充满幻想的，是悲痛的狂热信徒的脸[②]，注意到了吗？嗯，事情就是这样。订婚后第二天，我就送去了价值一千五百卢布的礼物：一件钻石饰品、一串珍珠和一个银制的梳妆盒，盒子有这么大，里面装着各式各样的物品。结果她那张圣母脸红到了耳根。昨天我把她抱在腿上，大概太放肆了，她羞得满脸通红，泪珠夺眶而出，但又不愿显露出来，人可是非常激动。别人走开了一会儿，只剩下我们两个单独在一起，她突然搂住我的脖子（这还是第一次），用两只小手搂住我，吻着对我发誓说，她要做我的温顺、忠诚、贤惠的妻子；她要让我幸福；她要奉献自己的一生，奉献自己一生中的每时每刻，并不惜牺牲自己的一切；而她希望从我这里得到的回报只有一个——*尊重她*。她说：'我再也不需要任何东西，不需要任何东西，也不需要任何礼物！'您得承认，当您面对这么一个年方十六，穿着透花纱裙，满头鬈发，一脸少女羞怯的红晕，泪珠盈眶的小天使，听她这一番表白，您得承认，这可是相当美妙。难道不是这样吗？要知道，这是值得花钱的，啊？值得的嘛！嗯，您听着……我们一起去看我的未婚妻……只不过不是现在！"

①拉斐尔的名画（1515—1519），绘有圣母同圣婴、圣瓦尔瓦拉和教皇西斯廷二世。画作和谐典雅，既表现了庄严肃穆的神态，又反映出焦虑的心情。

②这是陀思妥耶夫斯基对《西斯廷圣母》的一贯看法。作家的夫人在1867年4月18日的日记中写道："费奥尔多·陀思妥耶夫斯基在圣母的微笑中看到了忧伤。"

“一句话,是年龄和涉世方面的惊人差异,引起了您的情欲!难道您真的同她结婚吗?”

“那有什么? 一定会的。人都是为自己考虑的,谁最会哄骗自己,谁就生活得最快活。哈哈! 您为什么要在道德之路上钻牛角尖呢? 宽恕我吧,老弟,我是个罪孽深重的人! 嘿嘿!”

“不过,您安置了卡捷琳娜·伊凡诺芙娜的孩子们。但是……但是您这样做是有用心的……我现在全都明白了。”

“一般说我喜欢孩子,我非常喜欢孩子,”斯维德里盖洛夫哈哈大笑,“在这方面,我甚至可以告诉您一个非常有趣,至今还未结束的故事。我到这儿第一天就去逛各种下等地方;七年没去,我简直迫不及待。您大概注意到了,我并不急于去找自己的伙伴,过去的熟人和朋友。往后我怎么可能离得开他们呢。您要知道,在玛尔法·彼得罗芙娜庄园生活的时候,我非常留恋那些神秘的地方和场所,痛苦难熬。在那种地方,只有十分熟悉的人才能发现其中的许多奥秘。天哪! 人们都在酗酒;受过教育的青年人由于无所事事,整天沉湎于不可实现的梦幻之中,为形形色色的理论弄得畸形;又不知从哪儿来了些犹太人,他们一劲儿地攒钱;其余的人只是花天酒地过日子。从一到这儿,这座城市就让我感受到一股熟悉的气息。我赶上了一个所谓舞会,是个可怕的粗野场所(我喜欢的正是这类带着龌龊的场所),嗯,当然啰,人们在跳康康舞[①],年轻时还没有这种舞呢。是呀,这就是进步嘛。突然我看见一个十二三岁的女孩,打扮得非常可爱,正同一个跳舞高手在跳舞;那人站在她正对面。她的母亲就坐在墙边椅子上。您

①法国游乐场中的一种下流舞蹈。

可想而知，康康舞是怎样一种舞！那个女孩羞得无地自容，满脸通红，终于觉得自己受了欺侮，哭了起来。跳舞高手抱起她开始旋转，还对她扮各种鬼脸。围观的人都哈哈大笑，这种时刻我很喜欢咱们的观众，哪怕是康康舞的观众。他们又笑又喊：‘好，就该这样！谁叫你带孩子来呀！’他们这种自我安慰是否合乎情理，我并不在乎，也与我无关！我立刻看好了一个座位，在她母亲身边坐下，开始同她攀谈起来。我说我也是个外省人，这里的人都很愚昧，他们看不出真正的优点，也不能给以应有的尊重；我让她明白，我很有钱；我请她们搭我的马车回去；我送她们到了家，结识了她们（她们刚到彼得堡，向二房东租了间小屋住）；她们告诉我，她俩很荣幸认识了我；我也了解到，她们一贫如洗，是为了到衙门办事来的；我提出帮助她们，并在经济上助她们一臂之力；我得知她们是误入那个舞会的，还以为那儿真的在教跳舞；我表示，我可以协助让姑娘受教育，学习法文和舞蹈；她们兴奋地接受了我的建议，并以此为荣。直到现在，我们还保持来往……要是您愿意，我们可以一起去，只不过不是现在。”

“算了，别再讲您那些卑劣下流的轶事啦，您这卑鄙下流的好色之徒！”

“真是个席勒，我们的席勒，席勒！Où va-t-elle la vertu se nìcher？[①]您可知道，我是故意向您讲这类事的，为的是听听您的叫喊。是种享受！”

“那还用说，难道此刻我自己不觉得可笑吗？”拉斯柯尔尼科夫愤愤地嘟哝着。

①法文：“哪里没有美德？”这是莫里哀对一个诚实的乞丐说的话。

斯维德里盖洛夫纵声大笑；末了他叫来菲里普，结完账站起身来。

“啊，我可是醉了，assez causé！[①]”他说，“真痛快！”

“您能不痛快吗，”拉斯柯尔尼科夫一边叫着也站起身来，“一个无可救药的好色之徒讲这类艳遇，又怀着类似的险恶用心，而且是在这种场合向我这样的人讲，还能不感到痛快吗……这可真够刺激的。”

“嗯，如果是这样的话，”斯维德里盖洛夫打量着拉斯柯尔尼科夫，有点儿惊异地回答道，“如果是这样的话，那么您自己也是个货真价实的无耻之徒了。至少您在这方面的潜力是巨大的。许多东西您都能够领会……而且许多东西您也是能身体力行的。嗯，不过，到此为止吧。我打心底里感到遗憾，我没能与您多谈谈，反正您也离不开我……只不过让您等一等……”

斯维德里盖洛夫走出了小饭馆。拉斯柯尔尼科夫跟在他的身后。其实斯维德里盖洛夫醉得并不厉害；酒劲只发作了一下，便渐渐地消散了。他心里一直牵挂着某件事，某件极其重要的事，紧锁起双眉。显然，因为等待着什么，他心情焦虑不安。不知怎的，在最后的几分钟里他对拉斯柯尔尼科夫的态度突然变了，口气越来越粗暴，越来越尖刻。拉斯柯尔尼科夫觉察到这一切，也不安起来。他觉得斯维德里盖洛夫越来越可疑，于是决定跟着他。

他们走到了人行道上。

---

①法文：闲聊得够多啦！

“您往右走，我往左走，或者相反，只不过——adieu，mon plaisir[①]，我们愉快地再见！”

说着他朝干草市场的方向走去。

①法文：再见，亲爱的。

第五章

拉斯柯尔尼科夫跟在了他身后。

“这是干什么！”斯维德里盖洛夫扭过头来，大叫起来，“我好像对您说过……”

“这就是说，我现在是不会离开您的。”

“什么？”

两个人都站住，相视片刻，仿佛是在较量。

“从您这些似醉非醉的话里，”拉斯柯尔尼科夫毫不客气地厉声说道，“我完全可以断言，对舍妹您不但没有死心，反而变本加厉，比任何时候都更加用心险恶。我知道今天早上舍妹收到了一封信。您一直心神不定……即使您可能在路上捡到一个妻子，但这并不能说明什么。我要亲自查个水落石出……”

拉斯柯尔尼科夫自己也未必能肯定，他现在想要查实什么，他希望证实什么。

“原来是这样！您想让我立刻喊警察吗？”

“喊吧!”

他俩又一次面对面站了片刻。末了,斯维德里盖洛夫改变了态度。他确信拉斯柯尔尼科夫没有被吓住,马上换了一副最愉快的和最友好的模样。

“看您这样子!我是故意没同您谈您的事,尽管我自然十分好奇。事情很离奇。我本打算留到下一次再谈,可您真能把死人都给激怒了……好,我们走吧,只不过我事先说明:我现在只是回家拿些钱,然后锁上房门,叫上一辆马车,去岛上待一个晚上。您跟着我干吗呀?”

“我现在去那幢房子,不是去找您,而是去找索菲娅·谢苗诺芙娜,请她原谅,因为我没有去参加葬礼。”

“那就请便吧,但索菲娅·谢苗诺芙娜不在家。她带着所有的孩子去见一位太太。这是一位有声望的老太太,是我很久以前的熟人,几所孤儿院的院长。我给她送去了为卡捷琳娜·伊凡诺芙娜三个孩子交纳的钱,哄得她很喜欢;另外还向孤儿院捐赠了一笔钱;末了我对她谈了索菲娅·谢苗诺芙娜的情况,甚至是毫无保留地和盘托出。这一切产生了极好的效果。所以今天索菲娅·谢苗诺芙娜应邀直接到一家旅馆去,我的这位太太从别墅来,临时住在那里。”

“没关系,我还是要去一趟。”

“随您的便,不过我不和您去,不关我的事!咱们说着就到了。我相信您之所以对我疑心重重,是因为我太客气了,迄今为止没有向您问这问那;您说是不是这样……您明白我的意思吗?您觉得这有些反常;我敢打赌一定是这样的!既然如此,您也得客气一点儿才是!”

“那您就在门后偷听吧!”

“啊,您说这件事!”斯维德里盖洛夫大笑起来,“不错,要是现在您还不提这件事,我可真觉得不可思议了。哈哈!您那次……在那儿折腾了一通,亲口对索菲娅·谢苗诺芙娜讲了些话,我从中虽说听懂了一些,但这到底是怎么回事呢?我大概完全落伍了,什么也弄不明白。给我讲讲吧,看在上帝的份上,亲爱的朋友!拿最新的道理来开导开导我。”

“您根本什么也没听到,您一直在胡说!”

“我不是指那件事,不是指那件事(尽管我多少听到了一些),不,我是说,您总是唉声叹气!您内心的那个席勒一刻也不肯消停。现在却不许别人在门后偷听。既然如此,您还是去警察局自首,讲出事情的来龙去脉,说我出了件意外:理论上出了点小差错。假如您确信不允许门后偷听,但可以随心所欲地用什么砍死老太婆,那么您最好尽快逃到美国去![1]逃跑吧,年轻人!或许还来得及。我说的是真心话。没有钱吗?我来出路费。”

“我根本没想这个。”拉斯柯尔尼科夫厌恶地打断了他的话。

“我理解(其实您不必为难自己,不想说就不必多说)。我理解您想的是什么问题,是道德问题,对吗?是公民和人的问题?您把它们丢在一边吧,现在它们与您有什么相干?嘿嘿!是因为您还自认为是公民和人吗?既然这样,那就不该去管什么闲事;

---

①在《作家日记》1873年第11章中,陀思妥耶夫斯基曾提到,人们逃到美国去的目的是去感受“自由国家的自由劳动”。这一点在陀思妥耶夫斯基的其他小说中也都提到:在《群魔》中,主人们在美国的生活以失望告终;在《卡拉马佐夫兄弟》中,伊万也曾建议德米特里逃往美国。

不是自己的事用不着去管。那您开枪自杀吧。怎么,不愿意?”

“您大概存心激怒我,好让我马上离开您……”

“真是个怪人,我们已经到了嘛,请上楼吧。那就是索菲娅·谢苗诺芙娜的房间,您瞧,门口一个人也没有!不信吗!那您去问卡佩瑙莫夫吧;她一直把钥匙留在他们那里。那就是她,卡佩瑙莫夫 madame de[①]。”

“啊?什么?(她有点耳聋)走啦?去哪儿了?”

“您看,这下子听见了吧?她不在家,或许要很晚才会回来。好吧,现在到我的住处来吧。您不是一直想到我这儿来吗?您看,这就是我的住处。列斯丽赫太太不在家。这个女人整天忙忙碌碌,但她这人不坏,您得相信……她或许对您有用,要是您能理智些。好吧,您看,我从写字台里拿出这张五厘债券(这样的债券我还有几张),现在就去钱庄兑现。嗯,看见了吗?我再也不能浪费时间了。锁上写字台,锁上房门,我们再下楼去。好吧,要是您愿意,我们一起叫辆马车!我可要去岛上。您愿意坐一会儿马车吗?我雇车到叶拉金,怎么样?您不坐马车?您受不了啦?我们一起坐一程吧,没关系。大概要下雨了,没关系,我们把车篷放下来……”

斯维德里盖洛夫已经坐上了马车。拉斯柯尔尼科夫琢磨,他的怀疑至少现在是不正确的,于是一句话也没说,转身又朝干草市场方向走去。假如他在路上回头看一眼,就会发现马车没走出一百步,斯维德里盖洛夫便付了车费,悄悄下车,拐到了人行道上。但是拉斯柯尔尼科夫没能看见,因为他在街角拐了弯。厌恶

①法文:太太。

感使他想尽快离开斯维德里盖洛夫。“我怎么能对这个粗野的恶棍、淫荡好色之徒和卑鄙小人抱什么希望,哪怕是一时的希望!”他不由自主地叫了起来。的确,拉斯柯尔尼科夫刚才过于匆忙和轻率地做出了自己的判断。斯维德里盖洛夫身边有着某种东西,它至少给他增添了某种与众不同的独特氛围,如果不是神秘氛围的话。但这一切一涉及妹妹,拉斯柯尔尼科夫依然深信不疑,斯维德里盖洛夫是不会放过她的。但是,思索这一切,反复反复地琢磨,实在令人太难受了,几乎无法忍受。

像往常一样,他独自一人走上二十来步,就陷入了深深的沉思之中。他上桥时凭栏站下,开始眺望河水。而就在此时,阿芙多季娅·罗曼诺芙娜正站在桥旁。

他在桥头走过了她的身边,但没有看到她。杜涅奇卡从来没有见他这副模样走路,不禁惊呆了。她站住不知该不该叫他,突然发现斯维德里盖洛夫正从干草市场那边匆匆走来。

但斯维德里盖洛夫似乎是小心地秘密地朝这儿靠近。他没有上桥,而是在一旁的人行道上停了下来,极力不让拉斯柯尔尼科夫发现。他早已看到杜尼娅,开始向她打手势。她觉得,他用手势求她不要喊哥哥,别惊动他,并让她到他那边去。

杜尼娅照做了。她悄悄地经过哥哥的身边,朝斯维德里盖洛夫走去。

“我们快走,”斯维德里盖洛夫对她悄声说,“我不想让罗季昂·罗曼诺维奇知道我们会面的事。我先告诉您,我刚才还同他一起坐在一家饭馆里,他自己去那里找我的,我费了九牛二虎之力才摆脱他。不知怎么他知道了我给您写信,起了疑心。当然不会是您告诉他的吧？如果不是您，那会是谁呢？”

“咱们已经拐了弯，”杜尼娅打断了他的话，“现在家兄看不见咱们了。告诉您，我不会再跟您往前走。就在这儿把一切都告诉我吧；这一切都可以在街上说清楚的。”

“首先，这件事绝不能在街上说；其次，您也应该去听听索菲娅·谢苗诺芙娜怎么说；再则，我得给您看一些证据……嗯，最后，如果您不肯去我那儿的话，那我什么也不想说，马上就走。但同时我请您别忘记，我完全掌握了您亲爱的兄长隐藏的最令人感兴趣的秘密。”

杜尼娅犹豫不决地站着，用锐利的目光盯着斯维德里盖洛夫。

“您有什么可害怕的！”斯维德里盖洛夫不动声色地说道，“城市不比乡村。就是在乡间，也是您对我的伤害比我对您的要大，而这里……”

“您事先告诉了索菲娅·谢苗诺芙娜吗？”

“没有，我什么也没对她说，甚至我还不能十分肯定，她现在是否在家。不过，可能会在家吧。她今天安葬了自己的继母，这可不是做客的日子。我暂时不想把这件事告诉任何人，甚至我都有点后悔告诉了您。这种事一不小心就成了告密。我就住在这里，在这幢房子里，咱们就要到了。这就是我们这幢房子的看门人；这个看门人跟我挺熟的；瞧，他在点头打招呼；他看见了我跟一位女士在一起，当然，他也看见了您的脸。而这对您是有用的，假如您非常担心，怀疑我的用意。对不起，我说话太粗俗了。我的房间是从别人那里转租来的。索菲娅·谢苗诺芙娜住在我的隔壁，也是转租的。整层楼都住着人。您像个孩子似的，有什么可怕的？莫非我真是那么可怕？"

斯维德里盖洛夫的脸上强做出宽厚的笑容。不过他已经没有心思去笑了，他的心怦怦直跳，胸口憋闷，喘不上气来。他故意大声说话，以便掩饰越来越激动的情绪。不过杜尼娅没能觉察到这种不同寻常的激动，因为她非常恼火说她像孩子似的怕他，说他给她一种恐惧感。

"尽管我知道您是一个……并不正直的人，但我丝毫不怕您。请在前面带路吧。"她说道。外表看上去她很镇静，但脸色却变得煞白。

斯维德里盖洛夫在索尼娅的房门前停住了脚步。

"让我去问一下，她是不是在家。不在家。真不凑巧！但我知道她马上就会回来。如果她外出，那定是为了孤儿的事去找一位太太。孩子们的母亲死了。我也在这儿帮助操办和安置。如果索菲娅·谢苗诺芙娜十分钟以后还没回来，那我就让她自己今天去找您，只要您愿意。瞧，这就是我的住处。这是我的两间房。隔着一扇门住着我的房东列斯丽赫太太。现在您朝这边看，我指给您看我的主要证据：我卧室的这扇门通向两间招租的房子。就是这两间房……您得仔细看看……"

斯维德里盖洛夫租了两间摆有家具的相当宽大的房间。杜涅奇卡满心狐疑地四下打量着，但不管是房中的陈设，还是房间的布局，都没有发现什么异样，虽然也可看出些特别之处，比如斯维德里盖洛夫的住房不知为何夹在两套空房之间。他进房不是直接从走廊走，而是穿过房东的两间几乎空着的屋子。斯维德里盖洛夫在卧室里又打开了一扇上锁的门，指给杜涅奇卡看另一间同样空着招租的房间。杜涅奇卡在房门口站住，弄不明白为什么让她看这房子，斯维德里盖洛夫赶紧做了解释：

“您往这儿看，这是第二个大房间。您看见了这扇门，它上着锁。门旁有把椅子，这两个房间里只有这一把椅子，是我从自己房间里搬来的，为的是偷听时能够舒服些。现在那边的门后摆着索菲娅·谢苗诺芙娜的桌子；她就是坐在那儿同罗季昂·罗曼诺维奇谈话的。我却坐在这把椅子上偷听，连续两个晚上，每次听了两个小时。当然我就能知道一些情况了，您觉得怎样？”

“您偷听了？”

“不错，我偷听了。现在到我的房间里去吧，这里可没地方坐。”

他带着阿芙多季娅·罗曼诺芙娜回到了他作为客厅的第一个房间，请她坐到椅子上，自己则坐在桌子另一端，离她至少有一俄丈远，但他眼里已经流露出曾使杜涅奇卡感到恐惧的目光。她打了个哆嗦，疑虑地四下望望。这是不由自主的举动，显然她本不想流露出自己的疑虑。但斯维德里盖洛夫住处的僻静终于令她吃惊了。她很想问问，房东太太起码在家吧，但出于自尊心……她没有问。况且，有另一种要比担心自身安全大得多的痛苦，正在啃噬着她的心。她感到了难以忍受的折磨。

“这是您的信，”她把信放到桌上，开口说了起来，“怎么可能有您在信中写的事情呢？您暗示好像家兄犯了罪。您的暗示太明显了，您现在无法再否认。您要知道，在您之前，我已听说了这个荒诞的传闻，我一句话也不相信。这是可恶又可笑的猜疑。我知道这个故事,也知道是怎么杜撰出来的,为什么会杜撰出来。您不可能有任何的证据。您答应证明给我看:您说吧!但是,您得明白,我不相信您!我不相信!……”

杜尼娅急促地说着,脸刷地一下子涨得通红。

“要是您不相信,您怎么会冒险单独到我这儿来呢?您为什么会来?只是出于好奇?”

“别折磨我啦,说吧,说吧!”

“没什么可说的,您真是个勇敢的姑娘。说实在的,我还以为您会请拉祖米欣先生陪您来呢。但是他没有同您一起,也不在您的周围,我已经注意看了。这是很勇敢的,这意味着您想宽恕罗季昂·罗曼诺维奇。不过,您的一切都是这样神圣的……至于令兄,我对您怎么说呢?您刚才也亲眼见了,他是个什么样子呀?”

“您不只是根据这一点吧?”

“不,不仅是这一点,我根据的是他亲口说的话。他连续两个晚上来找索菲娅·谢苗诺芙娜。我指给您看了他们坐在什么地方。他自己把一切都完全向她坦白了。他是凶手。他杀了一个老太婆,是放高利贷的官太太,他到那里抵押过东西;还杀了她的妹妹,一个名叫丽莎维塔的买卖人,她是姐姐被杀时无意之中走进屋的。他用随身带去的斧头把两人砍死的。他杀人是为了抢劫,也确实抢了一些东西;他拿走了一些钱和物品……他亲口把这一切都告诉了索菲娅·谢苗诺芙娜。她是唯一知道这一秘密的人,不过她既没有参与策划,也没有参与行动,恰恰相反,她就像您此刻这样,吓得目瞪口呆。您放心吧,她是不会告发他的。”

“这是不可能的!”杜涅奇卡嚅动两片苍白得毫无血色的嘴

唇，喃喃地说道，她感到喘不上气来。“这是不可能的，没有丝毫的理由，没有任何的原因……这是胡说八道！胡说八道！”

“他抢劫了，这就是全部的理由。他拿走了一些钱和物品。不过，据他自己承认说，他既没有动用那些钱，也没有动用那些物品，他是藏在了某处一块石头底下，现在还藏在那里。然而，这是因为他不敢用。”

“难道他会去偷，会去抢劫吗？难道他可能动这种念头吗？”杜尼娅嚷着，从椅子上跳了起来。“您不是也了解他，也见过他？难道他会是个强盗吗？”

她仿佛在恳求斯维德里盖洛夫，完全忘记了自己的恐惧。

“阿芙多季娅·罗曼诺芙娜，这里可以有千种、万种的不同情形。小偷偷东西，但他心里明白自己是个坏蛋。可我听说一个正派人抢劫了邮车，那有谁知道他是怎么想的呢，或许他还真的以为自己干了件大好事呢！的确，倘若我是听旁人说的，恐怕也会像您一样不能相信。但我相信亲耳听到的事。他也向索菲娅·谢苗诺芙娜解释了全部的原因；那一位起初也不愿相信自己的耳朵，末了她还是相信了自己的眼睛，相信了自己的亲眼所见。要知道，他是当面告诉她的。”

“那是什么……原因呢！”

“说来话长，阿芙多季娅·罗曼诺芙娜。怎么对您说呢，这是一种特别的理论，从这件事上我发现，比如说，如果主要的目的是好的，那么个别的坏事是可以允许的。干一件坏事而做一百件好事！对一个有才干、自尊心极强的年轻人来说，明知道只要有三千卢布就能使他的前程和人生的未来改观，可偏偏没有这三千卢布，当然令人感到沮丧；况且还因饥肠辘辘，住房狭窄，破衣烂衫，因为清楚地意识到自己可悲的社会地位，还加上妹妹和母亲的境遇，心里愤愤不平。但更主要的是虚荣心，骄傲和虚荣心。不过，天晓得，或许他有着崇高的志向呢……我可不是责备他，请别这样想；此事也与我无关。这也是个人的一种观点，一个马马虎虎的理论。根据这种理论，您知道吗，人被分成了普通的材料和特殊的人物。特殊的人物由于拥有很高的社会地位，是不受法律制约的；相反，他们自己制定法律来管束其余的人，就是普通的材料和废物。这理论也还可以，马马虎虎吧。Une théorie comme une autre.[1]他对拿破仑佩服得五体投地，其实最令他佩服的是，许多伟人并不在乎干个别的坏事，他们不假思索地干完就迈步前进。他大概也自以为是个天才，某段时间里有这种自信。他如今一想到自己能够造出一种理论，却无法不假思索地逾越障碍，因而也就不能成为天才的时候，他感到非常痛苦。这对自尊心极强的年轻人来说，是一种屈辱，尤其是在我们这个时代……"

"那么良心的谴责呢？那么，您否认他有任何的道德观念？难道他是这样的人吗？"

"哎呀，阿芙多季娅·罗曼诺芙娜，现在全变得混乱不堪了，其实从来就没有特别明白过。一般说，俄罗斯人有开阔的胸怀，阿芙多季娅·罗曼诺芙娜，就像他们的国土那样开阔，他们特别喜好离奇幻想，喜好随意无序；但只是心胸开阔而无特别的才智可就糟了。您可记得，每天晚上吃罢晚饭，在花园的凉台上我们两人多次谈过这类话题和这个题目。您还责备过我的这种开

①法文：如同所有理论的一种理论。

阔。有谁知道,或许在我们谈话的时候,他就躺在这儿琢磨着自己的计划呢。在我们受过教育的人们中间,并没有什么特别神圣的传统可依,阿芙多季娅·罗曼诺芙娜:除非有人根据书本编出点什么来……或者从编年史里引申出点什么来。但要知道这多半是学者干的,他们又都是些头脑简单的人,因此上流社会的人士对这些甚至不屑一顾。其实,您是知道我的看法的,我绝不责备任何人。我自己是个不干活的人,并且坚持这样。这话我们已经不止谈过一次了。我甚至因为您对我的议论有兴趣而觉得荣幸……您的脸色很苍白,阿芙多季娅·罗曼诺芙娜!"

"我知道他的这个理论。我读过他发表在杂志上的文章,讲的是那些可以随心所欲的人们……是拉祖米欣拿给我看的……"

"拉祖米欣先生?您读过令兄的文章?发表在杂志上的?有这样的文章?我不知道。看来一定很有趣!您这是上哪儿去呀,阿芙多季娅·罗曼诺芙娜?"

"我去找索菲娅·谢苗诺芙娜,"杜涅奇卡有气无力地说道,"上她家从哪儿走?她大概回来了;我一定要马上见到她。让她……"

阿芙多季娅·罗曼诺芙娜说不下去了,她真的喘不过气来。

"索菲娅·谢苗诺芙娜要到半夜才能回来。我想是这样的。她本该很快就回来,如果没有回来,那就得很晚才回来……"

"啊,你是在说谎!我看得出……你说了谎话……你一直在说谎!……我不相信你!不相信!不相信!"杜涅奇卡发狂地大声叫道,完全失去理智。

她几乎是晕倒在斯维德里盖洛夫及时挪到跟前的椅子上。

“阿芙多季娅·罗曼诺芙娜，您怎么啦，醒醒啊！给您水。喝一口吧……”

他朝她脸上喷了一些水。杜涅奇卡浑身一抖便清醒了过来。

“受的刺激太大了！”斯维德里盖洛夫皱着眉头，喃喃自语，“阿芙多季娅·罗曼诺芙娜，您别担心！您要知道，他有朋友。我们会救他，会救出他来。要是您愿意，我带他出国？我有钱。我只要三天时间就能搞到票子。至于说他杀了人，他还可以做许多善事，一切也就宽恕了。您别担心。他也许会成为伟人呢。您怎么样啦？您觉得怎么样？”

“这个狠毒的人！他还在冷嘲热讽呢。让我走……”

“您去哪儿？您要去哪儿？”

“去找他。他在哪儿？您知道吗？为什么这扇门上了锁？我们是从这进来的，现在却锁上了。您什么时候锁的？”

“不能叫嚷得让全楼的人都听到我们的谈话呀。我根本没有嘲笑，我只是讨厌说这一类的话。您这个样子上哪儿去呀？您是想交出他吗？您会弄得他发疯，他就自己把自己交出去了。您该知道，他已经被监视，被盯上了，您只会把他出卖了。您别着急，我刚刚见过他，并同他谈过话。现在还能救他。别着急，坐下来我们一起想想办法。我叫您来正是为了与您单独谈谈这件事，并且好好想一想。坐下吧！”

“您用什么办法救他？难道能救得了他吗？”

杜尼娅坐了下来。斯维德里盖洛夫坐到了她身边。

“这全取决于您，取决于您，取决于您一个人，”他两眼闪光，几乎在耳语，激动得话也说不清了。

杜尼娅惊恐地闪向一旁,离他远了些。他同样浑身在哆嗦。

“您……只要您说一句话,他便得救了!我……我会救他。我有钱也有朋友。我立刻把他送走,我亲自去搞护照,两张护照。一张是他的,另一张是我的。我有朋友;我有些神通广大的朋友……您愿意吗?我也给您搞一张护照……给令堂搞一张……您何必要拉祖米欣?我也爱您……我无限地爱着您。让我吻一下您的裙边,让我吻一下!让我吻一下!我听不得您衣裙的窸窣声。只要您对我说:去做那件事吧,那我一定去做。我什么都会去做的。我会去做我不能做的事。您信仰什么,我就信仰什么。我一切的一切都可以做!您别这样看我,别这样看我!您知道吗,您这样是在杀我……”

他甚至开始语无伦次了,好像突然当头挨了一棒,失了常态。杜尼娅跳起来,向门口扑去。

“开门!开门!”她一面用力摇晃着门,一面隔着门大声叫喊,想叫人来,“开门哪!难道没人在家?”

斯维德里盖洛夫站起身,同时也清醒了过来。他那还在哆嗦的嘴唇上显出了凶狠的嘲笑。

“那边屋里没有人,”他声音不高却一字一顿地说道,“房东出去了,这样喊也是白费劲,只是让自己更紧张。”

“钥匙在哪儿?立刻把门打开,立刻打开,卑鄙的家伙!”

“钥匙我给弄丢了,找不到。”

“啊!想要强奸!”杜尼娅叫了起来,脸色像死人一样惨白;她扑到墙角,飞快地拉住手边的小桌作为掩护。她没有叫喊,但两眼死死地盯着自己的对手,警觉地注视着他的一举一动。斯维德里盖洛夫也没有挪步,他在房间另一端原地未动,面对着她。他甚至控制住了自己,至少表面上是如此。不过他的脸仍然像先前那么苍白,嘴角仍露着嘲笑。

"您刚才说'强奸',阿芙多季娅·罗曼诺芙娜。要是强奸,那您自己也看得出,我已做了安排。索菲娅·谢苗诺芙娜不在家,卡佩瑙莫夫家离这儿很远,隔着五间上锁的房子。还有,我力气起码比您大一倍。此外,我还没有什么后顾之忧,因为事后您也无法告发我:要知道您可不愿意出卖自己的兄长?而且谁也不会相信您的,因为一个姑娘干吗独自去光棍的家里呢?所以,即使您牺牲了令兄,您还是什么也证明不了,要想证明强奸是很困难的,阿芙多季娅·罗曼诺芙娜。"

"卑鄙小人!"杜尼娅愤怒地低声说道。

"随您怎么说,但您要注意,我说的还只是一种假设。据我个人的见解,您说得完全正确:强奸是龌龊的行为。我这样说只是为了您以后无论如何都不必感到内疚,甚至哪怕是……甚至哪怕是您自愿依我的提议去救助令兄。这就是说,您不过是受环境所迫,屈服于暴力,如果不得不这样说的话。您得好好想一想:您的手中掌握着令兄和令堂的命运。我将是您的奴隶……终身都是……我在这儿等着……"

斯维德里盖洛夫在沙发上坐了下来,离杜尼娅有八步之隔。他的决心已定,对此杜尼娅已经没有丝毫的怀疑,况且她还了解他……

突然,她从口袋里掏出一把手枪,打开保险,握枪的手放到桌上。斯维德里盖洛夫噌地一下子从座位上跳了起来。

“啊哈！竟然是这样！”他惊讶得大叫，但脸上是一种狞笑。“这一来情况可就根本不同啦！您这样倒让我觉得简单了，阿芙多季娅·罗曼诺芙娜！您从哪儿搞到这把手枪的！不会是拉祖米欣先生给的吧？哎呀！这把枪是我的！好眼熟啊！那时我到处找它！……我很荣幸在乡下教过您射击，算是没白教了。”

“这不是你的手枪，而是被你这恶棍害死的玛尔法·彼得罗芙娜的手枪！在她家里你是一无所有的。我拿走手枪，是因为我担心你会干出什么事来。现在，只要你胆敢走过来，哪怕是走过来一步，我发誓，我就开枪打死你！”

杜尼娅气得发狂了。她做好了开枪的准备。

“好吧，那么令兄呢？我是出于好奇才问一声。”斯维德里盖洛夫仍然站在原地问。

“要是你想去告密，去告吧！不许动！别过来！我要开枪啦！你毒死了自己的妻子，我知道，你是杀人犯！……”

“您能肯定是我毒死了玛尔法·彼得罗芙娜吗？”

“是你！你亲口对我暗示过；你对我谈起过毒药……我知道你去买过毒药……你早有准备……这一定是你干的……你这坏蛋！”

“即便这一切是真的，那还是因为你的缘故……不管怎样，你是祸根。”

“胡说！我一直恨你，一直恨你……”

“唉，阿芙多季娅·罗曼诺芙娜！看来您忘了，在那热情的说教时，您是那么投入，那么痴情……我是从您的目光中觉察出来的；您可记得，晚上在月光下，还有夜莺歌唱？”

“胡说(杜尼娅两眼射出愤怒的火焰)！你胡说，你这个造谣的家伙！”

“我胡说？好吧，就算我胡说，是我胡说八道。对女人不该提这种事。(他嘿嘿地笑了笑。)我知道你会开枪，你这头可爱的小野兽。喂，开枪啊！”

杜尼娅举起手枪，脸白得像死人，毫无血色的下唇哆嗦着；那双大大的黑眼睛犹如闪着火光，死死盯着他看。她横下了一条心，打量着对手，等着对手迈出第一步。他从来没有见过她如此美丽。当她举起手枪时，眼里喷射出的火焰仿佛把他给点燃了，他的心痛苦地揪紧了。他向前迈出了一步，枪声砰地响了一下，子弹擦着他的头发飞过去，打在他身后的墙壁上。他站住了轻声一笑。

“被黄蜂蜇了一下！直接冲着脑袋打了……这是什么？血！”他掏出手绢，擦去右边太阳穴上流着的一道鲜血。大概子弹擦破了头皮。杜尼娅放下手枪，瞧着斯维德里盖洛夫，样子不是害怕，而是困惑不解，仿佛她自己也不明白干了什么，这是怎么回事！

“哎呀，您没打中！再开一枪，我等着。”斯维德里盖洛夫低声说，他仍然面带笑意，不过脸色有点儿阴沉。“不等您扣动扳机，我就抓住您了！”

杜涅奇卡哆嗦了一下，赶快打开保险，又一次举起了手枪。

“走开！”她绝望地叫道，“我发誓，我马上开枪……我……我要打死……”

“没关系……相隔三步不会打不中的。但假如您打不中……那么……”他的眼睛射出凶光，又向前走了两步。

杜涅奇卡开了枪，但没有打响！

“子弹没装好。没关系！枪膛里还有子弹。再装好，我等着。”

他站在离她两步远的地方等待着，抱着非凡的决心不顾一切地望着她，目光充满欲望和痛苦。杜尼娅心里明白，他宁死也不会放过她。“那……那毫无疑问，她现在开枪一定打死他，只隔两步！……”

忽然她扔掉了手枪。

“她扔了枪！”斯维德里盖洛夫惊叫道，长出了口气。仿佛有什么东西猛地从他心头落了下来，或许这并不只是对死亡的恐惧；但此刻他也未能觉察是什么。其实此刻他摆脱了自己都难以名状的另一种情绪，一种更加可悲、更加阴暗的情绪。

他走到杜尼娅跟前，伸手轻轻搂住她的腰。她没有反抗，身子如叶片似的瑟瑟颤抖，眼睛哀求地望着他。他本想说什么，但只是撇了撇嘴，一句话也说不出来。

“你放我走！”杜尼娅哀求道。

斯维德里盖洛夫颤抖了一下：你的这个声调已与刚才大不一样了。

“那么你不爱我？”他低声问。

杜尼娅否定地摇了摇头。

“那么……你不能爱我？……永远也不能？”他绝望地低声问道。

“永远不！”杜尼娅喃喃地说。

顷刻间，斯维德里盖洛夫内心展开了激烈的斗争。他用一种无法形容的目光望着她。突然他放开手,转过身子,快步朝窗口走去,在窗前站了下来。

又过了一会儿。

“这是钥匙!(他从外衣左边口袋里掏出钥匙,放在身后的小桌上。他没有瞅杜尼娅,也没有朝她转身。)您拿去吧。快走吧!……”

他死死地盯着窗子。

杜尼娅走到桌前,拿起了钥匙。

“快点!快点!”斯维德里盖洛夫重复着,仍然一动不动,也没有转过身来。但这个“快点”听起来令人心惊。

杜尼娅明白了这一含意,抓起钥匙朝门口奔去,飞快地打开门锁冲出了房间。不大一会儿,她发疯般跑到了河堤上,朝×桥奔去。

斯维德里盖洛夫在窗前又站了二三分钟,接着缓缓转身环顾四周,用手掌轻轻地摸了一下额头。一阵怪笑扭曲了他的脸,这是可怜的、悲哀的、无力的笑,是透着绝望的笑。他手上染的血已经干了。他恶狠狠地看了看脏手,然后沾湿一块毛巾,擦去太阳穴上的血迹。杜尼娅扔在门口的手枪突然映入他的眼帘。他捡起来察看了一下。这是一支老式、袖珍型的手枪,可以打三发子弹;枪膛里还有两颗子弹和一根底火。还可以发射一次。他想了想,把手枪揣进口袋,戴上帽子就走了出去。

第六章

这天晚上直到十点钟，他一直在小饭馆和下等场所厮混，从一家跑到另一家。在某个地方他也见到了卡佳，她正在唱另一首低级歌曲，歌词说有个人是“流氓和恶棍”，

开始吻起了卡佳。

斯维德里盖洛夫买酒给卡佳喝，还请了流浪乐师、歌手、跑堂，两个什么录事喝了点。他同这两个录事搭讪起来，只是因为这两个人都是歪鼻子，一个鼻子朝右歪，另一个朝左歪，这使斯维德里盖洛夫感到十分惊奇。后来，他们还带他去了一家游艺场，他替他们出钱买了票。游艺场里有棵长了三年的瘦小枞树和三丛灌木。此外，里面还建有一家“вакзал”[①]，实就是一家酒店，但里面也可喝茶，而且还摆着几张绿色小桌和椅子。有几个差劲儿

①俄文中вакзал（火车站、车站等）的旧写法，源于英文vaux-hall，这是伦敦近郊成为可以游玩的公园的一处地名。这里指“饭馆、酒店”。

的歌手在合唱，一个红鼻头、醉醺醺、不知为何无精打采的德国慕尼黑人在模仿小丑表演，这算是给顾客助兴。这两个录事同其他几个录事争吵起来，要动手。他们推斯维德里盖洛夫居中调解。他说和了一刻钟，可他们还是大叫大喊，弄得他简直不懂是怎么回事。多半是他们当中有人偷了一样什么东西，随即把它卖给了偶然碰到的犹太人，卖掉以后却不愿与自己的同伴分赃。原来偷的是“вакзал”的一把茶匙。“вакзал”发现丢了茶匙，到处寻找，这一下惹出了大麻烦。斯维德里盖洛夫替他们赔了茶匙，然后起身出了游艺场。快到十点钟了，这段时间里他自己滴酒未沾，只是在“вакзал”要了一杯茶，也多半是照顾规矩。傍晚闷热，天色阴沉沉的。到十点钟可怕的乌云从四面八方聚来，响起一阵震耳的雷声，大雨倾盆而下，落在地上不是水滴，而是泉涌般的水柱。空中闪电不断，余光持续达五秒之久。他回到家里时，浑身淋得透湿。他关好门，打开写字台，取出所有的钱，还撕碎了两三张纸契。接着，他把钱塞进兜里，本想去换套衣服，但望了一眼窗外，侧耳听了一下轰鸣的雷声和哗啦啦的雨声，便打消了这个念头，拿起了帽子，门也不锁就走了出去。他径直去找索尼娅。她正在家里。

她不是一个人在家，身边围着卡佩瑙莫夫家的四个孩子。索菲娅·谢苗诺芙娜在请他们喝茶。她默默地却十分尊敬地迎接斯维德里盖洛夫，惊讶地打量着他那湿漉漉的外套，但一声没吭。孩子们吓得要命，马上一溜烟地跑掉了。

斯维德里盖洛夫在桌旁坐下，请索尼娅坐到旁边。她怯生生地准备洗耳恭听。

“我也许要去美国，索菲娅·谢苗诺芙娜，”斯维德里盖洛夫说道，“所以，我们可能是最后一次见面，我有事要交代一下。嗯，您今天见到那位太太了吗？我知道她会对您说些什么，用不着再重复了。（索尼娅动了动身子，脸涨得通红。）这种人的脾气是众所周知的。至于您的弟弟妹妹们，他们确实都已经被安顿好了；他们该交的钱，我则一一照章行事，付给了可靠的人，并取得了收条。不过，您得收好这些收条，以防万一。好，给您！现在这件事算是了结了。这是三张五厘债券，共值三千卢布，您把它收下，是给您个人的。这算是我们两人之间的默契，不必叫任何人知道，不管您以后听说什么。您需要钱，索菲娅·谢苗诺芙娜，因为像过去那样生活太糟糕了，而且您也没有必要那样了。”

“我受了您这样的恩惠，还有几个孤儿和已故的继母，”索尼娅慌忙地说道，“可直到现在我都没能好好地感谢您……您可别以为……”

“哎，得了，得了。”

“这笔钱呢，阿尔卡季·伊凡诺维奇，我非常地感激您，但我现在不需要了。我总能够养活自己一个人，您别以为我不识好歹：既然您这么乐善好施，那这笔钱……”

“就给您，就给您，索菲娅·谢苗诺芙娜，别再多说，因为我也没有时间了。您需要钱。罗季昂·罗曼诺维奇面前摆着两条路：或者冲头上开一枪，或者去西伯利亚。（索尼娅惊愕地望了他一眼，浑身哆嗦起来。）别担心，我一切都知道，是听他本人说的，我不爱饶舌，不会对任何人说的。当时您劝他自己去自首，这很好。这对他是非常有利的。嗯,如果得去弗拉基米尔卡[①],一走,您要跟他去吧?不是这样吗?不是这样吗?那好,如果是这样,那就需要钱。为了他您就需要钱,明白吗?送给您钱,也就是送给他钱。况且,您还答应偿还欠阿玛丽娅·伊凡诺芙娜的钱。我听说了。索菲娅·谢苗诺芙娜,您怎么竟然不假思索地承揽了所有的债务?要知道,欠德国女人钱的是卡捷琳娜·伊凡诺芙娜,而不是您。您何必理睬这个德国女人。总这样日子怎么维持呀!好啦,如果以后有人问起您,明天或者后天,问起我或者与我有关的事(会有人来问您的),那您不要提现在我到您这儿来的事,决不要把钱拿出来,也不要告诉任何人我给过您钱。嗯,现在再见了(他从椅子上站起身来)。向罗季昂·罗曼诺维奇问好。顺便说一句,您可以暂时把钱放在拉祖米欣先生那里。'您认识拉祖米欣先生吗?''当然认识啰。'这个年轻人还不错。明天就送到他那儿去,或者……等到适当的时候。在那之前您得藏好。"

索尼娅也从椅子上一跃而起,惊慌地望着他。她很想说些什么,问些什么,但她起初不敢说,后来竟也不知从何说起。

"您怎么……您怎么……现在下着这么大的雨,您就要走啦?"

"嗯,打算去美国还怕下雨吗,嘿嘿!再见,亲爱的,索菲娅·谢苗诺芙娜!好好地活着,好好地活着,您会对别人有用的。顺便……请转告拉祖米欣先生,我向他致意。就这样说:阿尔卡季·伊凡诺维奇·斯维德里盖洛夫向他致意。一定要转告。"

他走了出去,撇下索尼娅一人,又是惊异又是恐惧,怀着某种

①这是流放西伯利亚必经的大道,穿过省城弗拉基米尔。

模糊而沉重的疑虑。

后来才知道，就在这天夜里十一点多钟的时候，他还做过一次极为反常、意料不到的拜访。雨仍然下个不停。十一点二十分，他浑身湿漉漉地走进了自己未婚妻的家，就是瓦西里岛第三区玛雷大街[1]上那所小小的住宅。他费了好大劲才敲开门，起初弄得人们惊慌不安。然而，阿尔卡季·伊凡诺维奇只要愿意，总能表现出魅力十足的举止。结果，未婚妻那两位足智多谋的父母本来怀疑（这猜测应该说是蛮机智的）阿尔卡季·伊凡诺维奇也许是在什么地方喝了太多的酒而忘乎所以，这种猜测顿时烟消云散。明白事理的善心母亲把坐在圈椅上的病弱父亲推到阿尔卡季·伊凡诺维奇跟前。按照自己的习惯，她马上提出了一些毫不相干的问题。（这个女人从不开门见山地提问题，先是微微一笑，搓一搓手，之后如果需要确切知道什么，比如阿尔卡季·伊凡诺维奇愿意什么时候举行婚礼，那她首先就巴黎和那里的宫廷生活问些最令人感兴趣的和最想了解的情况，然后再有条不紊地把话题转到瓦西里岛第三区上。）在其他的情况下，这种做法当然会叫人肃然起敬。但这一回阿尔卡季·伊凡诺维奇似乎显得特别没有耐心，坚决要见未婚妻，尽管事先已告诉他说未婚妻睡下了。当然，未婚妻还是出来了。阿尔卡季·伊凡诺维奇直截了当地对她说，为了一件极其重要的事，他必须暂时离开彼得堡，所以给她带来了不同票面的一万五千卢布，请她作为礼物收下，因为他早就计划婚礼前送她一份薄礼。当然，这番话丝毫无助于说明，送这份礼与他马上动身外出，与深更半夜冒雨前来，有什么特别的逻辑联

①“玛雷”实际上是小的意思。也就是说这条街实际上是“小街”。

系。然而,一切办得都很顺利,甚至连通常少不了的“哎呀”“哎哟”,刨根究底,大惊小怪,都突然反常地得到节制。不过,他们表达了最热烈的感激之情,那位最明智的母亲甚至还流下了热泪。阿尔卡季·伊凡诺维奇站起身来,笑着吻了吻未婚妻,拍拍她的脸颊,强调说很快就会回来的。当他发现在她的眼神里虽有孩子般的好奇,同时也有着无声的严肃的疑惑时,他沉吟一下,再次吻了她,心底里顿时感到遗憾:这份礼金马上就会被最明智的母亲收起来上锁。他走了出去,留下的人仍然非常兴奋。善心的母亲立即低声快语地解释了一些最重要的疑点,也就是说,阿尔卡季·伊凡诺维奇是个大人物,是个有事业、有交际的人,是个富有的人;天晓得他脑袋里想什么,高兴了就外出,高兴了就送钱,因此用不着大惊小怪。当然啰,他浑身淋湿了来的,是有点奇怪;但比方说英国人那就更古怪了,而且上流社会的人们也不在乎别人怎么说,不拘小节。或许他是故意这样子,想显示他的胆量。要紧的是不能向任何人提起这件事,因为天晓得会出什么乱子,钱呢,应该尽快锁起来。当然啰,菲多西娅刚才一直待在厨房里,真是最好不过了。而重要的是绝不能,绝不能,绝不能告诉那个老奸巨猾的列斯丽赫,如此等等。他们坐着低语,谈论到两点钟。但未婚妻先去睡了,她感到惊讶,还有点儿忧郁。

与此同时,就在深更半夜,斯维德里盖洛夫过了某桥[①],得堡区方向走去。雨停了,风还呼呼吹着。他开始哆嗦起来,有一会儿他十分好奇甚至是不解地望着小涅瓦河里发黑的河水。但很

①指小涅瓦河上的图奇科夫桥。

快他就觉得站在河边太冷了，于是转身朝某街[1]走去。在这一眼望不到头的某大街上，他走了很久，几乎有半个小时，因为天黑，他在木板路上还摔了几次跤。但他仍然怀着好奇心，不停地在大街右面寻找着什么。在这里的某个地方，已是大街的尽头，他不久前路过时曾发现一家很宽敞的木屋客栈。客栈名称他记得好像是阿德里阿诺波尔。结果他的估计没有错，因为在这偏僻的地方这家客栈太引人注目了，哪怕天黑也不可能找不到它。这是一排长长的已然发黑的木头房子，尽管深更半夜里面还是灯火通明，能看见人影在走动。他走了进去，向在走廊上迎面而来一个衣衫破旧的人要了个房间。衣衫破旧的人打量了斯维德里盖洛夫一眼，甩了一下身子，立即把他带到远处的一个房间。这间屋又闷又暗，在走廊尽头的楼梯底下。再没有别的空房了，旅馆已经客满。那个衣衫破旧的人用探询的目光望着他。

“有茶吗？”斯维德里盖洛夫问道。

“有。”

“还有什么？”

“小牛肉、伏特加、冷盘。”

“给我来点儿小牛肉和茶。”

“不需要别的吗？”那个衣衫破旧的人问道，甚至有点儿困惑不解。

“别的都不要，别的都不要！”

---

①这指的是彼得堡的“大街”，陀思妥耶夫斯基的妹妹亚历山德拉有房子在这里，他很熟悉此地，但他经过此处时，常以该街漫长、似乎走不到头而深感烦恼。

衣衫破旧的人非常失望地走了。

“大概是个好地方，”斯维德里盖洛夫思忖着，“我怎么会不知道这个地方。我的模样大概也像从某个酒馆里回来的，而且路上出过了什么洋相。不过，我倒很想看看，什么人会在这儿逗留过夜。”

他点燃了蜡烛，更加仔细地打量起这个房间。这简直像个小笼子，小得让斯维德里盖洛夫几乎挺不直身子；只有一扇窗，床铺非常脏；一张普通的油漆桌子加上一把椅子，几乎占据了整个空间。墙壁好像是用木板钉起来的，糊着的墙纸是那么肮脏、那么破旧，以至于它的颜色（黄色）勉强能猜得出来，但花纹却怎么也无法辨别了。就像一般的顶楼那样，有一部分墙壁和天花板是倾斜的，斜面上则是楼梯。斯维德里盖洛夫放下蜡烛，坐到床上，陷入了沉思。然而，从隔壁小屋传来了奇怪的、不停的窃窃私语声，有时又高得像叫喊，这终于引起了他的注意。自从他进了房间，这低声的说话就没有停止过。他侧耳细听：有人正在辱骂，几乎是声泪俱下地数落着另一个人，不过只听得见一个人的声音。斯维德里盖洛夫站起身来，用手遮住烛光，墙上一条裂缝顿时透出一丝光亮；他走到跟前朝里看去。在比他这间稍大一点儿的房子里有两个人。其中一人脱去了礼服，有一头鬈曲的浓发，脸色红彤彤的，情绪很激昂。他摆出一副演说家的架势，叉开两脚保持身体的平衡；一边用手拍着胸膛，一边振振有词地数落着另一个人，说那人是个叫花子，没混上个一官半职；说是他把那人从泥潭救出来，因此只要他什么时候愿意，就能把他撵走；还说这一切只有至高至尊的上帝知道。挨训的朋友坐在椅子上，那副模样活像一个人极想打喷嚏却怎么也打不出来。那人偶尔用浑浊无神的目光瞥一眼数落者，显然他丝毫没有听懂这番数落，甚至恐怕都没有听进去。桌上的蜡烛快要燃尽了，一旁还放着几乎喝光的伏特加酒瓶、几只酒杯、面包、几只玻璃杯、黄瓜和早已喝光了的茶具。斯维德里盖洛夫仔细地打量了这一切以后，便兴味索然地离开了这道墙缝，又到床边坐了下来。

衣衫破旧的人端来了茶和小牛肉，接着忍不住又问了一遍："再也不需要什么啦？"他又一次听到了否定回答后，终于走了。斯维德里盖洛夫大口大口地饮茶，想暖暖身子。他喝完一杯茶，牛肉却一口也吃不下，毫无食欲。显然，他开始发烧了。他脱去大衣和常礼服，用被子裹住身体，躺在床上。他心里很懊恼，"这一刻要是不生病就好多了。"他琢磨着，轻轻一笑。屋里闷热，烛光黯淡，屋外狂风怒号，角落里老鼠咯吱咯吱地咬着，满屋子弥漫着老鼠的气味和皮革的气味。他躺着仿佛在梦幻中，思绪不断像走马灯。似乎他很想集中注意力，特别集中在某一件事上。"窗外大概是座花园吧，"他寻思着，"风吹得树响，我是多么讨厌在黑夜里，在狂风暴雨中听见树响，这声音令人心烦！"于是他回想起，刚才他经过彼得罗夫公园时甚至感到它很讨厌。这时他又联想到×桥，联想到小涅瓦河，他再次感到一阵寒气袭人，如同他刚才站在河边那样。"我一生都不喜欢水，即使在风景画上也一样，"他又一次沉思起来，突然因冒出一个古怪念头而冷笑了一声。"想一想，什么美呀，什么舒适呀，现在本该是无所谓了，可我却变得这么挑剔，好像一头野兽在类似的场合……一定要给自己挑选个好地方。刚才就该回到彼得罗夫公园去！大概在那里觉得黑,觉得冷吧,嘿嘿! 简直是要一种愉快的感觉呢! ……咦,我怎么不熄了蜡烛呢(他把蜡烛吹灭了)? 隔壁的人也睡了,"他看到刚才那条墙缝已经没有光亮了,心里想道,"好啦,玛尔法·彼得罗芙娜,现在您该来了吧,一片漆黑,地点也合适,时候也很特别。可您现在怎么偏偏不来……"

不知为什么他突然想到,刚才在他实施对杜涅奇卡的行动之前一小时,他向拉斯柯尔尼科夫提议,让拉祖米欣来保护她。"事实上,正如拉斯柯尔尼科夫所猜测的那样,我当时说这话更多是出于挑衅的心情。不过,这个拉斯柯尔尼科夫可真是个滑头! 他自己揽的事太多了。一旦脑子里的谬论甩掉些,他定是一个更大的滑头。可现在他太想活命了。就这一点来说,这种人就是卑微小人。让他见鬼去吧,随他的便,与我毫不相干。"

他怎么也睡不着。杜尼娅刚才的样子又出现在他眼前,他不禁浑身一颤。"不,现在应该抛开这个,"他清醒过来暗自想道,"应该想点其他的事。奇怪而又可笑的是:我对任何人都从未有过深仇大恨,甚至从未想到过要报复,这可不是好兆头,不是好兆头! 我同样也不喜欢与人争论,对人发火,这也不是好兆头! 刚才我对她可许下了一大堆诺言,真是见鬼! 不过她说不定能改变了我呢……"他又一次默默地咬紧牙关,杜涅奇卡重又浮现在他眼前,是头一次开枪以后,惊恐地放下手枪,面无人色地望着他;因此他有两次机会可以抓住她,而且要没有他本人的提醒,她也不会举枪进行自卫。他回想起在那一瞬间他是多么怜悯她,仿佛他的心都停止了跳动……"唉! 真见鬼! 又是想这些,应该把这一切抛开,全都抛开! ……"

他已经迷糊过去了,身子也不再颤抖。突然有什么东西在被子下面,从他的手上和脚上爬过去。他哆嗦了一下:"呸,见鬼,这大概是只老鼠!"他思忖道,"是我把小牛肉放在桌上啦……"他实在不愿意掀开被子起床挨冻,但突然又有东西令人厌恶地在他腿上爬过;他猛地掀开被子,点上蜡烛。他身子冷得直打哆嗦,弯下腰去查看床铺,什么也没有。他一抖被子,有只老鼠跳到了床单上。他扑过去抓,老鼠并没跳下床逃走,却在床上乱窜;一会儿从他手底下溜走,一会儿又在他手上爬过,最后噌地钻到枕头底下。他扔掉枕头,一瞬间感到有东西跳进他怀里,在他身上乱窜,又跑到背上,钻在衬衫里面。他神经质地浑身抖起来,这下子就醒了。屋里一片漆黑,他躺在床上,像刚才那样裹着被子,窗外狂风怒号。"真可恶!"他恼怒地想道。

他下了床,背对窗子坐到床沿上。"最好不再睡了,"他下了决心。从窗子透进来阴冷的空气,他没有起身,只是把被子拉过来裹到了身上。他没有点蜡烛。此刻他什么也不想,也不愿意去想。但幻象却接二连三地出现,零碎的思绪在脑海里闪过,没头没尾也没有联系。他好像进入了昏昏沉沉的半睡状态。不知是寒冷,是黑暗,是潮湿,还是在窗外怒号着摇曳树木的狂风,唤起了他内心强烈的幻想欲和渴望,于是他眼前不断地浮现出一簇簇鲜花。他好像看到一幅美妙的景色,一个晴好温暖的日子,几乎有了热的感觉,正值三一节[①]。一座英国式的豪华乡间别墅,遍布香气袭人的花坛,四周环绕一条条田畦。入口台阶上爬满蔓藤,摆着一丛丛玫瑰;明亮阴凉的楼梯铺着豪华的地毯,两边是盛着

①每年夏季的耶稣复活节后第五十天为三一节。

奇异花卉的中国瓷瓶。他特别留心到了窗口盛水的花瓶里插着洁白娇嫩的水仙，花朵从粗壮碧绿的长茎垂下来，散发着浓郁的香气。他甚至都舍不得离开这水仙，不过他还是拾梯而上，走进了一个宽敞的大厅，这里也处处摆着鲜花，在窗边，在通往凉台的敞开着的门边，在凉台上、地板上洒满新割的香草；敞开的窗子送进一阵阵清新凉爽的微风；鸟儿在窗外啾啾欢唱；而大厅的中央，在覆盖白缎台布的桌上，放着一口棺材，用гроденапль[①]包着，边缘镶着白色的厚边。棺材四周缠绕着鲜花扎成的花条。在棺内的鲜花丛中躺着一位少女，身穿白纱裙，双手交叉在胸前，宛如大理石雕刻出来的。然而，她那披散的淡黄色头发是湿漉漉的，头上戴着玫瑰花扎成的花冠。她那表情严峻、已然僵硬的侧脸也如同大理石雕成一般，但是挂在苍白嘴唇上的微笑却充满非童稚的巨大痛苦和巨大悲伤。斯维德里盖洛夫认识这个少女。棺木旁既没有摆圣像，也没有点蜡烛，更听不到诵经的声音。这少女是自杀的，投河自尽。她只有十四岁，但这已是一颗破碎的心；[②]这颗心毁灭了自己，因为它受到了侮辱；这侮辱使这个年轻、幼稚的灵魂感到恐惧和惊诧，使她那天使般纯洁的心灵蒙受了不应有的羞辱；这侮辱引出了她最后绝望的一吼，但这吼声没得到回应，却被粗暴地践踏了，在昏天黑地的夜里，在刺骨的严寒中，在冰雪融化的湿冷天里，在狂风怒号之中……

斯维德里盖洛夫清醒过来，下了床，大步走到窗前。他摸到

---

①这是用俄文字母拼写的法语：白绢。

②后来在《群魔》的“谒见吉洪”（斯塔夫罗金的自白）中，又谈到类似的故事。当时，在《时代》杂志1861年第5期上曾发表过有关少女自杀的报道。

窗栓，打开了窗子。一股冷风疯狂地涌进了窄小的房间，好像一片寒霜贴在他脸上和只隔着一件衬衫的胸膛。窗外的确像个花园，这里多半也是个游艺场；很可能白天同样有人唱歌，还有茶座。这时从树上和灌木丛里溅起水珠，飞进窗口，外面一片漆黑，如同地窖，勉强能辨别出星星点点的某种东西。斯维德里盖洛夫弯下腰，胳膊肘支在窗台上，目不转睛地朝暗处望了足有五分钟。黑夜中传来了一声大炮的轰鸣，接着又响了一声。

"啊，发警报啦！河水上涨了，"①他思忖道，"到早晨河水就会涌上街头，淹没低洼的地方，灌进地下室和地窖。地下室里老鼠全会冒出来，人们则在风雨交加中淋得透湿，咒骂着把自己的破东西往顶楼上搬……现在几点钟啦？"他刚想到时间，近处就听到有架壁钟滴答滴答仿佛很匆忙地卖劲走着，即刻响了三下。"哎呀，再过一个小时天就亮了！还等什么？现在就走，直接去彼得罗夫公园，到那儿随便什么地方找一片雨水打湿的大灌木，只要肩膀轻轻一碰，成千上万颗水珠便会洒到头上……"他关上窗子，走去点燃蜡烛，穿上坎肩和大衣，戴好帽子，端着蜡烛来到走廊上，去找不知在哪间小屋里睡在废物和烛头之中的那个衣衫破旧的人；他想付清房钱，然后离开这家客栈。"这是最恰当的时间，再也找不到比这更恰当的时间了！"

他在狭长的走廊上来回走了很久，一个人影也没见到，刚想大声叫喊，突然在黑糊糊的角落里他发现有一个奇怪的东西，放在一个旧柜子和门之间，好像还是个活动的东西。他举着蜡烛弯下腰去，看见了一个小孩，是个不满五岁的小姑娘；她穿着像块湿

①1865年6月29日夜彼得堡确实遭遇暴风雨，有的地区受灾很重。

抹布似的淋透的衣服,哆哆嗦嗦地在哭泣。她似乎并不怕斯维德里盖洛夫,瞪起乌黑的大眼睛惊讶地呆望着他,还不时地抽泣;孩子就是这样,哭了许久已经停下不哭了,甚至高兴起来,可过不了一会儿又会突然抽泣起来。小姑娘的脸色惨白疲惫,她身子冻坏了。可是,“她怎么到这里来的呢?看来她是躲在这里的,一夜都没睡觉。”于是他问起她来。女孩突然变得很活跃,用孩子的语言飞快地对他说个不停。她说到什么“妈妈”“妈妈要打”“摔碎了”茶杯。女孩不停地说着,从她的话里可以听出,这是个没人疼爱的孩子,她母亲大概是这家客栈里常常喝得烂醉的厨娘,把女孩打怕了;这次女孩打碎了妈妈的茶杯,吓得连夜逃了出来;她大概一直躲在院子里的什么地方,淋着雨,末了又溜到了这儿,躲在柜子后面,整夜都坐在角落里,因为浑身湿透,四周漆黑,又担心遭一顿痛打,才不断哭泣,不停地哆嗦。他把她抱回自己的小屋,放在床上就开始给她脱衣服。她光脚穿的破鞋子精湿精湿,像是整夜都泡在水塘里。他给她脱去衣服,把她放在床上盖上被子,连头带脸全都用被子裹上。女孩立刻睡着了。把这一切做完,他又陷入了抑郁的沉思之中。

“又管起闲事来啦!”他突然痛苦而又气恼地想道,“简直是胡来!”他生气地端起蜡烛,无论如何要去找到那个衣衫破旧的人,好尽快离开这里。“哎,小姑娘!”他暗自咒骂着打开了房门,却又转身看看女孩是否睡着了,睡得怎样。他轻轻地把被子往上拉了拉。孩子睡得很熟,正做着美梦。她裹着被子,身子暖和起来,惨白的脸上也浮出红晕。奇怪的是这比一般孩子脸上的红晕似乎更鲜艳,更红润。“这是发烧时的脸色。”斯维德里盖洛夫思忖着，这就像酒后出现的红晕，仿佛有人给她喝了一大杯酒。她那两片鲜红的小嘴唇像火在燃烧，散着热气。但这是怎么回事？他忽然觉得她那乌黑的长睫毛好像在颤抖，在闪动，好像在微微抬起。睫毛下面是狡黠、敏锐、绝非童稚般闪动的小眼睛，它在窥视，仿佛孩子并没有睡着，而是在佯装。真的，果然她的双唇嚅动露出了笑意，嘴角颤抖着，像是想忍着不笑出声来。但此刻她再也忍不住，发出粲然一笑，毫不掩饰的粲然一笑；在这绝非稚气的脸上，露出某种放荡的挑逗人的表情。这是淫荡，这是烟花女子的脸，这是法国妓女无耻的脸。瞧，那双眼睛已经毫不掩饰地睁了开来，它们用火一般的不知廉耻的目光在勾引他，挑逗他，在对他笑……在这笑容中，在这眼神中，在孩子脸上这猥亵的表情中，有着某种十分丑恶的、侮辱性的东西。“怎么！一个五岁的小姑娘！”斯维德里盖洛夫喃喃地说道，他真正感到毛骨悚然。“这……怎么会这样？”就在这时，她那红润的小脸转向了他，小手也朝他张开……“啊，可恶的东西！”斯维德里盖洛夫惊得叫起来，举手要打……就在这时他从梦中醒来。

他还是躺在那张床上，还是裹在被子里；没点蜡烛，窗外天色已白。

“做了一夜的噩梦！”他生气地欠起身子，感到浑身无力，骨节酸痛。外面大雾笼罩，什么也无法看清。快到六点了，睡过了头！他起身穿上还湿着的礼服和外衣。他在口袋里摸到手枪，拿出来调正了一下。接着他又坐下，从口袋里拿出笔记本，在头页最显眼的地方写上了几行大字。他读了一遍，胳膊肘撑在桌上沉思起来。手枪和笔记本就搁在手旁。睡醒的苍蝇叮在桌上未动过的小牛肉上面。他久久地盯着苍蝇，然后伸出空着的右手去捉。他捉了好一会儿，累得精疲力竭，却还是无法抓住苍蝇。末了，当他发现自己在干这种无聊的事时，才清醒过来，浑身一颤站了起来，坚决地出了房间，不一会儿便来到大街上。

城市的上空弥漫着乳白色的浓雾。斯维德里盖洛夫顺着溜滑肮脏的木板路，朝小涅瓦河方向走去。在他的幻觉中，闪现出一夜间水涨了很高的小涅瓦河，彼得罗夫岛，淋湿的小径、淋湿的青草、淋湿的大树和灌木，最后那一丛灌木……他走着，开始懊丧地端详起一幢幢的房子，为的是使自己想些别的事。在大街上，他既没遇到一个行人，也没遇到一辆马车。一些橘黄色的小木屋紧闭着百叶窗，看上去显得冷清而且脏兮兮的。寒气和潮气渗进他的肌体，浑身发冷。有时他抬头看见铺子的和菜店的招牌，就把每块招牌上的字都仔细读一遍。木板路已经到了尽头。他走进一幢宽大的石头房。一条龌龊的小狗冷得直打哆嗦，蜷着尾巴，跑到了他的前头。一个穿大衣的酒鬼醉得不省人事，横趴在人行道上。他瞅了瞅这人，继续往前走去。他的左边隐隐约约出现一座很高的瞭望台。“好！”他心里想，“就是这个地方，干吗去彼得罗夫岛呢？起码得有个正式的目击者……”对这个新念头他差点儿报以冷笑。但他转身朝×大街走去。这里就是连着瞭望台的大房子。在上了锁的大门旁，站着一个身材矮小的人。他肩膀靠在大门上，身上裹着一件灰色军大衣，头上戴着一顶阿喀琉斯[①]式的铜头盔。他睡眼惺忪，冷冷地瞥了一眼走到跟前的斯维德里

①希腊史诗《伊利亚特》中的英雄。绘画中的他常头戴一顶鸡冠式的头盔。

盖洛夫。他脸上是一种永远怨天尤人的悲哀神态,所有犹太人毫无例外地都是这么个样子。斯维德里盖洛夫和阿喀琉斯两人,一声不吭地彼此打量了片刻。最后,阿喀琉斯觉得事情有些不对头,因为这个人没有喝醉,却站在离他三步远的地方直愣愣地望着他,什么话也不说。

“哎,您想在这儿干什么?”他问道,仍然原地站着,也没有改变自己的姿势。

“不干什么。老弟,你好!”斯维德里盖洛夫回答道。

“这儿不是该待的地方。”

“我嘛,老弟,要去国外。”

“去国外?”

“去美国。”

“去美国?”

斯维德里盖洛夫掏出手枪,打开了保险。阿喀琉斯竖起了眉毛。

“哎哟,干什么,这可不是开这玩笑的地方!”

“为什么不是呢?”

“就不是。”

“得了,老弟,反正都一样。地方不错;要是有人问,你就这样回答,说他去美国了。”

他把手枪顶在自己右面的太阳穴上。

“啊,这可不行,这不是地方!”阿喀琉斯浑身哆嗦,眼瞪得越来越大。

斯维德里盖洛夫开了枪。

第七章

就在这一天，已是傍晚六点多钟，拉斯柯尔尼科夫来到母亲和妹妹的住处，这是拉祖米欣替她们安排的一套房子，在巴卡列耶夫的一栋楼里。拉斯柯尔尼科夫从街上直接登上楼梯，来到了房门口却踟蹰不前，好像还在犹豫不决：进去还是不进去？然而他决不能返回去，他已下定了决心。"况且，反正她们还一无所知呢，"他心里琢磨着，"再说她们已经习惯把我当成一个怪人……"他的衣服不堪入目：淋了一夜雨，又脏又破的上衣皱皱巴巴。由于疲惫不堪，由于天气恶劣，由于体力不支，加上几乎一整夜的内心斗争，他的脸色变得十分难看。这整整的一夜天晓得他独自一人是在哪里过的。

他敲了敲门，给他开门的是母亲。杜涅奇卡不在家。恰好这时女仆也不在。普莉赫里娅·亚历山德罗芙娜起初惊喜得发呆了，接着她拉住他的手，把他拽进房里。

"你可来了！"她高兴得都结巴起来，"别生气，罗佳，瞧我多傻,流着泪迎接您;我是在笑,不是哭。你以为我在哭?不,我这是高兴,我有个坏毛病,爱流眼泪。从打你父亲去世就这样,有点儿什么就流泪。坐吧,亲爱的,一定累了吧,我看得出。啊哟,你怎么弄得这样脏。"

"我昨天淋了雨,妈妈……"拉斯柯尔尼科夫想说下去。

"哦,不,不!"普莉赫里娅·亚历山德罗芙娜急忙打断了他,"你以为我会照从前女人的老习惯,马上向你问个没完。你别担心,要知道我懂。我一切都明白,现在我已经学会了此地人的办法,说实在的,我自己也发现此地的办法更好些。我彻底地想通了:我哪能理解你那些想法,我怎么能要求你这样那样呢?或许你在想着一些天晓得多大的事情和计划,或是产生了这样那样的思想,我哪能总是推着你的胳膊问:你在想什么呢?我……天哪!我怎么东一句西一句,唠叨个没完……罗佳,我已经是第三遍读你在杂志上写的那篇文章,这是德米特里·普罗科菲伊奇给我带来的。我一看到这文章就哎哟叫了一声:我真糊涂,我心里想,他原来在琢磨这些问题,这就是原因嘛!或许现在他脑子里出现了新的思想,正在苦苦地思索,我却去烦他,折磨他。我读了,亲爱的,当然有许多地方看不懂;不过这也是势所必然的,我哪可能全懂啊?"

"让我看看,妈妈。"

拉斯柯尔尼科夫拿起杂志,飞快地浏览了一下自己的文章。尽管这同他此刻的处境和情绪极不协调,他还是有种奇特的无比甜蜜的感觉,如同每一个作者第一次看到自己作品得到发表那样,何况他还只有二十三岁。但这种感觉转瞬即逝。才读了几行,他便蹙起眉头,可怕的痛苦涌上心头。他一下子回忆起最近几个月来一直不断的内心斗争。他厌恶而懊恼地把文章扔在桌上。

“不过,罗佳,不管我多笨,还是看得出你很快就会成为我们学术界一个领头人物,即便不是头号人物。可他们竟然认为你神经不正常。哈哈!你不知道,他们可是这样看你的!唉,这些无能之辈哪能理解什么是智慧!要知道,杜涅奇卡差点也相信了,想想看!你死去的父亲给杂志投过两次稿,起初是几首诗(我还保留着笔记本,以后我给你看),后来是一个完整的中篇小说(我曾要求他让我来誊清),尽管我俩不停地祷告,希望稿子能被采用,结果却没有采用!罗佳,六七天前我看到你的衣着,看到你过的日子,吃什么,穿什么,我心里痛苦极了。但现在我明白,我真是太傻了,因为只要你愿意,就能靠自己的聪明才智立刻获取一切。也就是说,你现在暂时不想这样做,因为你正在干更加重要的事情。”

“妈妈,杜尼娅不在家?”

“不在,罗佳。家里经常见不到她的人影,我总是一人待在家里。多亏了德米特里·普罗科菲伊奇,他常常来陪我坐坐,聊聊你的情况。他爱你,敬重你,我亲爱的。我倒不是说你妹妹不很孝敬我。要知道,我并不是抱怨。她有她的个性,我有我的个性。她近来有了些自己的秘密;可我对你们从来不隐瞒什么。当然,我坚信杜尼娅是非常聪明的,此外她爱我,也爱你……但我不知道这样将会有什么结果。现在你来了,我可非常高兴,罗佳,她却在外面玩疯了,等她回来我会告诉她:你不在家的时候,哥哥来过了,你到哪儿闲逛去了?罗佳,你用不着太迁就我。你能来就来,不能来就算了,我可以等待。我会感觉到你是爱我的,这样我就心满意足了。我以后要读你的文章,会从所有的人那里听到你的消息,说不定什么时候你自己就来看我,还能比这再好吗?你这不是安慰母亲来了吗,我看得出……"

这时普莉赫里娅·亚历山德罗芙娜突然哭了起来。

"我又来了!别管我这个傻瓜!啊,天哪,我怎么光是坐着,"她叫着急忙起身,"有咖啡呢,我倒没给你拿!这就是老太婆的自私呀。我这就去,我这就去!"

"妈妈,别去,我马上就走。我不是来喝咖啡的。您听我把话说完。"

普莉赫里娅·亚历山德罗芙娜忐忑不安地走到他跟前。

"妈妈,不管发生什么事,不管您听说我的什么消息,不管别人对您说我的什么情况,您都会像现在这样爱我吗?"他突然发自肺腑地问道,似乎脱口而出,没有斟酌字句。

"罗佳,罗佳,你怎么啦?你怎么能问这样的话?谁会对我说你的坏话?我谁也不相信,不管谁到我这儿来,我都把他赶出去。"

"我来是为了告诉您,我一向爱着您,现在我很高兴只有我们两人,我甚至因杜涅奇卡不在家感到高兴,"他仍然激动地继续说,"我来是要直截了当告诉您,即使您会遭遇不幸,但您要知道,您的儿子现在爱您胜过爱他自己;您以为我冷酷无情,以为我不爱您,这些都不是事实。我会永远爱您的……啊,够了;我觉得应该这样做,以此作为开始……"

普莉赫里娅·亚历山德罗芙娜默默地拥抱他，把他紧紧搂在自己胸前，轻轻地哭泣。

“我不知道你怎么啦，罗佳，”末了她终于开口说话了，“这段时间我一直以为，你只是对我们感到厌烦，可如今根据种种情况看，你是面临大难，所以非常苦恼。我早已预感到了，罗佳。原谅我说起这件事，我一直在想着这件事，夜夜都没法合眼。昨天夜里你妹妹也一直在做噩梦，老是讲到你。我听了听，但什么也没懂。整个早晨我就像要去刑场，等待着什么，有种预感，果然等到了你！罗佳，罗佳，你去哪儿？你是不是要去什么地方？”

“是要走。”

“我料到会是这样的！要知道，我能跟你一起走，如果你需要的话；杜尼娅也是，她爱你，她非常爱你；还有索菲娅·谢苗诺芙娜，也可以让她同我们一起去，如果需要的话；你瞧，我甚至乐意收她做干女儿。德米特里·普罗科菲伊奇会帮助我们筹办上路的……可是……你要……去哪里呢？”

“我告别了，妈妈。”

“怎么！今天就走！”她大声叫道，仿佛要永远失去他。

“我不能再待，我得走了，我急切需要……”

“我不能同你一起去？”

“不能，您跪下替我向上帝祈祷吧。您的祷告或许会有用的。”

“让我为你画十字，为你祝福！就这样，就这样。噢，天哪，我们这是怎么了！”

的确，他很高兴，他非常高兴，因为家里没有别人，只有他和母亲。在这段可怕的时光里,头一次他的心软了下来。他扑倒在母亲的跟前,吻她的脚,接着他俩抱头痛哭。这一回,她既没有大惊失色,也没有刨根问底。她心里早已明白,儿子发生了可怕的事,而现在他临近了可怕的时刻。

“罗佳,我亲爱的,我的长子,”她恸哭着说,“现在你就像小时候那样来到我跟前,抱我吻我。当我与你父亲一起熬着贫困日子时,你和我们在一起就是我们唯一的安慰;安葬你父亲以后,我俩有多少次像现在这样拥抱着,在他的墓前痛哭。为什么我老在哭泣,那是因为这颗做母亲的心预感到了灾难。上次我头一回看到你,你可记得那是在傍晚,我们刚刚来到这里,我单从你眼神中就猜到了一切,那时我的心就怦然一跳;今天我给你开门时,我一见到你心里就想,看来决定命运的时刻到了。罗佳,罗佳,你马上动身吗?”

“不。”

“你还会来吗?”

“会的……我会来的。”

“罗佳,你别生气,我可不敢细问。我知道不该问,但我只说一句:你去的地方很远吗?”

“很远。”

“到那儿做啥,是有公职,有发展?”

“听天由命吧……只求您为我祈祷……”

拉斯柯尔尼科夫朝门口走去,但她拉住了他,用绝望的目光望着他的眼睛。恐惧扭曲了她的脸。

“够了,妈妈。”拉斯柯尔尼科夫说道,心里非常后悔到这儿来。

“不会一去不归吧？总不会不回来吧？你不是还来吗，明天来吗？”

“我会来的，我会来的，再见。”

他终于脱身走了。

傍晚时分，空气清新，暖和而又明亮；从早晨天就放晴了。拉斯柯尔尼科夫往家走，步履很匆忙。他想在太阳下山前把一切都了结。而在这之前他不愿意碰见任何人。当他上楼去自己房间时，发现纳斯塔霞丢下茶炊，目不转睛地注视着他，目送他上楼。“难道我屋里有人？”他心里琢磨着。他仿佛看见了波尔菲里，心里一阵厌恶。可当他走到自己房间打开房门时，却看见了杜涅奇卡。她独自坐在那里冥思，好像早在等他。他在门口站住了，她惊恐地从沙发上一跃而起，站到他面前。在她那一动不动地死死盯着他的目光中，流露出极度的恐惧和无限的痛苦。单凭这一目光，他顿时便明白了。她一切都知道了。

“怎么，我是进去还是离开？”他心怀疑惑地问。

“我一整天全在索菲娅·谢苗诺芙娜那里；我俩都在等你。我们以为你一定会去那儿。”

拉斯柯尔尼科夫走进房间，疲惫不堪地坐到椅子上。

“我太累了，杜尼娅，已经精疲力竭；可我真希望哪怕这一会儿能完全控制自己。”

他又疑惑地瞥了她一眼。

“你是在哪儿过的夜？”

“我记不清了。你瞧，妹妹，我想最终拿定主意，在涅瓦河边徘徊了好久;这我记得。我又想就在那里一了百了,但……我下不了决心……”他喃喃地说,仍然疑惑地瞧着杜尼娅。

“谢天谢地!我们,我和索菲娅·谢苗诺芙娜,怕的正是这个!你还有生的信念,谢天谢地,谢天谢地!”

拉斯柯尔尼科夫苦笑了一下。

“我没有信仰,但刚才同妈妈一起抱头痛哭了一场;我不信上帝,却求她为我祈祷。天晓得这是怎么回事,杜涅奇卡,我对此感到莫名其妙。”

“你到妈妈那里去过了?你也告诉她了?”杜尼娅惊叫起来,“难道你真下决心告诉她了吗?”

“没有,我没有……明说,但她知道了不少。她夜里听到你说的梦话。我相信她能知道一半。或许我去看她是干了件蠢事。我也不明白是为了什么偏去看她。我是个卑鄙的人,杜尼娅。”

“是卑鄙的人还能准备去受苦吗!你不是要去受苦吗?”

“是的。马上就去。正是为了逃避这种耻辱,我才打算投河自尽,杜尼娅。但我站在河边时又转念一想,如果迄今为止我一直自认是无所畏惧的,那我现在也不该害怕耻辱,”他抢先说起这事,“这是自尊心吗,杜尼娅,是吗?”

“是的,罗佳。”

在他那黯然无神的目光中,仿佛闪过一丝火光;他好像有些高兴,因为还有自尊心。

“你是不是以为,妹妹,我只不过是怕水而已?”他盯着她苦笑地说。

“哎,罗佳,够啦!”杜尼娅痛苦地大声叫道。

沉默持续了大约两分钟。他低头坐着,眼睛瞧着地板;杜尼娅站在桌子另一端,痛苦地望着他。突然,他站起身来。

"很晚了,我该走啦。我这就去自首。但我不明白,我干吗要去自首呢。"

杜尼娅脸上滚下来一颗颗硕大的泪珠。

"你哭啦,妹妹,你能跟我握握手吗?"

"你连这个都怀疑?"

她紧紧地拥抱他。

"你现在去受苦,难道不就洗刷了自己一半的罪孽吗?"她大声说道,同时紧紧抱着他吻他。

"罪孽?什么罪孽?"他一下子变得狂怒了,高声大叫,"我杀死了一只可恨的有害的虱子,一个吃高利贷的老婆子,一个谁也不需要的人;杀她一个能抵消四十个罪过,她只知榨干穷人的血汗,这难道是犯罪?我不认为这是犯罪,也不想去洗刷这个罪恶。干吗人们从四面八方戳着我脊梁说:'犯了罪,犯了罪!'如今我才明白,我完全用不着那么心虚胆怯;如今才明白,可我已决定去承受这不该有的耻辱了!我这么决定,全是因为自己卑下,自己平庸,再有就是有利,正像那个……波尔菲里说的!……"

"哥哥,哥哥,你在说些什么呀!要知道你欠了血债!"杜尼娅绝望地叫道。

"人人都在杀人流血,"他几乎发狂似的接着说道,"在这个世界上,一直都在流血,血流成河,血淌得像香槟酒;在卡庇托利[1]有人因杀人如麻而戴上桂冠，后来被称为人类的救星。[2]你只要仔细看看就会看清楚！我本想为人们做好事，也可能做上几百几千件好事来抵消这件蠢事。这甚至算不上蠢事，只不过是欠妥而已；因为整个想法并不像现在遭受挫折时显得那么愚蠢……（在遭受挫折时一切都显得那么愚蠢！）我只是打算通过这件蠢事使自己经济上自立，跨出第一步，弄到些钱，而后能用相比之下无法估量的好事来抵消这一切……但是我，我连第一步都没能迈过去，因为我是个卑下的人！这就是问题的所在！但我仍然不能用你们的眼光来看问题；因为如果我成功就会戴上桂冠，可现在我得戴镣铐！”

“可事情不是那样，根本不是那样！哥哥，你在说什么呀！”

“啊！是形式不好，形式上不那么好看！我真弄不懂，为什么用炸弹炸人们，正规地围攻人们，就是比较可敬的形式呢？担心形式不美，这是无能的第一个迹象！……我从来没有，从来没有像现在这样更加清醒地认识到这一点，也从没像现在这样越发无法理解自己的罪行！我从来没有，从来没有比现在更坚强有力，更坚信不疑！……”

他那苍白憔悴的脸上，甚至出现一片红晕。但讲到最后一句时，他的视线与杜尼娅的目光不期而遇，在这目光中他发现妹妹

---

①古罗马城发源地的七丘之一。丘上建有卡庇托利神殿，是当时元老院和民众大会的会场。

②指尤里·凯撒屠杀海盗后回到罗马，获得大教长和大将军等头衔。在《地下室手记》（第1章，第7节）中也有类似的想法：“……请你们举目环顾四周：血流成河，而且如香槟酒一般流得欢畅。这便是巴克尔也曾生活其中的、我们整个的19世纪，这便是拿破仑——那个伟大的拿破仑和当代的拿破仑……”

为他承受着极大痛苦，不由得冷静了下来。他觉得自己无论如何给这两个可怜的女人带来了不幸。他无论如何是罪魁祸首……

“杜尼娅，亲爱的！如果我有罪，请你宽恕我吧（虽然如果我有罪，是无法宽恕的）。再见！我们别再争论了！该走啦，真的该走啦。别跟着我，我求求你，我还得去一个地方……你现在就走吧，马上回到妈妈身边。这件事我求你啦！这是我对你的最后一个，也是最大一个请求。永远不要离开她，我让她担惊受怕，她未必受得住，或许会死去，或许会发疯。你要和她在一起！拉祖米欣会与你们在一起的；我对他说过……别为我掉眼泪：我要努力一生都做勇敢和诚实的人，尽管我是杀人凶手。或许有一天你会听到我的名字。我不会给你们丢人，你瞧着吧；我要证实给你看……现在暂时分手吧。”他赶紧结束说话，当他最后说到诺言时，发现杜尼娅眼睛里流露出异样的光彩。“你干吗这样伤心？别哭啦，别哭啦；要知道我们并不是永别！……哎呀，对啦！等一等，我忘了……”

他走到桌前，拿起一本厚厚的尘封的书，打开取出夹在书中的一幅小画像，是一片象牙上的水彩画。画像上的姑娘是房东女儿，他从前的未婚妻，死于热病；她曾一心想进修道院，是个性格古怪的姑娘。他仔细看了一会儿这个表情丰富的病容脸孔，吻了吻画像就把它递给了杜涅奇卡。

“我同她曾多次谈论过这件事，只同她一个人，”他若有所思地说，“后来事情搞糟了，可许多想法那时我对她是坦诚相告的。你别不安，”他对杜尼娅说，“她像你一样并不同意，我很庆幸她已经不在人世了。主要的，主要的是现在一切都将是另一个样子，一切都要被消磨掉。”他忽然叫起来，再次陷入自己的烦恼之中。“一切的一切，而我对此是否准备好了呢？我自己是否愿意这样呢？他们说这是为了磨炼我！干吗要这种毫无意义的磨炼呢？等我服完二十年苦役，被苦难和愚钝压垮，苍老无力时，难道我会比现在更好地认罪？再说到那时我还活个什么意思呢？现在我为什么要同意那样活下去呢？唉，今天黎明站在涅瓦河边的时候，我就意识到自己是个卑微的小人。”

他们两人终于走出了房间。杜尼娅很难受，但她爱他！她走了，走出五十来步又回头看他，还能看得见。他走到了街角，也转过头来，两人目光最后一次相遇了。但他一发现她在望着他，便不耐烦地甚至恼怒地挥了一下手，示意她走，自己则快步拐了弯。

“我太狠心，这我知道，”他心里想，过了片刻便因向杜尼娅打了恼怒的手势而感到羞愧，“可是，既然我不值得她们爱，她们却为什么这样爱我呢！啊，如果我是孤身一人，没有谁爱我，我也不爱任何人，那该有多好哇！这一切就不会发生了。试问，难道在今后十五至二十年里，我的心会那么服帖，在人前毕恭毕敬，唯唯诺诺，开口就骂自己是强盗吗？不错，正是这样，正是这样！他们正是为了这个现在要流放我，他们需要的就是这个……他们如今在街上跑来跑去，要知道，本质上他们都是卑微的小人，都是强盗；更糟的他们还是傻瓜！试想一下，如果让我逃避了流放，那么他们所有人都会义愤填膺而发狂！啊，我是多么憎恨他们所有的人！”

他苦苦思索：“可怎么才能达到让我在人们面前不假思索地就服帖，从信念上俯首帖耳呢！但为什么这不可能呢？当然就必然是这样嘛。难道二十年不停的压迫,还不能最终达到目的吗?水滴石穿。要是这样还活着干吗。我明知道一切都将如书上写的那样,我现在为什么还要去自首!”

从昨晚起他这样问自己恐怕已上百次,但他还是去了。

第八章

当他来到索尼娅住处时，暮色已经降临。整整一天，索尼娅在焦虑不安中等着他。她同杜尼娅一起等着。杜尼娅想起斯维德里盖洛夫说索尼娅“知道此事”，一早就来找她了。我们不打算详说这两个女人如何交谈，如何抱头痛哭，如何成为了好朋友。从这次会面中，杜尼娅至少感到了一种宽慰：她哥哥将不会形单影只，因为他来找过索尼娅，他第一个向她做了自白。当他需要人的理解时，他便到她的身上去寻找。不管命运把他抛向何处，她都会随他去。杜尼娅没有问过，但心里明白事情就会是这样。她甚至怀着敬意望着索尼娅，这差点儿使索尼娅窘迫不安。索尼娅几乎要哭出来了，因为她相反认为自己都不配望上杜尼娅一眼。她俩第一次在拉斯柯尔尼科夫房里相遇，杜尼娅郑重礼貌地向她鞠躬告别；从那时起杜尼娅的美好形象，永远铭刻在她的心里，成了她一生中最美好的可望而不可即的偶像。

杜涅奇卡终于失去耐心，就留下索尼娅，自己去哥哥住处等他。她一直觉得他会先到住处来。等只剩了自己一人,索尼娅立刻感到心惊胆战,心想他也许真会去自杀。杜尼娅也担心这个。这一天里,她们两人争先恐后举出各种理由相互说服,证明这事不可能发生。所以当她们在一起时,还感到比较放心。而此刻,她们刚刚分手,两人满脑子就全是想这一件事了。索尼娅回想起昨天斯维德里盖洛夫曾告诉她,拉斯柯尔尼科夫只有两条路可走,或者被流放或者……况且她还知道他有虚荣心,傲慢,自负,又不信上帝。"难道只有胆怯和怕死才能使他活下来?"最后她绝望地这样想。这时,太阳已经落下。她忧心忡忡地站在窗前向外凝视,可隔着窗子只能看见隔壁楼房没有刷浆的墙基。最后,当她确信这个不幸的人死了的时候,他却走进了她的房间。

她发自内心地欢呼了一声。但定神瞧了他的脸色以后,她的脸刷地变白了。

"是呀!"拉斯柯尔尼科夫冷笑着说,"我是来拿你的十字架的,索尼娅。不是你自己要我去十字路口的嘛,现在事情到了这一步,你却胆怯了。"

索尼娅吃惊地望着他。这种口气让她感到奇怪,一瞬间她不寒而栗。但过了一会儿她便恍然大悟,原来这种口气,这番话都是装腔作势。他就连对她说话时,眼睛也望着墙角,似乎避免直接看她。

"你瞧,索尼娅,我想好了,这样或许更有利。这里有一个情况……嗯,说来话长,其实也没什么可说的。你知道唯一让我恼火的是什么吗?我恼火的是,所有这些愚蠢凶残的嘴脸会马上把我团团围住,瞪着眼珠直盯着我,向我提出各种各样非回答不可的愚蠢问题，并且用手指指点点……呸！你知道吗，我不上波尔菲里那里去，我讨厌他。最好到我朋友波罗赫那里，让他大吃一惊，也算产生某种效果。我其实应该冷静一些，近来脾气变得太暴躁了。你是否相信，我刚才几乎是用拳头吓唬我妹妹，就因为她转身来最后看我一眼。这真是猪狗不如了！唉，我怎么会变成这样！好啦，十字架在哪儿？”

他变得魂不守舍，甚至不能静静地待上一分钟，不能集中精神在某件事上。他的思想乱糟糟的，说起什么没个完，手微微地颤抖着。

索尼娅默默地从箱子里拿出两个十字架，一个是柏木的，一个是铜的。她先在自己身上画了个十字，又在他的身上画了十字，然后把柏木十字架挂到他胸前。

“这意思是象征我背上了十字架，嘿嘿！好像到今日为止我受的痛苦还不够！柏木的表示是平民百姓的；而铜的是丽莎维塔的，你自己留着挂，让我看看。这个当时——就挂在她身上？我也见过两个类似的十字架，一个是银的，一个有小圣像。当时我把它们扔在了老太婆身上。那两个现在用倒不错，真的，我戴上那两个就好了……哎呀，我尽胡扯啦，忘了正事。我现在丢三落四的！……你瞧，索尼娅，我特地来这儿是为了预先告诉你，让你知道……就是这样……我来就是为了这个。（嗯，不过我也还想对你多说几句。）你自己不是也希望我去吗，现在我就要坐牢了，你的愿望就实现了。你哭什么呀？你也这样！别哭啦，够了。哎呀，这一切我真受不了！”

然而他也动了感情。他望着她，心都揪了起来。“她干吗要这样，她为什么？”他暗自想道，“我是她什么人？她干吗要哭，干吗也像母亲和杜尼娅那样为我打点上路？快成我的保姆啦！”

“画个十字吧，哪怕祷告一次呢。”索尼娅胆怯地用颤抖的声音求他。

“啊，好吧，只要你愿意多少次都行！而且我是诚心诚意的，索尼娅，我是诚心诚意的……”

其实他想说的不是这个。

他画了几次十字。索尼娅拿起自己的头巾披在头上。这是一块绿色呢料头巾，大概就是马尔梅拉多夫当时提到的“全家合用的”头巾。这个想法在拉斯柯尔尼科夫脑海里一闪而过，但他没有开口问她。的确，他自己已经感觉到神情恍惚，慌乱不安。对此他感到害怕。看到索尼娅想和他一起去，他又突然大吃一惊。

“你干什么！你上哪儿去？你别去，你别去！我一个人走。”他担心而又痛苦地大叫起来，接着几乎气呼呼地朝门口走去。“干吗要带上一批随从！”他出门时还在嘟哝着。

索尼娅留在了屋子中央。他甚至没有跟她告别，他已经把她忘到脑后。他内心涌现出一个挖苦的和表示反对的疑问。

“这样对吗，这一切对吗？”他一面下楼，一面琢磨着。“就不能再等一下，把一切再扭转过来……先不要去？”

但他还是走了。他突然恍然大悟：没有必要再给自己提出问题。走到街上，他才想起没向索尼娅告别，想起索尼娅站在屋中央，披着自己的绿头巾，因他的吼叫而不敢迈步，于是他一下子站住了。就在那一瞬间，一个突如其来的念头令他清醒，仿佛一直在俟机给他彻底的一击。

“我刚才为什么要来找她,目的是什么呢?我对她说有事,有什么事呢?什么事都没有!来宣布*我要走了*,这算什么呢?有这个必要吗!是因为我爱她?不是嘛,不是嘛。刚才我还把她像狗似的赶开了。我真的需要拿她的十字架吗?啊,我是何等地堕落呀!不,我要的是她的眼泪,我要的是看她如何恐惧,如何伤心痛苦!我是需要找点什么借口,拖延时间,看一看她!我居然还敢这么抬举自己,还这么自觉不错,我这个卑鄙的人,一文不值的人,我这个坏蛋,坏蛋!”

他沿着河岸走去,没有多远就到了。可走到桥边他站住了,忽然拐弯上了桥,朝干草市场走去。

他贪婪地四下环顾,仔细瞧着每一样东西,但看什么也无法聚精会神,一切都是浮光掠影。“再过一个星期,再过一个月,我要关在囚车里驶过这座桥,往某个地方押送,那时我看这河会是怎样的呢,最好能记住现在的样子。”他的脑海里闪现了一个念头,“这是一块招牌,到那时我会怎样读这些字母呢?瞧,这儿写着‘合股公司’,好吧,得记住这个a,字母a;一个月以后再看看它,看看这个字母a,看那时它是怎样的。到那时我会有怎样的感触和想法呢?……天哪,所有这一切,我现在的这些……心思,想必都是卑微庸俗的。当然,所有这些大概也还有趣……(哈哈!看我在想些什么!)我简直成了小孩子,自吹自擂;不过,我又干吗要自己骂自己呢?哎哟,多么拥挤呀!瞧,这个胖子,德国人,一定是他撞了我一下。可他知道他撞了个什么人吗?这个乡下女人抱着孩子在乞讨,有趣的是她以为我比她幸福。怎么,给点钱高兴一下。真巧，口袋里还有五戈比，是哪儿来的？给，给……拿着吧，大娘！"

"上帝保佑你！"女乞丐哽咽地说道。

他走进了干草市场。他不愿意，非常不愿意同人们挤在一起，然而他却偏往人多的地方走去。如果能独自一人待着，他甚至宁愿献出自己的一切；不过他自己也感到，独自一人他连一分钟也待不住。人群里一个酒鬼正在大出洋相：他一心想跳舞，但总是跌跤。人们把他团团围住。拉斯柯尔尼科夫挤进人群，看了那个醉鬼几分钟，忽然发出咯咯的笑声。可一转眼他就忘记了这个醉汉，甚至对他视而不见。最后他离开人群，却弄不清自己在什么地方。当他走到广场中央时，突然感到一阵冲动，一种情绪立刻控制了他，控制了他的整个身心。

他蓦地想起索尼娅的话："去站到十字路口，先跪下吻一吻被你玷污了的大地，然后向四周整个的世界大声说：'我杀了人！'"想到这番话，他不禁浑身打战。在整个这段时间里，尤其是最后几小时，他被无可排遣的痛苦和慌恐压得近乎窒息，这时就紧紧抓住机会想获得一种纯洁的、全新的、丰富的感受。这情绪是骤然暴发的，宛如内心有颗火星突然变成大火燃遍了全身。他的心一下子软了下来，泪如泉涌。他就地扑倒了……

他感到一种欢乐和幸福的心境，在广场中央跪下，叩头到地，吻着这肮脏的土地。他站起来，又跪倒一次。

"瞧，他喝醉啦！"他身边的一个小伙子说道。

响起了一阵笑声。

"他这是要去耶路撒冷，弟兄们，他在向孩子们，向家乡告别，他是向整个世界行礼，是在吻首都圣彼得堡和它的土地。”一个微醉的市民接着说。

“还是个年轻小伙子！”另一个人插嘴说。

“是个体面人！”有人郑重地指出。

“如今哪分得清谁是体面的，谁是不体面的。”

这些议论和对话阻止了拉斯柯尔尼科夫“我杀了人”这句话或许已经准备脱口而出，却被咽了回去。但他心平气和地忍受了这些叫喊，目不旁顾地径直穿过胡同朝警察分局走去。一路上有个人影在他眼前一晃而过，但他丝毫没感到惊奇。他已经预感到一定会是这样。当他在干草市场第二次叩了头，朝左转身，在离他五十步远的地方，他看见了索尼娅。她躲在广场上一排木棚的后面，怕他发现。看来在他这段痛苦的行程中，她一直伴着他！此刻拉斯柯尔尼科夫感觉到也理解到，不管命运把他抛向何方，哪怕是天涯海角，索尼娅从此将永远同他在一起。他感到心如刀绞……这时他来到了决定命运的地方了……

他振作起精神，走进了院子。应该上三楼。“还得上楼呢。”他寻思道。总之，他觉得离决定命运的时刻还远，还有不少时间，许多东西还可以再想想。

在那螺旋形的楼梯上，依然到处是垃圾和果壳，一些房门依然大开着，从厨房里依然飘来阵阵油烟和臭味。从那以后拉斯柯尔尼科夫再没来过这里。他的两腿发麻发软，但他仍向上走。现在他停留片刻，歇口气，整理一下衣服，以便进去时像个人样儿。“这是为啥呢？目的是什么呢？”意识到自己这一举动后，他突然想，“倘若不得不喝下这杯苦酒，那还不是一样吗？越令人厌恶越好。”这时他脑海里出现了伊里亚·彼得罗维奇·波罗赫的模样。“难道真的去找他？不能找别人吗？不能找尼科季姆·福米奇吗？要不马上转身去家里找探长本人？至少一切可以在私下进行……不行，不行！就找波罗赫！找波罗赫！要喝苦酒，就一口气喝干……”

他浑身发冷，脑子里几乎一片空白。就这样他推开了刑侦科的门。这一次里面只有寥寥数人，站着一个看门人，还有一个平民。警卫也没有从自己的间壁后面探头看一眼。拉斯柯尔尼科夫走进第二个房间。“说不定还可以先不说呢。”这念头在他脑海里一闪而过。里面有一个录事，穿着普通上衣，煞有介事地端坐在办公桌旁抄写着什么。墙角还坐着一个录事。扎米托夫不在。尼科季姆·福米奇当然也不在。

“没有人吗？”拉斯柯尔尼科夫向那个坐在办公桌旁的录事问道。

“您要找谁？”

“啊哈！真是闻所未闻，见所未见，而俄罗斯精神……童话里是怎么说的……我忘了！您好哇！”一个熟悉的声音冷不丁地叫了起来。

拉斯柯尔尼科夫浑身一抖。他面前站着波罗赫，是从第三个房间突然走出来的。“这可是命中注定，”拉斯柯尔尼科夫心想，“他为什么会在这里？”

“找我们来了？有什么事？”伊里亚·彼得罗维奇大声说，（看来他心情极好，甚至有点兴奋。）“要是有事，您可来早啦。我本人也是碰巧在这儿……不过我尽力帮忙。我对您说实话……您怎么称呼？对不起……”

“拉斯柯尔尼科夫。”

“我还不知道拉斯柯尔尼科夫！难道您真以为我忘记了！请您别把我看成那种人……我是问罗季昂·罗……罗……罗季昂·罗曼诺维奇，这样对吗？”

“是罗季昂·罗曼诺维奇。”

“对，对啦！罗季昂·罗曼诺维奇，罗季昂·罗曼诺维奇！我愿意效劳。我甚至多次打听过您。我对您说实话，从那以后我真心地懊悔当时那样对待您……后来有人告诉我，我才知道您是一位年轻的作家，甚至是一位学者……也就是说刚崭露头角……啊，天哪！哪一个文人和学者最初不会做出一些新奇的举动！我和我的妻子，我们俩都尊重文学，我的妻子简直是酷爱文学！……她酷爱文学和艺术！一个人只要品德高尚，那么其余的一切都可以靠才赋、靠知识、靠理智、靠独创来获得！比如说帽子，帽子是什么呢？帽子不过像张薄饼，我可以在齐默尔曼的商店里买到。但是帽子底下保护着的东西，帽子所遮盖的东西，我可买不到！……说实在的，我甚至想去找您解释一下，又一想您或许……不过，我还没问：您真的有事吗？听说，您的家人来了？”

“是的，家母和舍妹来了。”

“我有幸见过了令妹，她是一个有教养又漂亮的女子。说实在的，我很懊悔当时我们那么冲动。案子太复杂了！对您晕倒这件事，当时我是有了某种看法，可后来一切都得到了最好的解释！过于残忍和狂热了。我理解您的愤慨。或许由于家人过来，您要换套房子吧？”

“不，我只是……我顺便来问问……我以为在这儿能找到扎米托夫。”

“啊，对啦！你们俩的关系不错吗，我听说了。可扎米托夫不在我们这儿，您见不到他。是呀，我们少了个亚历山大·格里戈里耶维奇！从昨天起，他就不属这里的人了；他调走了……调走时他甚至同所有的人都吵了架……甚至是极其粗暴……是个浮躁的毛孩子，仅此而已。他本来还是很有前途的。可我们的这些出类拔萃的年轻人是很怪的。他想参加什么考试，其实在我们这里只不过说说而已，吹吹牛，考试的事也就这样不了了之。您或者那位拉祖米欣先生，您的朋友，可就不同啦。你们的前途在学术方面，失败不会使你们泄气！对您来说，生活中的这些美事，可以说是 nihil est[①]，可说是禁欲主义者、僧侣、隐士！……对您来说，书本、夹在耳后的笔、学术研究，这些才是您的志向所在！我自己也……您读过利文斯敦[②]的游记吗？”

“没有。”

“我读了。现在到处都有许多虚无主义者；要知道，这是可以理解的；我问您，这是什么样的时代？不过，我和您……您当然不会是虚无主义者！请坦率地、直言不讳地告诉我！”

“不，不是……”

“不，您要坦率地跟我说，别不好意思，就像对自己一个人说！公事是公事……您以为我要接着说：友谊是友谊？不，您没

①拉丁文：微不足道。

②大卫·利文斯敦(1813—1873)，英国的非洲考察家。这里是指他的著作《赞比西河游记》。

猜对！我不是说友谊，而是要说公民的感情和人的感情、人道主义和对上帝的爱。我可能执行公务，我可能是个官员，但我必须永远意识到并明白，我是一个公民，是一个人，并承担起责任……您刚才不是提到扎米托夫吗，扎米托夫能在不体面场所，喝上一杯香槟或顿河葡萄酒，便模仿法国人丢人现眼，大出其丑。您的扎米托夫就是这种人！而我呢，或许可以这么说，我有满腔的忠诚和崇高感情。此外，我还有价值，有官衔和职位！我有妻儿。我履行一个公民和人应尽的义务，可请问他是什么人呢？我把您看做是一个有教养的高尚的人。还有就是那种接生婆[①]现在多得遍地皆是。”

拉斯柯尔尼科夫不解地扬起眉毛。伊里亚·彼得罗维奇显然刚从桌旁走出来，他讲的这番话听起来如同空无内容的声响。不过他多少还是听懂了一些；他探询地望着，不知道这一切将如何结束。

“我是说那些剪短发的姑娘们，”伊里亚·彼得罗维奇又唠唠叨叨地接着往下说，“我自己把她们称之为接生婆，并且发现这一称呼十分贴切。嘿嘿！她们非要上医学院，学什么解剖。可您说说，假如我生病了，我会去请一个年轻的姑娘来看病吗？[②]嘿嘿！”

伊里亚·彼得罗维奇哈哈大笑起来，十分得意自己这番俏

①指受过教育的女子。19世纪60年代的俄国，妇女在接受教育方面受到很大限制。通常她们只能学习并从事两种职业：助产士和教师。

②1861年，基辅的《当代医学报》上曾登出一篇小品文，小品文作者称：“如果女医生们要去医治那些只有男人们才会得的病，她们就会落入一个尴尬的境地。”皮萨列夫曾反驳过这篇小品文的作者。在这里，陀思妥耶夫斯基让小说中的人物“复述”了那位小品文作者的可笑观点。——俄编注

皮话。

“假设说吧，受教育的渴望有些缺乏节制，那么一个人受了教育也就够了，干吗要滥用知识呢？干吗要侮辱高尚的人格呢，像扎米托夫的所作所为？他干吗要侮辱我，您说呢？再比如这种自杀现象那么流行，您简直无法想象。挥霍完最后一个戈比，就自杀了事。有姑娘，有小伙子，也有老头儿……就在今天早上报告说死了个刚来此地的先生。喂，尼尔·巴特雷奇，尼尔·巴特雷奇！刚才报告说的那位在彼得堡区开枪自杀的先生叫什么名字？”

“斯维德里盖洛夫。”有人在隔壁房间里用嘶哑而冷漠的声音回答。

拉斯柯尔尼科夫打了个冷战。

“斯维德里盖洛夫！斯维德里盖洛夫开枪自杀啦！”他叫了起来。

“怎么！您认识斯维德里盖洛夫？”

“是的……我认识……他是不久前来到这里的……”

“对，不久前来到这儿的。他是个鳏夫，是一个放荡不羁的人，突然开枪自杀；而且那情形很丢人，真是无法想象……他在自己的笔记本上留了几句话，说他自杀时神志清醒，不要把他的死归咎于任何人。据说这个人很有钱。您怎么认识他的？”

“我……认识他……舍妹曾在他家里当过家庭教师……”

“啊，啊，啊……看来您可以给我们提供些情况了。您也没料到吧？”

“我昨天看见过他……他……在喝酒……我什么也不知道。”

拉斯柯尔尼科夫仿佛觉得有什么东西砸到他身上,压得他喘不上气来。

“您好像又脸色发白了。我们这里太气闷……”

“是的,我该走啦,”拉斯柯尔尼科夫嗫嚅地说,“对不起,打扰了……”

“噢,不客气,欢迎常来!我很愉快,我要说……”

伊里亚·彼得罗维奇甚至伸出手来。

“我只想……我只想找扎米托夫……”

“我明白,我明白,见了您很愉快。”

“我……我很高兴……再见……”拉斯柯尔尼科夫微笑着。

他走了出来,身子摇摇晃晃,头昏目眩。他感觉不出自己是否还站得住。他右手扶着墙,开始往楼下走。他仿佛觉得一个看门人手里拿着一个簿子,迎面上楼去刑侦科时,撞了他一下;一楼某处像有条狗汪、汪、汪地狂吠;一个女人用棒槌朝狗砸去,并且尖声叫喊。他下了楼,走到院子里。就在院子里离大门口不远的地方站着脸色煞白、呆若木鸡的索尼娅,她神色古怪地,非常古怪地望着他。他在她的面前站住了。她脸上流露出某种痛不欲生的感情,绝望的感情。她困惑地两手一摊。他的嘴角上浮现出一丝难看的,不知所措的微笑。他站了片刻,冷笑一声便转身上楼,又回到了刑侦科。

伊里亚·彼得罗维奇坐着,正在公文堆里翻腾着。他的面前站着一个人,正是刚才上楼时撞了拉斯柯尔尼科夫的看门人。

“啊——啊——啊?您又回来啦!忘了什么?……您怎么啦?”

拉斯柯尔尼科夫的嘴唇变得苍白，眼神呆呆的，无声无息朝他走去，走到桌子跟前，一只手扶着桌子，嘴里想说却说不出来，只发出断断续续的一些声音。

“您病啦，有椅子！给，坐在椅子上，坐下吧！拿水来！”拉斯柯尔尼科夫坐到椅子上，一直目不转睛地盯着伊里亚·彼得罗维奇那张令人不快的愕然面孔。他俩彼此对望了一会儿，互相等待着。水端来了。

“是我……”拉斯柯尔尼科夫开口说道。

“喝水吧。”

拉斯柯尔尼科夫用手推开水，声音不高，舒缓而清晰地说道：

“是我用斧子砍死了那个官太太和她的妹妹丽莎维塔，并抢了东西。”

伊里亚·彼得罗维奇惊得目瞪口呆。人们从四面八方跑了过来。

拉斯柯尔尼科夫又把供词说了一遍。

尾　声

第一章

西伯利亚，一条宽阔而荒凉的大河，岸边有一座城市，是俄国的行政中心之一；城里有一座要塞，要塞里有一座监狱[①]。二级流放苦役犯罗季昂·拉斯柯尔尼科夫已经在这座监狱里关了九个月。从他犯罪时起，已过去将近一年半的时间。

他的案子审理起来并不棘手。犯人没有混淆案情，没有为减刑而避重就轻，没有歪曲事实，也没有遗漏细枝末节。他坚定、准确和清晰地认定自己的供词。他详尽无遗地供述了整个凶杀过程：他揭开了被杀老妪手中一件抵押品（一块钉着铁皮的木板）的秘密；他详尽地讲了如何拿到死者的钥匙，描述了钥匙的式样，箱子的式样以及箱里塞满了什么东西；他甚至还列举出箱子里的几样物品；他解开了丽莎维塔被害之谜；他供述了科赫是怎样上楼，怎样敲门，随后又怎样来了一个大学生；他还复述出这几个人当

---

①从作者描写的环境看，这是西伯利亚鄂木斯克监狱，位于额尔齐斯河岸。他本人曾在此服刑四年。

时的对话；他供述了自己作为罪犯当时是怎样跑下楼梯的，并且听到了米柯尔卡和米杰卡的惊叫声；他讲述了他如何躲进一套空房，如何回家的；最后他指出那块石头在沃兹涅先斯克大街的一个院子里，就在大门旁边。人们在石头下面果然找到了物品和钱袋。总之，案情一清二楚。然而，侦探和法官都觉得不可思议，为什么他把钱袋和物品藏在石头底下不用呢；而且更难理解的是，他不仅不清楚具体抢了些什么东西，而且甚至说不出有多少件。尤其令人难以置信的是，他说一次也没有打开过钱袋，甚至也不知道里面放着多少钱(原来钱袋里有三百一十七银卢布和三枚二十戈比的硬币；由于长时间压在石头底下，上面几张面额最大的纸币已经严重污损)。他们花了很长时间想弄清楚，为什么罪犯在其他方面都供认不讳，并且完全属实，单单在这一点上没说实话。最后有些人(特别是一些心理学家)认为完全有可能是这样：他的确没有看过钱袋，因而不知道里面有什么东西，就这样把钱袋塞到了石头下面。由此他们立刻得出了一个结论：他犯罪只可能发生在一时的某种神经错乱之中，也就是说出于病态的杀人狂和抢劫狂，并没有下一步的目的和谋财的企图。这里正巧用上了最新的时髦理论——一时性神经错乱理论，现在常常用这一理论来解释某些犯罪的起因。况且，许多证人，佐西莫夫医生，他从前的同学，女房东以及女仆，都据实证明了拉斯柯尔尼科夫很久以来一直患有忧郁症。所有这一切有力地肯定了这样一个结论：拉斯柯尔尼科夫与一般的杀人凶手、强盗和抢劫犯不完全相同，这里是另一种情况。不过，坚持这一看法的人感到极大遗憾的是，罪犯本人却几乎没有尝试为自己辩护。对于最后两个问题——

是什么促使他去杀人,是什么促使他去抢劫,他回答得十分清楚,再准确不过了:原因是处境恶劣,贫穷无助,期望从被害人那里至少得到三千卢布,来维持初入社会的生计。他之所以决意去杀人,是由于他生性轻率而怯懦,加之受到贫穷和挫折的刺激。对"是什么促使他前来自首的"这个问题,他回答得非常干脆:是真诚的悔悟。所有这一切都显得过于简单了……

然而判的结果照他所犯的罪行来说,比意料的还要轻得多;这或许正是因为犯人非但不想为自己辩解,甚至本人希望严判。对案件的种种奇特情况,也都给予了考虑。犯人犯罪前不正常的心理状态和贫困的处境,没有遭到任何置疑。他没有挥霍赃物这一情况,则被认为部分是由于有了悔悟之心,部分是由于他犯罪时精神不完全正常。误杀丽莎维塔这一情况,甚至成了证实上述第二种判断的佐证:一个人在实施两次谋杀时,竟会忘记了关门!最后,他前来投案自首之时,此案正因一个意志沮丧的狂热信徒(尼古拉)提供了假供词而陷入极度的混乱,而对真凶不仅没有掌握任何明确的证据,甚至几乎没有丝毫的怀疑(波尔菲里·彼得罗维奇完全信守了自己的诺言)。所有这一切对量刑从轻起了决定性的作用。

此外,完全出乎意料地还出现了其他一些极其有利于被告的情况。前大学生拉祖米欣从某处了解到的情况证明,犯人拉斯柯尔尼科夫在大学读书期间,曾倾其所有资助一个家境贫困、肺病缠身的同学,长达半年之久。同学死后,他又照顾起已故同学还活着的年老多病的父亲(那个同学几乎从十三岁起就干活赡养自己的父亲),最后把这位老人送进了医院,在他死后还替他料理了后事。所有这些事在决定拉斯柯尔尼科夫命运时都起了某种有益的作用。拉斯柯尔尼科夫以前的女房东，即病故未婚妻的母亲，寡妇扎尔尼岑娜也作证说，当他们还住在五角地周围的另一幢房子里的时候，有一天夜里着火，拉斯柯尔尼科夫从已经起火的房间里救出两个幼儿，自己则被烧伤。这件事经过详细调查，得到许多人的证实。总之，由于考虑到投案自首和其他有助于减刑的情况，犯人最后被判只服八年二级苦役。

早在审判初期，拉斯柯尔尼科夫的母亲就病倒了。杜尼娅和拉祖米欣设法使她在整个审判期间离开彼得堡。拉祖米欣选择了一个离彼得堡不远、在铁路线旁的城市，以便能够经常关注审判情况，同时又有更多机会见到阿芙多季娅·罗曼诺芙娜。普莉赫里娅·亚历山德罗芙娜的病是一种有点儿奇特的神经性疾病，伴有类似神经错乱的症状，即使不是完全的神经错乱，至少部分地是这样。杜尼娅与哥哥见了最后一面之后回到家时，发现母亲已经病得很重，发烧，说胡话。就在当天晚上，她与拉祖米欣商量好了，要母亲问起哥哥该怎么回答。她甚至还跟他一起编了一通故事来哄骗母亲，说拉斯柯尔尼科夫因一项最终会名利双收的私人委托业务，到很远的俄罗斯边疆去了。然而令他们诧异的是，普莉赫里娅·亚历山德罗芙娜不管当时还是以后，都没有问起任何拉斯柯尔尼科夫的事。相反倒是她自己想出一个儿子突然出远门的故事；她哽咽着说，他曾前来向她告别；同时她又暗示，只有她一人知道许多最重要的、最秘密的情况；还说拉斯柯尔尼科夫有许多非常厉害的敌人，因此他不得不躲藏起来。而至于他的前程，她认为等某些不利的因素一消失，他的前程毫无疑问仍然是美好的。她要拉祖米欣相信，她的儿子将来甚至会成为国家栋梁，他的那篇文章和他那文学才华就是证明。她不断地看那篇文章，有时甚至是大声朗读，几乎连睡觉时都书不离手；但她几乎没有问过罗佳此刻在什么地方，尽管他们显然是避免同她谈这个话题，单是这一点已足能引起她的疑心。后来，普莉赫里娅·亚历山德罗芙娜对一些事出奇地保持沉默，引起了他们惊恐不安。比如她不再像从前那样埋怨他不给她写信，那时她住在自己的小镇上，整天眼巴巴就是盼着快些收到自己心爱的罗佳的来信。现在的情形实在无法解释，杜尼娅由此感到非常不安。她脑海里出现了这样的念头：或许母亲预感到儿子遭遇了厄运，不敢打听，怕听到更可怕的消息。不管怎样，杜尼娅已经看得很清楚，普莉赫里娅·亚历山德罗芙娜的神志已不很正常了。

不过，有两次是她自己把话扯到了这个问题上。结果他们回答时就不能不提到罗佳现在在什么地方，由于回答必然不会令她满意并且引起了她的怀疑时，她突然变得极其忧伤，抑郁，沉默寡言，这种情况持续了很久。杜尼娅终于发现，很难编一套谎言来自圆其说，于是她得出最后的看法：对某些事最好绝口不谈；但情况却越来越明朗：可怜的母亲猜到了某种可怕的事。与此同时，杜尼娅回想起哥哥曾说过，在最后决定命运的前一天夜里，也就是她与斯维德里盖洛夫见面后的那夜，母亲听到她在说梦话；是不是那次她听到了什么呢？常常是这样，一连几天甚至几个星期她忧心忡忡、沉默着暗自流泪，然后就歇斯底里地兴奋起来，突如其来大声说起儿子，几乎一刻不停，说起自己的希望，说起未来……她的幻觉有时非常古怪。他们安慰她，附和着她（她自己大概也看得清楚人们是在附和她，无非想给她安慰），可仍然不停地说着……

拉斯柯尔尼科夫投案五个月后，被判了刑。拉祖米欣一有机会便去探监。索尼娅也同样如此。最后，离别的日子来到了；杜尼娅向哥哥保证，说这次离别决不是永别；拉祖米欣也同样这么说。在拉祖米欣那年轻而炽热的心里，已经有了一个坚定不移的计划：在今后三四年里尽可能为未来打好基础，至少攒下一笔钱，然后搬到西伯利亚去；那里资源丰富，但缺少劳力、居民和资本；到那儿在罗佳将去服役的城市定居下来……一起开创一种新生活。离别时他们都流了眼泪。最后的几天里，拉斯柯尔尼科夫心事重重，他仔细打听母亲的状况，经常为她感到惊恐不安。他甚至为母亲感到痛苦不堪，这使杜尼娅忧心忡忡。当详细了解到母亲反常的情绪后，他变得非常消沉。不知怎的，他与索尼娅一直是特别不爱说话。索尼娅利用斯维德里盖洛夫留给她的钱，早已准备好行装，要跟着他这一批犯人一起走。此事她从没向拉斯柯尔尼科夫提过一个字，但俩人已是心照不宣，知道事情一定是这样的。在最后告别时，妹妹和拉祖米欣都热情地保证说，等他刑满之后他们会有一个美好的未来。对此他只报以古怪的一笑，并预言母亲的病情很快会导致不幸。他同索尼娅终于动身出发了。

两个月后，杜尼娅嫁给了拉祖米欣。婚礼有些凄凉冷清。不过，应邀的来宾中有波尔菲里·彼得罗维奇和佐西莫夫。近来拉祖米欣的样子像个胸有成竹的人。杜尼娅不假思索地相信他定能实现自己的一切计划，而且她也不可能不相信，因为他身上显现出了坚强的意志。他又开始去大学听课，以便完成学业。他俩都在不断地琢磨未来的计划;两人都打定主意五年后一定迁到西伯利亚去。在这之前他们就倚仗索尼娅了……

普莉赫里娅·亚历山德罗芙娜兴高采烈地为女儿与拉祖米欣结婚祝福;但婚礼以后她似乎越发闷闷不乐,心神不宁。为了使她高兴,拉祖米欣顺便告诉了她那个大学生和年老病父的事;讲了拉斯柯尔尼科夫去年还为救出两个孩子被烧伤,甚至病了一场。这两个消息使本来已经神志失常的普莉赫里娅·亚历山德罗芙娜几乎进入狂喜状态。她喋喋不休地唠叨着这两件事,在马路上逢人就说这两件事(尽管杜尼娅一直陪伴在她身边)。在出租马车上,在店铺里,只要有人感兴趣,她便谈起自己的儿子:他发表的文章,他如何资助一个大学生,如何在火灾中被烧伤,等等。杜涅奇卡简直不知道怎样阻止她。除了病态的兴奋情绪会带来危险以外,还担心有人可能联想到不久前判决的案件中有拉斯柯尔尼科夫的名字,会谈起此事。普莉赫里娅·亚历山德罗芙娜甚至还打听到了火中被救的两个幼儿的母亲住在什么地方,执意要前去拜访。后来她的惶恐不安达到了极点:她时而忽然哭泣,不断生病,发烧多有呓语。一天清晨她干脆宣称,根据她的推算,罗佳不久就该回来,她记得他在同她告别时亲口说过,九个月后等他归来。她开始打扫屋子,准备迎接他的归来;她开始收拾留给他住的房间(就是她自己住的房间),擦家具,拖地板,换新窗帘,等等。杜尼娅心里非常不安,但没有做声,也帮助母亲布置房间准备接待哥哥。普莉赫里娅·亚历山德罗芙娜在不断的遐想、兴奋的幻觉和满面泪水中度过了不安的一天,夜里就病倒了,到第二天早上已经发起高烧,神志不清。她得了热病。两个星期后,她死了。她昏迷时说了些话，从这些话来判断，她揣想中儿子的命运，甚至比人们估计的要可怕得多。

拉斯柯尔尼科夫很长时间并不知道母亲去世的消息，尽管他在西伯利亚一安顿下来就与彼得堡通信了。他们的通信是通过索尼娅实现的，索尼娅每月按时以拉斯柯尔尼科夫的名义给彼得堡写信，每月按时收到彼得堡方面的来信。起初，杜尼娅和拉祖米欣觉得索尼娅写的信干巴巴，读来很不满足；但后来他俩却觉得，信写得再好不过了，因为根据这些来信他们最终也能全面准确地了解那位不幸哥哥的处境。索尼娅在信中写的都是最普通的日常琐事，她极其简单明了地叙述了拉斯柯尔尼科夫苦役生活的全部情形。信中既没有写任何她个人的希望，她对未来的揣测，也没有写她个人的感情。她并不试图去说明他的精神状态和他的内心世界，而只是记述了事实：也就是他亲口说的话，关于他身体的详细情况，探视时他有些什么愿望，向她提过什么要求，托她干什么事，等等。所有这些情况都写得详尽无遗。于是，不幸哥哥的形象便跃然纸上，那么逼真，那么清晰；这里决不会弄错什么，因为清一色是可信的事实。

然而，在这些信里，尤其是最初阶段，杜尼娅和她丈夫得不到什么令人宽慰的消息。索尼娅不断地告诉他们，他总是愁眉苦脸，沉默寡言，甚至对她每次收到信后转告他的消息几乎无动于衷；他时而问起母亲的情况，当她发现他已猜到真相时，终于把母亲去世的噩耗告诉了他；而令她惊奇的是，就连母亲去世的消息似乎也没有对他产生很大影响，至少从表面上来看是如此。她还告诉他们，尽管他显然越来越孤僻，仿佛与世隔绝，但他对自己的新处境处之坦然。他非常清楚自己的境遇,不企盼近期会有什么改善,也不抱有任何不切实际的希望(处在他的境地必然如此);他在这个与过去截然不同的新环境中对什么都丝毫不感到惊异。她在来信中说,他的身体状况还可以。他去干活,既不偷懒,也不抢先。对伙食他几乎也无所谓,但除了星期日和节日以外,饭菜实在太糟糕。他最后还是同意从她索尼娅那里拿些钱去,以便每天喝上一杯茶;其余的事他则要索尼娅不必操心,并说这样为他操心只会让他难受。接下来索尼娅在信中说,他与其他犯人同住一室,她没有见过牢房里面的情形,但她断言里面拥挤,杂乱,肮脏;他睡在铺板上,垫着一条毡子,其他什么都不要。然而,他过得这么简朴穷困,完全不是出于某种想好的计划或意图,只不过是对自己的命运毫不在意,外表上相当冷漠。索尼娅在信中坦率地写道,他不仅不喜欢她去探监,最初几乎是恨她去探视,不同她说话,甚至待她粗暴。但后来她的探视终于成为他的一种习惯,甚至快成了他必不可少的需求。结果当有几天她因生病无法去看他时,他甚至是牵肠挂肚。每逢节日,她便在监狱的大门口或者警卫室里与他见面,他被叫到那里跟她见上几分钟;平时干活时,她则去他干活的地方见他,不是在作坊里,就是在砖厂,或者额尔齐斯河岸边的棚子里。[①]至于她自己,索尼娅在信中告诉他们说,她在城里已经顺利地结识了一些人,并且有了些依靠;还说她在当裁缝,由于城里几乎没有做时装的女裁缝,她对许多家庭来说已是必不可少的人;只不过她没有提起由于她的缘故,

---

①这里的描述具有自传色彩,陀思妥耶夫斯基曾与犯人们一起去离要塞数里之外的砖厂干活。

拉斯柯尔尼科夫得到典狱长的庇护,派给他的活儿也减轻了,等等。最后传来了一个消息(在索尼娅最后的几封信中,杜尼娅甚至觉察到了某种特别的不安和惊慌),说他回避与别人接触,监狱里的苦役犯都不喜欢他;他一连几天沉默不语,面孔苍白。突然在最近的一封信中索尼娅写道,他得了重病,躺在医院里,在囚犯的病房里。

第二章

他病了已经很长时间，但把他压倒的，不是可怕的苦役生活，不是苦工，不是难以下咽的饭菜，不是剃光的头，不是布条囚衣。啊，对他来说这种艰苦和折磨算不了什么。恰恰相反，他甚至喜欢干活；因为累得筋疲力尽，他至少可以安安稳稳睡上几个小时。对他来说，浮着蟑螂的清水菜汤又算得了什么呢？从前当大学生时他常常连这样的菜汤都喝不上呢。衣服是暖和的，也适合他现在的生活。他甚至都感觉不到戴着镣铐。他用得着对自己剃光头和穿拼条囚衣感到羞耻吗？在谁的面前感到羞耻呢？在索尼娅的面前？可索尼娅是怕他的，他会在她面前感到羞耻吗？

可实际上呢？他连在索尼娅面前也羞愧难当，别看他因此而对她态度轻慢粗鲁。不过他羞愧的不是剃光头和上镣铐。他羞愧而是因为自尊心受到了巨大打击；他病倒正是起因于被摧毁的自尊心。啊，假如他能够自责罪己，那他是何等幸福哇！那样他就能忍受一切了，甚至能忍受耻辱。他对自己进行了严厉的考察，但他那铁面的良知在他过去的行为中没有发现任何特别可怕的罪行，只找到一点儿普通的失误，而失误是任何人都会有的。他感到耻辱的正是因为他，拉斯柯尔尼科夫，受无法左右的命运的指使，就这样盲从地彻底地稀里糊涂毁掉了自己，而如果他想做到多少问心无愧，就得接受和服从某个“荒唐”的判决。

现在是承受莫名的惶恐，而将来则是不停地牺牲，牺牲却又毫无所获，这就是他在世上所面临的命运。至于说再过八年他还只有三十二岁，还可以重新开始生活，那又有什么意义呢？他为什么要活着呢？有什么奔头？有什么追求？难道仅为了生存而活着吗？就是在过去，他也曾千百次矢志为思想，为希望，甚至为幻想而献出自己的生存。他向来不满足于仅仅生存；他总是希望更多的东西。也许只是凭着自己有极其强烈的希望，他当初才自认为比他人拥有更多的特权。

倘若命运能赐给他悔恨之心，一种强烈的悔恨，刻骨铭心，长夜难眠，痛苦得恨不得自缢投河，那该多好！啊，他会为此而感到高兴的！痛苦和泪水，同样也是生活呀。然而他没有悔恨自己犯罪。

至少他本可以恨自己的愚蠢，就像他以前恨自己那些使他锒铛入狱的荒唐而愚笨的行为。不过现在，当他已经身陷囹圄，时间有了自由，再仔细考察思索自己过去的行为，却根本不觉得愚蠢荒唐，像先前危机时刻所感觉到的那样。

“我的思想在哪一点上，”他思忖着，“比其他的思想和理论要愚蠢呢？那些思想和理论早自这个世界诞生就一直存在并相互冲突着。只要用完全独立的、宽广的、不落俗套的眼光来观察，那么我的思想就完全不是那么……古怪。啊，卑微的否定者和哲人，你们为什么要半途而废呀！"

"我的行为中有什么让他们觉得荒唐呢，"他扪心自问，"因为我的行为是一种恶行？'恶行'意味着什么？我问心无愧。当然，我犯了刑事罪；当然，我犯了法，杀了人，那你们就依法杀我的头好啦！……仅此而已。当然，如果是这样的话，许多人类的救世主若非继承来的权力，而是夺取来的权力，那也就在刚刚创业时便被送上绞架了。可是这些人迈过了第一步，因此他们就正确了，而我没有迈过去，因此我就没权利这么做。"

他也仅仅是在这一点上承认自己是有罪的：那就是他失败了，因此他去投案自首。

他还因为一个想法而痛苦不堪：当初他为什么没有自杀？当初他为什么在河边徘徊却选择了投案自首？难道活下去的愿望有那么强烈，而战胜这种愿望竟会那么困难？怕死的斯维德里盖洛夫不是战胜了吗？

他常常痛苦地向自己提出这个问题，他不理解，早在他徘徊河边时他可能已经预感到自己身上和自己的信念中有着极大的虚伪性。他不理解，这种预感可能成为他生活中未来转机的一个先兆，他将来精神复活的一个先兆，他后来获得新人生观的一个先兆。

他倾向于认为这只是一种愚钝而沉重的本能，他无力摆脱和超越（由于软弱和渺小）的本能。他看看与他同狱的囚犯们，不禁好生奇怪：他们也都是那么热爱生活，那么珍惜生活！他特别地觉得，人们在监狱里要比自由时加倍地热爱生活，加倍地珍惜生活。他们之中有些人，比如流浪汉，什么可怕的痛苦和折磨没有经受过！对他们来说，难道一丝阳光，一片茂密的森林，某处荒原上的一股清泉，能有很大的意义吗？可是他们提早两年就思念起这些地方，像渴望见到情人那样企盼着，会在梦里见到它，梦见清泉周围的绿茵，灌木丛中啼啭的小鸟。随着进一步的观察，他发现了一些更难解释的事情。

当然，在监狱里，在他周围的人群里，他有许多事情没有注意到，而且也根本不想去注意。他似乎垂下眼睛过日子，因为看着感到厌恶，不堪忍受。但到最后还是有许多事情让他惊奇，他好像不由自主地开始留意那些他先前没想到的事情。最使他吃惊的，是在他与所有这些人之间横着一条不可逾越的可怕的鸿沟。他与他们好像是两个民族。他与他们彼此猜疑，互相敌视。他知道并理解产生这种分歧的一般原因，不过他以前无论如何也没料到，这种原因实际上会这么深刻而强大。监狱里还有被流放的波兰人，都是政治犯，他们简直把这一群人视做野蛮人和奴仆，看不起他们。拉斯柯尔尼科夫则不是这样看待他们的，他看得很清楚，这些野蛮人在许多方面远比那些波兰人聪明。这里也有些俄国人，比如一个从前的军官，两个神学院的学生，他们同样极其瞧不上波兰人。拉斯柯尔尼科夫也清晰地看出了他们的错误。

至于他自己，这里的人都不喜欢他，避免同他接触。后来甚至仇视起他来，为什么呢？他也不知道。那些罪行比他要严重得多的囚犯，都鄙视他，嘲讽他，嘲讽他所犯下的罪行。

“你是个老爷！”他们对他说，“你哪能随身带着斧头；这压根儿不是老爷们儿干的事。”

在大斋[1]的第二个星期，轮到他与同牢囚犯一起去做斋戒祈祷。他同别人一起去了教堂。一次为了点什么事，他自己也不清楚，忽然发生了争执；群情激愤，一下子都攻击起他来。

“你这个无神论！你不信上帝！”他们朝他吼叫着，“就该打死你。”

他从来没有同他们谈过上帝，谈过信仰，可他们却想把他当做无神论者杀死；他一声不吭，没有去反驳。一个囚犯狂怒地朝他扑去；[2]拉斯柯尔尼科夫沉着地默默等待着，连眉毛也没动一下，脸上神情自若。看守及时站到了他与凶手之间，要不然准会流血的。

还有一件事他大惑不解，为什么他们都这么喜欢索尼娅？她并不巴结人们，人们也很少见到她，只是偶尔在干活的地方见她来上片刻，为的是能够看一看他。可是人们都认识她了，知道她是陪着他来到这里的，也知道她靠什么谋生，住在哪儿。她没有给过他们钱，也没有帮过特别的忙。只有一次是在圣诞节，她给监狱里所有囚犯送去了馅饼和白面包。但渐渐地他们与索尼娅之间建立起某种比较亲密的关系：她替他们给亲人写信，并帮他们把信寄走。他们的亲人到城里来时，按照他们的交代，把带来的物品甚至现钱，都交给索尼娅。他们的妻子和情人都知道她，常常去找她。有时她去工地找拉斯柯尔尼科夫，或者同正去上工

①基督教为教徒所规定的斋期，在复活节前七个星期；斋期里不许吃荤食，禁止娱乐和结婚，还有其他一些禁忌。

②这里的描述具有自传色彩，陀思妥耶夫斯基曾在1854年2月22日给哥哥的信中写道：“……对于我们这些贵族，他们抱有敌意，他们幸灾乐祸地看着我们的痛苦……”在《死屋手记》中也有相关的描写。

的一批囚犯相遇，所有的囚犯都会脱下帽子，向她打招呼说："妈妈，索菲娅·谢苗诺芙娜，你是我们的母亲，温柔亲爱的母亲！"那些脸上烙印的粗野囚犯对这个瘦小女人这样说话。她微笑着鞠躬还礼。所有的人都喜欢看她对人们微笑。他们甚至还喜欢她走路的姿势，转过头去目送她远去，开口夸赞她；他们甚至夸赞她长得个子小，总之不知道该赞美什么好。有人还去找她看病。

斋期的最后几天和复活节，他都是躺在医院里度过的。[①]当病情好转时，他回想起了自己发烧昏迷时做的梦。他梦见全世界都在遭遇一场前所未闻的可怕鼠疫，它从亚洲内陆传到了欧洲。所有的人都将丧命，只极少数特殊人物才能幸免。出现了某种新的旋毛虫，是侵入人体的微生物。[②]但这些微生物都是有智慧和意志的精灵。被精灵附体的人们立刻变得疯疯癫癫。但是，从来也没有人，从来也没有人会像精灵附体的人那样自以为是足智多谋，自以为掌握不可动摇的真理。从来也没有人会像他们那样坚信自己的判断力，坚信自己得出的科学结论，坚信自己所具有的道德观和信仰。一个个村庄，一座座城镇和一群群人都被传染上了，都发疯了。所有的人都惶恐不安，互不理解；每个人都以为只有他一个人掌握着真理，看到别人就痛苦万分，捶胸顿足，又是哭，又是绞着指头。他们不知道该责怪谁，该如何去判断，也无法达到一致看法：什么是美，什么是恶。他们不知道判谁有罪，判谁无辜。人们以一种毫无意义的仇恨，彼此残杀。他们调集了大量

①陀思妥耶夫斯基在流放期间也因病住过院。

②在1865年底至1866年初的俄国报纸上刊登过一些让人不安的消息，说发现了一些微生物，即旋毛虫，它们能导致流行病。——俄编注

的军队准备对攻，但军队还在途中便突然自相残杀起来，队伍乱不成军，士兵们彼此扭打在一起，刺呀，砍哪，咬哇。城市里整日警报声不断，要召集起所有的人；但谁在召集，召集人们干什么，对此没有人知道；所有人都惶惶不可终日。日常工作全停顿下来，因为每个人都在提出自己的观点，提出自己的改正案，但无法达成一致；农事也荒废了。有的地方人们聚集到一起，协商共同去干某件事，并发誓绝不分离，但一转眼他们便干起截然相反的事，开始互相指责，互相殴打厮杀。到处着起大火，发生了饥荒。一切都在毁灭。瘟疫蔓延开来，范围越来越大。整个世界只有个别几个人得以幸存，他们是纯洁而优异人物，他们的使命是创造新的人类和新的生活，复兴和净化大地；可是任何人在任何地方都没见过这些人，谁也没有听到过他们的话语和声音。[①]

拉斯柯尔尼科夫感到备受折磨，这个毫无意义的梦魇竟在他心中留下了十分忧郁痛苦的回忆，那一幻景久久萦绕在他的脑际。已是复活节后的第二周了，天气晴朗，春意盎然；囚犯病房里打开了窗子（窗子装有铁栅栏，窗下有卫兵巡逻）。在他生病期间，索尼娅只有两次在病房里看到了他；每次都得申请准许，但这是很难的。不过她常到医院的院子里去，站在窗下，特别是在傍晚时；有时只能在院子里站上片刻，从远处看一眼那间病房的窗口。有一天傍晚时分，几乎已经完全康复的拉斯柯尔尼科夫睡着了；他醒后无意中走到窗前，突然看见远处在医院大门口旁的索尼娅。她站在那里似乎等着什么。此时他的心仿佛被什么刺了

①这一象征性梦境表现了小说的哲理和警示：个人主义得逞而忘记人们之间的道义联系会给文化带来毁灭性的后果。

一下，他浑身一抖，急忙离开了窗子。第二天索尼娅没有来，第三天也没有来；他察觉自己在心神不安地等着她。他终于出院了。回到监狱后，他从其他犯人那里得知，索菲娅·谢苗诺芙娜病倒了，躺在家里不能出门。

他非常不安，托人去打听她的病情。很快他就得知她的病没什么危险。索尼娅也了解到他很想念、关心她，便托人给他带去一张铅笔写的便条，告诉说她好多了，只不过受了点风寒；不用多久就能去工地看他。读着这张便条，他的心怦怦跳动，感到一阵痛苦。

天气又是那么晴朗，暖洋洋的。清晨六点钟，他到河岸上去干活了。那里的一个板棚中，有座烧制建筑石膏的窑，他们就在那儿捣石膏。共派去了三个人，一个囚犯跟看守去要塞取什么东西，另一个在准备木柴，把柴火堆放到窑里。拉斯柯尔尼科夫走出棚子，来到河岸上，坐在板棚旁的一堆圆木上，眺望起那宽阔而荒凉的大河。从高高的河岸上放眼望去，四周的景色尽收眼底。从遥远的对岸传来一阵歌声，隐约可辨。在那洒满阳光的辽阔无际的草原上，牧民们的帐篷像一个个小黑点，依稀可见。那边是自由的天地，生活着与这里人们截然不同的另一类人。在那边，仿佛连时间都停步不动了，好像亚伯拉罕[1]及其部落的时代还没有流逝。拉斯柯尔尼科夫坐着，一动不动地凝视；他的思念变成了幻觉和遐想；他什么都不想，却有一种愁情使他不安，使他痛苦。

①神话中犹太人的始祖，他曾带领犹太人在巴勒斯坦放牧，过着游牧的生活。

突然间,索尼娅出现在他的身旁。她悄悄走到跟前,在他身边坐了下来。天色还早,晨寒尚未散尽。她穿着破旧的斗篷大衣,扎着绿头巾,脸上还留着病容:消瘦、苍白、憔悴。她亲切而又高兴地对他微微一笑,仍像往常一样胆怯地向他伸出了自己的手。

她向他伸手总是这样怯生生地,有时根本就不伸手,好像害怕他拒绝握手。他一向也似乎很厌烦地握住她的手,好像不大高兴见她。有时她来看他,他执意一声不吭,弄得她在他面前战战兢兢,心情沉重地离开了。但此刻他们的手紧紧地握在了一起;他飞快地瞥了她一眼,一句话也没说,便低下头望着地面。只有他们两人,谁也看不见他们。这时看守也把头扭开了。

这是怎么发生的,他自己也不明白,突然像有什么东西抓起他,扔到了她的脚边。他哭着搂住了她的膝盖。在最初的瞬间,她大惊失色,一下跳了起来,浑身颤抖地望着他。但随即她就恍然大悟了。她两眼闪现出无限幸福的光芒;她明白了,而且再也无须怀疑:他爱她,深深地爱着她,终于等来了这一时刻……

他俩想说点什么,却说不出话来。两人都热泪盈眶。他们都苍白消瘦,但在两张苍白病态的脸上已经出现未来完全新生的曙光。爱情使他们获得了新生,两颗心相互成了取之不尽的生命源泉。

他们决心等待和忍耐。他们还得等上七年的时间,七年间还会有多少难忍的痛苦,多少无尽的幸福啊!但他已获得新生,他意识到了这一点,并以全新的感受体验到了这一点;而她呢,她不正是以他的生命为生命吗!

这天晚上，当牢房的门上锁以后，拉斯柯尔尼科夫躺在铺板上思念着她。在这一天里，他觉得过去是他对头的囚犯们，好像已是用另一种眼光看他。他甚至主动跟他们说话，他们也亲切地回答他。这时他回忆起了日间情形，其实不是正该如此吗？因为如今一切都应改变了呀！

他思念着她。他回想起自己是如何不断地折磨她，伤她的心；回想起她那苍白而消瘦的面孔；不过，这些回忆此刻几乎并没有使他感到痛苦，因为他知道，他如今要用无限的爱来补偿她忍受的一切痛苦。

所有这一切，过去所有的痛苦，算得了什么呢！此刻，在他精神初振的时候，所有的一切，甚至他的罪行，甚至判刑和流放，都仿佛是身外之事，是奇闻，甚至与他并不相干。不过这天晚上他无法长时间不停地思索什么，无法全神贯注地去想什么；他更不能意识清醒地去决定什么；他只剩下了感觉。生活代替了思辨而来，意识也应该形成一种全新的方式。

他的枕头底下放着一本圣经。[①]他不经意地把它拿了出来。这本书是她的，她曾从中给他读过拉撒路复活的一章。在刚服苦役时，他以为她会用宗教来折磨他，给他讲圣经，塞给他书读。令他大为惊奇的是，她一次也没有谈起过宗教，甚至一次也没有提出把圣经给他。这本书是他在生病前不久，自己开口向她要的，于是她一声不吭地把书给他带来了，直到现在他也没有打开过。

此时他同样没有打开书，但有个念头闪过他的脑海："难道她的信仰如今能不成为我的信仰吗？她的感情，她的追求，至

①陀思妥耶夫斯基自己就常常把圣经放在枕头下面。

少……”

这一整天，她心情一直很激动，甚至夜里又生起病来。但她感到无比幸福，几乎因自己的幸福而受宠若惊。七年，只不过七年！在他们的幸福降临初期，有那么一些时刻，他俩都宁愿把这七年看做只是七天。他甚至忘记了，他的新生不会这么轻而易举地得到，为此需要付出昂贵的代价，还得在未来做出巨大的功绩才行……

不过历史现在已经揭开了新的一页，这是人逐渐新生的历史；是人逐渐脱胎换骨，逐渐从一个世界转入另一个世界，逐渐了解前所未闻的崭新现实的历史。这能够成为一篇新小说的题材，而我们现在的小说就此结束了。